Андрей Битов

Пушкинский дом

роман

МОСКВА ВАГРИУС

УДК 882-32
ББК 84(2Рос-Рус)6
   Б 66

Издание осуществлено при поддержке
«Санкт-Петербургского клуба» в Москве

Художник Борис Трофимов

Битов А.Г.

Б 66   Пушкинский дом: Роман / Андрей Битов. —
       М.: Вагриус, 2007. — 528 с.

ISBN 978-5-9697-0427-5

Роман «Пушкинский дом» критики называют
«эпохальной книгой», классикой русской литературы XX века. Законченный в 1971-м, он впервые
увидел свет лишь в 1978-м — да и то не на родине
писателя, а в США. А к российскому читателю
впервые пришел только в 1989 году. И сразу стал
культовой книгой целого поколения.

УДК 882-32
ББК 84(2Рос=Рус)6

ISBN 978-5-9697-0427-5

А вот то будет, что и нас не будет.

Пушкин, 1830
(проект эпиграфа
к «Повестям Белкина»)

Имя Пушкинского Дома
В Академии Наук!
Звук понятный и знакомый,
Не пустой для сердца звук!..

Блок, 1921

ОГЛАВЛЕНИЕ

ЧТО ДЕЛАТЬ?

(Пролог, или Глава, написанная позже остальных)

Поутру 11 июля 1856 года прислуга одной из больших петербургских гостиниц у станции Московской железной дороги была в недоумении, отчасти даже в тревоге.

Н.Г.Чернышевский, 1863

Где-то, ближе к концу романа, мы уже пытались описать то чистое окно, тот ледяной небесный взор, что смотрел в упор и не мигая седьмого ноября на вышедшие на улицы толпы... Уже тогда казалось, что эта ясность недаром, что она чуть ли не вынуждена специальными самолетами, и еще в том смысле недаром, что за нее вскоре придется поплатиться.

И действительно, утро восьмого ноября 196... года более чем подтверждало такие предчувствия. Оно размывалось над вымершим городом и аморфно оплывало тяжкими языками старых петербургских домов, словно дома эти были написаны разбавленными чернилами, бледнеющими по мере рассвета. И пока утро дописывало это письмо, адресованное когда-то Петром «назло надменному соседу», а теперь никому уже не адресованное и никого ни в чем не упрекающее, ничего не просящее, — на город упал ветер. Он упал так плоско и сверху, словно скатившись по некой плавной небесной кривизне, разогнавшись необыкновенно и легко и пришедшись к земле в касание. Он упал, как тот самый самолет, налетавшись... Словно самолет тот разросся, разбух, вчера летая, пожрал всех птиц, впитал в себя все прочие эскадрильи и, ожирев металлом и цветом неба, рухнул на землю, еще пытаясь спланировать и сесть, рухнул в касание. На город спланировал плоский ветер, цвéта самолета. Детское слово «Гастелло» — имя ветра.

Он коснулся улиц города, как посадочной полосы, еще подпрыгнул при столкновении, где-то на Стрелке Васильевского острова, и дальше понесся сильно и бесшумно меж отсыревших домов, ровно по маршруту вчерашней демонстрации. Проверив таким образом безлюдье и пустоту, он вкатился на парадную площадь, и, подхватив на лету мелкую и широкую лужу, с разбегу шлепнул ею в игрушечную стенку вчерашних трибун, и, довольный получившимся звуком, влетел в революционную подворотню, и, снова оторвавшись от земли, взмыл широко и круто вверх, вверх... И если бы это было кино, то по пустой площади, одной из крупнейших в Европе, еще догонял бы его вчерашний потерянный детский «раскидайчик» и рассыпался бы, окончательно просырев, лопнул бы, обнаружив как бы изнанку жизни: тайное и жалостное свое строение из опилок... А ветер расправился, взмывая и торжествуя, высоко над городом повернул назад и стремительно помчался по свободе, чтобы снова спланировать на город где-то на Стрелке, описав нечто, нестеровскую петлю...

Так он утюжил город, а следом за ним, по лужам, мчался тяжелый курьерский дождь — по столь известным проспектам и набережным, по взбухшей студенистой Неве со встречными рябеющими пятнами противотечений и разрозненными мостами; потом мы имеем в виду, как он раскачивал у берегов мертвые баржи и некий плот с копром... Плот терся о недобитые сваи, мочаля сырую древесину; напротив же стоял интересующий нас дом, небольшой дворец — ныне научное учреждение; в том доме на третьем этаже хлопало распахнутое и разбитое окно, и туда легко залетал и дождь, и ветер...

Он влетал в большую залу и гонял по полу рассыпанные повсюду рукописные и машинописные страницы — несколько страниц прилипло к луже под окном... Да и весь вид этого (судя по застекленным фотографиям и текстам, развешанным по стенам, и по застекленным же столам с развернутыми в них книгами) музейного, экспозиционного зала являл собою картину непонятного разгрома. Столы были сдвинуты со своих, геометрией подсказанных, правильных мест и стояли то там, то сям, вкривь и вкось, один был даже опрокинут ножками вверх, в россыпи битого стекла; ничком лежал шкаф, раскинув дверцы, а рядом с ним, на рассыпанных страницах, безжизненно подломив под себя руку, лежал человек. Тело.

На вид ему было лет тридцать, если только можно сказать «на вид», потому что вид его был ужасен. Бледный, как существо из-под камня, — белая трава... в спутанных серых волосах и на виске запеклась кровь, в углу рта заплесневело. В правой руке был зажат старинный пистолет, какой сейчас можно увидеть лишь в музее... другой пистолет, двуствольный, с одним спущенным и другим взведенным курком, валялся поодаль, метрах в двух, причем в ствол, из которого стреляли, был вставлен окурок папиросы «Север».

Не могу сказать, почему эта смерть вызывает во мне смех... Что делать? Куда заявить?..

Новый порыв ветра захлопнул с силой окно, острый осколок стекла оторвался и воткнулся в подоконник, осыпавшись мелочью в подоконную лужу. Сделав это, ветер умчался по набережной. Для него это не было ни серьезным, ни даже заметным поступком. Он мчался дальше трепать полотнища и флаги, раскачивать пристани речных трамваев, баржи, рестораны-поплавки и те суетливые буксирчики, которые, в это измочаленное и мертвое утро, одни суетились у легендарного крейсера, тихо вздыхавшего на своем приколе.

Мы много больше рассказали здесь о погоде, чем об интересном происшествии, ибо оно займет у нас достаточно страниц в дальнейшем; погода же нам особенно важна и сыграет еще свою роль в повествовании хотя бы потому, что действие происходит в Ленинграде...

...Ветер мчался дальше, как вор, и плащ его развевался.

(*Курсив мой. — А.Б.*)

Мы склонны в этой повести, под сводами Пушкин-ского дома, следовать освященным, музейным традициям, не опасаясь перекличек и повторений, — наоборот, всячески приветствуя их, как бы даже радуясь нашей внутренней не-самостоятельности. Ибо и она, так сказать, «в ключе» и мо-жет быть истолкована в смысле тех явлений, что и послужи-ли для нас здесь темой и материалом, — а именно: явлений, окончательно не существующих в реальности. Так что необ-ходимость воспользоваться даже тарой, созданной до нас и не нами, тоже, как бы ужалив самое себя, служит нашей цели.

Итак, мы воссоздаем современное несуществование героя, этот неуловимый эфир, который почти соответствует ныне самой тайне материи, тайне, в которую уперлось современное естествознание: когда материя, дробясь, членясь и сводясь ко все более элементарным частицам, вдруг и вовсе перестает су-ществовать от попытки разделить ее дальше: частица, волна, квант — и то, и другое, и третье, и ничто из них, и не все три вместе... и выплывает бабушкино милое слово «эфир», чуть ли не напоминая нам о том, что и до нас такая тайна была изве-стна, с той лишь разницей, что никто в нее не упирался с ту-пым удивлением тех, кто считает мир постижимым, а — про-сто знали, что тут тайна, и полагали ее таковой.

И мы разливаем этот несуществующий эфир в несохранив-шиеся бабушкины склянки, удивляясь, что тогда каждому ук-сусу соответствовала своя непраздная форма; мы с удоволь-ствием отмываем слово «флакон» в тепловатой воде, любуясь идеей грани, пока из нее не сверкнет, мыльно и хрустально, луч детства и не осветит радужно желтоватую скатерку, вя-занную в чьем-то далеком и немыслимом рукодельном детст-ве, анисовые капли и градусник со старинным цветом ртути, не изменившимся до сих пор лишь в силу преданности таблице элементов и химической верности... И этот радужный луч ос-ветит чью-то тонкую замотанную шею, мамин поцелуй в те-мя и великий роман «Три мушкетера».

И как удивляемся мы внезапной, такой непривычной не-спешности и любовности собственных движений, подска-занной лишь формой и гранью этих склянок, таинственно прорывающей и останавливающей нашу суету...

Роман-музей...

И в то же время попытаемся писать так, чтобы и клочок газеты, раз уж не пошел по назначению, мог быть вставлен в любую точку романа, послужив естественным продолжением и никак не нарушив повествование.

Чтобы можно было, отложив роман, читать свежую и несвежую газету, и наоборот, отложив газету, полагать, что и не прерывались читать роман, а еще раз перечитали «Пролог», чтобы уяснить себе некоторые частные мелочи из намерений автора.

Уповая на такой эффект, рассчитывая на неизбежное сотрудничество и соавторство времени и среды, мы многое, по-видимому, не станем выписывать в деталях и подробностях, считая, что все это вещи взаимоизвестные из опыта автора и читателя.

Раздел первый

ОТЦЫ И ДЕТИ

Ленинградский роман

*Поддерживая друг друга, идут они
отяжелевшею походкой;
приблизятся к ограде, припадут
и станут на колени, и долго и горько
плачут, и долго и внимательно
смотрят на немой камень,
под которым лежит их сын...*

Тургенев, 1862

ОТЕЦ

В жизни Левы Одоевцева, из тех самых Одоевцевых, не случалось особых потрясений — она, в основном, протекала. Образно говоря, нить его жизни мерно струилась из чьих-то божественных рук, скользила меж пальцев. Без излишней стремительности, без обрывов и узлов, она, эта нить, находилась в ровном и несильном натяжении и лишь временами немного провисала.

Собственно, и принадлежность его к старому и славному русскому роду не слишком существенна. Если его родителям еще приходилось вспоминать и определять отношение к своей фамилии, то это было в те давние годы, когда Левы еще не было или он был во чреве. А у самого Левы, с тех пор как он себя помнил, уже не возникало в этом необходимости, и был он скорее однофамильцем, чем потомком. Он был Лева.

В младенчестве, правда (Лева был зачат в «роковом» году), случились с ним, вернее с его родителями, кое-какие неприятные перемещения в сторону их замечательного предка, так сказать, «во глубину сибирских руд». Лева помнил это глухо: холодно, мама выменяла кимоно (огромные шел-

(17

ковые цветы) на картошку, а он, Левушка, как-то побежал к пруду и нашел на берегу три рубля, — вот этот уголок воды, уголок серого сплошного забора и камушек, об который больно зашибся от радости, да цвет трехрублевой бумажки он и запомнил. Не мог он ни помнить, ни понимать, что отцу «еще повезло», что таких «мягких» мер вообще не бывает и то, что с ними произошло, — большая удача и счастливый случай, потому хотя бы, что деда Левушкиного «взяли» еще в год свадьбы родителей, почти десять лет тому, а их вот все эти годы «не трогали». (А то, что деда взяли еще тогда, — это деду тоже «повезло», потому что — «вовремя», позже с ним бы «не так обошлись», а так он перекочевал из ссылки в ссылку, и только...) А то, что вестей от деда не было, — тоже могло быть как угодно плохо, но уже не для деда — а для них: мало ли, как он там и что он там... Не говоря об остальных, «закордонных», родственниках — оттуда можно было ждать любого подвоха. В общем, «могло быть хуже». Но Леве эти позитивные выкладки не были доступны. Не мог он этого ни помнить, ни понимать и потом, когда бы мог если и не понимать, то помнить, потому что разговоры о деде не велись при нем еще лет десять, а все, что было лично с ним, с Левой, обратилось каким-то образом в так называемое «военное детство». Действительно, вскоре после их высылки началась война, в их глубинке появились эвакуированные, и уже ничего исключительного в положении их семьи не было.

Все в конце концов по каким-то причинам, скрытым от Левы еще дольше, чем существование «живого» деда, обошлось благополучно, и после войны они вернулись в родной город как бы из эвакуации, все втроем, без потерь. Папа стал доцентствовать, по-прежнему в Университете, постепенно защищая докторскую и занимая кафедру, на которой когда-то блистал его отец (единственное, что знал Лева о деде); сам Лева учился и рос, постепенно кончая школу и поступая в Университет к своему отцу; мама будто бы ничего не делала и старела.

Лева рос в так называемой «академической» среде и с детства мечтал стать ученым. Но только не филологом, как отец и, кажется, дед, не «гуманитарием», а скорее уж биологом... Эта наука казалась ему более «чистой», вот как. Ему нравилось, как по вечерам мама приносила отцу в кабинет крепкий чай. Отец расхаживал по темной комнате, позвякивал ложечкой по стакану, говорил что-то маме так же негромко, как неярко горел свет, выхватывая из мрака лишь стол с бумагами и книгами. Когда никого не было дома, Лева заваривал себе чай покрепче и пил его через макаронину, и ему казалось тогда, что на голове у него черная академическая камилавка. «Как отец, но покрупнее, чем отец...»

Именно в этой позе прочел он свою первую книгу, и были это «Отцы и дети». Предметом особой его гордости стало, что первая же книга, которую он прочел, оказалась книга толстая и серьезная. Он немного кичился тем, что никогда не читал тоненьких детских, никаких ни Павок, ни Павликов (не сознавая, что его заслуга — вторая: этих книжек просто не было в доме Одоевцевых: причина не объявлялась и не выяснялась — она исполнялась...). И быть может, сильнее всего его поразило то, что прочитал он эту толстую книгу с увлечением и даже удовольствием, что этот труд чтения толстых книг, за который, в его представлении, полагались столь крупные почести, оказался и не таким тяжким, даже не скучным (последнее, каким-то образом, казалось в его детском мозгу непременным условием избранничества). Еще его поразило у Тургенева слово «девицы» и что девицы эти время от времени пили «подслащенную воду». Воображая и прощая Тургеневу это, Лева полагал, что его время лучше тургеневского тем, что этих вещей в нем нет, тем, что в то время надо было быть таким великим, седым, красивым и бородатым, чтобы написать всего лишь то, что в наше время так хорошо усваивает такой маленький (пусть и очень способный...) мальчик, как Лева, и еще тем было его время лучше, что родился он именно теперь, а не тогда, тем, что именно в нем родился Лева, такой способный все так рано понимать... Таким образом, представление о серьезном надолго совпало в Леве с солидностью и представительностью. Когда же он прочитал «всего» Пушкина и сделал в школе доклад к стопятидесятилетию поэта, то, право, не знал уже, что может требоваться еще на пути, который так легко ему распахнулся и предстоял: все было уже достигнуто, а времени оставалось впереди так же много, как в детстве. Чтобы стерпеть это ожидание, нужна была «сила воли», магическая духовная категория тех лет, почти единственная, какую уловил Лева извне семейной цитадели. Именно в этом глубоком кресле, в котором он утопал так, что только и виднелась что черная камилавка, преподал он себе первые уроки мужества, потому что той же силы воли, которой хватало Маресьеву на отсутствие ног, не хватало Леве на наличие рук. Тогда ли он заявил, что естественные науки влекут его более гуманитарных... но это было бы уже слишком психоаналитично. Родители, отметив про себя гуманитарные склонности сына, не перечили его естественным наклонностям...

Из газет Лева любил читать некрологи ученых. (Некрологи же политических деятелей он пропускал, потому что в семье о политике никогда не говорили — не ругали, не хвалили — и он относился к ней как к чему-то очень внешнему и не подлежащему критике, не столько даже из осторожности — этому его тоже вроде не учили, — сколько потому, что это никак к нему не относилось. Об этой стороне его воспитания, «аполитичности», следует еще рассказать особо, пока же — отметим.) В некрологах ученым находил он необыкновенно приятный тон благопристойности и почтения и тогда воображал себя не иначе как уже стариком, окруженным многочисленными учениками, членом многочисленных ученых обществ, а собственную жизнь — каким-то непрерывным чествованием. В некрологах поминался и неутомимый труд, несгибаемая воля и мужество — но это как-то само собой разумелось, такое и маленький Лева понимал, что без этого самого «труда» — все «лишь пустое мечтательство», но главным в этих мечтах оставался все-таки крепкий чай, камилавка и все то многообразное безделье, которое причиталось заслужившим людям (или, как принято говорить почему-то, «заслуженным»), по-видимому, по праву.

Их дом, построенный по проекту известного Бенуа, с изяществом и беспечностью, характерными для предреволюционного модерна; дом, где не было, казалось, ни одного одинакового окна, потому что квартиры строились по желанию заказчика, и — кому какое хотелось: кому узкое и высокое, кому — фонарь, а кому и круглое, — вне всякой симметрии и, однако, с каким-то, с легкостью давшимся, чувством целого; дом с тем навязчивым, как детство, господством водорослевых линий «либерти» — в лепке, в решетках балконов и лифтов, с местами уцелевшими мирискусническими витражами, — этот милый дом был населен многочисленной профессурой: вымирающими старцами и их деканствующими детьми и аспирантствующими внуками (хоть и не во всех семьях преемственность складывалась столь успешно), — потому что по соседству располагались три высших учебных заведения и несколько научно-исследовательских. Дом стоял на пустой и красивой старой улице, прямо напротив знаменитого Ботанического сада и института.

Эта тихая юдоль науки всегда нравилась Леве. Он представлял, как самозабвенно и благородно трудятся люди в этом большом белоколонном здании, а также в старинных, чуть ли не елизаветинских, деревянных домиках-лабораториях, разбросанных там и сям по прекрасному парку. Вдали от шума, от всей этой гремящей техники люди заняты своим серьезным делом, своими растениями... Во время выборов в Советы в Ботаническом институте помещался их избирательный пункт, и Лева, вместе с родителями, поднимался тогда по широкой ковровой лестнице и с почтением всматривался в портреты выдающихся бородачей и носителей пенсне ботанической науки. Они смотрели на него сухо и без энтузиазма, как на какую-нибудь инфузорию, но могли ли они знать, что им однажды придется потесниться и дать место Левиному портрету?.. Сердце сладко замирало и екало от восторга перед собственным будущим.

(21

Поскольку глава называется «Отец», следует сказать вот что: Левушке казалось, что он отца не любил. С тех пор как он себя помнил, он был влюблен в маму, и мама была всегда и всюду, а отец появлялся на минутку, присаживался за стол, статист без реплики, и лицо будто всегда в тени. Неумело, неловко пробовал заиграть с Левой, долго выбирал и тасовал, что же сказать сыну, и наконец говорил пошлость — и Лева запоминал лишь чувство неловкости за отца, не запоминая ни слов, ни жеста, так что, со временем, каждая мимолетная встреча с отцом (отец всегда был очень занят) выражалась лишь в этом чувстве неловкости, неловкости вообще. То есть будто отец не был способен даже правильно потрепать Леву по головке — Лева ежился — или посадить на колени — всегда причинит Левушке какое-то физическое неудобство — Левушка напрягался и становился сам себе неудобен; даже «здравствуй» и «как дела» не получалось у отца, а все как-то застенчиво-фальшиво, чтобы Лева смущался, потуплялся или был рад, что никто не видит. Смутно помнил Лева, что когда-то получалось у отца на одной коленке: «По гладенькой дорожке — по гладенькой дорожке, по кочкам — по кочкам, в я-му — бух!» — силы хватало... но и то никогда не умел отец остановиться вовремя, не надоедало ему (так, что ли, радовался, что получалось?), приходилось Левушке кончать игру первым.

Так все детство, часто и понемногу видя отца, не знал Лева даже, какое у того лицо: умное ли, доброе, красивое ли... Увидел он его впервые — однажды и вдруг. Отец уже почти три месяца читал лекции в подшефном институте где-то на юге, мама в тот день решилась вымыть окна, Лева ей помогал. Они вымыли окно и взялись за второе... Комната была освещена пополам: пыльным, клубящимся светом и открытым, промытым, весенним солнцем, — и тут, произведя ветер своими широченными чесучовыми брюками, ворвался отец, помахивая новеньким портфельчиком с гравированным ромбиком от благодарных. В ромбике сверкнуло солнце, и отец наступил белой туфлей в лужицу около таза... Они, значит, с мамой стояли на пыльной половине комнаты, а отец, следовательно, — на мытой и весенней... Был он похож на негатив, на теннисиста, на обложку журнала «Здоровье». Чересчур загорелый и седой (он рано поседел), с юным гладким лицом, большой и громкий, в белой, как его волосы, оттенявшей и так шедшей ему рубашке «апаш»... здесь положено описать в вырезе крепкую, мужскую, желанную шею... нам противно, шея — была. Лева слишком смотрел на отцову туфлю: на ней быстро намокал зубной порошок, — Лева слишком представлял, как отец слюнит зубную щетку и трет туфлю... Вот и запомнил он такого отца, чтобы еще лет десять не замечать, какой он с е й ч а с, а представлять себе именно таким, как запомнил т о г д а: загорелым и уверенным, — будто они с тех пор расстались навсегда. И то, наверно, потому запомнил, что отразился отец в ту секунду в маме, отразился — незнакомым Леве смущением, слабой улыбкой, тем, как в одну секунду помолодела и выстарилась она на глазах, старенькая девочка на пыльной половине... а главное, Левы в тот миг для нее не было. Лева взревновал и запомнил. Окно в тот день осталось недомытым... Как мгновенно, однако, отражается в нас, бессловно и неосознанно, жизнь чужой, чьей-то, тайной любви — мы спотыкаемся о погребенную свою, смущаемые чужим блеском, потом замыкаемся: поздно, не для нас... Впрочем, забегаем: это еще не для Левы, — но почувствовать он тем более мог.

И тут еще эта история «с рублем» обрамила и застеклила случайный этот образ загорелой шеи отца, кем-то, неведомо кем, любимой, уверенной в этой любви к себе, шеи... И рубль-то почти ни при чем, однако стал он на долгое время для Левы крупной купюрой, крупнее десяти. Дворовая соседка, лестничная площадка, с пятого этажа, старая кляча, сука, высосанная тремя детьми, — и ее надолго потом возненавидел Лева за этот рубль! — остановила его, прижала где-то в подворотне и, пока Лева стыдился ее, рассказала (и не помнит теперь, к какому слову у нее это пришлось...), как видели в Парке культуры и отдыха, чуть ли не в ресторане, его отца с молодой дамой и отец подал нищему целый рубль! Огромность рубля была особенно ненавистна, оскорбительна и возмутительна соседке... Парк, молодая красавица, ресторан на воде, рубль нищему — такое злачное количество другой жизни ослепило и Леву, и он пошел домой раздавленный. И то сказать — время еще было тяжелое, немногим послевоенное... Ах, как он, Лева, потом, очень потом, через четверть века, узнал, что все они были не стары тогда — молоды! И отцу — под сорок, и маме — тридцать пять, а проклятой соседке тридцати не было.

Он молчал три дня, с отцом не здоровался, пока мама не сказала: «Что с тобой?» Он поотнекивался, чтобы, чуть ли не охотно, расколоться на весь безмерный рубль. Наверное, рассказ этот произвел и на маму значительное впечатление, ибо она тут же взяла себя в руки. Лицо ее осунулось и стало строго именно в отношении Левы, и последовал выго-

(23

вор, суровый и умелый, и было в этом, сколь теперь понятно, большое для нее облегчение. Безупречность логики, мерность в справедливости, ясная форма обвинений были тому облегчению доказательством. Обоим стало прозрачно и трепетно-спокойно, как дыхание на зеркале. Потом дыхание испарилось, зеркало повечерело, все потускнело.

Однако нового изображения отца, чем в тот приезд, не возникало, предыдущего же не было, кроме свадебной фотографии, где он любил маму... мама-ласточка, круглые глаза, двадцати нет, в какой-то чалме на голове... Сличая эти два фото, Лева не мог не удивляться перемене: будто красавец теленок в котелке и с тростью, с ягодными уголками губ, с есенинской чистотой и обреченностью в глазах и этот сытый, загорелый бугай в чесучовых клешах («видный мужчина») — одно лицо. Будто родился его отец сразу в двух веках — и в прошлом, и в сегодняшнем, будто именно эпохи имеют лицо, а один человек — нет.

Лева так однажды решил — что он очень не похож на отца. Даже не противоположность — не похож. И не только по характеру, что уже понятно, но и внешне — совсем не похож. У него были основания так считать по фактическому несходству черт, глаз, волос, ушей — тут они действительно имели мало общего, но главным, что ему хотелось (быть может, и втайне от себя) как-нибудь ловко проигнорировать, было не это, формальное, а — подлинное, неуловимое, истинно фамильное сходство, которое не есть сходство черт. Его подростковое и юношеское растущее раздражение тем или иным жестом или интонацией отца, неприятие, все более частое, самых невинных и незначительных его движений, возможно, и означало это развивающееся, неумолимое фамильное сходство, а отталкивание от неизбежности узнавания в себе отца было лишь способом и путем образования и становления характера... Тут и мама играет совсем определенную роль: постоянно раздражаясь на отца за неизбывность его привычек, как то: есть стоя с ножа или пить из носика чайника, — почти не замечала она, если то же самое проделывал Лева. И тут сказывалась обиженная ее любовь, ибо любила она в сыне чуть ли не то самое, за что делала вид (да ей уже и не приходилось, от натренированности годами, делать его), что не любит отца. Если же

Лева ловил в себе отцово движение: скажем, пил, озираясь, на кухне из носика, — то это означало, что раздражение к отцу в нем дополнительно росло, и он избегал отмечать про себя это сходство.

А люди, по-видимому, поровну отмечали и разительное Левино несходство с отцом, и разительное сходство. Но — когда пятьдесят на пятьдесят, мы выбираем то, что хотим. Лева выбрал несходство и с тех пор слышал от людей только, как они с отцом непохожи.

Дошло до того, что, будучи уже студентом и переживая свою первую и злосчастную любовь, поймал он себя однажды (случай запоздалого развития) на мысли, что он не родной сын своего отца. И даже, пронзенный собственной проницательностью, догадался как-то раз, кто же был его истинный, родной отец. К счастью, тайну эту поведал он лишь одному человеку, когда, совсем перекосившись, отворачиваясь к темному окну смахивать невольную слезу, пытался он этим рассказом вынудить еще одно согласие у своей жестокой любви... Впрочем, ее это мало тронуло. Но это мы опять сильно забегаем.

Но если еще забежим, то можем с уверенностью сказать, что, когда жизнь, пусть в сугубо личных формах мирного времени, но тоже проехалась по Леве (годам к тридцати), а отец выстарился и стал прозрачен, то сквозь эту прозрачность начал Лева, с жалостью и болью, все четче различать такое неискоренимое, такое сущностное родство с отцом, что от иного нелепого и мелкого отцовского жеста или слова приходилось ему и подлинно отворачиваться к окну, чтобы сморгнуть слезу. Сентиментальность была тоже свойственна им обоим...

В общем, лишь к тому далекому времени, что приближает нас к печальному концу Левиной повести, только тогда мог понять Лева, что отец — это его отец, что ему, Леве, — т о ж е нужен отец, как оказался однажды нужен и отцу — е г о отец, Левин дед, отец отца. Но об этом важном «тоже» надо рассказывать отдельно.

Если бы мы поставили перед собой более подробную задачу — написать знаменитую трилогию «Детство. Отрочество. Юность» нашего героя, то встали бы перед определенного рода трудностями. Если кое-что помнил Лева из «Детства»: переселение народов — в пять лет, подглядывания, подворовывания, подголадывания, драки, несколько избушек, теплушек и пейзажей, — из всего этого можно было бы воссоздать некую атмосферу детского восприятия народной драмы, даже придать этой атмосфере плотность, насытив ее поэтическими испарениями босоногости, пятен света и запахов, трав и стрекоз («Тятя, тятя, наши сети притащили мертвеца!»); если отчетливо и подробно, уже на наших глазах, прошла его «Юность», и ей мы еще посвятим... то об «Отрочестве» Лева почти ничего не помнил, во всяком случае, помнил меньше всего, и мы бы имели затруднения, как теперь принято говорить, «с информацией». Мы могли бы лишь подменить эти его годы историческим фоном, но не будем этого делать: столько, сколько нам здесь понадобится, известно уже всем. Итак, отрочества у Левы не было — он учился в школе. И он окончил ее.

Итак — сузим брюки, утолщим подошву, удлиним пиджак. Повяжем мелко галстук. Смелые юноши вышли на Невский, чтобы уточнить историческое время в деталях. Будем справедливы в отношении их доли. Доли — и доли: доли в общем деле — и доли в общей судьбе. Первая — недооценена, как и всякая историческая работа, вторая — так и не вызвала заслуженного сочувствия или жалости.

Так или иначе, они ведь себя — «положили»... Лучшие годы (силы) не худшей части нашей молодежи, восприимчивой к незнакомым формам живого, пошли на сужение брюк. И мы им обязаны не только этим (брюками), не только, через годы последовавшей, свободной возможностью их расширения (брюк), но и нелегким общественным привыканием к допустимости д р у г о г о: другого образа, другой мысли, другого, чем ты, человека. То, с чем они столкнулись, можно назвать реакцией в непосредственном смысле этого слова. Как раз либеральные усмешки направо по поводу несерьезности, ничтожности и мелочности этой борьбы: подумаешь, брюки!.. — и были легкомысленны, а борьба была — серьезна. Пусть сами «борцы» не сознавали свою роль: в том и смысл слова «роль», что она уже готова, написана за тебя и ее надо сыграть, исполнить. В том и смысл слова «борцы». Пусть они просто хотели нравиться своим тетеркам и фазанессам. Кто не хочет... Но они вынесли гонения, пикеты, исключения и выселения, с тем чтобы через два-три года «Москвошвей» и «Ленодежда» самостоятельно перешли на двадцать четыре сантиметра вместо сорока четырех, а в масштабах такого государства, как наше, — это хотя бы много лишних брюк...

Но нас перекашивает в дешевку, поскорей упомянем о «второй» доле, которая является лишь омонимом первой, не о доле — части, куске общего пирога, а о доле — судьбе, доле-долюшке. Их уже не встретишь на Невском, тех пионеров... Их раскидало и расшвыряло, и они — выросли. Больше или меньше, но вносят они какой-нибудь службой лепту и в сегодняшний день. Появись они сейчас в том героическом виде — как были бы они жалки среди такого-то достоинства линий импорта, валюты, фарцовки, терилена, лавсана!.. Если вспомнить их боевую молодость, то все это достается сейчас (в смысле «достать, доставать»), можно сказать, даром... И они имеют право, как ветераны, бить себя пьяной культею в грудь в том смысле, что проливали кровь за советскую водку для финнов и финский терилен для Советов. И здесь я снова оглядываюсь из времени, о котором повествую, во время, в котором пишу... (27

Несколько лет назад мне еще довелось в последний раз увидеть такого — сорокалетнего, изъезженного жизнью по лицу, но оставшегося верным тому, лучшему, своему, героическому времени.

Не заметить его было невозможно. Он — торчал. Все замирали и оборачивались и так оказывались поражены, что даже не смеялись; рука не успевала подняться, чтобы указать на него пальцем, — он успевал гордо прошаркать мимо, обозначив, что — господи! — можно сказать, десять, даже пятнадцать лет прошло, как корова языком слизнула... потому что он — был все тот же. И что пятнадцать лет прошло — было еще пустяки, а вот что́ за эти пятнадцать лет прошло — это было да! это была эпоха. Как постепенно, как мгновенно она прошла — никто и не заметил, находясь в ней и продвигаясь с нею. И вдруг в настоящем, глупо до гордости и не удивляясь изменениям, прошаркало или, как тогда говорили, «прошвырнулось» прошлое...

Это был тот самый пресловутый «стиляга» начала пятидесятых. В тех же брючках, в том самом спадающем с плеч до колен зеленом пиджаке, чуть ли не на тех же подметках, подклеенных у предприимчивого кустаря, в том же галстуке, повязанном микроскопическим узлом, в том же перстне, с тем же коком, тою же походкой — в самом карикатурном, даже для того времени, в самом «крокодильском» виде, который и на рыжих-то у ковра давно уже вышел из моды. «Вяткин...» — вспомнил какой-то старичок, но и Вяткина уже никто не помнил. И еще дело было в том, что человек этот шел вот так в с е р ь е з.

Что ж, ему досталась доля уличного сострадания и стыда... Так и не смеялись — все были смущены, — он был сумасшедшим. Он был инвалид. Господи! подумал я, как же люди все-таки навсегда привержены к тому времени, когда их любили, а главное, когда они любили! Сойти с ума... Да ведь если не прятаться за новый покрой, то вот так и привержены, как этот сумасшедший...

Этот ветеран моды, этот леденцовый солдатик Истории, почему-то так и не рассосавшийся на ее языке, обозначил позавчерашний вкус... Ах, этот вкус слишком легко теперь уценить! Пусть он просто хотел нравиться своим тетеркам и фазанессам, отстаивал свободу «всего лишь» вторичных мужских признаков, но и он кое-что вынес на своих плечах (хотя бы большую вату...), и он чего-то не вынес, чему мы оказались теперь свидетели, но и он выстоял, предоставив последующим поколениям борьбу (куда, впрочем, более легкую!) за последующее расширение брюк, но даже и он не выстоял, навсегда обратившись взглядом в ту молодость, которая для всех прошла...

Этого единственного в своем роде городского сумасшедшего теперь что-то не видать совсем, так что нет уже шансов проверить опыт... Но вот мы встретим однажды, совсем уже в наше время, лет почти через двадцать после т о г о времени, небольшую группку на углу Невского и Малой Садовой, человека три-четыре. Что-то задержит на их лицах наш взгляд... Мы решительно никогда их не видали и не знаем их в лицо, однако это именно они — самые знаменитые люди Невского того времени! И Бенц, и Тихонов, и Темп... Вот ведь не были знакомы, а имена помним, как помнит поневоле каждое поколение имена т е х вратарей и т е х центрфорвардов. Вот и они взглянули мне в лицо с легким сомнением и отвели взгляд...

Где они были эти -адцать лет? Почему я их не видел ни разу во все эти бурные годы? А где был я?.. Вот они стоят, неузнаваемые, лысоватые, одутловатые, со-роковатые — э-ле-гантные: все-таки раньше других пестовали свой вкус... Легкий душок фарцовки можно, если попристальней, уловить. Во рту еще тает ожог коньячка с лимоном из магазина «Советское шампанское», что за углом. Ах, осторожней, ребята, чего вы только не видели за свой срок!.. Постояли, посмотрели из своего прошлого чуть более длинным взглядом на Невский, ничем не отличились от толпы, сели в «Волгу» с частным номером и укатили, оставив в моей душе язву о стольких годах чьей-то и моей жизни.

Да, годы прошли недаром, мы лучше оделись, это стоит жизни... Господи! недопустимо так унижать людей!

Вот в это-то историческое время, на которое мы намекнули узкими брюками, Лева благополучно оканчивает школу и поступает в Университет к своему отцу. Нет, он не принадлежал к тем, отчаянным, не впадал в смешную крайность — он тоже воспользовался плодами их поражений, постепенно сужая брюки по правовой норме, хотя и по предельному допуску. Не смешно и не опасно... мы с уверенностью не скажем, что́ и когда воспитывает нас. В университете уже, в пору «Юности» (журнала), приучался он распространяться в максимальных (оптимальных), но допустимых (допущенных) пределах: заполнять предоставленный объем.

Но мы долго что-то шьем этот новый костюм, в котором сейчас давно уже все ходим. Наденем его на Леву и пойдем дальше... Ведь даже Левин отец, переносив из перестраховки широкие брюки еще лет пять, был вынужден одеться, как в с е. Правда, и сейчас в его наряде можно наблюдать некоторую искреннюю задержку, года, скажем, на три, и приверженность к «добротным» материалам: драпу, шевиоту...

Лева сшил себе первый костюм в одна тысяча девятьсот пятьдесят пятом году по английскому журналу на пятьдесят шестой год, и так ему пошел этот костюм, что покорил он первое сердце. Или, вернее, это первое сердце покорило его. Фаина...

Так что, хотя, поступив в университет, Лева вроде бы и приблизился к своей детской мечте о науке, — но тут же ему стало не до этого. Не то чтобы он объявил это благоговение ложным или наивным (Лева еще не был критичен), — просто стало лень. Да и пора уже было начать если и не понимать, то улавливать, что с этими академическими ермолками все не совсем так и то, что творец космогонической теории еще и играет в теннис и любит ездить на лоно с этюдником, не доказывает, что теория чего-нибудь стоит... Хотя отец и не просвещал никогда Леву в этом смысле, ни в какие академические закулисности не посвящал: берег не то Леву, не то себя. А то бы Лева все-таки раньше кое-что понял. Но если отец умел хранить от сына опасные для себя тайны своего времени, то их уже не хранило само время. Тут и в Левином доме, при всей сдержанности и осторожности, что-то не то зашевелилось, не то как-то передвинулся воздух, не то сменили занавески, не то лишний раз перемыли посуду и стерли пыль с ваз, разобрали наконец антресоли и снова сложили — какая-то лишняя энергия, дополнительный свет...

(Так в кино потом, много раз, будет, в молчаливом просветлении, герой подходить к окну и распахивать его одним решительным движением, а оттуда — «журчат ручьи, летят грачи, и даже пень...», но и сам режиссер не будет знать, зачем он это делает каждый раз, как только паралитик опять стал на ноги или наконец запустили новую поточную линию по проекту сценариста... — а потому, что, вот с э т о г о времени, стало м о ж н о распахивать в фильмах окна.)

Время становилось все болтливее, иногда спохватывалось и тогда пугалось и озиралось, но, увидев, что ничего не произошло, никто не заметил, не схватил за руку, не поймал на слове, разбалтывалось с новой, непойманной силой. И Левин отец, ученный временем, хоть и не болтал со всеми, — выходил на кухню и слушал некоторое недолгое время, покачиваясь и попыхивая, когда, вернувшись из университета, болтал анекдоты его сын Лева... Так он слушал недолго, щурясь лишь из манеры, и, не проявив отношения к сказанному, вдруг резко поворачивался, тоже, впрочем, лишь из манеры, и уходил к себе в кабинет: покуривать табачок, попивать чаек и постукивать на машинке. Так что он не соглашался с этой болтовней и не возражал, а лишь попыхивал и щурился, но это ничего не выражало — это было его манерой.

Время стало собираться в компанию — будто раньше не бывало друзей, гостей, дней рождений. Теперь и повода не искали, чтобы скучиться для удовольствий как бы духовного родства и удивления ближнему: какой он, оказывается, хороший, умный или талантливый, — любили его для себя. Время болтало, и люди всплыли на поверхность его и счастливо болтались в нем, как в теплом море, дождавшись отпуска, — умеющие лежать на воде...

Тут и объявляется старик-пьяница, о котором мы помянули вскользь. О нем бы и рассказывать ни к чему, если бы не отразились в нем по-своему все участники. (А вдруг именно он один и был «к чему»?..) Был он когда-то, когда Левы не было, другом дома, любил бабушку и маму — а теперь вернулся. Будучи человеком ясным, ядовитым, ничего не ждущим и свободным, добился он вселения в прежнюю квартиру и снова, как десять лет назад, стал соседом Одоевцевых.

Лева пришел как-то из университета — обе створки дверей в квартиру были распахнуты — и увидел незнакомого старика, который, двигаясь сердито и суховато, руководил выносом таких с детства знакомых (с которыми у нас отношения...) вещей, как: зеркало, овальное, в оправе из золочено-черных виноградных лоз; настольная лампа, бывшая керосиновая (эмаль и бронза); полочка с двумя резными негритятами-амурами (они же авгуры) и длинная полированная, красного дерева, тумба, на которой в детстве Лева играл блошками в футбол и пуговки особенно замечательно скользили... Старик матерно выругал дворника, неправильно занесшего тумбу в дверь, перепорхнул тумбу, трепетными и злыми руками обозначил, как надо ее выносить, тумбу. Дворник радостно и тупо слушался его.

Тут увидел Лева отца и мать, готово и радостно суетящихся, почти как дворник. Казалось, они заглядывали ста-

(31

Отец

рику в рот, и его мат, столь запретный в семействе, ласкал их слух. У них были разглаженные, чистые лица, чуть ли не с той свадебной фотографии, какими, оказывается, обращаются с облегчением лица при первой же возможности любви... Эта ничем не скрытая, не подавленная, не искаженная отношениями любовь — чистое отражение — поразила Леву в лицах родителей. Эта возможность была молодостью. И много позже понял Лева, что любовь к старику была еще и потому так внезапно доступна и радостна, что, при чистом по форме бескорыстии, могла быть чуть ли не единственным способом любви в семье Одоевцевых, любви именно друг к другу.

«Ну, Лева! Это же дядя Диккенс!» Лева почувствовал жесткую и горячую руку, увидел — белый, фарфоровый манжет, агатовая запонка... «Держи же!..» — и Лева держал в руках овальное зеркало, удобнее уцепляясь за золотую гроздь; на секунду отразился в нем — отражение нахамило ему неуклюжестью и здоровьем, и тут он отличил старика забытым за неупотребимостью словом «изящество»; но если забыто слово или его еще нет, есть немое ощущение, запинка, зацепка взгляду: неназванное — удивительно.

Леве было удивительно в этом старике отсутствие отталкивающего при полной свободе проявления — привлекательность. Привлекательным оказывалось все: брезгливость, суховатость, резкость, блатной аристократизм... И этот синий в редкую полоску, болтавшийся на сухом теле, как блуза, отсталый довоенный костюм, который все эти годы будто пролежал в сундуке сложенный в четыре раза, как письмо, и сохранил прежде всего именно эти четыре, накрест, складки, — этот костюм, казалось, войдет в моду лишь в будущем сезоне: так он был элегантен (Левин английский костюм был сшит для коров и на корову); и вишневые штиблеты с противомодным носиком, потрескавшимся лаком; и рубашка... боже! не может быть на ком попало белой рубашки — они не будут до конца чистыми, вот в чем дело!.. и булавка в галстуке (и это был не галстук, а галстух) — для Левы в нем сверкнул бриллиант, чистая вода. Лицо... Лева уже влюбился в дядю Диккенса. Он был необыкновенно чист, дядя Диккенс. И не то чтобы он «отмылся»: такое сразу видно, — он был в с е г д а чист, зримое отсутствие любого запаха... что странно, если учесть, откуда он вернулся. Он был необыкновенно худ и смугл; последние серебряные ниточки были столь тщательно разобраны на пробор (впоследствии Лева разглядел у дяди Диккенса особую серебряную щеточку для этого); рот складывался в необыкновенно сатирическую гармошку — зубов дядя Диккенс еще не успел вставить; а глаза — миндальные, широко брошенные, огромные, хотя и монгольские, — были, иначе не скажешь, как у коня, храпящего и косящего... К этой громоздкости портрета следует прибавить, что сам дядя Диккенс был высушен и миниатюрен, а маленьким назвать его было нельзя... «Куда прешь, падло!» — крикнул он, тыча кулачок в ребро дворнику, и голос его был русский, как у священника.

Вещи эти, такие для Левы семейные, оказались на самом деле — дяди Диккенса. То есть такова была вся жизнь его, что вещи у него еще бывали, а дома не было...

Дядя Диккенс (Дмитрий Иванович Ювашов), или дядя Митя, прозванный Диккенсом лишь за то, что очень любил его и всю жизнь перечитывал, и еще за что-то, что уже не в словах, — воевал во всех войнах, а в остальное время, за небольшими промежутками, — сидел. В Первую мировую, юношей, прапорщиком, был он, значит, царский офицер, в Гражданскую — вдруг стал красный командир, демобилизовался позже всех и было пошел по административно-научной части, но отбыл в Сибирь незадолго до Левиного рождения, откуда, как кадровый офицер, был отозван на фронт и отвоевал Вторую мировую. Демобилизовавшись, не то где-то присмотрел, не то даже вывез из Германии (с него бы стало) эти три мебели, но квартиры все не было — и он дал их «постоять» Одоевцевым, у которых, после возвращения из «эвакуации», ничего, кроме пустой квартиры и как-то выжившей в ней бабушки, еще не было. Как-то раз он разумилился, расщедрился и подарил их Одоевцевым — но тут получил квартиру. Тогда он сказал, чтобы Одоевцевы, к тому времени уже кое-чем обзаведшиеся, дали ему временно «постоять» его подарки, — но тут за ним пришли, в пустую и необжитую еще квартирку, и он вернулся туда, где провел предвоенные годы.

Отец

Теперь, по окончательном возвращении, дядя Митя и не поминал о том, что дарил эти мебели когда-то. Все эти годы помнил он про то, что так и не успел обставить квартирку, и первое, что сказал после разлуки Одоевцевым, был перечень имущества, данного им на временное хранение. Там оказался еще чемодан с подтяжками и туалетными принадлежностями, как то: бритва «Жиллетт», набор щеток для волос, — и несколько репродукций, вырезанных из старых журналов. Перечислив и выматерив матушку за то, что она гладила на его тумбе, чем повредила безупречность поверхности, — он все это свое имущество забрал и перенес этажом выше.

Мама, право, была счастлива от рассказов о том, как дядя Митя на самом-то деле забрал дареные вещи... Но скупость дяди Мити, даже жадность, которая имела и еще мелкие поводы проявляться, — и они были для Одоевцевых самыми милыми чертами на свете. Да и сам дядя Митя, ядовито складывая беззубый рот, любил подчеркнуть, что да, скуп, что как сын казанского трактирщика... и тут он приписывал себе знаменитый анекдот про щи и таракана, что это будто бы с его отцом было... — он быстро хмелел, налитый брагой жизни по уши, про кабатчика он преувеличивал... А Лева все удивлялся, что у дяди Мити и недостатки были чертою и их можно было любить. Личность.

Воздух в их квартире еще передвинулся, будто бы одну, заваленную, комнатку, про которую всегда помнили, но забыли, — разгребли, свезли дырявые венские стулья на дачу, и там им так подошло стоять на участке под дождем, а здесь вымыли окошко, и оно оказалось на другую сторону — прямо в сад... Вечерами приходил дядя Митя со своим графинчиком (вензель «Н» с палочкой внизу), и все сходились на кухне. Такого Лева и не помнил, чтобы они когда-нибудь были вместе, хотя было их всего трое... Даже отец, и будто охотно, покидал свой кабинет, темный плацдарм шагов, и выслушивал острую и пустую болтовню дяди Мити с видимым удовольствием. Будто всю жизнь таил он в своем кабинете, слушая свои шаги, секретную праздность и так истосковался там. При дяде Мите отец почти перестал щуриться... Мама смотрела на дядю Митю с улыбчатой любовью и когда отводила взгляд, через сахарницу или ложечку, на отца или Леву — еще не успевала изменить выражение, и свет этот проливался и на них, и все они, переводя взгляды с дяди Мити кратко друг на друга, не успевали отменить свой взгляд, и счастливели от этих полувыражений полутепла взглядов на полпути, и, не понимая, не узнавая этого счастья, подмигивали друг другу с любовью, мол, какой хороший человек дядя Митя... Левин дом оттаивал, и будто это именно бездомный дядя Митя создал им дом. Дяде Мите позволялось многое, больше, чем кому бы то ни было, и больше, чем себе. Зачем-то нам это надо — позволить другому все о себе...

Однажды, когда дядя Митя что-то очень удачно и точно сказал, а мама рассмеялась так счастливо, а отец — так неестественно, а сам Лева был так несчастен (от ревности, все та же Фаина), — и подумал он, взглянув на отца с неприязнью, что на самом деле отец его — дядя Митя.

У мамы оказалась «молодая» карточка дяди Мити, довоенная, с любовной надписью — красавец, элегант, благородный сердцеед... Лева постоял с фотографией перед зеркалом, поделал лицо и — совсем убедился. Дядя Митя был (35 и старше-то отца всего лет на десять, а что без зубов — то немудрено, рассуждал Лева, будто вступал в неравный брак. И правда, своей худобой, поджаренностью и поджаростью, а главное, прозрачностью своей злости был дядя Митя моложе выкормленного, все избежавшего отца. Примерил отчество: Лев Дмитриевич, — не хуже Николаевича...

И не то чтобы дядя Митя что-нибудь особенное говорил. Был он хорош, пьянея, все большей определенностью и трезвостью к миру. «Говно», — вот был итог, но чуть ли не светлело от этих дяди-Митиных итогов, потому что сомнений каждый раз не возникало: он был точен и прав. Как всякий незаурядный алкоголик, обладал он особым юмором жеста, ухмылки, хмыканья — все это вполне заменяло речь и всегда было умно. Будто перебирал он и то и это в ответ, и мы были свидетелями его мысли, знали, что он хочет сказать, а потом — не говорил ни того, ни этого, потому что ни то, ни другое, ни третье того не стоило — вовремя хмыкал, и все смеялись счастливым смехом взаимопонимания.

Лева раз при нем заикнулся, что зря пошел по стопам отца, вздохнул о «чистой» ботанике... Дядя Митя развеял эти остатки Левиного «академического» благоговения, потому что это было тоже «говно». Оказалось, дядя Митя после войны определился как раз в такой институт и потому точно знал, что «этот твой» Ботанический институт — говно, банка с пауками: чем тише и эстетичней на верхний взгляд, тем, можешь быть уверен, внутри, в тишинке да в глубинке, такая грызня, такая паучья возня... оттуда-то и потопал он, дядя Митя, по этапу. «Я — хозяйственник. Ну какое мне дело до Менделя и Моргана?! А директор, падло этакое, думал, что я с ним не здороваюсь, потому что осуждаю его за травлю морганистов, — и упек. А я просто не привык сволочам руку подавать. При чем тут Мендель — когда у него по роже видно, что — сволочь!.. Вот и возвел на меня напраслину, говно!» И оттого, что и этот институт, и его директор, и бедный Мендель, который уж ни при чем, и даже погода стала говно, становилось Леве свободно и весело, не знаю, как даже объяснить такой эффект.

ОТДЕЛЬНО О ДИККЕНСЕ

Бессемейный дядя Диккенс потому еще мог быть
так л е г к о необходим семейным Одоевцевым, что у него
был-таки, у одного, а с в о й дом...

Леве нравилось у дяди Диккенса. Нравилось, когда, уса-
див его на «козетку», сунув ему какую-нибудь «порногра-
фию» для разглядывания, выходил дядя Диккенс на кухню
заваривать чай-чифирок и Лева оставался один. Это была
комнатка, созданная для того, чтобы в детстве забираться
в нее, тайком, через запрет. Именно как непозволенная
в детстве книжка была квартирка дяди Диккенса.

Она и вся была забавна, выделенная из большой квартиры в отдельную («поделенная»), — так она была мала, так
немного ей досталось от дележа так называемой «общей»
площади (не входящей в ордер), и так в ней в с е б ы л о из
того, что никак не могло поместиться, но было необходимо
холостому джентльмену, каким и был дядя Диккенс. Так
в ней все было и так не могло поместиться, что все как бы
переехало, вытеснив друг друга: на месте ванной получилась кухонька, вместо «сортира» («туалет» — более неприличное слово, чем «сортир», — говаривал дядя Диккенс) —

душ; оставшемуся последним унитазу — деться было некуда, и он встал в передней, под вешалкой (неизвестно, как дядя Диккенс уговорил техника-смотрителя, но он умел разговаривать с н и м и, его воле подчинялись с охотой). Так что первое, что мы видели, входя, был унитаз, впрочем, необыкновенной белизны и изящества — та же, излюбленная дядей Диккенсом, линия «либерти» наблюдалась в его томных утренних изгибах. Кто сиживал на нем? — дядя Диккенс уверял, что «особы», а теперь он сам, по собственным словам, сиживал, завесившись старой, избитой молью, барской шубой, доставшейся ему тоже по какому-то случаю, — но мы никогда не заставали его за этим занятием. Казалось, он вообще не отправлял никаких нужд: не спал, не ел, не что-нибудь еще. Он доходил в этом до крайности. «Не плюйся, когда чистишь зубы!» — наставлял однажды Леву. Сам он только пил и мылся. «Дядя Митя — чистолюбив», — шутила мама.

Да и все у старого алкоголика отличалось невероятной чистотой осознанного эгоизма: пол был выскоблен по-деревенски, и дома дядя Диккенс хаживал часто босой. И когда Лева выразил однажды восхищение этой безупречностью, тот характерно поморщился и сказал: «Ты просто не знаешь, что такое просыпаться по утрам...» И действительно, стоило застать хоть раз дядю Диккенса в первой половине дня, в седой щетине, расхаживающего босо по тесной своей квартирке, в белоснежных кальсонах и накинутом на плечи оренбургском пуховом платке, без конца пьющего чаек (он никогда не похмелялся и до вечера, до «восемнадцати ноль-ноль», не пил) и без конца принюхивающегося: «А не кажется ли тебе, что здесь чем-то воняет?» — первое, что ты слышал, входя, — можно было бы и понять, что́ была для дяди Диккенса его чистота, хотя об окопах и бараках он никогда не говорил. Но вот уж чего он опасался зря — вони у него никогда не было. Это был своего рода эталон отсутствия вони. Лева был вынужден принюхиваться только к себе.

Все было у дяди Диккенса — даже «камин» был. Собственно, не камин, а «буржуйка», очень, правда, ладная и толковая, которую он возил за собой чуть ли не всю последнюю войну. Потому что единственно, чего не мог привести дядя Диккенс в порядок и соответствие, были его сосуды. Ему постоянно не хватало воздуха, и он страшился вони — поэтому окна были настежь; и он всегда неправдоподобно дрогнул и зяб («Зяблик, — говорила мама, — дядя Диккенс — зяблик») — поэтому гудел его «камин». По дому он ходил то босой, то в валенках. Помирить свои сосуды со средою он уже не мог никогда.

Так его и можно было застать по утрам в кабинете: босого, при открытом окне, в оренбургской пуховой шали и кальсонах, спиной к пылающему «камину», в руках отворенный том — толкового словаря Даля, или «Холодный дом», или «Война и мир», — и так он был хорош, так м о ж - н о было его любить (он так этого не требовал), что Леве всегда по-детски казалось, что он читает другую «Войну и мир», чем все люди, не в том смысле, что по-своему ее прочитывает, а что действительно у него другая книга под названием «Война и мир», с другой тоже Наташей, другим Болконским, тоже Толстого, но другого Толстого... И это правда: не могла она быть той же самой.

Вообще все, связанное с дядей Митей, претерпевало для Левы неожиданное обновление... Даже то, что принадлежало всем людям, например история, — стоило подставить в нее дядю Митю — приобретало необыкновенный оптический эффект: Лева начинал это видеть, будто это и действительно было. Будто вокруг дяди Мити не тускнело — был он как серебро, опущенное в воду времени, — особую пользу такой воды, помнится, пропагандировала бабушка... Лева начинал это видеть, будто ни разу классных сочинений не писал, кинокартин не смотрел, будто на уроках историю не проходили... И нельзя сказать, чтобы дядя Митя много рассказывал — ничего он не рассказывал (не из осторожности, а потому что стало «можно»), — но, странное дело, стоило дяде Мите употребить слово «Гражданская», или «Отечественная», или «Кресты» — так это уж была действительно «Гражданская», «Отечественная», «Кресты», — и будто сам Лева там дядю Митю видел. Дядя Митя, очерк души, прямо скажем, нечастый, создавал рядом с собою факт простым словоупотреблением. И Лева заглатывал слюну, ощущая во рту металлический вкус подлинности: было, было, однако, все это было. Будто сам дядя Митя своей редкостью и небывалостью, своим исключительным (в смысле исключения) примером подчеркивал значительно бо́льшую реальность и возможность даже самых удаленных, даже самых невозможных вещей — потому что все можно было себе представить легче, чем самого дядю Митю, а он — вот он, перед глазами. Вот что: не было в дяде Мите как бы памяти о преодолении, мелкого мусора уколов, изнеможаний, остервенений, а оставался лишь результат, свершение — и думать больше не надо: было, сделалось, ушло. Дул ветер в революционных подворотнях, сдувал гребешки с барханов, кони рыли копытом и ржали, дядя Митя поднимал воротник, пуля проходила навылет, жизнь прошла... Нет слаще банальности, чем та, что тебе принадлежит, нет более великого человека, чем тот, что предложит нам поверить в то, во что мы уже не верим, но, оказывается, так хотим... Потому что полюбить на Земле... Господи, — который раз! — но снова и снова кому-то удается... те же слова, но в том, в том самом смысле сказать...

Другая была в руках у дяди Мити «Война и мир» — та самая.

40)   К трем часам он начинал оживать — бриться, мыться, душиться, повязывать галстук. Отрадно было смотреть — некому было видеть. Лева раз удостоился присутствовать при туалете дяди Диккенса — и забыть этого не мог: у зрелища была своя отточенность и ритуальная красота, хотя вот уж и фетишистом дядя Диккенс не был. Туалет его был повестью о природе вещей, и казалось, он имел дело с самым понятием каждой вещи, а не с материальной ее формой. Когда он надевал рубашку, то он как бы п о н и м а л рубашку, повязывал галстук — это было то, как он понимает галстук. К пяти часам он бывал уже совсем готов. К 17.30 подходил (пешком, он не признавал городского транспорта, а на такси экономил) к гостинице «Европейская». Со всеми здороваясь (его — «знали»), поднимался он на «крышу» и поспевал к самому вечернему открытию (после дневного перерыва) — попадал в пустой зал, на только что постеленные, голубые от белизны скатерти, на незаморенных и нерасхамившихся официантов, на дневной свет, ровно лившийся через застекленную крышу. Здесь он обедал и выпивал свою первую водку. Допивал он у Одоевцевых.

Жизнь его была всем понятна. Жил он на скромные, в общем, средства — «рантье реабилитанса», — говаривал про себя. И жил, принципиально не нуждаясь. Ни в чем и ни в ком. «Нужда и говно — синонимы», — говорил он.

Итак, сердцем этой смешной квартирки был кабинет — не в том тяжком, производственном смысле, как у отца, а в затерянном и теперь небывалом: кабинет, где мужчина, джентльмен, бывает один, пишет письмо, листает роман, просто лежит, — и Лева любил оставаться там на минуту один, на козетке, созданной для неудобства сидения, перелистывать монографию, допустим, о Бердслее, сладкую и маленькую, как детский грех, но рассматривать — запретную комнатку, пропущенную в детстве. И те книги, которые он брал и возвращал дяде Диккенсу (что и служило поводом посещений), — тоже были в о с п о л н е н и е м детства: «Афродита», «Атлантида», «Зеленая шляпа», — когда же их было и читать, как не под одеялом с карманным фонариком?..

Он п р а в и л ь н о отобрал у нас свои вещи, так думал Лева, с трудом отличая в овальном зеркале свое стынущее изображение вдалеке, словно там был отражен прежний, маленький Лева. Лаково блеснула низкая и длинная тумба, над ней, на розовой, в широкую белую полоску стенке (обои из какой-то пьесы), — две картинки Пюви де Шаванна («пьюидешаан» — такое детское одно-слово), любимого художника дяди Диккенса, — их можно рассматривать долго и тупо, как трещины и обои с кровати, во время ангинных каникул... Ближе к окну — маленький кабинетный рояль, на котором наигрывал дядя Диккенс попурри из грибоедовских вальсов. («У дяди Мити абсолютный слух», — говаривала мама.) В дальнем углу был уже затененный хлам: треногая витая стоечка под таз, с тазом и криво торчавшим над ним зеркальцем; за ней, в самом углу, прислонена была раскладушка, сложная, как сороконожка, которую (как и таз) возил за собой дядя Диккенс, начиная с Первой мировой, и на которой спал по сей день. Как справлялся с ней дядя Диккенс в одиночку, Лева не понимал, потому что, если присутствовал при этом, обязательно приходилось помогать: поддерживать, удерживать, натягивать, — и это у них и вдвоем еле получалось. «Не так, дура!» — кипятился дядя Диккенс, причем относилось это не к раскладушке, а к Леве. То, что она все-таки раскладывалась, было каким-то детским чудом: когда из охапки палок вдруг растягивалось гармошкой многоногое, ажурное, как арочный мост, трепетное и шаткое, как костер, сооружение, а на него натягивался, на палках и крючочках, некий киплинговский брезент, состоящий из заплат, над старательностью которых расплакалась бы любая вдова.

Даже перечислить немногие, в общем, вещи, стоявшие по одной из стен кабинета, то есть напротив Левы, сидящего на козетке, представляется сложным из-за возможности легкого и помимовольного погружения в каждый из этих немногих предметов — все это были «вещи, принадлежащие одному человеку» (неизвестно, какое из четырех слов выделить в разрядку: все — с ударением), именно: дяде Диккенсу (Дмитрию Ивановичу Ювашову). У старика был вкус. Не в том, теперь распространившемся смысле, что лучше, чем у других, или не хуже, чем «у людей», или чтобы не быть смешным или отсталым; не тот современный прослоечный вкус, который стремится выбиться в вышестоящую социальную группу, в то же время не выделяясь, растворяясь и сливаясь с достигнутым уровнем, — у него был свой, е г о вкус, в чем-то высокий, в чем-то низкопробный, декадентский (пристрастие к «либерти») и не стыдящийся самого себя, уважающий себя, — то есть не рабский, не снобистский... Вещи, окружавшие его, н р а в и л и с ь ему — это и было основным условием его вкуса. И стояли-то они так: со вкусом и как попало, — не было приговоренности вещей к их местам. Словно вносили их по одной... дядя Диккенс говорил: сюда, нет, сюда ставьте, а эту — вот здесь, не так, говно! боком, боком, падло! а эта рухлядь откуда? моя?.. пусть будет. Шкаф, что ли, переставить на место рояля?.. может, так лучше?.. А, ладно, стойте так! — и уходил перемывать руки, возвращался, брезгливо ими потряхивая, и уже находил полотенце висящим на треноге над бездействующим по случаю мирного времени тазом...

(Вспомним того городского сумасшедшего, которого поминали выше: остановившегося на своей «золотой поре» Невского, образца пятьдесят третьего-четвертого года, и с завидной верностью сохранявшего этот облик в шестидесятые... Вот вам и контраст, вот и сопоставление! Дядя Митя тоже будто привержен ушедшему времени, золотой поре... И времени много больше с тех пор прошло... Но — какая разница!)

«...Где же лампа? Лампа где?» — заторможенно думал Лева и находил ее слева за своим плечом, — конечно, рядом с «камином»... смотрел тогда на дверь: пора было возвращаться дяде Диккенсу, — и тот входил, неся маленький прокаленный никелевый чайничек с чифирем.

ОТЕЦ
(продолжение)

44)   ...И так каждый вечер. Дядя Митя допивал и уносил с собой пустой графинчик, который весь уже пожелтел, потому что водка, «Митинка», настаивалась на чаю... Уходил дядя Митя совсем пьяненький, покачиваясь и каким-то образом сохраняя изящество. Отец с мамой еще немного говорили о том, какое «ужасное» было время (настолько расшатал отца дядя Митя...), как пострадал старик ни за что, такой благородный человек... так говорили они, пока остывали взгляды, брошенные вслед дяде Мите, таяла их теплота... и что «справедливость все-таки торжествует», говорили они, совсем остыв. Вдруг озабоченно зевали и расходились спать.

«Справедливость» торжествовала дальше — дядя Митя был первая ласточка — в семье позволили себе вспомнить о деде. Все эти годы дед был жив! — это потрясло Леву. Отреагировал он по-детски: вспылил, накричал, надерзил... Как смели скрыть! Как ловко, как длинно скрыли... — головокружительно воображать. Чтобы ему было легче в школе, чтобы не сболтнул лишнее... Лева обиделся за свою детскую слабость к старикам, когда не мог он равнодушно пройти мимо седой бороды (нищим старикам просил подать копеечку, старухам — нет), что означало, по-видимому, что в детской душе для всех есть место: бабушка еще была, дождалась внука, года три жила после войны с ними, а дедушки не было и заметно не хватало Леве для полного комплекта, чтобы всё было. Для этого детям, чуть больше, чем животным, чем где спать и что есть, надо, чтобы все б ы - л и, — всего лишь. И теперь, узнав про деда, Лева обиделся за детство. Не говоря, что это какая-то абсолютная величина внезапной смерти, весть, ей равная, — узнать, что мертвый всегда человек — жив. Дурной сон.

Абсолютная величина такая же, но знак противоположный у такой вести... Отец, растерявшись и смутившись Левиного взрыва, признал, что — нехорошо, но он, Лева, тоже должен понять и т.д., и кроме того (отец потупился), он и сам не знал, жив ли отец, потому что на письмо о смерти бабушки ответа не получил... Лева, про себя, наверно, хотел поверить отцу и про то, что о смерти, так или иначе, у нас всегда извещают, не сообразил — поверил, и, с этого момента, его уже более занимало, что дед — жив, чем его оскорбительное воскресение.

И действительно, это — существеннее. Лева исподволь учился относиться еще к одному человеку в своей жизни как к живому, как к родному. Была в этом тайная игра, так что при мысли о деде, в удаленных и заваленных всяким хламом: тетрадками, пыльными глобусами, лыжными палками, — уголках сознания проявлялась вскользь невыразимая, к деду, естественно, никакого отношения не имевшая, картинка из военного деревенского детства: сарайчик, бревнышко, курочка — дальше луг; или — речка в лесу, в петле речной излучины заливная трава, на траве утопленник, спокойный человек... Такая картинка возникала сразу же при слове «дед», и Лева ее прогонял, как пустяковую и напрасную, а дальше уже рассуждал про деда л о г и ч е - с к и, «вычислял» его.

Доставалась из маминых тайников фотография деда — подозрительно много, целые шкатулки, оказалось в доме фотографий за последнее время! была-то всего одна свадебная... — на Леву смотрел дед — узкое, такое немыслимо кра-

Отец (продолжение)

сивое, что казалось злым, лицо — вот кто был! вот кто, оказывается, б ы л... Дед смотрел в упор и не мигая, и будто именно во взгляд ввалились гладкие щеки, именно взгляду был присущ этот тонкий совершенный нос; глазницы, брови — кариатиды высокого и узкого, устремленного вверх лба (оттуда взгляд, из-за колонн...), темная бородка, усы, баки (там, где взгляду формировать было нечего), — все это чернело, сливаясь с почти черным же фоном, все это было: о т к у д а лицо-взгляд смотрело на Леву. И дед был молод — все они были молоды, эти фотографии... Куда делись все эти дивные лица? Их больше физически не было в природе, Лева ни разу не встречал, ни на улицах, ни даже у себя дома... Куда сунули свои лица родители? За какой шкаф, под какой матрац? Лица подевались в разрозненные шкатулки, рассматривая своими удивленными глазами, еще не мертвевшими перед объективом, кудрявое имя владельца ателье, где был сделан портрет верхней кузины... их укладывали, однако, вверх лицом, как в гроб, — братская могила лиц, на которых еще не читался вызов, но которые уязвляют нас безусловным отличием от нас и неоспоримой принадлежностью человеку. Где-то он все-таки видел это лицо... Как во сне, встреченное во сне, не в природе... Вдруг понял: в Эрмитаже, на полотне чьем-то, пятьсот лет прошло... Страшно.

46)

Теперь, рисуя себе деда, он подставлял, примерял на его место дядю Митю. И стало легче. Другого образца ведь не было.

Как-то вечером возбужденно обсуждалось, что в «Трудах» одного провинциального университета в некой статье был упомянут положительно дед. Он был незаметно «протащен» в перечислении и в каком-то толстом журнале. Из небытия выплывало имя деда.

Получалось, пока на кухне, что имя это незаслуженно и несправедливо забыто, что дед — творец новой отрасли в науке и родоначальник целой научной школы. То, что он делал, лишь через десять лет было подхвачено на Западе, а теперь мы находились в тылу у собственного приоритета... Отец кипятился, странно смелея и бледнея, отнимал у дяди Мити рюмочку. Ожидание росло.

И разрешилось. Странно опустели в памяти все разговоры: кто-то выпустил деда, не они. Они оказались тоже у себя в тылу... Отец выехал встречать деда в Москву.

Вернулся он на следующий день, один, бледный и растерянный, трясущийся какой-то. Заперся в кабинете. Потом впустил мать. Они долго шептались о чем-то, очень громко. И отец все шагал и шагал, чаще делая повороты, будто кабинет стал короче, теснее.

Лева и без них уловил в общих чертах, что́ произошло. Мог он теперь молча оборачиваться, чувствуя свое лицо бледно и длинно. Потрясающе в такой момент отсутствовала в его голове мысль, чтобы потом залихорадить наедине. Лева гордо чувствовал в своем — лицо деда.

Отец резко сник и постарел. Возвращался домой усталым, потерянным, прятался в кабинет. Квартира сжалась и потемнела, в коридоре стало не разойтись. От Левы скрывали, робко пользуясь его молчаливым милостивым разрешением скрывать, делали вид, что ничего не происходит, но так неумело и неуверенно, что ему лишь бросалось в глаза, как они сдали, его старики, более того: как они о т с т а л и. Это он обнаружил с внезапностью. Хотя в чем отстали, Леве было трудно себе сказать. В форме, наверно. У них были уже устаревшие представления о правде, чести и лжи, и они все время пытались скрыть то, чего никто уже не скрывает, чем себя и выдавали. Остальное-то — было наружу. Было много наивного и трогательного в этих старых предателях...

Дядя Митя бывал все реже, у Одоевцевых перестало быть уютно, и атмосфера любви, в которой он привык купаться, пропала. Пруд высох. А дядя Митя любил удобства и привык к привычкам. А без этого, без этой своей пайки любви у Одоевцевых — отдай и не греши, — могло и надоесть дяде Мите б ы т ь за всех: и за секретного Левиного отца, и за бескорыстного обожателя матери, и за Левиного деда (как модель), и за отца — отцу (и это было отчасти, что Лева понял потом, позднее...) — и дядя Митя перестал у них бывать.

А Лева и без них разобрался. Без них... — проглотив комок детских слез. Точно так же оказались они у себя в тылу и с Левой... К Леве повернулась жизнь, он впервые предстал перед нею. Ее лицом оказался шепот, тень, налет, рябь... Пройти навстречу в узком коридоре, разминуться спинами по стенкам, справиться при этом с неизбежным взглядом, уронить и поднять свой — это жизнь?.. Шепот за спиной, оборачивание вслед — попробуй обернись сам: нет ничего, никого. Фронт людей, коридорные шеренги, которым нет до тебя дела, но они знают п р о   т е б я — и значит, тебя нет больше, ты убит, как в детской войне зеленых и синих... Это означает, что ты убит, если при тебе з н а ю т. Открыть, что ты существуешь и в третьем лице, для других, в другом времени и пространстве, где тебя уже нет, где тебя не будет, — и вынести потрясение, жить дальше, с ними, приняв игру, примкнув, ждать следующего... Лева прошел сквозь строй.

Это — фактически, а метафорически было вот что. По неловкому поведению родителей, по тому, что при нем несколько раз обмолвились, словно случайно, выдавая себя внезапным в Левину сторону взглядом, люди и вовсе малознакомые, получалось, что в драме с дедом определенную и неблаговидную роль сыграл его сын, Левин отец: в юности — отказавшись от него, а через двадцать лет, заработав себе его кафедру критикой его школы, — так что кафедра была еще «тепленькая». Это словечко и услышал краем уха Лева: какая же тепленькая, если двадцать лет остывала?.. что дед, — шептало вокруг, — почти тридцать лет... что видеть сына не захотел, или даже руки не подал, или даже плюнул и ногой растер, при народе... — приходилось сглатывать.

Все изменилось... Оглянешься — и месяца не прошло. Все взгляды и разговоры стали казаться исполненными намеков и холодненького любопытства, словно от него чего-то ждали.

И Лева однажды, впервые без стука, распахнул дверь в кабинет отца, с тем чтобы выяснить раз и навсегда, в чем же, собственно, и как на самом деле было дело.

Лева выслушал путаную и невнятную, опять какую-то трясущуюся речь отца, полную расслабленных напутствий не придавать значения и не понимать буквально, впрочем, он, Лева, уже взрослый человек, и объяснять ему все это, конечно, незачем, он сам, со временем, все поймет и разберется... Основное обвинение отец решительно отверг, но то, что он не сгреб Леву за шиворот и не вышвырнул тут же из кабинета, само по себе было очень примечательно.

Лева навсегда запомнил длинное рукопожатие отца на пороге все того же, что и в детстве, кабинета, такого же полутемного, в нем по-прежнему хотелось говорить шепотом... Отец долго сжимал Левину узкую и прохладную руку своими горячими и сухими и говорил что-то, чего Лева уже и не слышал, отчужденно наблюдая за движением его губ. Отец заслонял своей головой настольную лампу, свет бил ему в затылок, его легкие волосы светились и будто шевелились от невидимого сквозняка, и Лева, рассматривая этот мученический ореол, вдруг сравнил отца с одуванчиком и потому еще, что ему передалось дрожание отцовского рукопожатия, подумал, что одуванчик разлетится, если дунуть на него. И это было в третий раз, что Лева запомнил отца... Теперь уже навсегда.

Сильное и жаркое рукопожатие отца вдруг показалось ему слабым и холодным и распалось от этого. Чувство щемящей жалости, зародившись, так и не проявилось в Леве, а гораздо сильнее почувствовал он в этот момент некое неясное торжество над отцом и тут, на пороге того самого кабинета, у дверей которого он с детства переходил на шепот, сказал неожиданно громко: «Хорошо, отец». Голос его прорезал всю эту уютную тишину и темноту и показался самому Леве неприятным. Повернувшись резко, он перешагнул порог, отец как-то неловко покачнулся и забежал вперед как бы для того, чтобы затворить за Левой дверь, тень отца метнулась Леве под ноги, и Леве показалось, что он перешагнул отца.

В тот памятный день Лева вошел к дяде Мите с отчаянием некой последней надежды. Ведь мы идем за помощью, делая вид перед собой, что уже не верим даже в возможность е е, а — просто так идем и приходим именно туда, где можем еще ее ждать, приходим с протянутой, как нищие, рукой — получаем рукопожатие, нам п о д а ю т руку... Это, такое естественное (форма приветствия!), рукопожатие — «Всего лишь!..» — с порога разочаровывает нас. «И он... — горько думаем мы. — И он тоже...»

Так и Лева. Чего-то он ждал, хотя вот уж «дядя Диккенс» тем и хорош, что все, что от него можно ждать, заранее известно, он будто первым делом предупредил: то-то, то-то и то-

Отец (продолжение)

то, — и больше, как он говорил, «фсё». Но Лева разбежался...
Ему казалось что-то из театра, что-то по системе Станиславского... Будто он — такой измученный, с ввалившимися ще-
ками, такой все вынесший и смолчавший, а они — двое таких
все переживших, никогда не просивших ни у кого помощи...
И вот дядя Митя, никогда не проявлявший чувств, потому
что все несерьезно у всех, понял, что у Левы это настоящее,
протянул руку, мудрое слово (его-то, одно, и мог бы сказать
«дядя Диккенс»), скупую мужскую... тьфу! Потом, с навора-
чиванием слезы, вместе с ее симпатичным пощипыванием,
выплывало и то, что дядя Митя, в действительности, отец
Левы... тогда начинался такой сумбур, такой апофеоз, такое
адажио, что и МХАТу не под силу.

Дядя Митя, действительно, только увидел в дверях Леву,
что-то понял, тонкий человек. Он как будто даже не хотел
его пускать. Потом пустил, потому что ничего, наверно,
не мог придумать — как не пустить. «Только я скоро ухо-
жу», — сказал он по инерции какой-то предыдущей, пропущенной фразы и, наверное, возненавидел себя и за эту, сказанную, потому что поспешно отвернулся, перетоптался,
кинулся вперед него в комнату. Кроме первого, быстрого
и сразу испуганного взгляда в дверях, больше не удалось
Леве ни разу поймать его взгляд. Дядя Митя очень нервничал, это было видно, и Лева никогда не видел его таким.
Взгляд его метался рассеянно и скользко и все время как-
то умудрялся обогнуть Леву, не попасть в глаза, и Леве показалось, что взгляд этот оставляет как бы вьющийся по
комнате след, цвета белка, резиновый жгут. Никуда, конечно, дядя Митя не мог и не собирался уходить: был он в своем утреннем, разобранном виде и, по техническим причинам, мог собрать свои скрипучие части самое скорое через
два часа, — но он и не думал собираться. Тем более гудел
«камин» и на козетке был брошен отворенный том Даля —
ежедневного чтения дяди Диккенса (он любил повосхищаться краткостью, «толковостью» толкований «этого
шведа»). Поймав Левин взгляд, дядя Митя еще смутился,
суетнулся к Далю, попробовал обычную их игру... «Скажи,
только как можно короче и точнее, что такое лорнет?» —
«Ну, — вяло откликнулся Лева, — это что-то среднее между
биноклем и очками, их подносили к глазам в театре и на ба-

лу...» — «Это — коротко?! — разозлился дядя Митя и заглянул в Даля. — "Очки с ручкой" — вот и фсё!» Он сердито пробежался по комнате, и то ли ему показалось, что Лева намерен открыть рот, — но он, судорожно, ухватившись за что попало, начал говорить, быстровато и перебиваясь, теряя нить, что тоже было не в его манере. Короче, он не знал, как себя вести, что было, казалось, немыслимо в отношении дяди Диккенса, по крайней мере в глазах Левы, для которого тот был именно само поведение, его эталон. Он мог бы хотя бы сказать Леве в той единственной, подходящей к случаю интонации, чем он так владел: «Ты говно, Лева» — или: «Так он же говно!» (про отца), — и тем успокоить смятенную душу. Но он и этого не говорил, а начал ругать некую Софью Владимировну, причем так настойчиво, тупо и грязно, что Леве стало не по себе, чуть ли не стыдно, чуть ли не захотелось защищать «его», такого уж беззащитного, от дяди Мити. Но и дяде Мите, по-видимому, делалось все противней и невыносимей от самого себя — он не выдержал, сказал наконец долгожданное: «Все — говно!» — но и тут сфальшивил, и убежал варить чай, и пропал, казалось, навсегда.

Лева равнодушно обвел глазами всегда милый его сердцу кабинет — ничто на этот раз не умилило его. Он посмотрел на все скучно, как на читанную в детстве книгу. Сам показался себе одиноким и старым. Как-то вдруг подумал, что дядя Митя никем «большим», кроме как для него, Левы, за всю жизнь и не был. При всех его исключительных качествах... «Очки с ручкой...» Дядя Диккенс... прозвище вдруг показалось Леве очень точным, еще что-то выражающим, кроме того, что он за ним подозревал. Вот именно, не Диккенс, а дядя... тут Лева забыл, о чем это он. Потому что внезапно вспомнил первый испуганный взгляд, которым встретил его дядя Митя. И тут отчетливо, как с ним не бывало еще в жизни никогда, ни с кем, представил себе его отдельное от себя существование. Это было поразительное ощущение — дядя Митя стоял перед ним в дверях, старый, несчастный, уничтоженный человек, тративший в день до капли свои силы, чтобы больше никогда не быть униженным, вернее, никогда не быть униженным зримо для других, ни разу не быть зависимым и жалким... достоинство, тоска по достоинству была последней страстью дяди Мити, последней возможностью его жизни, и у него едва хватало сил на соблюдение хотя бы видимости его. Для этого необходимо было ему не нуждаться ни в ком, с тем чтобы и в нем не нуждался никто, потому что от малейшей зависимости, от малейших обязательств любви он бы сразу пошел на дно, как тяжелое, почти уже мореное бревно; он бы не выдержал и малейшей нагрузки чувств: взорвался, рассыпался, разлетелся вдребезги, — сухие, острые, мелкие дребезги, из которых с трудом состоял... Не совсем так, не совсем в словах, но очень полно, как-то в слитом объеме, ощутил это Лева, будто он уже не был Левой, а был самим дядей Митей, — такую тоску, страх и растерянность ощутил он в себе, разглядывая это вставшее в памяти изображение, будто именно сейчас видел он его впервые, а не полчаса назад. Боже, подумал Лева, какой же страшной жизнью он живет! И это он, Лева, приходил к нему за любовью, мудростью, жалостью... Да как он посмел, сытое, толстое, здоровенное, молодое и тупое ничтожество?! Лева переходил в крайность: эгоизм дяди Мити показался ему благороден. По крайней мере, насколько это лучше и чище вот такого неприличного душевного расплывания, которому предавался только что Лева... В такой оценке Лева отчасти был прав. Да разве можно подвергать д р у г о г о человека такой опасности не мочь, не выдержать, не справиться с тем, что на него наваливают?.. Мало и так я на него взвалил?.. дядю Диккенса, отца, деда — всех их исполнил один дядя Митя... Лева представил себе, войдя в образ, как тошно и унизительно было дяде Мите от самого себя, когда он сейчас врал, что спешит (впервые! — как же он перепугался, бедняга...), когда он избегал Левиного взгляда и лепетал что-то... Не бойся, дядя Митя, я не стану этого делать, не стану я переваливать свой груз на твои слабенькие, дохленькие плечи, не стану подвергать я тебя опасности унижения от собственного бессилия и неспособности с достоинством справиться с происходящим... я поберегу тебя...

Почти так говорил себе Лева, уже, к сожалению, отчасти перекашиваясь и умиляясь самим собою. И то, надо отдать ему должное, ни разу в жизни он еще не был так тонок, точен, чуток — так умен. В какую-то секунду Лева был истинно зрелый человек, с тем чтобы забыть вскоре об этом на долгие годы, почти навсегда. Возможно, это было прозрение феноменального для Левы толка, опережающее опыт и потому ничему его не обучившее, хотя странно...

Потупляясь, с опаской вошел дядя Митя — Лева был прав. И, убедившись в этом, Лева жестоко встал и сказал: «До свидания, мне пора», — и именно в этот момент довольства своим умом и удовлетворения поступком, наверно, и был от него отнят почти навсегда опыт недавнего прозрения, как преждевременный, как незаслуженный. Он уже получил награду свою...

Дядя Митя поднял на него широко, с каким-то внутрь себя светом удивления, глаза, посмотрел так секунду и ничего не сказал. Проводил до двери.

«Да и какой же он мне отец... Где ж ему быть и за отца, и за сына, и за святого духа? — криво усмехаясь собственной недавней глупости, как сам себе старшеклассник, говорил Лева. — Именно т а к о й и должен быть мой отец, какой есть, никакой другой. И я его сын... страшно — но так... а дядя Диккенс — какие ж у него дети!.. он же умер сто лет назад... Очки с ручкой».

И Леве казалось, что он перешагнул и дядю Митю.

Но это он преувеличивал.

Не мог же он себе представить, что дяде Мите могло быть стыдно... или противно не за себя?

Мы назвали главу «Отец», имея в виду, однако, не только отца, но и само время. Отец у нас вышел какой-то двойной: то он робкий, комплексующий человек, не умеющий даже сделать умело «идет коза рогатая» маленькому Леве; то он уверенно мерит сильными шагами свой академический, культовский кабинет, прочно чувствуя себя в эпохе. Но мы не считаем ошибкой это не с самого начала запрограммированное противоречие. Во-первых, и так бывает. Во-вторых, в этом романе будет еще много двойного и даже многократного, исполненного уже сознательно, и даже если не совсем художественно, то открыто и откровенно.

Ведь сама жизнь двойственна именно в неделимый, сей миг, а в остальное время, которого с точки зрения реальности и нет, жизнь — линейна и многократна, как память. По-

(53

тому что, кроме сей, сию секунду исчезнувшей секунды, кроме сей, ее заменившей, нет времени в настоящем, а память, заменяющая исчезнувшее время, тоже существует лишь в сей миг и по законам его.

Поэтому отец еще раз двойной, на следующий день воспоминаний даже не о нем — об образе его (ведь мы же его выдумали). На следующий день образ его — двойной уже иначе: с одной стороны, «видный мужчина», воспользовавшийся успехом и к которому подросток ревновал мать, с другой — легко поддающийся влиянию чужого мужчины, которого, видимо, предпочитает жена.

И еще раз двойной отец, когда наступает возмездие, когда он раздавлен собственным предательством, когда расширяется образ дяди Диккенса и заслоняет отца... Потому что хотя автор и посмеивается над Левой за юношескую игру воображения, однако и сам еще не решил окончательно, что дядя Диккенс ему не отец. Чего не бывает?..

Так что возможно, что другая совсем семья у нашего героя. И автору очень хочется изложить сейчас второй вариант семьи Левы Одоевцева, такой вариант, в результате которого, как кажется автору, опять получится ровно такой же герой. Потому что интересует его только герой, и только героя, как уже выбранный (пусть неудачно) объект исследования, не хочет менять автор. Но это свое желание поведать второй вариант автор пока отложит.

Мы собирались рассказать об отце и о времени. В результате об отце мы так же не много сказали, как и о времени. Но мы считаем, что, в данном случае, оба разных предмета можно сложить... Отец — это и было само время. Отец, папа, культ — какие еще есть синонимы?..

ОТЕЦ ОТЦА

В Дрездене, на Брюлевской террасе, между двумя и четырьмя часами, в самое фешенебельное время для прогулки, вы можете встретить человека лет около пятидесяти, уже совсем седого и как бы страдающего подагрой, но еще красивого, изящно одетого и с тем особенным отпечатком, который дается человеку одним лишь долгим пребыванием в высших слоях общества.

То ли Лева справился с жизнью, то ли жизнь — (55
с ним: он успокоился в семейных своих переживаниях очень вскоре. Все-таки, по молодости, он гораздо более предполагал за собою разных чувств, нежели знал их. Предположение за собою чувств, однако, очень переживательно (почему мы и имеем возможность утверждать, что наша молодежь «очень эмоциональна»), потому что не имеет под собою почвы, кроме самой природы, которую как раз одну и не предполагает... Эти гипотетические чувства сильны еще потому, что сил много. Лева отработал «гипотезу второго отца», оставалась еще «гипотеза деда».

У сына родился отец. У внука рождается дед.

...Когда в семье пошли разговоры о деде, еще до его возвращения; когда Лева всматривался в его прекрасные фоточерты и ссорился с отцом, гордо и молча оборачивая свое вытянувшееся лицо, как бы несшее в себе те же черты; когда он по-детски обижался, что дед всегда был живой, и это «всегда» подменялось у него убегающими картинками его военного деревенского детства; когда он, по-детски же, переряжал в воображении дядю Диккенса в деда; когда он приучал себя к новому родству и гипнотизировался идеей «крови» — тогда же, вдохновленный, достал Лева, минуя отца, сам, проявив непривычную инициативу, по букинистам и фондовым залам — достал и прочитал некоторые работы деда, благо они теперь относились к будущей его специальности, правда весьма отдаленно: дед был лингвист, то есть он что-то з н а л и, значит, занимался чем-то более точным, чем та филология, которой посвящал себя Лева; к тому же он был отчасти математик и чуть ли не первый... но тут мы опять вступаем в шаткую область «приоритета». Лева читал, не все было доступно ему, но он сумел ощутить непривычную свободу и подлинность дедовской мысли и удивиться ей.

Дед оказался не один, рядом с ним и до него были еще люди — Лева знал о них раньше лишь понаслышке, в обзорно-лекционном порядке, как об исказивших, недооценивших, извративших, недопонимавших и т.д., — это были еще самые мягкие формулировки... Леве трудно было поверить, что они чего-то не понимали, потому что для него, например, то, чего они не понимали, — было очевидно, просто, как пареная репа, а вот то, что они понимали, раз писали об этом, — Лева часто совсем не понимал или с великим трудом и напряжением, так что, казалось, слышал в голове шум перегруженно-трущихся мозговых своих частей. Но и опять, прежде всего, оставалось это ощущение подлинности, такое непривычное... Наконец, Лева нашел себе одного полегче, им и занялся с удовольствием: этот был эффектен и формален, легок и блестящ (его, кстати, стали воскрешать первым, очень вскоре после Левиного нелегального чтения, а Лева — мог гордиться, что у ж е знает, что д а в н о знает).

Так Лева увлекся некой цельной и все еще полузапретной системой исследования и теперь, хотел или не хотел, в своих учебных делах все поверял ею. Она его убеждала. После такого умственного перенапряжения, как при чтении деда, то есть после того, как он впервые р а б о т а л головой, — все по учебе вдруг оказалось так примитивно и легко, и программные монографии, что наводили страх на сокурсников своею толщиной и наукообразностью, стали для Левы школьным лепетом. И хотя последовательно проводить полюбившуюся Леве систему было еще невозможно, он надеялся использовать ее хотя бы отчасти — уж больно она нравилась ему — в предстоящей курсовой работе. Одну пользу из семейной драмы, значит, он уже извлек... «Гипотеза деда» еще упрочилась в Леве благодаря этому позитивистскому эффекту. Дед, для Левы не оставалось сомнений, был безусловно Великий Человек, и, в этом звании, очень хорошо получалось так: Дед и Внук...

Лева уже планировал паломничество к нему, самостоятельное, тайное, как бы против воли диктатора-отца, и много намечтал разных картинок, которые своей сладкой и слезящей силой успокаивали его и отодвигали это его намерение в непрестанное будущее... да и как так вдруг?.. почему именно завтра?.. первое движение оказалось давно пропущенным, и Лева уже привыкал к тому, что это он однажды, конечно, сделает, потом, потом... как вдруг позвонил дед.

С сыном разговаривать не пожелал — говорил с Левиной мамой. Все ее простосердечные мольбы простить и прийти, что она просто не имела возможности сказать ему раньше то, что говорит вот сейчас, и т.д. — все это он молча выслушал и заговорил лишь тогда, когда мать уж и не знала, что придумать еще, даже решила, что телефон испорчен... дед сказал, что и не думал на нее сердиться, обид никаких не было, он не кухарка, чтоб обижаться, что она (мать) всегда была дура, но уж больно хороша, невестой он ее запомнил, и была она ему симпатична тогда — что ж теперь-то, через тридцать лет... вот внук пусть придет к нему, завтра, хочется на балбеса посмотреть. Все. Мама сказала, что она не уверена, но он ей показался как бы странным, как бы пьяным...

И то, что дед, такой великий человек, сам позвонил, сам пожелал его видеть, необыкновенно окрылило Леву, и он очень много пообещал себе в этой встрече. Родителей он уже не замечал. Не слушал, что говорила ему мама. На отца не взглянул.

Все доставалось Леве даром.

К деду он шел с новеньким бьющимся сердцем. Что-то далекое и свежее, но как бы всегда имевшееся в нем, приоткрыло свои створки. Он, таясь, заглядывал в эту темную глубину и ничего не различал...

Он мечтал о внезапной дружбе, которая возникнет у них с первого взгляда, минуя отца, как бы над его головой, как бы мост через поколение... и тогда получалось, что не просто внук идет к деду, а специалист — к специалисту, ученик — к учителю, это тешило Леву. Он, за мечтами, как бы совсем забыл, что идет видеть впервые своего родного деда... Тут было несколько изменившееся, но все то же представление о крепком чае и академической камилавочке.

Но и не только это. Было за этим и нечто наивное и идеальное... Те створки, что как бы приоткрылись в нем и где он не различал еще, что́ же там, — казалось ему, будут сразу видны и понятны деду, и они тогда будут с дедом — как человек и человек! дед поможет открыть их (створки) еще шире и объяснит, что́ там, и для Левы начнется совсем уж новая жизнь — на самом деле, его подлинная, но до сих пор тщательно от него скрытая...

И это все-таки было почти тем же представлением: как идут, старый и молодой, по широкой ковровой лестнице, например, Академии наук — и все им рукоплещут из лож.

58)

Леве вдруг показалось, что он опаздывает. Ему хотелось быть пунктуальным. Он поймал такси и приехал много раньше, чем надо.

Деду дали квартиру в новом районе, последние дома... Лева никогда не бывал тут. С удивлением поймал себя на соображении, что, пожалуй, во всю жизнь ни разу не покидал старого города, ж и л в этом музее, ни один его житейский маршрут не пролегал за пределы музейных же проспектов-коридоров и зал-площадей... странно. Он знал об окраинных новостройках понаслышке: что они есть, — но имена их путались в его сознании — вот и сейчас он забыл, как называется район, куда он прибыл: не то Обуховка, не то Пролетарка... снова полез в записную книжку.

У него было такое чувство, что он попал в другой город.

Лева отпустил такси, решив прогуляться оставшееся время по этому городу.

...Солнце садилось, дул стылый морозный ветер, и какая-то опасная прозрачность наблюдалась в воздухе. На западе воткнулись в горизонт три острых и длинных облака. Они краснели чуть фиолетово. Туда, в пустоту, уходил пустырь, с бурьянами и свалками: чуть ближе, прямо в поле, было трамвайное кольцо, действительно — кольцо (Лева раньше думал, что выражение это образное, а не буквальное). Оно поблескивало в черной траве, и трамвая не было. Казалось, дома стояли покинутые — такое было безлюдье, и звенела тишина. В закатных лучах, на голубом фоне, отдельные, сахарные, стояли редкие заиндевевшие кубы домов, слепо и безжизненно отблескивая гладкими окнами в закат. Все было как бы приснившимся.

Он пересек это пространство сна, со всех сторон продуваемое, все в сквозняках, непонятно не ощущая собственных движений — ветерок, аура... Разыскал дедов подъезд. Стоял под легкомысленным красным козырьком, у дырявой зеленой стеночки, рядом желтая с синим скамейка для сидения старух, — стоял и стыл. Время тянулось. Ему показалось, что часы его стали, — но они тикали, и секундная стрелка неохотно двигалась по кругу. Леве было странно и непонятно собственное волнение, непривычно: он ни разу словно бы не волновался до сего дня. Вскоре, впрочем, все его чувства сосредоточились в ногах: он надел ради случая новые туфли — они жали. Ноги мерзли и ныли, и Лева стоял как бы не на своих ногах, а на протезах. Наконец Лева догадался войти в подъезд — на лестнице было тепло — Лева прижался к батарее, обнял ее... Тут дверь распахнулась и вбежал неопрятный молодой человек, весь какой-то распахнутый и развевающийся. На бегу резко взглянул на Леву, будто впитал в себя (Лева не успел толком отпрянуть от батареи), — и исчез, летя через две ступени, показав драную пятку. Лева еще постоял, и тут стрелка подползла наконец к заветной черте — стал подниматься наверх, окончательно смерзшийся, неловко переставляя свои протезные ноги.

Он уже почти поднялся на свою площадку, как дверь в одну из квартир приоткрылась, оттуда вылетел тот же молодой человек, проколол Леву взглядом и обрушился вниз, уже через четыре ступени. В дверях кто-то секунду потемнел ему вслед... И когда дверь прикрылась и залязгали замки, Лева понял, что это была е г о квартира. То, что он вовремя не окликнул, не попросил не запирать, — расстроило

Отец отца

Леву. Хотя, с другой стороны, это хорошо, подумал он, потому что первая их встреча не могла быть такой...

...Открыл ему какой-то незнакомый тип и посмотрел с ровным неузнаванием. «А вдруг?..» — Лева похолодел от предположения. Не могло быть: такое несходство... Этот бритый череп, ватник, возраст самый неопределенный, от пятидесяти до ста, а главное, это красное, щетинистое, задубевшее лицо поражает своей неодухотворенностью... И оно молчит, тупо, лень губы разлепить.

— Простите, я не туда попал... — произнес Лева жалобно и мысленно летел вниз через четыре ступеньки, рушился, как тот молодой человек, хлопала дверь парадной — и он, давясь, глотал холодный воздух... Это надо же: все было продумано, перебраны варианты, затвержены формулировки... а про то, что надо поздороваться, что-то сказать, узнать в лицо, — даже не подумал, словно за порогом было облако.

— Вам кого? — «Ам коо?» — глухо сказало лицо, с трудом выкатив эти два «о». И когда рот разлепился — лицо стало неожиданно длинным. Это мог быть дед...

— Модеста Платоновича... — «Моэсто, почти Маэстро», — про себя передразнил себя Лева: у него во рту была кашица ужаса. — Одоевцева, — произнес он звонко, в прямом отчаянии, краснея в темноте.

Под кожей старикова лица что-то пронеслось: замешательство, припоминание, оторопь, успокоение, — очень быстро. Лицо ничего не выражало.

— Проходите, — старик пропустил Леву в коридор и долго возился, запирая дверь, лязгал и копошился в темноте — там было сложно, с замками... Лева хотел сказать запинчиво, искренне, что он его узнал, узнал! что это только в первую секунду, что он его не узнал, а так он его сразу узнал! (чтобы дед понял, что все еще не так страшно, что его м о ж н о узнать, — поведение, вычитанное из вагонной инвалидной песенки об обгоревшем танкисте и его невесте-маме...) — все-таки в Леве было столько внутренней подготовленности к восторгу, что и это несоответствие внешности тут же восхитило его и он уже чуть ли не радовался, что дед оказался т а к о й.

— Что ж вы не прохо́дите? проходи́те... — невнятно буркнул дед, забрасывая на плечо шарф, вывалившийся, пока он возился у замков. И он толкнул дверь в комнату...

Левин восторг опять захлебнулся — в комнате сидел еще один старик. Он внимательно (Леве почудилась «доброта») взглянул на вошедших. Этот показался поинтеллигентней, он больше походил на дядю Митю (значит, Лева был прав, подставляя!..) — восторг снова поднимался в Леве. На дядю Митю тот был действительно чем-то похож, только не так чист и элегантен. «Хорошо, хорошо, — дрожал про себя Лева. — Как хорошо, что я там, в коридоре, не сказал...»

— Вы — Лева, — так же невнятно, но скорее утвердительно, чем вопросительно, сказал первый старик, тщательно прикрыв за собою дверь в комнату и выйдя на середину. Он подволакивал ногу.

Все в Леве заметалось, как заяц. «Как же так!..»

«Я, я!» — хотел бы обрадоваться Лева — и кивнул, сглотнув.

— Садитесь, пожалуйста, — старик подволок, вместе с ногою, к Леве стул; Лева поздно бросился помогать, когда тот уже протирал сиденье газеткой. «Что вы, не надо!» — хотел взмолиться Лева и отобрал стул — получилось все как-то неловко, грубо. Старик покачнулся: он не только вытирал — вытирая, он опирался о стул, о бумажку... — взглянул на Леву.

— Садитесь. ОН скоро придет... — лицо старика два раза дернулось и снова ничего не выражало. Старик, похожий на дядю Митю, на секунду вскинул на них свой внимательный взгляд и опустил.

«Что же это? что же это!» — лихорадило Леву. Больно оттаивали ноги, и лицо горело.

— Здесь как-то не убрано... — виновато сказал первый старик.

Лева еще опешил и чуть отвлекся: убрано действительно не было. На столе валялась масляная бумага, корки, вскрытая консервная банка — очень неаппетитно. Да и вся комната была до странности нежилой и похожей на общежитие. Будто только вселились, еще не мыли ни полы, ни окна после стройки, не перевезли мебель... Кровать, кое-как застланная, на которой сидел старик, похожий на дядю Митю, стол в объедках, три канцелярских стула и бочонок. Книг не было. В углу, правда, стояло распятие. Не православное, крашеное.

Отец отца

Все молчали. В комнате почти стемнело, а свет не зажигали.

«Я туда попал?!» — хотел уже выкрикнуть Лева, но только поерзал.

Первый старик попробовал убрать со стола, мелкими движениями что-то передвинул, поднял и посмотрел на грязный нож. Швырнул в сердцах обратно на стол...

— Черт! Скоро ОН придет? — метнулся по комнате, подволокнув ногу, уже совсем серый в сумерках, — метнулся тенью.

— ОН же только вышел... — подняв свой внимательный взгляд, оправдываясь, сказал «дядя Митя».

Вздохнув, старик уселся на стул.

— Простите, — буркнул он Леве.

«Куда он пошел?» — хотел спросить Лева, но решил, что вопрос будет глупым.

«Может, уйти и сказать, что зайду позже?.. Хотя, с другой стороны, почему я сразу так не сказал?.. Теперь поздно». В голове у Левы путалось, лицо горело (к счастью, в темноте), губы высохли и будто готовы были лопнуть — так стучала в голове кровь. «Может, все-таки один из них?» — бредил Лева. — Сходство с дядей Митей и внимательный («добрый») взгляд подтверждали, что это мог быть дед: «Если дядя Митя так похож на деда, то тогда сомнений нет, что он мой отец!» Тут же Лева чуть не рассмеялся в голос над самим собой. «Что ж это получается? — издевался он над собой, мысленно трясясь всем телом от кислого смеха. — Будто если дядя Митя — мой отец, то он автоматически становится сыном деду Одоевцеву, а не я, дурак, перестаю быть ему внуком!.. Ха-ха!» Вдоволь поиздевавшись, он подумал, что, раз так, сомнений нет: первый старик — и есть его дед... он просто испытывает Леву и вот ведь как переживает, что Лева его не узнает... «Скоро ОН придет!» — как же это еще понимать, как не: «Когда же он, Лева, догадается?» То есть когда он, Лева, придет на самом деле, а не только физически... «Конечно, первый — дед. Он из двух — главнее...» И то, что он в комнате, по поведению, был «главнее», почти убедило Леву, но и тут он вовремя спохватился не признаться в своем открытии... Потому что... «Господи! у меня, пожалуй, жар. — Лева пощупал голову, рука была такой же горячей, как и лоб, или такой же холодной: он не понял, есть ли у него жар. — Ведь надо же быть таким идиотом! Он же ясно спросил, Лева ли я, и сказал: "Садитесь. ОН скоро придет", — ну и дурак же я!» — мысленно хохотал про себя Лева, покачивая головой, стирал слезу. Однако не мог себя успокоить. Старики молчали, только «дядя Митя» закурил, и уголек иногда освещал его внимательные глаза.

«Что они свет-то не зажигают?!»

Первый старик окаменел, отвернувшись в окно, что-то шептал туда, где еще еле розовела, подернутая пеплом, тоненькая ниточка заката.

«Может, они его убили!.. — вдруг пронзило Леву. — Может, он лежит во второй комнате!» Лева вспомнил мотнувшегося из дверей и обрушившегося по лестнице того молодого человека, и почему-то это стало окончательным доказательством догадки.

«Убили! убили!..» — рыдал про себя Лева. Шел за гробом, падал легкий снег...

Резкий звонок пронзил темноту.

— А! а! — Лева вскочил и не смог закричать, замахал руками, как во сне, когда скатываешься с кровати.

— Слава богу! — первый старик, с легкостью и проворством, на одной ноге, проскакал к двери, на ходу включил свет — и уже лязгал своими многими замками в коридоре. Лева зажмурился от света и стыда за себя — он все еще стоял посреди комнаты, а «дядя Митя» смотрел своими внимательными глазами чуть удивленно: это что еще за псих?..

Лева опустился на стул, ослабевший, в прохладном поту.

И вошел все тот же развевающийся молодой человек — вид у него был смерзшийся и недовольный. Посмотрел длинно на Леву: этот как сюда попал? — бережно свалил на стол тяжелый рюкзак.

— Не могли убраться? — Стал зло и быстро собирать со стола. И тут, отлязгав замками, весело вошел первый старик.

— Очень далеко магазин, — объяснил он «дяде Мите».

Молодой человек усмехнулся, обернулся к старику, увидел — и некрасивое лицо его осветилось. Он порылся в своем балахоне и подал старику бутылку пива.

Старик искал, чем открыть, и не находил.

Отец отца

Молодой человек снова оторвался от работы, заботливо отнял бутылку, ловко открыл, налил полную «ларьковую» кружку и подал старику.

Тот сел на стул, все еще чему-то не веря, обнял кружку обеими руками и приник... Пил он долго, вникал, захлебываясь, всасывая, впитывая, вдыхая, погружаясь, весь уходя в кружку, он копошился над ней, как шмель над цветком, и, когда отвалился со счастливым вздохом, Лева с ужасом заметил, что пива, собственно, не убавилось в кружке — столько же и осталось. Слово «жажда» как бы написалось перед ними в воздухе, во всей своей полноте, со всем своим жабьим жужжанием, и надолго потом, навсегда, связалась эта никак, при таких-то трудах и страсти, никак не отпитая кружка с образом Жажды, понятием Жажды как таковой...

— Вот и славно, — сказал успокоенный старик и обвел всех потеплевшим и уже выразившим какую-то жизнь взором. Поймал недовольный взгляд, брошенный молодым человеком на Леву...

— Ах, я вас и не познакомил... Рудик, это мой внук Лева.

— Что ж он сидит как неродной! — сказал Рудик, доставая из рюкзака водку, бутылку за бутылкой...

«Господи!..» — успел подумать Лева.

. . . .

— Так ты меня, значит, сразу не узнал!.. — смеялся дед, и лицо его довольно сморщивалось, на одну, впрочем, сторону. — И очень замерз, чтобы прийти точно? — Он повел взглядом в сторону Рудика и «дяди Мити»; лицо его смеялось пополам.

Лева еще продолжал расценивать это как «грубоватую ласку». В нем еще жило то ощущение радости и общности, дружно сдвинувшее всех их за столом: отдельное чоканье деда с внуком, «со свиданьицем...» — прямой взгляд в глаза. Не выпить со всеми Лева не мог — так ему было плохо до этого, так он не знал, куда деться, — он выпил стакан залпом (дед еще намешал туда что-то, вышло вроде «Митинки»), выпив, почувствовал, как отвратительно то, что он выпил, и задохнулся, а дед предусмотрительно уже держал на вилке огурчик... И тогда, жуя огурчик, с набитым ртом, сквозь слезы, хрустально преломившие мир, где на длинных искрящихся иглах, протянувшихся от голой лампочки, повисли лица его новых друзей... ощутил он награду освобождения и счастья, обрел на миг благодарность миру, и мир отблагодарил его. Общий смех был необидным, стол — красивым, лица — светлыми, мир — истинным, — и тогда так естественно ему показалось и легко признаться этому миру в любви, искренне подсмеиваясь над собственной наивностью и простотой, как бы приглашая всех любовно посмеяться над Левушкой, раз уж и он вот поплакал и смеется, у всего этого был образ проглянувшего солнышка после пролившегося дождя, с поблескиванием капелек на травинках; примирения с любимой, с поблескивающими же слезками на длинных ресницах; осушение, натянутость свежей, омытой кожи; легкость после слез и дождя. Так он приглашал всех любить себя под испытующей «теплотой» взглядов, при участливом молчании, прежде чем суждено было ему понять, что испытание было испытанием и молчание — молчанием... Пока не стало Леве так тепло и полно, что он сам потерял нить...

— ...А я-то, Левушка, и забыл, что ты должен прийти. Не то что к какому часу... Я вообще-то не собирался звонить — как это меня по пьянке угораздило? Я потом забыл совсем... Ну, это ладно. Ты мне вот что скажи: зачем ты мерз? На какого меня ты рассчитывал? Ну что тебе было не прийти раньше, раз ты уже пришел раньше, или опоздать? Мог и вовсе не приходить... Зачем ты пришел ровно? — Дед как-то вдруг весь оформился, сфокусировался и говорил почти внятно, во всяком случае без труда; прямые, как тычки сухого кулачка, глаза его совсем все видели, не в том смысле, что отличали и отделяли все физические предметы друг от друга, а — что́ за ними, и под ними, и вокруг, и где это все помещается, и в чем еще, поверх, заключено: он видел все цельным и в целом, — и никуда было не деться от взгляда, ты пятился, пятился — упирался спиной в стену, прикрывался локтем, как от удара. Лева не знал, за что его так, но и сквозь заслон детской обиды проникала в него непонятная ему правота деда, он готов был слушаться и подчиняться, только бы, как в дрессировке, поощряли его иногда похлопыванием или поглаживанием — кусочком... Но — не поощряли.

— Что за образ заставлял тебя мерзнуть? гипнотизм работы часового механизма? счастье от совпадения стрелок?..

Отец отца

Какие вы все-таки все стали рабы! Вот и он... — Дед кивнул в сторону Рудика. — Но он хоть поэт и невежда, самородок... Почему вас непременно должно перекашивать в некое чувство? Без «чувств» вы никак себе поверить не можете... Оттого и надо вам, чтобы вас любили, и все страдания ваши — какие страдания! переживания — об этом... Что за надобность?

Лева не выдержал, перестал понимать, что говорит дед, заозирался, словно ища поддержки... Спасительный взгляд «дяди Мити» — он уцепился за эту последнюю надежду... Однако дед преследовал, не отставал.

— Ну что ты заглядываешь по-собачьи в его собачьи глаза! — взъярился он. — Отчего, ты думаешь, у него такой взгляд замечательный?.. У тебя тут же услужливо срабатывает версия под чувство, ты тут же объясняешь себе происхождение его взгляда удобными тебе сейчас следствиями из него, именно следствиями. Ты объясняешь его себе добротой, вниманием, пониманием — они тебе сейчас нужны. Понимать вас, видите ли, надо, гуманисты.........! А он-то тебя действительно понимает, сечет... Потому что у него м е т о д безукоризненный, и он только им и пользуется, оттого четок и ясен; он не на тебя смотрит — он тебя читает, он — профессионален. А метод его прост: он смотрит на тебя и видит, какой бы ты был на следствии или на допросе, — потому что он тысячи, тысячи таких, как ты, видел. Он — Менделеев человеческих душ. Ты для него кальций или натрий, не больше. Он заранее, по опыту, все про тебя знает — первых движений твоих достаточно, чтобы он знал каждое твое следующее. Вот только один недостаток — он с ума сошел, как Германн: тройка, семерка... — все перебивает. Он не может избавиться, не в силах отдохнуть ни секунды от автоматизма этого опережения твоих движений и сличения их, мысленных, с теми, что ты производишь ему в доказательство в ту же секунду, — и они, учти, всегда идентичны. Вот и весь его взгляд. Для тебя понимание — уже есть участие, ты так привык, потому что понимание в твоей жизни случайность, да и не случайность, а некая функциональная, периодическая перевранность ситуации — как физическое отправление, только не такое честно-необходимое... — Лева взглянул еще раз в глаза «дяде

Мите», и действительно, тот слушал, и слышал деда, и смотрел на Леву, внимательность и участливость его взгляда не изменилась: он следил за действием дедовых слов, опережал это действие представлением и сличал представление с возникающей, казалось, для него слишком замедленно реальностью. Могло быть так, как говорит дед. — Леве страшно... — Он же, Коптелов, мой начлаг бывший, хороший человек: меня дважды н е у б и л...

Коптелов рассмеялся, посмотрел на деда с удовольствием.

— А это он доволен, что я соврал, а он этого не предугадал. Он ведь если и не каждое мое слово, то движение в целом, вектор, — тоже ловит и сличает... Только он меня слишком ценит, переоценивает — оттого никогда не ждет, что я и лажануться могу. Ну вот, и редкое для него удовольствие: не совпало — смешно...

— Модест Платонович!.. — жалобно сказал Лева.

— Модест Платонович! Модест Платонович... — передразнил дед. — Назови-ка меня «дедушкой», выговори...

— Маэстро Платон... — поддразнил Рудик.

— А ты — завистник — молчи! — и дед потрепал Рудика по голове. — Налей-ка всем еще...

(67

Дед был прав: Лева не мог бы произнести слово «дедушка» — его бы вывернуло от стыда и фальши. «Зачем я тогда сюда пришел? — вдруг догадался он. — К кому? Я же не к н е м у пришел...» Он посмотрел на «дядю Митю» — Коптелова, на Рудика — эти л ю б и л и деда — вот что он внезапно понял. А он?

Все выпили.

(*Курсив мой. — А.Б.*)

Нас всегда занимало, с самых детских, непосредственных пор, где прятался автор, когда подсматривал сцену, которую описывает. Где он поместился так незаметно? В описанной им для нас обстановке всегда имелся некий затененный угол, с обшарпанным шкафом или сундуком, который выставляют за изжитостью в прихожую, и там он стоит так же незаметно и напрасно, как тот ав-

Отец отца

тор, который все видел как бы своими глазами, но только скрыл от нас, где были эти его глаза... Там он стоит, в глухом сюртуке, расплывчатый и невидимый, как японская ниндзя, не дыша и не перетаптываясь, чтобы ничего не упустить из происходящего в чужой жизни, не таящейся от него, из доверчивости, или бесстыдства, или привычки и презрения к нему.

Читая и сличая с жизнью, покажется, что дух общежития и коммунальной квартиры зародился в литературе раньше, чем воплотился наяву, как раз в подобном авторском отношении к сцене: автор в ней коммунальный жилец, сосед, подселенный. Достоевский, наверно, еще и потому лучше всех «держит» многочисленную, «кухонную» сцену, что сам никогда не скрывает своей «подселенности» к героям: он их стесняет, они не забывают, что он может их видеть, что он — их зритель. Эта замечательная откровенность соглядатайства делает ему опережающую время честь. Такая большая объявленная условность — истинно реалистична, ибо не выходит за рамки реально допустимого наблюдения. Рассказ от «я», в этом смысле, самый безупречный — у нас нет сомнений в том, что «я» мог видеть то, что описывает. Так же не вызывает особых подозрений сцена, решенная через одного из героев, пусть и в третьем лице, но одним лишь его зрением, чувствованием и осмыслением, где, только по одному видимому поведению и произнесенным вслух словам других героев, можно строить предположения о том, что они думают, чувствуют, имеют в виду и т.д. То есть как раз субъективные (с точки зрения субъекта — автора или героя) сцены не вызывают подозрений в реальности изображенной реальности.

Зато сколь сомнительны, именно в этом смысле, объективно-реалистические решения, почитающиеся как раз собственно реализмом, где все выдается за «как есть», за «как было на самом деле», путем именно устранения той щелочки или скважинки, в которую подсматривает автор, тщательного ее замазывания и занавешивания. Это и заставляет нас как раз, уже и не по-детски, сомневаться в реальности литературного происшествия. Если нам не объявлена условность, субъективность, частность решения, то еще прочесть из снисходительности, как поаплодировать безголосому, можно, но поверить по переживанию и разделить — представляется затруднительным. Откуда он знает? с чего он взял?.. И если мы не знаем, как было на самом деле, то опыт подсказывает, как не м о г л о быть. Ведь ни у одного человека нет такого опыта, в котором он бы не был непосредственным, хотя бы и пассивным, участником...

Следовательно, никогда, ни при каких условиях, ни для одного человека не происходило действия в общем, объективном, безучастном значении. Выдавать натужную «объективность» за реальность — достаточно самонадеянно. Сверху может видеть только Бог, если предварительно договориться, что он есть. Но писать с точки зрения Бога позволял себе лишь Лев Толстой, и мы не будем здесь даже обсуждать, насколько правомочны были эти его усилия. Тем более что наш герой назван Левой в его честь, не то нами, не то его родителями...

Приостанавливая разбег, мы хотим еще раз подчеркнуть, что для нас литературная реальность может быть воспринята реальностью лишь с точки зрения участника этой реальности. И что, в этом смысле, то, что принято полагать за оптимальный реализм, а именно: все — «как было», как бы без автора, — является в высшей степени условностью, причем неоткровенной, не вызывающей доверия формально формалистической. И тогда мы сочтем за реализм самостремление к реальности, а не одну лишь привычность литературных форм и даже норм.

И вот, имея столь похвальную убежденность в том, ка́к правильно, мы стоим в значительном затруднении перед практическим сейчас следованием этой убежденности... Так как мы решаем все через Леву, а то, что с ним произошло в этой сцене и чему он был свидетелем и участником, пока еще, по достигнутому им развитию, не может быть ни узнано, ни расслышано, ни понято им, то растягивать в последовательное изображение то, как он не понял, не услышал и не увидел, является и слишком сложной технически, и слишком технической задачей. Мы достаточно это его состояние уже обозначили. Но нам важен в этой главе, важен для Левы, хотя он и не был способен усвоить событие в той степени, в какой это для него важно, — нам важен дед Одоевцев, важен как знак. Поэтому нам отчасти придется отойти от чисто Левиной «призмы» и откровенно, не выдавая изображаемого за реальность (но и не отказываясь от нее), дать хотя бы знак, не посягая на живого человека...

Тем более что не только неподготовленность Левы нам помеха, а и то, что в этой сцене все пьют довольно много. А по опыту, и своему, и предшественников, можно утверждать, что самое сомнительное и спорное в словесной передаче — это мир ребенка, мир пьяного и мир фальшивого или бездарного: ни то, ни другое, ни третье ни разу не имело достоверного самовыражения, а воспоминания подводят всех. На эти вещи у нас будет всегда свой взгляд, потому что детьми мы себя не помним, пьяными — не запоминаем, а фальшивыми и бездарными — не узнаем.

«Так дети не говорят, так дети не думают» — столь распространенный упрек пытающимся писать серьезно о детях. Бесполезно доказывать им, что нет, именно так дети говорят, именно так думают, — столь убеждены все взрослые, что знают, как... Взрослые, в лучшем случае, всерьез воспринимают свою заботу о детях, но не самих детей. Потому что «взрослым» и без того достается от жизни, чтобы иметь силы быть столько же серьезными, как дети. Полная мера представления детской серьезности сильно обескуражила бы, обезоружила и обессилила их. Сама природа, что ли, позаботилась об этом барьере? — но это так: сколько ни имей дела с детьми, вряд ли станешь больше знать о том, кто они такие...

Как это ни удивительно, почти то же — с пьянством: сколько ни пей, ты не узнаешь о пьянках больше, чем уже знал.

Сцену у деда Одоевцева, которую мы взялись описать, некому было описать трезво... Да такого опыта вообще почти ни у кого нет, хотя пьяными бывали многие: завтрашнее наше отношение к происшедшему вчера — редко бывает справедливым. Ни в какой компании не потерпят, чтобы кто-то не пил, а наблюдал и слушал, — и правильно, потому что описания трезвых всегда отталкивающи и, само собой, не талантливы в передаче палитры чувств пьяного человека. Те же, кто уже выпил, не могут нам передать в трезвом смысле, как все было, а праздника своих чувств — почти не помнят или не находят слов. И помирить это информационное противоречие — не в наших силах.

Так много оговорив, мы заявляем: «Так пьяные говорят!» — и, что бы нам потом ни говорили, придется стоять на своем...

Поэтому расставьте сами, где угодно, как подскажет ваш опыт, возможные в подобных сценах ремарки (это, кстати, и будет то, что мог отметить сам Лева...): где, и как, и после каких слов своего «выступления» дед Одоевцев кашлял, чихал и сморкался, супил брови, надувался и опадал, где он терял и «ловил кайф», где его перекашивало и он забывал, о чем речь, и где махал на это рукой, где он вытирал лысину, скручивал свою махорочную цигарку, плевался, вращал глазами и тыкал в собеседника (главным образом, в Леву) пальцем и в каких местах приговаривал: «Я в а с видал...» (далее нрзбр. — А.Б.)

ОТЕЦ ОТЦА

(продолжение)

...Рудик читал стихи, непонятные, но сильные.

— Тебе нравится? — спросил дед Леву.

— Нравится... — неуверенно выговорил Лева под ревнивым и презрительным взглядом Рудика и внимательным — Коптелова. Разве он мог сказать «не нравится»?.. Но «нравится» — тоже не получилось. У него не было шансов ответить «им» правильно. Все трое уже стали для Левы — «они»...

— Он мало что знает, зато умеет «ловить кайф», — сказал дед. — Свойство молодости... Кстати, смешно: «ловить кайф» — совсем не лагерное, не только современное выражение. Семнадцатилетний Достоевский, задолго до острога, пишет своему брату, хоронит себя: «Что сделал я за свою жизнь? — только ловил кейф...» Читай дальше... — Деду нравились стихи, он был пьян «в самую меру», и он благодушествовал. Пол-лица его расправлялись и молодели.

Вдохновленный Рудик прочел, очень волнуясь, новый стих, который казался ему особенно сильным, пророческим... с очевидным намерением окончательно всех сразить.

Леве на этот раз очень понравилось.

Дед рассердился.

— ... я ваши куриные прогнозы! С чего взяли, что т а к будет? С чего вы вообще взяли, что как-нибудь б у д е т? Не надо, Левушка, умиляться собственной вшивости. — (Лева надулся: и стихи не его, и опять он же виноват.) — Какой Запад, какая Россия?.. В вашем-то, идеальном, смысле — жизни нет ни там, ни тут. У них — условия, у нас — возможность. Какие сейчас могут быть славянофилы и западники?.. И те и другие сейчас — просто необразованные люди. Признавать прошлое у нас, а настоящее — на Западе, отменяя настоящее у нас, а там — прошлое... Вам девятнадцатый век нравится, а не западная демократия. Вам хотелось бы обменять века на стороны света... даже наша заповедная власть не справится с такой задачей. Как бы вам ни хотелось чего-нибудь поидеальней — все подчинится логике прогресса, логике потребления и изживания... Человечество было рождено бедным и немногочисленным. Таким оно вписывалось в совершенный круг природы и бытия. Я старый, внимательно живший человек, и я могу с некоторой определенностью, исходя из конца одних и начала других современных событий, судить, что будет с вашим сознанием через десять — пятнадцать лет, до следующей перемены. Так вот, лет через десять, когда все газеты станут писать как бы тревожно о том, что мы делаем с природой, зарабатывая на жирной честности этой темы, кто-нибудь да напишет о том, как совершенны были первобытные способы земледелия по «вписанности», по вкрапленности в замкнутую, предельно экономичную, совершенную цепь природных процессов. Человечество было бедным и прокармливало себя трудясь, не расковыривая купола природы, стоя у дверей ее скромно и не помышляя еще о грабеже. Оно могло, подголадывая, накормить «от пуза» нескольких там князей и церковников, их было и не так много, и эта социальная «несправедливость» ничтожна, если учесть, что р а з н о с т ь эта необходима человечеству для основания культуры. Накапливая излишества, они невольно создавали образ в о з м о ж н о с т и. Никакое равенство не возведет храмы и дворцы, не распишет их, не украсит. После обеда, пира (пусть, как учат в школе) можно послушать стихи или музыку. Из обеспеченности возникала подготовлен-

(73

ность, из подготовленности — способность ценить, из способности ценить — уровень культуры. Никак не наоборот. Культуре нужна база, богатство.

Не для удовлетворения потребностей художника, — а для подлинного спроса. Эту пассивную, почти биологическую, роль аристократии, такую очевидную, понимать уже поздно. Никому сейчас почему-то в голову не приходит, что сумасброд из маленького княжества очень, по-видимому, понимал в музыке, если у него «работали» Гайдн или Бах. Что папа понимал живопись, если выбирал между Микеланджело и Рафаэлем... Все-таки это были просвещенные люди. Ну да... И осуществлялась эта немыслимая, головокружительная разность человеческих потенциалов, от смерда до Рублева, на бесконечно малой энергетической основе, смешной для современности. За счет всего лишь социального неравенства — сохранялись смысл и возможность человечества. То есть экономичность человеческой культуры, при ее высоте как условии, так же поразительна, как экономичность природных процессов в круговороте бытия. Почти подобна. Я говорю «почти», потому что природа по аристократизму своему выше любого общества, хотя бы по той же «разности потенциалов», накопленной на минимумах энергий. Природу не интересует равенство внутри- и междувидовое, ее интересует целесообразность и совершенство. Перед Богом все равны, ей хватает такого равенства... Я говорю «почти» и потому, что и тогда, в пору высших форм аристократизма, люди, конечно, пожирали и вытаптывали под собой жизненные пространства. У Ювенала есть такая жалоба вольноотпущенника: «Ему (патрону) подают краснобородку, которую уже почти всю выловили в Средиземном море, а тебе (то есть ему, вольноотпущеннику) ужасного змееподобного угря...» Видите, с некой краснобородкой обстояло и в т е далекие времена, как сейчас с угрем... Так вот, человечество скромно выстаивало у дверей так называемой «кладовой природных богатств». Замечали хамство этого выражения — «природные богатства»? Будто «богатство» — это излишек, не сама природа! Человечество, до наших времен, не было лишено скромности и даже застенчивости, и это не его заслуга, а т е условия. Технический прогресс тем временем потихоньку шел на уровне уточнения часового механизма и добавления еще одного колесика к полиспасту, по одному в столетие... пока не накопился до производства не более совершенных, а более тяжелых отмычек, орудий взлома и грабежа. Их надо было употребить — и ими взломали двери природы. Не отворили, не открыли ее тайну, чтобы войти в нее, а взломали, не поняв даже, в какую сторону створки... может, там и замка-то не было, а просто дверь на себя отворялась! они нажали, надавили, сила есть — ума не надо, и ввалились внутрь вместе с дверью. Так ребенок теряет терпение над чем-то не по уму, как они потеряли. Они оказались действительно среди развалов богатств — бери не хочу! Пощипывая, поплевывая, косые от разбоя, разбрелись и беспорядочно расплодились по всей земле... Али-баба, выбрасывающий медяки, потому что нашел сундук с серебром, с тем чтобы потом выбрасывать серебро ради золота, а золото ради бриллиантов, — и все это до тех пор, пока не вернутся хозяева отрубить ему голову и снабдить ворота новым замком!.. Это и есть прогресс. Принято, что человечество набрело на путь прогресса, меж тем как оно с б р е л о со своего пути. Это по всей его истории видно. Точка ответвления определяется с точностью в несколько десятков лет, для истории это микрон, развилка еще видна простым глазом, если кому есть время обернуться, — так нет, все бегут. Не сверни оно, может, и не много уже оставалось, — оно бы вошло в ту же дверь, чуть толкнув ее, — и ворота бы распахнулись, — но уже не набросилось бы на богатства с бессмысленностью грабителя, а знало бы, как и что с ним делать. Те же законы, ту же тайну обязательно откроют, когда будет поздно, когда будет невозможно уговорить прислушаться и никто не остановится первым; это и будет последний момент, когда еще можно спохватиться так, чтобы природа могла отдохнуть, зализать свои раны, регенерировать, — но человечество, еще и подученное веком, не согласится ни на какие сегодняшние жертвы ради даже завтрашнего утра... Инерция потребления и размножения будет столь массивна и велика, что и поняв, что происходит, можно будет лишь сознательно наблюдать момент падения, миг отрыва лавины с гребня. И пружина уже не сожмется обратно, а растянется в проволочку и порвется —

Отец отца (продолжение)

природа расползется, как спущенный чулок, причем это не будет спуск хотя бы равный подъему — это будет мгновенно и на глазах, испарение облачком, останется злая лысина, с которой внезапно сдернули парик при всем народе, всем на позор. Это «прогрессивный паралич» земли — простите за каламбур... Лавинообразное потребление и размножение на базе грабежа природы, паразитирование на природе и замена всех форм созидания всякого рода исполнительством, стремительное, фантастическое падение под самого себя, где ты сам, собственным весом, будешь себя тискать и ломать собственные кости всей тяжестью потребленного, отнятого и непроизведенного, невозвращенного, — ноль из человека — вот путь прогресса. Может быть — и это еще самый оптимистический взгляд, — то, что сейчас происходит в мире, не на социальной поверхности процессов, а в невидимой глубине их содержания, — есть борьба, соревнование человеческого разума и прогресса (Бога и дьявола, по-старому). Тогда задача разума — успеть во что бы то ни стало, до критической точки (необратимости) разорения Земли прогрессом, развенчать все ложные понятия, остаться ни с чем

76) и в н е з а п н о постичь т а й н у... Тут происходит революция в сознании — и земля спасена. И все это утопия, хотя и желанная. Если и есть тайная сила разума, противостоящая прогрессу, то действие ее параллельно прогрессу — это гонка с общим стартом и общим финишем. Может, разум и нагонит прогресс, но тогда они придут к финишу вместе, грудь в грудь (критическая линия необратимости и будет линией финиша), — и будет поздно воспользоваться плодами духовной революции, она не успеет их принести, завязи лопнут на космическом морозе, наступит необратимость — возмездие. Возмездие ведь и возможно лишь с момента осознания... Так все сходится.

Дед вздохнул, отхлебнул — пол-лица его все оживало, пол-лица мертвело — и продолжил:

— И это так же наглядно, так же очевидно в культуре, в слове, в духе — прогресс как потребление и изживание всех слов и понятий, составляющих нашу нравственную и гражданскую структуру. Сначала маленьких и конкретных, потом значительных и ложных, потом больших и абстрактных... Любая идея покажется вам спасительной — коль она у вас возникла. Слова подбираются, и сначала какие попало, а потом и те, что остались (остаются все лучшие), — и истрачиваются навсегда. Вся сила человеческого духа повернулась в наш век лишь на истрачивание, отмену, разоблачение и дискредитацию ложных понятий. Весь позитивизм современной духовной жизни — негативен. Ложные понятия изничтожаются — и не заменяются ничем. Вам еще повезло: у вас лет на тридцать (как раз пока меня не было...) была запрещена всякая охота за словом и понятием, слова одичали и перестали бояться человека одновременно, они разбрелись — пространство большое — и бродят неузнанные, непойманные, непроизнесенные. Вот вы считаете, что семнадцатый год разрушил, разорил прежнюю культуру, а он как раз не разрушил, а законсервировал ее и сохранил. Важен обрыв, а не разрушение. И авторитеты там замерли несвергнутые, неподвижные: там все на том же месте, от Державина до Блока, — продолжение не поколеблет их порядка, потому что продолжения не будет. Все перевернулось, а Россия осталась заповедной страной. Туда не попадешь. Жизнь, не какая была, а какая ни на есть, началась лишь с семнадцатого года, но и ее стало много, и ее остановили. И эта окончательная остановка, этот запрет, который сейчас все клянут, даст вам тем не менее видимость духовной жизни лет на десять — пятнадцать. На ликвидации «ложных» и ловле «истинных» вы еще испытаете как бы подъем, и восторг, и труд...

(77

> Ра-азделить с тобой готова
> горе, радость, труд большой... —

внезапно пропел дед, слабо и верно, — но она вас непременно бросит, не обольщайтесь... все это очень недолго, потому что все это уже было, уже произошло в мире, и к вам, какие бы ни были сопротивления, все вернется с той быстротой, как во сне... Вы запустите либеральную фабрику по разоблачению ложных представлений, якобы ради сейчас еще запретных, но столь желанных «истинных». Но пройдет лишь несколько лет — вы дорветесь и до них, до тех, что сегодня кажутся вам истинными, и они быстро разочаруют вас, потому что, прежде понятий, прежде их возможности,

Отец отца (продолжение)

проник уже призрак прогресса в культуре, то есть потребительского, а не созидательного отношения к духовным понятиям и ценностям, — он-то и бередит, он-то и побуждает ко всему этому невнятному и радостному гоношению... И, помяните мое слово, самые передовые из вас, те, что катятся впереди прогресса... через десять лет вы услышите все ваши сокровенные слова и понятия в ложном и фальсифицированном смысле, и это будет не благодаря нехорошим людям, «захватившим и извратившим», а благодаря вам самим, самим этим вашим понятиям, на которые вы уповаете; они, еще запретные и не произнесенные, уже содержат в себе ту же неправду, которая так изнуряет и подвигает вас. Через десять лет вы будете слышать все слова из стишков Рудика на каждом шагу... Россия, родина, Пушкин... слово, нация, дух — все эти слова зазвучат еще как бы в своем первом, природном, неофициальном смысле, заголятся — и это будет конец этим понятиям. И наступит пора «новых», которых вы к тому времени отыщете из еще более забытых. Это будет такая промышленность — «до́быча» слова (так, кажется, уже выразился один поэт), отработанные слова будут сваливаться в отвалы. Как в ру́днике... Лева, ты работал на «ру́днике»?.. Сейчас вы проходите Цветаеву и Пушкина, затем пройдете Лермонтова с еще кем-нибудь, а потом накинетесь на Тютчева и Фета: доращивать одного — до гения, другого — до великого. Бунина — вытягивать... Это раздувание и доедание репутаций сойдет за прирост современной культуры. Все будет, все уже есть из того, чего вы так страстно жаждете, чем, вам кажется, все и объясняется и исправляется. По невежеству вы будете обжираться каждым следующим дозволенным понятием в отдельности — будто оно одно и существует, — обжираться до отвращения, до рвоты, до стойкого забытья его. Чего нет и не будет, так это умного, не потребительского отношения к действительности. В таком состоянии, быть может, находится дух при зарождении новой религии. Но трудно верить в то, чего еще нет. Пока же, уверяю вас, будьте благодарны культу...

Под эту реакционную речь, воспринятую всеми как удачно и вдохновенно сказанную, все еще выпили.

Дед морщился, корчился — и перебил Рудика:

— Да все, все уже — советские! Нет не советских. Вы же — за, против, между, — но только относительно строя. Вы ни к какому другому колу не привязаны. О какой свободе вы говорите? Где это слово? Вы сами не свободны, — а это навсегда. Вы хотите сказать от себя — вы ничего не можете сказать от себя. Вы только от лица той же власти сказать можете. А где вы еще ее найдете?.. Для вас уже нигде не найдется условий: если вы себя экспортируете, то вы не можете захватить с собою то, относительно чего вы только и есть для себя. Да отвяжи вас — вы назад запроситесь, у вас шея будет мерзнуть без ошейника... Вы обнаружите, что без этой власти вас-то таких и нет. Это только здесь вы — есть. Вы больше нигде не будете. Вам не нравится... А мне нравится эта жизнь! Что вы понимаете?.. Вы не можете этого оценить. Вот Рудик... я ему дал мятую дрянную бумажку — и он пропал, провалился в этот пустырь — и нет его и нет! — Дед вспомнил и снова рассердился, фыркнул: — Да ведь, сами посудите — и быть не может! Ведь куда он ушел? — один камень, плоскость, пурга... и вдруг возвращается ниоткуда: несет хлеб, вино, чай, колбасу, даже табак! Откуда? за что?.. Когда мне кажется, что схожу с ума, то всегда из-за того, что считается совсем естественным, само собой разумеющимся, чего и понимать не надо! Ведь этого места, где мы сейчас сидим, скорее всего, и нет на земле, быть не может — остров небытия. Однако открой кран — пойдет вода!.. Ну, электричество, газ — еще как-то можно смириться: мол, этого и постичь нельзя, мозги поломаешь... но — вода! откуда вода-то здесь взялась?.. Однако можешь даже попробовать на вкус — вода! Даже не только попробовать — напиться, утолить жажду можно! Это ли не потрясающе... Положим, вода — вообще самое удивительное на свете: прозрачная, без вкуса, без запаха — и пьешь! Чистое утоление. То, что по бороде течет, — уже богатство... Это почти воздух — так удивительно и так не сказать. Если настоящая жажда — то и воздух. Я вам о прогрессе чего-то наговорил... Главное забыл. Не оттуда нам грозит, где с трудом дается, даже если и грабительским трудом. Не оттуда, где дорого, где стоимость, где всем надо и все хватают, — где есть цена, объявленная ценность. То есть мы, конечно, све-

Отец отца (продолжение)

дем леса, воды, рыбы, почвы, звери... зверей, зверей первыми, чтобы наедине остаться... но все это потом, не успеем даже до конца... Потому что прежде всего нам грозит — от бесплатного, от Богом данного, от того, что ничего никогда не стоило, ни денег, ни труда, от того, что не имеет стоимости, — вот откуда нам гибель — от того, чему не назначена цена, от б е с ц е н н о г о! Мы выдышим и выжжем воздух, мы выпьем и выплескаем воду... То есть б е с п л а т н о е мы разорим первым, а золото, брильянты, что еще? — все это будет лежать целехонько и после нас, на память о нас... Все-таки, как это ни очевидно, а забавно, что то, что с самого начала было ничьим, общим, — то и пропадет первым. Можно составить довольно точный стоимостный ряд от воздуха до брильянтов — и это будет последовательность растраты и исчезновения. И будут они — как это? — обратно про-пор-циональны! Так я же не об этом... я о том, как мне все нравится. Мне нравится земля, на этой земле и даже, как вы на ней устроились, нравится... что бы я ни говорил, как бы ни стонал — все это глупо. Потому что суть есть порядок вещей, и все так, по сути, и происходит, неизбежно, только мы не всегда понимаем и тогда х о т и м, а может, наоборот, хотим — потому не понимаем... Так что про воду, я ее хочу и не понимаю и понимать не хочу — это и счастье. И ладно. Мне еще можно объяснить, постановив воду за данность, что, мол, источник, насос, башня, труба — водопровод... я пойму, что человек мне что-то объяснить хочет, это-то я пойму. Но вот чего она м н е течет?.. Он, объяснитель, будет горячиться, возбуждаться, глаза таращить — он никогда не будет знать, объясняя, что́ же это ему так понятно, так ясно, как шоколад. Шоколад, видите ли, ему ясен, не то что вода! Он ни за что не хочет стать сумасшедшим, как я, не понимать он не хочет — не хуже других! — так и будет окружать понятия бессмыслицей слов, пока не завалит, чтобы не видно, накинет на явление рваную сеточку слов, кое-как накроет — и ладно, поймал... Вот такие люди очень любят пояснять, как они этот мир поняли и расценили: такое удовольствие, такая ясность и упорядоченность!..
Значит, милочка, берешь кастрюлю, лучше такую, а не такую, зажигаешь огонь — во-от такой, посолишь столько, нарубишь того и сего, так и столько, положишь сначала то,

80)

потом уж то, не перепутай, и — борщ! вот если все так и сделаешь, как я сказала, то все и пальчики оближут и не нахвалятся... Как они любят перечисления того, что им понятно! как славно мыслить борщом, где все, как надо, уложено! ну, что за удовольствие жить в этом мире, когда все так складно получается... Какая кастрюля? откуда картошка? почему — суп?.. Нет, мир без молитвы совершенно безнадежен в умственном отношении. У Тургенева, помните, пожалуй, в «Отцах и детях», в эпилоге, про Петра: «Он совсем окоченел от тупости, выговаривает все Е, как Ю: я т ю п ю р ь о б ю с п ю ч ю н»... Обюспючюны все теперь... Тюпюрь... Вхожу это я в магазин, в то самое «ниоткуда», откуда Рудик все это принес, — дед сделал широкоплавный жест, благословляя стол. — Там баба, ну баба и баба, дрянь баба, старая, толстая, бородатая, сипит, бородой трясет: мол, ничего в магазине нет, — а я как раз благодарю бога — маленькую беру... и в этот момент она мне такое говорит. Тьфу, думаю! А это что? Это что, тебя спрашиваю! не товар, по-твоему? Думаешь, в витрину нечего положить было — так мусор выставили? И я прав, потому что витрины прямо так и завалены самым разным некрасивым российским товаром, который есть можно... Ты что же, говорю, баба, думаешь, что эти плавленые сырки и не ест никто? Сыру, видите ли, ее сорта нет... Что, кашу не варят? и консервы не едят, камбалу в томате? все едят и варят. Вся Россия что, по-твоему, ест?.. Эти лиловые камушки, думаешь, что? это киселек, очень съедобный... вот и пряники, свежачок, всего недельные — и зубок не надо! а? Тут меня участковый под белы рученьки... И не грубо, справедливо и серьезно так берет, татарин, а не бьет, только славно так выводит и провожает домой. И маленькую не отобрал — понял, значит... Народ, значит. Нет, они потрясающе устроились, эти люди!.. Все выверено, никаких излишеств, ровно столько, и — справед-ливо! справедливо все до чрезвычайности, заметьте! не надо только нарушать, а надо со-блю-дать! Ну, с нарушителя — и особый спрос. То, что ему не всегда хватает, не все, так сказать, удобства — это же логично, понятно. Зачем хотел больше других?.. Но, главное, система эта обеспечивает счастьем тех, кто в ней находится и за края не высовывается... Кто ж его заставляет — высовываться?.. Да, потрясаю-

(81

Отец отца (продолжение)

ще все устроились — и уверены в этом. Заметьте, системы хватает даже на придание уверенности — она сильна!.. Вот иду домой — посреди поля стоит человек, стоит и стоит — нечего ему там делать. Рядом с ним — столбик, на столбике табличка от ветра качается. Ничего вокруг, никого. «Вы уверены, что оно придет?» — спрашиваю. «Кто?» Он даже испугался. «Да то, — говорю, — чего вы ждете?» — «Вы о чем?» Смотрит на меня, и правильно, как на сумасшедшего, что же он может ждать? «Автобус, — подсказываю я ему, — вы уверены, что он придет?» — «А...» Он успокоился, поняв меня по-своему. Смотрит почему-то на часы, а не на дорогу, и говорит: «Почему же ему не прийти? Через минут пять придет». — «Да почему же вы так уверены, что придет!» — взмолился я. «Знаешь, дед, — сказал он, — налил глаза — и проваливай. Неудобно даже, в твоем-то возрасте, к людям вязаться». Ничего попался, не злой, а то ведь и побить мог, от уверенности-то... Так вот я, пожалуй, не утратил способности поражаться или тихо удивляться миру — но это, так сказать, удивление благостное: молитвенное, здоровое, питающее... а от чего сойду с ума, так это,

82) что все считают всё естественным, само собой разумеющимся в этой жизни... Да откуда вы взяли? Я тут иду недавно, смотрю, рядом с одним из здешних домов большой котлован вырыли... метрах в десяти, может, от цоколя, редко бывает так близко... дом еще чуть повыше остальных сам по себе... и вышел он, как над обрывом — такая коробища! смотрю — так он же просто на землю положен, ну просто как спичечный коробок... и ничего — стоит. До чего же тихая и терпеливая наша земля, думаю. Даже кожей не вздрогнет, мускулом не поведет, что мы по ней ползаем... А мы уж и уверены! видим — тихо... давай! И живут все в этом доме, из трухи сделанном, на землю просто так положенном, живут так же наверняка, как ложку ко рту подносят, и такой завели порядок!.. Ровно встают, ровно выходят, автобус их везет и привозит не куда ему, куда и м надо, там они что-то делают, неизвестно что, и назад едут — тоже транспорт, и на этот раз их не подводит, приезжают — сразу разбираются, кто где живет, у них это специальными цифирками обозначено, они их помнят, цифирки эти совпадают с тем, что они помнят, — они и не перепутываются; два раза в месяц за то,

что ездят туда и обратно, им бумажки выдают, и каждый понимает, сколько он их получит, потом они на эти же бумажки наверняка же берут товаров и расходятся их же употреблять; входят под одну свою цифру, потом под другую, зажигают свет — светло, за окном пурга — батарея теплая... И не только устроились — но и все так ловко для себя у с т р о и л и! — с той заботливостью и уютством, как разве в детстве в куклы играть возможно. Себе, заметьте, устроили — не вам! Вы-то себе ничего не устроили... Так что не ... вам и претендовать. Вы брезгуете, говорите: сублимация, подмена, су-ще-ство-вание!.. да, может быть, но — т о ч н о е! Вам и не снилась такая точность! Вы несчастны с а м и, как дураки. Вам любой скажет, что вы дураки... Вам кажется, вы — духовны и потому свободны. Но и ваш протест, и ваша смелость, и ваша свобода отмерены вам, как по карточкам. Все вы хором обсуждаете те кости, которые кидают вам сверху, — а там, по-вашему, не может быть ни духа, ни даже ума... Однако самостоятельность и свежесть своей независимости дано вам обнаружить лишь по отношению к позволенному. Вы будете читать «Улисса» в 1980 году, и спорить, и думать, что вы отвоевали это право... Это я вам говорю во «второй половине пятидесятых», — а вы проверьте. Тут-то конец света и поспеет. Представляете, конец света, а вы не успели Джойса достать. Джойсу будет более дозволена ваша современность, чем вам. Мысль о вашей зависимости вам недоступна. Завистники вы, неудачники, несостоявшиеся вы, ни в прошлом, ни в настоящем, ни в будущем... Я-то хоть научился не считать, что то, что мне не нравится, того — нет. Не для меня, но — есть. И у меня прямо душа падает от ловкости, цельности, сладкой целесообразности людского мироустройства...

За это все выпили, сам бог велел. Рудик сказал:

— Теперь-то я понял, как вы тогда заблудились... Когда про цифирки на людских жилищах сейчас говорили так зло...

— И ничего не зло, ничего-то ты не понял! Нужны эти цифирки, какой дурак станет их отрицать, — как же без них! А заблудился я сам, по собственной дурости и... ты же, Левушка, не знаешь, что киваешь-то? Тебе еще подсказать надо, о чем речь... Пошел я за хлебом как-то, не так давно, и за-

Отец отца (продолжение)

блудился. Дома-то одинаковые. И адрес свой забыл — ну вылетел из головы. Ходил, ходил — холодно — и заплакал. Отменил уже лишения в своей жизни, решил, что больше не будет, — и вот так ослаб. Вернулся в булочную, сел и плачу. Вызвали милиционера. Он говорит: дед трезвый, память потерял, это не моя функция, а врачей. Вызвали «скорую»; врач говорит: дед здоров, забыл адрес, дело милиции отвести его домой. Долго спорили. Наконец, врач, интеллигент все-таки, молодой, симпатичный такой юноша, плюнул в сердцах и взялся за дело: подъедет к дому: «Твой?» — говорит. «Может, и мой», — говорю. «Тьфу!» — говорит. Осенило его — детей стал расспрашивать: «Ваш дедушка?» — «Нет», — говорят. Потом в каком-то доме признали — мой дом и оказался. Больше из дому не выхожу.

Лева чуть не плакал: что сделали с человеком! Но сдержался, заговорил о другом, сильно издалека.

. . . .

...Дед прервал Леву на полуслове.

— Почему же не заслуженно! Почему же не заслуженно?.. — напал он, как петух, поворачивая к Леве голову боком — живой стороной лица. В голосе его звучала чуть ли не обида. — Я именно з а с л у ж е н н о пострадал... Словечко-то какое! Заслу-женно! Меня посадили за д е л о. Я никогда не был бездельником, не был несерьезен. Я не горжусь этим: быть всегда серьезным — пошлость. Но я был им и до сих пор остаюсь. Если бы я не был серьезен, я бы сейчас с тобой не говорил! Я бы выгнал тебя к бениной маме в шею... Господи! они еще спрашивают и удивляются: к о г д а, мол, все это началось? Да давно, давно началось! Когда интеллигент впервые вступил в дверях в разговор с хамом, стал объясняться — тогда и началось. Гнать надо, в шею! — Шея у деда действительно иллюстративно налилась, Лева забеспокоился за второй удар, но зря: дед уже не был серьезен, он выступал. У него были проверенные слушатели, и Лева — жирная наживка. — В отношении меня все справедливо у этой власти. Я не принадлежу к этим ничтожным, без гордости людям, которых сначала незаслуженно посадили, а теперь заслуженно выпустили... Власть есть власть. Будь я на ее месте — я бы себя посадил. Единственно, чего я не заслужил, так это вот этого оскорбления реабилитацией. Меня уже нестрашно: я — шлак. Меня выбросили на покой — я как узник отслужил свое и больше ни на что не годен. Так в учебниках поступают с рабочими в странах капитала. Я им не опасен — я им не нужен. Вот тебе квартира, вот тебе пенсия. Причем — как подарок, как компенсацию, чтобы еще раз унизить, напомнив, что я им ничего не смог сделать... будто я трудом не заработал таких-то вещей. Я полагал себя слишком гордым, чтобы быть сломленным, — я менялся сам. Как та девка, которая видит, что сопротивление бесполезно и ее все равно изнасилуют, именно от гордости может раздеться сама... Я сломался лишь сейчас, после «освобождения». Я никогда не болел — первое, что со мной здесь случилось, это удар. Я стал рассыпаться. Я не мог с этим смириться и стал старательно пить, чтобы рассыпаться сам, — мне нельзя. Значит, я сам могу хотя бы одно сделать — то, что мне нельзя. Мне жить нельзя. Я не выживаю, Левушка. Я другой человек — я не имею уже ровно никакого отношения к тому, к которому ты пришел. Это жестокость делать такое с человеком дважды! Сначала изнасиловать — потом заштопать и объявить целкой. В результате — к семидесяти-то годам! — все их потратив на то, чтобы жизнь, какая ни была, была бы м о е й жизнью, я могу сказать, что не справился с жизнью... Когда меня взяли, я, чтобы избежать насилия, чтобы меня не б р а л и (как ту девку), — сам ушел с ними. Я поставил крест на своем прошлом, на своей работе и призвании. Я понимал жизнь так и так себя понимал, что все, происходящее по судьбе с человеком, должно стать его жизнью, — это стало моей жизнью. Я прекрасно работал, был хороший прораб, я умел думать материалом жизни, не все ли равно каким: словом или грунтом и стройматериалами. Я стал другим человеком и был им все эти двадцать семь лет, я — другой человек! На ... мне такая справедливость, чтобы я насильно становился снова тем человеком, каким был тридцать лет назад! Тогда мне было сорок, теперь семьдесят — это ли не разница! да и будь мне тогда семьдесят, а теперь сорок — я бы не был способен в третий раз сделать эту жизнь своею. Как смели те же люди, отвершив несправедливость, — они же и восстанавливать ее!.. В лучшем случае, это цинизм: выходит, они всегда з н а л и, что делают. И т о г д а знали, что

(85

Отец отца (продолжение)

через время, через мою жизнь, отменят ее! Они-то как раз и сделали так, что отменили тридцать лет моей жизни, вернув меня в прежнюю точку. Мол, это ошибка, что я жил эти тридцать лет так, как я их жил. А я их уже не проживу иначе. Не мытьем — так катаньем: не вышло отменить в тебе твою жизнь, посадив, отменим — отпустив. Вот вам двухкомнатная квартира — издевательство, бритая ухмылка... А может, я хочу там остаться, может, у меня там баба осталась, коротконогая безграмотная дура? она — уголовница, ей, видишь ли, нельзя в большие города... Сначала все это было судьбой, теперь — это уже возмездие. Слишком, нельзя столько. Казнь — пожалуйста, возмездие — хоть оставьте Богу! Вы помнили меня всегда только таким, каким посадили! — Он уже давно обращался только к Леве, а теперь тыкал просто ему кривым пальцем в грудь. — И таким же, сволочи, хочешь меня сейчас, через тридцать лет, потому что д л я в а с этих моих лет не было! Ваши были, а моих не было! Я должен был вернуться тем, гениальным, сорокалетним, в отложном воротничке... чтобы бабы падали, — а теперь разочарованы, что видите меня другим? Вот вам, что осталось... — Он полез расстегнуть и показать, но слишком долго искал — его остановили.

86)

Лева испугался и протрезвел: он устал мучиться е г о мукой, не той, что в словах, а другой, которая была над его словами, от собственных слов. Деда выворачивало и переворачивало от ничтожности этих слов. Он знал, что хотел сказать, — и не мог сказать. Он знал, что не стоит никому ничего говорить, — и не мог не говорить. Он раньше всех слышал собственную пошлость, даже если ее не слышал никто, его сташнивало — и не наружу.

Его остановили — он обмяк. Старый и жалкий, отменивший к себе жалость и еще раз запретивший ее вот сейчас. К нему нельзя было притронуться, никак, не было такого движения, не осталось, каким бы можно было это сделать, не было и кому...

— Мне некому даже рассказать о своей жизни — вы не поймете, — сказал он скорбно и тихо, но даже не театрально. — Ему? — Он ткнул в Коптелова. — Он и так знает. Ему? — Он ткнул в Рудика. — Он, сирота, и так не поймет. Тебе? Ты — и так не знаешь... Это глупости, что я сержусь на твоего отца, — (он не сказал «сына»), — у меня просто нет сил.

Ему налили, но он не выпил.

. . . .

— Ну и как же он живет? — спросил притихший и успокоенный, словно даже трезвый и виноватый, дед.

Этот переход, такая перемена — уже не удивляла Леву: он стал свидетелем уже нескольких подобных... Амплитуда поведения деда была столь постоянна и очевидна, что при желании ее, наверно, можно было бы выразить математически в виде некой кривой, причем достаточно было бы уже двух опытов — третий был бы уже проверочным... Эту «кривую» можно описать по-разному, лишь смещая точку начала описания, координаты в графике, где по одной оси откладывается количество водки в миллилитрах, по другой — «кайф», в каких-нибудь единицах мысли (выбор подобной единицы и есть самое сложное...), выражающих меру самостоятельности, новорожденности и крутизны ее... Сначала как бы ничего нет: пульсирующее дрожание и неподвижность, весь мир — в рассыпанном и чрезмерном разнообразии, без возможности предпочтения, без воли выбора, — чистое нервическое поле, стрелка дрожит вокруг нуля — похмелье. Принимается доза, но действие ее не мгновенно, а состояние уже критично и невыносимо. Все это разряжается взрывом раздражения и агрессивности — способ преодолеть время и ожидание действия — поводом для срыва раздражения может служить что угодно, первое попавшееся... В этой, еще тупой, раздражительности проходит некоторое недолгое время, и ее настигает «кайф». Удовлетворение приводит на секунду к размягчению, к потере последовательности — «о чем бишь я...» — к провалу мутной полуулыбки... И потом происходит перерастание «первого кайфа» в собственно «кайф»: выступление деда, состояние, когда дед — дед: разбегавшиеся до сих пор ум и сердце слиты, мысли и чувства как бы сфокусированы в этом возродившемся центре реальности... И речь эта растет и ширится — и обрывается столь внезапно, будто кончается механический завод. Это так и есть: решительное доказательство «химизма» духовных процессов алкоголика, — «действие кончилось».

Отец отца (продолжение)

И дед был не только достаточно умен, но и достаточно «сознателен», чтобы понимать это. Оскорбление алкоголем, унижение от «химизма» собственной мысли (то есть, уже в любом случае, ее условность, относительность, *не*естественность), неспособность прийти в состояние мысли «наяву» — были предметом особенно сильных, особенно невыносимых терзаний деда, которые, в свою очередь, были тоже унижены и тоже «химизмом», химизмом похмелья.

Он был оскорблен и унижен, мысль его была унижена в буквальном смысле слова — она не достигала реальности. И если «зрители и слушатели» могли быть удовлетворены и даже восхищены его речью, то это восхищение осколками, периферийным мусором былого здания дедовского духа служило ему дополнительным, непереносимым уже оскорблением, он гневался и выпивал еще и снова гневался в ожидании «кайфа».

— Ну, и как же он живет? — спросил дед, как бы тихий и виноватый...

Леве представился еще шанс. Обескураженный с самого начала, а теперь и просто напуганный дедом, его бурным нападением, его резкостью, его обвинениями (действительно ведь, скорее уж дед повинен в судьбе Левы, чем Лева — в его судьбе...), он еще раз попробовал истолковать все по-своему, так, как он мог бы все это понять и принять, так, как на самом деле не было...

В этой, внезапно наступившей, тишине и виноватости деда и в том, что тот спросил-таки Леву про отца, про сына, причем то, что дед не называет отца «сыном», было тут же отмечено Левой, с некоторым удовлетворением от собственной наблюдательности — усмотрел он, «как, на самом деле, страдает старик», как ему пусто и одиноко без них: без семьи, без какого ни на есть сына... Роль Шекспира в трагедии Лира... у Левы даже в носу защипало от такого предположения чувств. Это он (дед) от несчастий и несправедливости такой неуживчивый и злой, а на самом деле, он — добрый (все-таки на Леву произвели сильное впечатление педагоги начального образования: «Ты, на самом деле, не злой мальчик, ты хороший, на самом деле, мальчик. Это у тебя наносное. Скажи, кто написал на доске нехорошее слово, — и будешь хороший мальчик...» — и — по головке, головке — первое растление...), на самом деле, думал Лева, все это у деда лишь вызов, «наносное». Он почти представил, как он, Лева, найдет все-таки, очень постепенно, очень тонко, подход к деду, ключ, растопит лед обид и горя, и, хотя на закате дней, деду улыбнется любовь и очаг... но тут, почти уже рассадив их всех за вечерним чаепитием, увидел он деда рядом с отцом и напротив дяди Диккенса — стало ему на секунду не по себе от такой невозможности, и, чтобы не потерять умиления, он тут же стер эту картинку с внутренней стороны лба, сначала подумав, для перехода, что да, раньше могли еще быть и бывали р а з н ы е люди (дед и дядя Диккенс), а потом уже снова, окончательным постановлением: что на самом деле дед — нежной души человек, что и доказывается его грубостью.

И поскольку ему сейчас надо было рассказать деду что-то об отце, отцу — о сыне, да еще в свете всякой душевной тонкости по «растоплению льда», он начал так выбирать, что сказать и чего не сказать, а главное, ка́к сказать, так много в нем оказалось этой душевной тонкости, состоящей из ровности голоса, убежденности интонаций, честной открытости взгляда, — что он очень всем этим увлекся и уже как бы не сам говорил, а с тем самым вниманием и внезапным спадением напряженности, с тем самым оттаиванием, предназначенным деду, слушал сам, как говорит Лева: откуда-то падал его душевный и располагающий голос, — и совсем не слышал того густеющего, остывающего молчания, которое вдруг повисло в комнате и не таяло.

— Эк тебя, батенька, опять перекосило! — тихо, но как-то очень слышно сказал дед. Лева так и остался с половиной слова во рту... — Странный ты все-таки малый... Может, вы все теперь такие? Ты, по-видимому, совершенно искренне — слышишь, Левушка? я не сомневаюсь в твоей искренности, быть искренним, кажется, важно тебе... — совершенно искренне никогда не бываешь самим собой... По-видимому, нынешняя система образования — более серьезная вещь, чем я думал. Я думал — просто хамская и невежественная... Но нет ведь! Попробуй научи человека не собственно пониманию, а представлению о том, что он понимает и разбирается в происходящем — эт-то потрясающий педагогический феномен! Для тебя не существует ни фактов, ни действительности,

Отец отца (продолжение)

ни реальности — одни представления о них. Ты просто не подозреваешь о том, что существует жизнь! Но пищеварение хотя бы у тебя происходит? Ты ... ходишь? Прости, Левушка, я не хотел тебя обидеть... Вот ведь с тобой и говорить-то по-человечески нельзя, потому что у тебя заранее есть представление о том, что тебе должны сказать, и отношение к этому представлению — тебе и обидно, что они не совпали. Тебе будет долго и напрасно больно, Левушка, раз так... Необъясненный мир приводит тебя в панику, которую ты принимаешь за душевное страдание, свойственное тонко чувствующему человеку; объяснить, я вижу, ты еще ничего не в состоянии; тогда единственный для тебя выход благополучия (и ты им как-то парадоксально расчетливо пользуешься) — иметь объяснение происшедшему раньше, чем оно произошло, то есть видеть из мира лишь то, что подходит твоему преждевременному объяснению. С чего ты, например, взял, что, что бы я ни говорил вслух — втайне (подтекст? такое теперь слово?..), втайне чуть ли не от самого себя, я страдаю? Почему ты так уверенно различаешь, что «естественно» и что неестественно? Кто тебе прочел указ о том, что, раз полюбив, любят всю жизнь? Что возникновение чувства — хорошо, а потеря — плохо? Кто и когда успел тебе внушить, что все именно так: дед любит внука, внук уважает деда?.. Ты не предстанешь ни разу, таким образом, лицом к жизни, но, боюсь, что это не выход, и она тебе даст по жопе — и тебе опять будет больно, странно и неожиданно. По-видимому, умными тебе кажутся те люди, которые говорят то, что ты недавно понял за умное, а глупыми — те, кто говорит еще то, что ты недавно уценил как неумное. Ты все время будешь, таким образом, достигать более высокого уровня, чем тот, на котором находился, ты всегда будешь подниматься вверх на одну вчерашнюю ступеньку. А чем отличается умный от глупого? Это, между прочим, очень сложный для сформулированного ответа вопрос. Я, например, как правило, не могу себе на него ответить. А вот сейчас мне показалось, что умный от глупого отличается как раз и именно не уровнем объяснений происходящего, а «неготовностью» этих объяснений перед лицом реальности. Ты слышишь меня? Или опять ешь завтрашнее, а перевариваешь вчерашнее?.. Знаешь, что такое то, что ты съел вчера?

90)

Это Лева хорошо знал — ему объяснил дядя Диккенс. Но он уже не слышал деда с того момента, как было произнесено слово «глупый». Он ничего не мог поделать со своими губами — они набухли, топырились и подрагивали. «Меня, кажется, назвали глупцом», — думал Лева.

Лева не слышал, да дед уже ему и не говорил. Он повернулся к «своим» слушателям и говорил уже им, потому что эти соображения чем-то увлекли его...

— Ум — нуль. Да, да, именно нуль умен! Пустота, отсутствие памяти, заготовленности — вечная способность к отражению реальности в миг реальности, в точке ее осуществления. Ум — это больше, чем мозг, чем сердце, чем знание там, образование... Ум народен. Ум — это способность к рождению синхронной с реальностью, отражающей мысли, а не цитирование, не воспоминание, не изготовление по любому, пусть самому высокому, образцу — не исполнение. Ум — это способность к реальности на уровне сознания. Ни для чего, кроме живой жизни, ум и не нужен. Вот так, пожалуй...

Он разлил последнюю бутылку по стаканам с удовлетворением.

(91

— Чего я не встречал, — усмехнулся дед, — так это людей, считающих себя глупыми. Между прочим, это может оказаться одним из секретов власти... Легко управлять людьми, которые ни при каких обстоятельствах не способны показаться себе глупыми в собственном представлении. Поэтому им надо льстить, восхищаться их умом, чтобы они никогда не стронулись с места. Хорошо, в этом смысле, всем дать образование, чтобы уж никогда не могли они посчитать себя глупее других.

В основе ума лежит незнание. Поэтому ни один обучившийся не станет умным. Нуль еще умен — пятерка уже глупа. Жизни нет там, где она уже была; и не надо ту жизнь, которая была когда-то или которая есть где-то, искать сейчас или здесь. Здесь и сейчас — это именно здесь и сейчас. Другой жизни нет. Выпьем! Выпей и ты, Левушка, не расстраивайся... Ты, Левушка, главное, не расстраивайся...

Левушка расстроился и выпил залпом все свои сто двадцать пять граммов, а делить дед умел, так что там было не больше и не меньше... И тут с Левой произошло что-то

Отец отца (продолжение)

странное. Он почувствовал, что трезвеет. Печальное его положение показалось ему смешным, причем он не помнил, в чем оно состояло, это положение, — смешной показалась сама печаль. Он рассмеялся. Весь этот не уместившийся в нем вечер куда-то пропал, и он как бы только что вошел с мороза, со всеми теми же выношенными намерениями из гипотезы «дед — внук», никак не покачнувшейся и ничем не расшатанной. А дедушка для этого случая надел черную камилавочку... Тут Лева увидел двух незнакомых, малосимпатичных незнакомцев — они смеялись.

— Чего вы смеетесь? — сказал Лева. — Мы не пьем — мы трезвеем. Вообще, трезвый человек — на самом деле пьяный, а когда пьет — трезвеет.

— Молодец! — сказал дедушка, поправляя камилавку. — Вот о себе и расскажи. Ты никак по стопам отца?

— Нет! Нет! — как «чур меня, чур», воскликнул Лева.

Тут он попросил, чрезвычайно светски, у Коптелова папироску, затянулся с тем серьезным видом, что неизбежно и беспричинно находит на людей перед тем, как ткнуть окурок в пепельницу, и... откуда-то бежали мускулистые гребцы, кто-то сказал «отчаливай», кому-то крикнул «прощай», галера набирала ход под дружные вздохи лоснящихся весел, деревянная баба на носу принимала удары волн своими голыми титьками, причем он как-то умудрялся видеть их, хотя стоял на палубе и командовал гребцам... Палуба снова накренилась... Кажется, приступ морской болезни... в глазах потемнело и разошлось — Лева сидел в комнате и понимал, что давно уже говорит, а все слушают. Он услышал, как сам произнес слово «литература», но что́ было перед этим словом, об этом он не имел никакого представления... «Литература-кура-дура», — подумал он, но язык спасительно произнес какую-то связную фразу, смысла которой он не понял, но в ней было слово «культура».

В комнате стало жарко, он расстегнул пуговицу. Ему показалось странным, что они давно уже и не пьют ничего, а он пьянеет с каждым своим новым словом. «Да нет, я не пьян, — изумленно сказал он себе, — как же я могу быть пьян?..» «Отличие истории от географии...» — подумал он, все еще продолжая говорить, кажется: «...как отличие старой от крашеной...» Он глубоко, до боли, вдыхал прокуренный, пропахший закуской воздух, напрягал все мышцы — комната фокусировалась на миг, он четко и отдельно видел деда, стоявшего посреди комнаты: он пускал свой махорочный дым, и обе половины его лица словно бы стали равны... — и Рудика, неподвижно и презрительно смотревшего чуть вверх и вбок, и Коптелова, крутившего перед собою стакан и больше внимательно не смотревшего, словно все уже знал до конца... Лева задержал дыхание и с секунду сохранял перед глазами эту картину; потом, сам собою, последовал выдох, и все разбежалось снова: и дед, и Рудик, и Коптелов, откуда-то бочка, распятие, цвета́ и звуки, слова и мысли, — все это снова клубилось перед ним, слегка пританцовывая. И все это время он продолжал говорить.

Наконец галера его проскочила этот узкий, тошнотворный пролив и вырвалась на спокойную, просветленную, открытую гладь — считать паруса и пробоины, менять мертвецов на гребцов... Но лучше бы она не вырывалась на эту гладь!.. К Леве стала возвращаться память, отматываться назад, и все стремительней: вот слово, сказанное минуту назад, вот фраза и вот внезапно вся его речь — общей массой, в неразличимости и слитности слов, но в отчетливости ее целого смысла — как удар. Лева даже зажмурился от ослепительного света непоправимости.

Потому что Лева наговорил о том, о чем, уже было по всему ясно, говорить ему категорически не следовало: о трудах деда, о всей их старой школе, о том, как он, Лева, сам, своим умом и собственными силами (скрип зубовный теперь от стыда)... как он, Лева, хочет прибегнуть к их методам, хотя бы отчасти, в собственной работе... Лева вспомнил, как изо всех сил старался польстить деду, ждал поощрительной реплики и даже похлопывания по плечу, намекал ему на необходимость удивления и восхищения перед столь решительными достоинствами внука (немой вой, холодный пот)...

Этот процесс отрезвления шел, все убыстряясь, неким просветлением и помрачением (от непереносимости) одновременно, и Леве становилось холодно, потому что, из мути комнаты, перед ним проявлялось застывшее лицо деда, и дело было не в наконец установившейся отчетливости физического зрения, не в отчетливости черт этого лица,

Отец отца (продолжение)

но в отчетливости его целого смысла — и это было опять как удар и вспышка непоправимости.

Но вот уж чего ему не следовало делать — так это поправляться! Это верно, что от безнадежного ощущения, что здесь он с первого шага все время попадал не в ногу, не в такт и будет НЕ попадать, чем больше будет стараться попасть, что он уже обречен, потому что от него ждут непопадания (дед — ладно! Но что он ИМ-то, ИМ-то сделал?? Чем он перед этими-то двумя виноват! зачем еще эта несправедливость?..), что даже если он чудом угадает и попадет, это будет тем более не в такт! — от этого ощущения Леве хотелось бежать, сжаться, уменьшиться до точки и исчезнуть, как бы уползти куда-нибудь подальше назад по времени, чтобы ничего, вообще ничего никогда не было, всосаться назад чуть ли не в утробу, просвистеть в утробу и раствориться в молочно-прозрачном дрожании... Леве хотелось вылететь с протяжным свистом из этой комнаты, вот как он есть, вместе со стулом, спиной в окно — и это было бы верно. Не надо было только исправлять ошибки...

Слово «отец» пролетело по комнате, и Лева судорожно схватил его на лету, сжал в кулаке, как муху... Да, да! Именно здесь кралась, как ему спасительно представилось теперь, главная ошибка. Поправить в с е г о он уже не мог, — но хоть не погубить в с е... Именно когда говорил об отце, он и совершил главный и непростительный промах: рассказал деду все не так и не то, что х о т е л услышать дед. Он пытался рассказать как бы отцу о сыне, а надо было рассказать деду об отце, то есть о том, как он, Лева, все это видит и относится... Именно эта «ошибка» показалась сейчас Леве главной, а главной она показалась ему, возможно, лишь потому, что именно тогда, по Левиному мнению, его обозвали «глупцом». Почему это было все-таки самым обидным для Левы, может, дед и объяснил, да Лева не помнил. Вот ведь странно: ни на какое другое оскорбление Леве бы не хватило ни достоинства, ни гордости, ни даже самолюбия, — а вот глупцом он категорически быть не желал и, что еще безнадежнее, в любых глазах...

И, подцепив из воздуха черное и фрачное, как муха, слово «отец», он быстровато заговорил о нем, извиваясь по мере этой быстроватости, и все сильнее чувствуя это свое извивание... О том, как он узнал, как отнесся, что узнал и как поступил, — и тут было все больше неправды и наговора: он раздвигал, отлеплял себя от отца как бы специальной лопаточкой, отдирал, отковыривал, подравнивал края разрыва... И они с отцом становились уже всегда, с самого рождения, противоположны; отталкивание шло инстинктивно, когда Лева еще только чувствовал, не зная что, но чувствовал так правильно, такой он природный молодец, что и узнал потом, почему он так чувствовал...

Лева мучился извиваясь, извивался мучаясь. Ох, как бы ему хотелось захмелеть обратно! И он почти достиг этого от непосильности взваленной на себя ноши и раздавленности ею. Зачем он сам, добровольно — никто его за руку не теребил — соскреб весь свой день в кучу (получилось много) и хотел унести? Он не мог стронуть с места эту ношу жизни сегодняшнего дня. Он почти опьянел от тяжести, глаза застлала душная близорукая невидимость, он начал путать слова, не понимая уже, что говорит, и испытывая даже какой-то подъем от того, что он отдает и отдает кому-то все: и отца, и себя, и дядю Митю — и все это чуть ли не с удовольствием, с непонятной даже радостью. Так — непосильную и драгоценную ношу уронить в грязь, не донеся, и почувствовать все равно облегчение... Хотя бы и мать, была бы сестра — и сестру — и это почти наслаждение...

Что-то встряхнуло его, он как бы открыл глаза и увидел над собой нависшее, слишком большое лицо деда. По темнокрасному лицу мелькало что-то со свистом, рот был криво открыт — Лева понял, что дед кричит. Он это понял, но крик услышал не сразу, крик, похожий на звон, как бы прорвался с полслова, будто в приемнике резко включили звук...

— ...О-О-ОН! О-О-ОН! Ты же об ОТЦЕ!.. Мне! ОТЦУ... Во-о-о-о-о!

«Вот он». Дед кричал, но как-то снова невнятно, словно во рту у него был слишком толстый язык, не слушавшийся и не умещавшийся...

Лева вставал, зацеплял ногой стул, стул качался и не падал. Рудик тоже, вскочив, стоял как-то гневно и наклонно и нарушал законы равновесия. И даже взгляд Коптелова нарушил свое внимательное равновесие некой эмоцией, к Леве никак не относившейся...

(95

Отец отца (продолжение)

— В семени уже предательство! В семени! — орал, сидя на стуле, дед, не то стонал. — Бескорыстно уже, абстрактно...

Лева ловил из рук Рудика пальто, шапку, шарф. Выходил, пятясь, рука в одном рукаве, роняя, поднимая, обнимая и пальто и шапку. Натыкался спиной на углы и косяки...

Лева стоял на площадке, в последний раз уронив шапку и в последний раз поднимая ее, еще чувствуя неловкий и несильный, но обидный удар Рудика, пришедшийся вслед... и дверь, казалось ему, еще дрожала от удара, и «Запродано! Запродано!..» — звучало в ушах, как заскочившая пластинка.

В тихом оцепенении спустился он вниз, бережно и медленно неся себя как бы спеленутого и трогательно-легкого... Морозный ветер, с особой силой раздувшийся к ночи, нахлестал его по щекам, тут же, не выходя из подворотни. Подворотни, впрочем, не было, как не было и улицы — все был один большой двор, по которому метался, свиваясь в сухие злые смерчики, ветер. Ему было здесь просторно, ничто не ограничивало его и не направляло, в каком-то смысле ему было некуда дуть — и он дул всюду. Снег уже начинал прикрывать эту пустыню, с шорохом прокатывался по оставшимся лужицам асфальта. Раскачивались туда-сюда тусклые пятна света под редкими, расставленными по непонятной системе фонарями. Людей не было, машин не было, улицы не было — дороги не было.

Лева брел в этом неудавшемся пространстве, вываливаясь в дыры света и снова пропадая. Его трясло крупной неправдоподобной дрожью: не было бы преувеличением или образом выражение «стучать костями» — оно было бы буквально. Вдруг впереди ниоткуда зажегся глазок такси — в это трудно было поверить: мираж, немыслимое счастье... Лева заспешил, уже ничего не различая, кроме спасительного зеленого пятнышка. Оно было неподвижно — его не могло быть — оно должно было отъехать и умчаться, как только он побежит к нему, стоит только не добежать двух шагов... И когда пятнышко потухло и снова зажглось, сомнений у Левы не оставалось: он — сходит с ума, тронулся, «поехал»... Такси было совсем близко, но те несколько шагов, что он проделал, показались Леве бесконечными. Он странно почувствовал протекание времени сквозь себя. Оно было неравномерным и как бы прерывистым: оно тянулось, вытягивалось, утоньшалось, образуя шейку, как капля, и вдруг — рвалось. Так он долго шел к зеленому огоньку, совершенно ни о чем уже не думая, потом все-таки побежал, размахивая руками и крича, — ничего пока не менялось, огонек оставался на месте, не приближаясь...

И вдруг он уже сидел в такси и ехал. Шофер и на ходу продолжал возиться с глазком, прилаживая контакт. Это правдоподобие показалось Леве ужасным.

Он немного согрелся и перестал трястись. Его слегка разморило, и тогда он сильно обиделся. «Как же так... — невнятно думал он. — Я только впервые, может, все это, настоящее, почувствовал, никто меня этому не учил, так что это моя заслуга, я со всем открытым сердцем... а мне — нате! Так и не надо тогда! — прозлился он и стер рукавом слезу. — Подумаешь! Старый болтун, дурак...»

Он еще успокоился и подумал тверже, как окончательное решение: «Он вовсе не умен», — имея в виду, что дед, если б был умный человек, то разобрался бы в Левином состоянии... что даже некоторые неловкие противоречия в Левином поведении — вполне понятны и оправданы его волнением, вызванным встречей; даже несоответствия самому себе — естественны и допустимы. Любопытно, что, так рассуждая, предъявляя претензии чужому уму в том, что тот непременно должен был разглядеть Левину прекрасную суть именно сквозь полную неточность поведения, — самому деду Лева приписывал поведение окончательное и точное, приняв каждый жест его и слово за чистую монету, за полное соответствие мысли, чувства и их выражения, — и тогда: «Он вовсе не умен», — сказал себе Лева.

Он еще успокоился — его еще разморило. Все поплыло плавно, светившаяся приборная доска сместилась куда-то влево, голова покачнулась и упала на грудь, с усилием вернул он ее на место — тут они взлетели на мостик и упали вниз. Все ухнуло в Леве, подкатилось, и его вытошнило.

На темной и пустой улице шофер надавал Леве по шее и, резко, с матом, газанув, уехал. Но это было уже совсем близко от дома.

Отец отца (продолжение)

Дома никто не спал — ждали. Лева мерзко осклабился и, не сказав ни единого слова, прошел в свою комнату, как бы отодвинув, почти с удовольствием, просящий взгляд отца и умоляющий — матери. Раздеваясь, он почувствовал, что стал хуже за этот день. Он так себе и сказал в двух словах: «Стал хуже...» Это было новое, неожиданное чувство — он бы не мог сказать, почему хуже и хуже чего. Раньше он вроде бы не бывал ни хуже, ни лучше — был Левой. Сегодня же — «Стал хуже...» — сказал он себе и почему-то испытал при этом почти удовлетворение. Он стал хуже неясно чего и, содрогаясь от холодных простынь, как бы махнул на себя, на все рукой. «Ну и ладно», — сказал он себе. И еще раз, для полноты, и на самом деле махнул рукой, тоже не вполне сознавая на что; закрыл глаза — голова закружилась, кровать раза два повернулась вокруг как бы оси... И Лева пропал, его уже не было.

Проснулся же Лева до странности пустым и свободным и будто ничего не мог вспомнить. И если какая-нибудь тень картинки вдруг проявлялась в его мозгу, он почти искренне не мог сказать, было ли то, откуда картинка и тень, на самом деле, или это отблеск полузабытого сна, кошмара, или ничего на самом деле не было.

Этого урока он еще не мог усвоить.

Он не извлек урока, но что-то в нем сдвинулось. Он потускнел, подернулся пленкой. А когда однажды появился дядя Митя с графинчиком, Лева ушел к себе или даже на улицу. Отцу он как-то раз грубо сказал, что в гробу видел эту реабилитацию, что ему смешна эта мода на «пострадавших», когда, на самом деле, ее попросту п о з в о л и л и, эту моду.

Что-то он все-таки извлек... Лишний раз убедился, что дядя Митя еще потому необходим отцу, что бывает в их доме не только сам, но и чуть-чуть «взамен» — взамен деда. Он это прекрасно понимал, но «справедливым» быть не желал. Справедливость была ему не нужна.

ВЕРСИЯ И ВАРИАНТ

Дед вскоре не выжил.

Он сбежал назад на поселение, но в дороге его поймали, вернули, лечили, учредили опеку — и он не выжил.

Или, сбежав, заболел он еще в дороге, как Лев Толстой, и умер в Печорской железнодорожной больнице, так и не доехав до поселка Сыр-Яга или Вой-Вож.

Или так. Деда принудительно лечили. Он сбежал и добрался-таки до Сыр-Яги, где его старуха, не имея никаких оснований ждать его, сошлась с одним слесарем по фамилии Пушкин (всего лишь однофамилец)[1]. Старуха тут же Пушкина бросила, и он каждый вечер шумел под окнами, пьяный. Дед же Одоевцев вскоре не выжил, потому что «вторичное» возвращение в «прежнюю» жизнь подорвало его последние силы. И он испустил дух под вопли старухи, на руках слесаря Пушкина.

---

[1] В таком совпадении нет ничего анекдотического. У моего приятеля в институте работают: завхоз Гончаров, дворник Пушкин и водопроводчик Некрасов, — однажды он их видел в магазине соображающими на троих. Любопытно, что Гончаров здесь старше Пушкина по служебному положению.

Существует несколько легенд, по-разному акцентированных, по которым можно предполагать, как умер Модест Одоевцев. Однако во всех версиях, при полной противоречивости, наблюдается общий словесный ряд: принудительное лечение, побег, Сыр-Яга (она же Вой-Вож и Княж-Погост), опека (кто-то раз оговорился — «упека») и смерть. Последнее сходится во всех вариантах и всегда стоит в конце ряда. А остальные слова переставляются, что и меняет сюжет, причем принципиально. Сами Одоевцевы знают больше, но ни с кем не делятся. Слово «опека» исключено из их лексикона.

И мы не будем уточнять. Нам важна эта неясность как краска, как мнимая величина при абсолютной величине смерти. Во всяком случае, с кем-то из наших знакомых что-то подобное было.

Панихида была довольно торжественна. Хорошо выбритая профессура особенно была вежлива друг с другом, особенно разминалась в узких проходах, не до конца качая головою, значительно роняя глаза. Все они что-то знали т а к о е о судьбе Модеста Одоевцева, который уже не знал о себе ничего. Они все знали, о чем молчали, — эта общность несколько опьяняла их, а это опьянение могли они приписывать, в свою очередь, возвышающему приобщению к смерти. Было много общего и в лицах, некое конституционное сходство... Были сказаны слова, были произнесены намеки — они еще более возбудили скорбящих некой посвященностью и причастностью к мужественному и немногочисленному противостоянию неисчислимым силам зла. Голоса дрожали взволнованностью при приближении к намеку, обеспеченная опасность еще более спаивала всех, и смерть уже ничего не значила... Никто здесь не пришел поплакать над старым телом, которое еще вчера было живым, никто не пришел к человеку, который жил свою жизнь и потерял ее, — все пришли к человеку, что-то когда-то написавшему, и скорбь походила на воодушевление по поводу, что он никогда уже ничего больше не напишет. И оратор, сумевший более прозрачно намекнуть, потуплялся так гордо и скорбно, будто это были его собственные похороны, и сходил явно с кафедры, хотя ее и не было. Но он делал-таки ногой, как со ступени, и чуть спотыкался, сделав этот неверный шажок, и некоторое время еще изо всех сил сдерживая себя, бросал-таки на публику торжествующе-просящие взгляды, и некоторое же время не слышал следующего оратора...

Всем им было уже более выгодно, нежели опасно, и хвалить деда Одоевцева, и произносить намек. Одоевцев начинал входить в моду — они были ее жрецами. Как жуки выпускают свои локаторы и антенны, похлопывают друг друга усиками, — так они, инстинктивно, выверяли свой круг опоры и поддержки. Становилась новая пора.

Еще до смерти Одоевцева его имя упрочилось в упоминаниях и ссылках, ряд периферийных перепечаток его старых (пока небольших и непринципиальных) работ был, однако, всеми, кем надо, отмечен и прочтен. Шли упорные разговоры об издании его однотомника, но с этим, при благожелательном по тону отношении руководства издательства, пока тормозилось. Всем не хватало его смерти — и он умер. Казалось, того и ждали, дело с однотомником решительно подвинулось, его чуть ли не засылали в набор. В специальном журнале появился большой некролог, уже без оговорок ставивший имя Одоевцева в р я д. Впрочем, бог знает, с кем его поставили в ряд...

Значительную и благородную, почти и бескорыстную, всеми отмеченную роль в приведении в порядок и популяризации наследия Модеста Одоевцева сыграли его сын и еще юный, но способный внук. Они и правда взялись за дело с рвением и охотой. Это было похоже на дело, реальность его была объективна, с тем отличием, что дело было уже сделано, причем давно, другим, теперь умершим человеком. Они теперь красили решетку, поливали цветочки, вели переговоры с одним передовым московским скульптором. Тут наш рот уже не кривит ухмылка: нам нередко приходилось видеть русского человека, делающего чужое дело с радостным оживлением и охотой. Например, объясняющего зрячему дорогу и даже провожающего его бережно и под локоток до трамвайной остановки, причем в другую сторону, чем куда он сам очень спешил. Или подробно, с удовольствием помогающего пьяному... или, с неистовой истовостью, сдающего еще непьяного в вытрезвитель. Все они пьянели от своей «образцовости». Во всяком случае, охотность, с какой взялись и сын, и внук Одоевцева за его дела, еще раз подчеркиваю, прежде всего не выгодой объяснялась, а тем, что это было чужое и безусловное дело, причем уже сделанное. Отец после работы, сын, даже забросив учебу, рылись в архивах, писали письма, составляли и пересоставляли. Была в этом некая соскучившесть по делу, чесались руки, как у мастеров после долгих принудительных или заказных работ...

В семье возникал и разрастался благоговейный и фамильный культ деда. Фотографии все увереннее и все больше висели по стенам — и будто всегда уже висели.

На Леве это все сказалось положительно — он вторично «извлек пользу» из семейной драмы, правда такую же, как и первая. Он — научился. Ему преподавали как раз те взволнованные люди, что хоронили деда, — и он усвоил не то, что они читали, он — *их* усвоил... Еще в университетских стенах он сумел определить свои творческие устремления, нащупав область, намечая тему, чем и выделился из общей студенческой массы, вяло подвигавшейся к диплому, и успешно шагнул со студенческой скамьи в аспирантуру.

102) В этом ему немало способствовал и отец. К тому времени мутная волна разоблачений несколько осела и начала спадать, отец сумел отделить напраслину от вины и свалить с себя вину вместе с напраслиной; он вполне оправился, упрочился и даже помолодел.

Он был очень доволен Левой, почти гордился им. Лева относился к отцу мирно и снисходительно.

Противоречия отцов и детей несколько сгладились и значительно стерлись. Ров между поколениями был заполнен предыдущим поколением.

Десять лет, обещанных дедом Одоевцевым, прошло.

Лева жил, и никогда у него никто не умирал. Бабушку схоронили без него, да и было это слишком в детстве. Теперь они умирали один за другим, словно сговорившись. Так дружно однокашники женятся и рождают первенцев: все Анны или все Андреи... И вдруг, на тебе, так же дружно вымирают.

Дядю Диккенса нашли в холодной и чистой квартире, у потухшего «камина», с рукой на горле — он повязывал галстук. Он был уже совсем готов «к обеду» — он лежал, убранный и готовый в гроб. Никому ничего не пришлось делать, не пришлось «возиться», как сказал бы он сам. Так и выяснился еще один аспект мании дяди Диккенса к чистоте — готовность к смерти в любую минуту. Старый офицер...

Его похороны совсем не походили на торжественную насмешку над дедом Одоевцевым. Несмотря на свою бедность и немноголюдность, они произвели очень трогательное и неомраченное впечатление. Погода стояла на редкость чистая, и уголок на кладбище достался Диккенсу светлый. На похоронах почти никого не было, одни Одоевцевы да, к удивлению Левы, Коптелов. Коптелов шепнул Леве, что служил под началом Дмитрия Ивановича во время войны, — впрочем, больше они не поговорили. Мама очень плакала, и, опоздав и запыхавшись, появилась заплаканная красавица с венком от официантов «крыши». Он был «свой человек», дядя Диккенс, и ему это было приятно.

В общем, у Левы впервые умер р о д н о й человек. С дедом все было не так: там смерть была заслонена энтузиазмом рождения великого человека. За величие всегда взимается эта плата — человеческое отношение. Никого не интересовало, что дед был человек. Дед был дельфин, кто угодно, но не человек. С дядей Диккенсом же было наоборот: ничего, кроме человека, в нем не умерло, но и ничего не осталось после, ничто не рождалось, и эта пустота между смертью и рождением ничем не заполнялась, была н е в о с п о л н и м а. Со смертью дяди Диккенса — не стало дяди Диккенса.

И это была утрата. Только теперь можно было вполне себе представить, чем был дядя Диккенс для семейства Одоевцевых и чем оно было и не было — для него. Дядя Диккенс отнюдь не был великим человеком в том общепринятом, «весовом», значении, но нам хочется подчеркнуть особое и редчайшее его величие, величие осознанности собственного «размера».

Он был не сильный и не большой человек, у него всего было немного, но он ничего себе не присваивал и ни на что чужое или общее не посягал, как это принято между людьми. Зато с е б я он помнил всю жизнь, и в то время, всегда все забывали всё, он не забывал свое «немногое» никогда.

Версия и вариант

Не было никаких оснований предпочесть семью Одоевцевых многим другим, в том числе и возможной своей собственной, но именно эта семья с л у ч и л а с ь в его жизни, и, в таком случае, он уже ее не менял. Эта преданность была преданностью с е б е, чем она и выше, скажем, собачьей. В каком-то смысле дядю Диккенса съела, употребила своей любовью, заодно воспользовавшись до конца и его любовью, — семья Одоевцевых. А у него, как мы уже говорили, всего было немного, но зато это было — все. Так он и пошел, цементом, в их гнездо. Они же, сильные и толсто-здоровые, легко употребили его, не заметив, как и когда это произошло, полагая, что скрашивают его одиночество своей любовью. На пути с Гражданской в лагерь, на крепенькой и невидимой лесе своей судьбы, попал он в пруд к Одоевцевым, там и увяз как исполненный подлинного благородства человек. В редкие свои каникулы свободы он едва успевал отнести вещмешочек накопленного тепла, как его забирали, как было уже пора... Так он и расходовал себя по мелочи, как в семье. У него ничего не оставалось. Заначек у него не было. Одоевцевы же кивали, позевывая перед сном, и говорили в неостывший след дяди Диккенса, что да, каждому человеку должно быть «куда прийти»... Они были начитанные люди.

У дяди Диккенса и деда Одоевцева, людей, обобщенных историей, были два противоположных, но разведенных из одного корня, как ветви, способа прожить эту историческую судьбу. Ничто, казалось бы, не роднит их, эти ветви не видят друг друга, разделенные общим стволом. Роднит их ствол. И тот и другой пытались «сохранить достоинство». И тот и другой нашли к тому уникальные, невозможные, никому не свойственные, свои единственные пути. Но слово «пытаться» и слово «сохранить» уже исключают понятие «достоинство». Достоинство — это то, что есть, номинал. Отсюда, «сохранить достоинство» — это сохранить с в о е достоинство. И главным тогда оказывается слово «свое». Сохраняя «свое», они проявляли истовость и неистовость кулака, но недвижимостью их была личность. Истовость проявил Диккенс, пряча свое и надеясь его сохранить, а потом пытаясь сохранить даже то, что осталось, а неистовость проявил дед, сразу же, когда нашли его и отняли. Возможно, Диккенсу легче сохранить свое, потому что добра было меньше. Возможно... Но все равно нам хочется указать на то, что дед отнесся к своей жизни («своему») чересчур всерьез. Было все-таки в нем самом то, на что он напоролся, — посягательство и присвоение, пусть в самых высоких, воспетых и возведенных человечеством на пьедестал формах. Но — не надо посягать, не надо присваивать никогда, ничего — это всегда нехорошо.

Возможно. Возможно, все развивалось значительно спокойней, чем описано, без пафоса и драматизма ломки из горьковских пьес. Тем более что было уже обронено некое обещание, произведен намек, что, «возможно, другая совсем семья у нашего героя», имелся в виду «второй вариант семьи Левы Одоевцева, такой вариант, в результате которого опять получится ровно такой же герой». Далее следовало неискреннее извинение за неудачность выбора самого героя в герои. Но мы не очень убеждены, что каждое свое обещание следует с непременной последовательностью выполнять. Может, иной раз лучше не упорствовать («не упырствовать», как говаривал дядя Диккенс), а пропускать. Тем более что мы отнеслись к повествованию с бо́льшим «упорством», чем ожидали. Нам, короче, не хочется излагать сейчас — «второй вариант».

Но нет, из жадности, мы все-таки кое-что набросаем — две-три неловкие, но самоуверенные линии...

Что совпадает в обоих вариантах? Прежде всего нам хочется сохранить фамилию, намек на родовитость, в далеком и изжитом смысле слова... Почему нам это так важно, мы сами не можем до конца объяснить.

Возможно, на нас, как и на Леву, произвели впечатление еще школьные рассуждения о «природе типического» в литературе, в частности, что и единичные явления жизни могут стать предметом типического изображения, если писатель просматривает за ними явления, лишь сейчас единичные, но которым суждено будущее (Рахметов). Что-то в этом смысле руководит и нами, хотя и наоборот: Леве не суждено никакого будущего, хотя он и единичен, как Рахметов. Нам также важно, что для Левы это его пресловутое «происхождение» как бы никакого не имеет значения, что он «скорее одно-фамилец, чем потомок», что он как бы вполне современный молодой человек (лучше или хуже нашего замечательного молодого современника — другой вопрос). Но нам важна та скрытая и тайная атмосфера его семьи, которая и делает его существование в некотором роде уникальным.

И нам продолжает казаться, что именно на единичных и уникальных примерах, на так называемых «исключениях», которым положено (по определению) подтверждать правило, — именно на них и можно выявить многие чрезвычайно современные и типические явления, что именно в их единичном опыте особенно четко формулируется общее для всех время, и, соответственно, если бы мы взяли примеры типические, нам для достижения того же эффекта современности пришлось бы поставить их в столь уникальные сюжетные положения, что достоверность повествования могла бы показаться сомнительной. Проблема типического в литературе, на наш взгляд, была революционно перевернута самой историей. Если в четко разграниченном классовом обществе герой обязательно нес в себе формирующие классовые черты (родовое начало характера) и они в сочетании с чертами личными и современными производили литературный тип, который, возможно, и действительно необходимо˙было подсматривать, собирать по черточкам и обобщать, то в наше время герой почти лишен этой родовой основы или она мелькает в нем некими реликтовыми, неузнаваемыми и непонятными ему самому раздражителями, — а само время столь решительно и бурно проехалось по каждому отдельно взятому из общей, почти бесклассовой массы человеку, что каждый человек, с мало-мальски намеченными природой чертами личности, стал т и п, в котором, по принятому выражению, как в капле воды, отразился весь мир и, как в капле моря, выразилось все море. Тут наше рассуждение переходит уже в очень специальную проблему социальных и исторических соотношений характера и личности, приводящих к перерождению самого литературного метода реализма, если он только хочет оставаться реализмом... и мы себя притормаживаем.

Поэтому-то и наш Лева — т и п, несмотря на свою принадлежность к вымершей породе. (Любопытно, что вплоть до настоящего времени и, судя по литературе, особенно непосредственно после революции распространилось в просторечии слово «тип» и даже словечко «типчик» в отношении людей, как нам кажется, особенно легко поддавшихся формированию временем.)

Но если Лева принадлежит нашему времени и отделен историческим временем от собственного происхождения, то его родители, хотя и принадлежат прежде всего нашему времени, от своего происхождения отделены уже меньше, а ранним детством даже принадлежат ему. А дед — совсем не отделен от собственного происхождения, зато он отделен от собственных детей и тем более от Левы. Тут и возникает тот семейный микроклимат, в котором выращивается наш герой.

В личной жизни люди измеряют отсутствие лжи в отношениях, как правило, правдоподобием и неразоблаченностью — отсутствием ф а к т о в, изобличающих ложь. Однако совсем не требуется доказательств для правды, ф а к т ы правды необязательны в отношениях. Однако изобличенная ложь — это уже не ложь, это драма, и только. А как раз неразоблаченная ложь, то есть видимая правда, и есть ложь, и она — трагедия. Там, где человек мучительно болтается на мутной поверхности судебной, фактической недоказанности, неподтвержденности собственных ощущений и чувств и вынужден, как бы юридически, не доверять собственным, свойственным ему, точным по природе ощущениям и чувствам, там он и разучается руководствоваться ими в своих поступках, то есть перестает их совершать — с в о и поступки. Это и приводит к отмиранию естественно нравственной человеческой основы, являя собой классический пример д е з о р и е н т а ц и и человека как биологической особи.

И если нас вот сейчас спросить, о чем же весь этот роман, то мы бы сейчас не растерялись и уверенно ответили бы: о дезориентации[1].

---

[1] Когда человек сосредоточен на чем-то, то все — об одном... Вот сейчас открываю случайно книжку — какая замечательная фраза!.. «Еще удивительнее, что они преследовали падающие листья, разной величины, формы и окраски и даже собственную тень на земле» (*Тинберген Н.* Поведение животных). Это о мотыльках.

Так и Лева с малых лет формировался в «недоказанной» атмосфере. И независимо от возможности доказать это, можно утверждать, что всех нас сформировали отнюдь не очевидные биографические факты, которые мы можем показать как доказательства, а именно факты мучительно-недоказуемые, часто как бы и вовсе не существовавшие, «данные нам лишь в ощущении», немые и безглазые — белые, как бельмо. Тем более в детстве нам трудно сказать себе, что́ на самом деле произвело на нас впечатление, — об этом мы узнаем много позже. В детстве все стыдно, немо, неоткровенно и слишком страшно.

Так что вовсе не с того момента все начинается, когда Лева у з н а ё т про деда, про отца, про время, а много раньше, когда он еще не может знать, не подозревает о существовании этих фактов, но эти факты тем не менее существуют сами по себе и существуют, некоторым образом, в его незнании. И не то страшно, что он внезапно, юношей, полувзрослым человеком, так поздно, узнает эти факты, а то, что он в них узнает то, что всегда знал, но не знал, что же это, а теперь ему сказали, как это называется: показали органы на анатомической карте и рассказали, для чего они, — он получил доказательства.

108)

Как ни странно, именно в наше время существует тенденция некоторой идеализации и оправдания аристократии[1]: мол, не все там были нравственные уроды, были и умные, честные люди, более того, не все даже были в р а г и. Это сытая либерально-каннибальская справедливость в отношении наверняка поверженного и даже переваренного противника: покойничек был неплох на вкус...

Да, были умные, и честные, и нравственные — их было даже больше, чем признает любой разлиберал, но самой ей нет оправдания. Она сама повинна в собственной гибели, и ей нет оправдания потому, что у нее нет оправдания в собственных глазах. Она существовала, оказалось, лишь в сво-

[1] Здесь и дальше мы рассуждаем именно об аристократии, а не об интеллигенции. К тому же мы рассуждаем лишь о той, пусть даже малой и не слишком крупной ее части, в отношении которой наше последующее рассуждение будет полностью точным.

ей классовой принадлежности, у нее не было идеи — идея стала принадлежать лишь разночинцам. У нее ничего не оказалось, когда от нее отняли принадлежность классу. И то, что не все были враги, тоже не говорит в ее пользу. У них не было верховной идеи, потому что как данность имелась верховность положения; быть противниками чуждой идеи было им противно и ниже их достоинства, поэтому у нас не было подлинно идейных врагов в борьбе с ними. Они не могли быть партийными. Они уступили брезгливо и высокомерно, лишь в буквальной борьбе, по нормам достоинства и чести, не подозревая длинноты предстоящей жизни. И за это автор не уважает аристократию всей сутью своего плебейства, неизжитого и благоприобретенного, которому не досталось...

Они не предполагали, что им предстоит жизнь, — им пришлось с этим столкнуться. И тут проявилась одна замечательная, лишь на первый взгляд противоречащая распространенным представлениям черта аристократизма — живучесть. Принято полагать аристократию изнеженной, нежизненной, неприспособленной, не переносящей лишения и трудности, не способной к труду. Между тем, в высшем понимании, аристократизм и является формой приспособленности и самой жизненной формой. Потому что именно тот, кто все имел, способен, не теряя духа, все потерять: именно тот, кто владел, может знать, что не в том, чтобы иметь, дело. Тот, кто не имел, не может не иметь, потому что хочет иметь. Истинный аристократизм не хочет иметь, а имеет как данность. Теряя, он знает, что владел тем, что ему, не входя в обсуждения, полагалось. Он привык не входить в обсуждение насущных житейских вопросов и поэтому мог выработать в себе качества «как таковые». Теряя все, он может полагать, что не теряет своего аристократизма, сохраняя эти свои «как таковые» качества. Поэтому-то они и могли внезапно, впервые столкнувшись с враждебными обстоятельствами, проявлять эти свои качества (когда же они и проявляются, как не при первом и неожиданном столкновении? обучение и опыт — уже не качества, опыт — явление буржуазное): удивлять стойкостью, терпеливостью, достоинством, — то есть именно приспособленностью, потому что подлинный ари-

(109

стократизм — это способность обойтись без всего и до конца сохранить себя.

Но это, так сказать, идеальная, духовная суть аристократизма. Такой аристократизм может оказаться чертой крестьянина и не оказаться чертой аристократа лишь по происхождению. На практике все было, естественно, иначе, и приспособляемость аристократии проявилась в способности «не входить в рассуждения» и «служить». Рассуждали интеллигенты — аристократы проявляли неожиданные способности к труду. Возможно, когда-то они умели сидеть в седле и целовать ручки, но не надо никогда забывать, что они были классом, что у них была классовая природа. Их философия, их нравственность и мораль были им присущи по рождению, и если они принадлежали своему классу, то им можно было не тратить ни душевных, ни физических сил на выработку убеждений и принципов, вытекающих из единичной и рассеянной измордованности жизнью. Они могли служить, исполнять, руководствуясь понятиями чести и долга, не входя ни в какие конфликты с совестью.

Эта-то их способность и проявилась. Они ничего не приняли из перемен, но остались жить в измененном мире с тем, чтобы сохранить в себе хотя бы те присущие им и несущие их структуру черты, которые словно бы могут являться общечеловеческими, как то: честность, принципиальность, верность слову, благородство, честь, мужество, справедливость, умение владеть собой... Они потеряли все, но эти черты им бы хотелось потерять в последнюю очередь: это была их природа. Но и эти черты не имели возможности уцелеть вне их классовой сущности, абстрактно, вне смысла происходящего и при отсутствии, отнятости самой почвы. Последовательное проведение в жизнь, осуществление подобных черт и принципов грозило немедленной гибелью, измена им — была немыслима: это была бы нравственная гибель, — и родился удивительный психологический феномен, позволивший им выжить. Его можно было бы назвать «абсолютной аполитичностью», и это было бы близко, но не полно.

Им пришлось закрыть глаза на измену своему классу, на то, что они не стали врагами, чтобы не погибнуть: осознание подобной измены сразу лишило бы их возможности носить те черты, которые полагали или ощущали они своей неколебимой сущностью: долг, честь, достоинство, как и девственность, употребляются лишь один раз в жизни, когда теряются. Им пришлось, подсознательно, сделать вид, что никакой измены не было, и никогда больше не прикасаться к этому вопросу, чтобы не дай бог не расковырять его и не выпустить на свободу «джинна» совести, испепеляющего русскую душу со скоростью света. И стали они, как нерусские люди...

Это удалось прежде всего тем, кто, обладая всеми положительными качествами класса, не обладал сильным умом. Таких, обладавших великолепными душевными качествами, но не умных, по крайней мере в современном понимании этого слова, оказалось в их среде более чем достаточно. Ум ведь — не аристократическая принадлежность, а природная и, в этом смысле, народная... Избежав таким образом нравственной гибели первый и главный раз, они зашили некую стенку в своем сознании глухими досками и больше никогда туда не оборачивались, будто там так и была — стенка. Потом жизнь их вертанула еще и еще раз — они, таким же образом, зашили глухо еще кое-какие углы и окна своего сознания. И в конце концов остался им один лишь, в шорах, взгляд перед собой — все было обшито, кроме этих двух дырочек в заборе. Шея уже не поворачивалась, как у человека, сломавшего ее себе на прекрасных широкополых скачках юности, а постоянный корсет придавал их осанке еще более прямизны и благородства...

Семья, семья!.. Мы забыли прибавить к причинам этого феномена — главную. Были дети, ради них надо было выжить, их надо было воспитать, а родовой инстинкт у аристократии и должен быть, по определению, чрезвычайно силен.

Они ничего не приняли — и они приняли все.

То есть для того, чтобы снова получился Лева Одоевцев, мы могли обрисовать здесь и совсем иную семью, значительно более положительную и привлекательную, даже, пожалуйста, образцовую, которой можно было бы лишь умилиться, удивиться, что она есть, и поставить в пример.

Версия и вариант

Совсем необязательно было непременно расти в атмосфере тайного предательства, чтобы получиться Левой...

Итак, это — Дом, это — крепость, населенная дружными, любящими людьми, наделенными многими, все реже встречающимися качествами. Они красивы, воспитанны, не лгут друг другу, охотно и без жалоб несут все тяготы и обязанности, добровольно принятые на себя ради семьи; здесь совсем нет хамства и грязи, и здесь любят друг друга. Лева, толстенький и милый шалун, убегает от мамы по коридору — топ-топ! — и его ловят, и ловят, и ловят любовные руки... он подлетает к какому-либо крупному красивому лицу — дядя, тетя, бабушка! — и он смеется, настолько все — в порядке, настолько встречна ему большая улыбка сверху... Они живут мужественно, чисто и достойно, пока кругом на лестничных площадках и дворах все ссорятся, разводятся, матери-одиночки «водят к себе», пьют, дерутся и дети все реже узнают в лицо отца... — они живут х о р о ш о. Их много, и они вместе — большая семья, какие сейчас встречаются лишь в романах. Они живут ради семьи, они живут — в семье, семья — форма их выживания.

112)   У Левы — детство. Во всяком случае, раннего детства он не лишен, оно — классично, оно может быть переплетено в томик. Где там конец тридцатых — начало сороковых в России XX века за окном? Ау! Но вот уже время и послевоенное, Лева может «если не понимать, то помнить», но ничего словно бы не меняется только в их семье; заметить эту разность семейной и внешней жизни — значит задаться вопросом; Лева «из воздуха» усвоил единственный способ не задаваться вопросом: он перестал отмечать про себя внешний мир.

Внешний мир был тоже книжкой, которых много стояло в библиотеке отца и которые, с молчаливого согласия родителей, разрешалось Леве таскать и почитывать тайком. Внешний мир был цитатой, стилем, слогом, он стоял в кавычках, он только что не был переплетен... И Лева, конечно, дружил с сыном дворника, его потягивало вниз, на капустный запах, и он обижался, когда чего-нибудь там, среди «них», не понимал, или его не принимали в компанию, или смеялись над его непониманием, — тут он испытал первые уколы влечения и ревности. Но все это было, за отсутствием усадьбы, приусадебными службами, а родители Левы были вовсе не против того, чтобы тот «понемногу узнавал жизнь»... Это было уже безопасно: Лева усвоил урок невнимательности, преподанный семьею.

А время уже вполне могло бы быть узнаваемо даже в консервированном воздухе Левиной квартиры... Оно приблизило вплотную свое безбрежное лицо и жарко и душно дышало, по ночам припадало к окну, приваливалось к двери, плющило свой нос о черное ночное стекло и пристально и безглазо смотрело в светлую нутрь квартирок... Однако сдержанность — фамильная черта: ничто не выразилось в семейном укладе, не отразилось на отношениях и поведении членов обширного клана Одоевцевых. Если какие-то тени и ложились косо на их лица, то мог бы их заметить лишь очень наблюдательный и специально нацеленный на то человек — не Лева. Да, жизнь еще раз, очень вплотную, на Левиных невидящих глазах, придвинулась к семейству Одоевцевых, она была готова задать им свой вопрос в столь отчетливой форме, что на него пришлось бы ответить, — и чудо-психологический феномен мог бы не сработать на этот раз. Не могло быть ни одной оплошности, ни одной промашки — б е з у к о р и з н е н н о с т ь был единственный выход. Они должны были быть безукоризненны по форме, на работе и дома, чтобы не столкнуться, еще раз и окончательно, с жизнью.

Леве было двенадцать лет. Семейство выдержало, не оглянулось, как в сказке, не обратилось в соляной столб. Как они выдержали? Как они приспособились? Каким все-таки удивительным способом скрыли эти люди от себя собственную жизнь!..

В этой семье постарели только один раз, собравшись после войны. С тех пор они были настолько всегда друг у друга на глазах, что так и оставались красивы и молоды, чуточку в одиночку старея во время летних отпусков...

Леву — воспитывали. На личном примере безукоризненности. Он обучался отвлеченно-прекрасным образцам образа души, мысли и поведения. Почему такие именно черты, чего именно эти черты, где и когда эти черты — тщательно скрывалось. Возможно, это скрывалось уже и не только от Левы, но и прежде всего от себя. Эти люди хоте-

Версия и вариант

ли обучить Леву хотя бы тому, что умели сами, раз у них не было более широких возможностей для его образования, для о б р а з о в а н и я Левы, нового Одоевцева. Они его учили тому, что умели, скрывая все то, что знали. Они сами уже почти не знали, но растили его в лучших, насколько позволяла материальная база (а им она не позволяла почти ничего, кроме *личного примера*), традициях и принципах и старались скрыть от него жизнь еще больше, чем не знали ее сами. Лева рос инфантом в этой детской республике взрослых и красивых людей... Ах, если прибавить к этому Левиному о б р а з о в а н и ю начальное и среднее, где в свою очередь преподавали телегу не только без лошади, но и без колес, чтобы не ездила... то получается букет, то получается компот, то получается такой розанчик в туповатых ботинках, в мамосшитой курточке на молнии, с комсомольским значком на фальшивом кармашке!

Его научили — его даже учить не пришлось, сам усвоил — феномену готового поведения, готовых объяснений, готовых идеалов. Он научился все очень грамотно и логично объяснять прежде, чем подумать. И семья и школа приложили все свои силы, чтобы обучить его всему тому, что не понадобится впоследствии.

Не видя вокруг примера, по высоте и красоте близкого их семье, Лева обучился еще некой абстрактной и невнятной избранности и исключительности. Но поскольку преподавалась, тоже личными примерами, простота, скромность, высокомерная втайне демократичность, — то это нисколько не мешало ему в общении и контактах с внешним миром, а лишь плотнее затягивало на нем крышку, уже без всякого допуска воздуха. Избранность в самоощущении — тоже одно из средств изоляции, а следовательно, и защиты — и это он тоже усвоил, и так же бессознательно.

Так они и проплавали в своем крепостном аквариуме все Левино «Детство. Отрочество». — «Юность» была все-таки уже подвержена времени. Были они как глубоководные рыбы: под давлением победившего класса, в полной темноте, в замкнутой системе самообеспечения: со своим фосфором и электричеством, со своим внутренним давлением.

Это Леве — предстояло быть вытащенным на поверхность и разорваться на кусочки от невыносимости собственного внутреннего давления!.. Ничего, кроме полноватой (на мучном, без витаминов) души, чуть бледной от недостатка света, но красивой и нежной, выращенной как бы на преждевременно (приоритет!) открытой гидропонике — у Левы не было. Душа — была.

Он был чист и необучен, тонок и невежествен, логичен и неумен, когда окончил школу, влюбился в Фаину и встретился наконец с дедом. К этому времени он не знал (и это буквально) таких слов, как: измена и предательство, репрессия и культ, еврей и жид, МВД и ГПУ, пенис и клитор, унижение и боль, князь и жлоб.

Да, в этом, втором, Левином семействе все были люди исключительные, ни разу не поступившиеся ни долгом, ни честью, ни совестью. Но, добавим, до тех пор, пока это не угрожало их жизни. Но они, по свойствам своего ума, совершенно честно и искренне не видели в этой жизни тех коллизий, в которых наличие у них долга, чести и совести неизбежно привело бы их к трагическому концу. Но если бы они только увидели, если бы их однажды поставили в положение, при котором решительное «да» или решительное «нет» решало бы не только их судьбу, но и судьбу другого, то они, безусловно, не поступились бы ни честью, ни совестью и ответили бы то «да» или то «нет», которые соответствовали бы их представлениям о правде. Но такого случая им, практически, не выпало. Это был феномен «честного везения».

Итак, честность и безопасность. Никаких предательств в этой семье быть не может. Возвращается дед. (Это нам также хочется сохранить, это совпадает в обоих вариантах.) Но никто из домашних ни в чем не повинен и не запятнан в его судьбе. Это праздник в семье — его возвращение. Дед — красив и неожиданно молод. Он прочно и достойно выдержал все выпавшие ему испытания (сократим ему, в этом случае, срок лет на десять). Он вернулся с ясной головой, все сохранив и ничего не утратив, — ему идет академическая ермолка. Все было бы совсем прекрасно, но дед тоскует по месту последней ссылки (где-то, кажется, в Хакасии) и возвращается туда. Там он некоторое время преподает в пединституте и заведует краеведческим музеем. Ни за что не хочет ехать ни в Ленинград, ни в Москву, несмотря на многочисленные приглашения, потому что его имя начинает всплывать, его многие помнят и знают и назревает репутация «великой судьбы великого человека». Потом Лева, уже студент, едет к деду — и все выясняется. Там в деда влюбилась одна старая и прекрасная девушка, и у них родился сын! В его-то годы! Все горды. Дед выглядит молодцом, на комплименты отвечает комплиментом себе же — достает из часового карманчика маленькую черную фигурку: редчайшая вещь, хакасский божок плодородия, владеющий им — сам священен, за обладание им могут вестись набеги и войны, деду он достался при чрезвычайных обстоятельствах, когда на нарах скончался другой великий вождь, последний шаман крошечного племени. За столом Одоевцевых семейно посмеиваются над этой лестной историей. Лева отсылает деду все чаще появляющиеся корректуры его старых статей, дед их возвращает без слов, но против публикаций не возражает. Деда по-прежнему зовут в семью, домой. Он говорит, что теперь у него з д е с ь дом. Ему говорят: наш дом не только твой, но и в а ш дом. Все это превращается уже в семейную, удобную, с выверенным ритуалом игру... И тогда дед приезжает с сыном и вечной девушкой: худенькая, тонкие косички в кулачок — сначала ее немножко, хотя и очень деликатно, чураются, но потом, договорившись, полюбляют всем сердцем... Дед, однако, не вынес, не снес и, оплаканный, сходит... Вокруг его похорон происходит все та же торжественность и свадьба — и вот мы снова в той же точке романа.

Однако нас чуть не вывернуло, пока мы дописывали все это. Положа руку на сердце... нам больше нравится первый вариант Левиной семьи. Он нам больше по сердцу, на которое мы положили сейчас руку. Первое Левино семейство нам кажется чуть ли не честнее, «сюжетнее» второго. Потом, мы уже привыкли к дяде Диккенсу, а сюда он не поместился. Вообще эти психологические феномены, где плюс отталкивается от минуса вопреки естественным законам, эти мутации души... Мы и так мужественно пишем, но у нас не хватает терпения. Уж если ты реалист, приходится брать реализм под силу... Бог с ними, с этими мутантами, ибо их есть царствие небесное! Они хорошие люди.

Так что мы останавливаемся на первом варианте.

...В заключение мы как бы входим в большой и пустой класс, подходим к грифельной доске, достаем из-под тряпки промокший мел, который так плохо, бледно и противно для кожи пишет... И рисуем на ней всякие формулы, преподанные нам заборами, сараями и лестницами.

И среди них, в частности, мы пишем:

ОТЕЦ – ОТЕЦ = ЛЕВА (отец минус отец равняется Леве).
ДЕД – ДЕД = ЛЕВА.

Мы переносим, по алгебраическому правилу, чтобы получился плюс:

ЛЕВА + ОТЕЦ = ОТЕЦ
ЛЕВА + ДЕД = ДЕД,

но ведь и:

ОТЕЦ = ОТЕЦ (отец равен самому себе)
ДЕД = ДЕД.

Чему же равен Лева?

И мы стоим у доски в эйнштейновской задумчивости...

НАСЛЕДНИК

(Дежурный)

На берегу нашей знаменитой реки есть место, хотя и в самом почти центре, но еще не одетое в гранит и не заасфальтированное. Там навечно стоят несколько барж, ржавеют и рассыпаются. У самой воды — узкая песчаная полоска, замусоренная корой и́ прочей дрянью. Из воды торчат полусгнившие сваи, черные и острые. Дома на набережной — особняки, в основном — очень замечательные, старинные. Некоторые из них с мемориальными досками, а некоторые охраняются государством.

Там и находится бывший дворец, а ныне — НИИ, научный центр мирового значения. Там бережно хранятся, исследуются и т.д. рукописи и даже некоторые личные вещи, принадлежащие давно почившим, от одних имен которых не может не забиться всякое русское сердце. Место как бы специально приспособлено для тихих, глубоких и уединенных занятий, внушающих всяческое уважение. Трудно даже представить себе в большом, шумном городе, второй столице, другое такое же место, столь же подходящее. На набережной в этом месте почти не наблюдается движения...

С год назад сюда прибыл большой строительный отряд, приплыла по реке всяческая техника, и вроде бы начались работы по реконструкции набережной. Некоторое время сотрудники института отвлекались от своих занятий и смотрели в окна. Там заколачивали сваи. Зрелище это в своей мерности словно специально предназначено для того, чтобы его рассматривать. Казалось, жизнь, до сих пор огибавшая набережную и институт, ворвалась сюда со своим бурным кипением, как врывается она у нас повсюду. Но сваи стали забивать все реже, а рабочие, казалось, в основном обедали или завтракали, рассевшись под поднятой бабой и развернув свои свертки и достав заткнутые бумажными пробками бутылки. Ели они до того аппетитно, что сотрудник, пробегавший в это время по коридору, очевидно по делу, не выдерживал и спускался в буфет — брал там язык или слойку и проглатывал ее с разочарованием.

Потом и рабочие куда-то делись, и не было видно, как они завтракают. Техника стояла. А движение по набережной, прекращенное в связи с началом работы, не возобновилось. Так что место это в результате стало еще более тихим. Только что и появлялись иногда киношники... Они не могли избежать этого места, по-видимому, потому, что здесь сохранился булыжник. Они расставляли свою технику и бегали во все стороны, появлялась глупая черная пролетка, запряженная невиданными одрами, и снималась сцена конспиративного свидания молодого террориста со своей невестой или другой революционный эпизод.

Это тоже развлекало сотрудников, и свои научные беседы они, по двое, по трое, вели тогда у окна... Небо прочерчивал реактивный самолет, и это оказывался тот самый кадр, который надлежит выстричь.

Здесь и работал Лев Одоевцев. Ему, как никому другому, пристало работать в таком институте. Хотя бы как внуку Одоевцева. Работал Лева хорошо, уже не так увлеченно, как в студенческие годы, но и без скуки, слыл многообещающим. Он писал диссертацию «О некоторых особенностях или чертах...». В ней он интересно разрабатывал одну из веточек посаженного дедом дерева, и диссертация быстро подвигалась. В «ученых» разговорах Лева научился с легкостью различать, когда Одоевцевым называли его знаменитого деда, а когда его самого, и не сбивался, как когда-то, и не краснел, как мальчишка.

Тем более что про себя он полагал, что краснеть ему не за что. Оборачиваясь и поглядывая вокруг, он обнаруживал удобное отсутствие конкуренции: никто ничего не мог, никто ничего не умел и никто ничего не хотел. Лева же — умел и мог (по сравнению...), а вот хотел ли? Когда-то, во всяком случае, и хотел...

Еще в аспирантуре была им написана очень неожиданная, по времени, уровню и обстановке, некая большая статья «Три пророка», о трех стихотворениях — Пушкина, Лермонтова и Тютчева. Статья эта не была опубликована, но наделала «внутреннего» шуму: ее многие прочли, и она произвела... Работа была, может быть, не строго научна, но, пожалуй, талантлива и написана хорошо по-русски, таким летящим, взмывающим слогом, но главное, что и поразило, что и произвело... была внутренне свободна. Мы видели ее однажды на кафедре, уже желтую, с потрепанными ушами... Она там хранилась, по-видимому, как беспрецедентный случай. Ею гордились, не перечитывая, и кое-кому, из-под полы, показывали. Так прочли ее и мы... Статья во многом наивна сама по себе, во многом с т а л а наивной за эти годы, но она по-прежнему свежа тем, что она не о Пушкине, не о Лермонтове и тем более не о Тютчеве, а о нем, о Леве... в ней сказался е г о опыт. Нам очень хотелось бы прямо здесь пересказать ее, но уж больно это нарушит нам сейчас композицию, которая уже начинает нас заботить... Мы, однако, постараемся улучить однажды момент.

И Левина роль в освоении дедовского наследия, и статья «Три пророка», которую все читали, и статья «Опоздавшие гении», которую никто не читал, и статья «Середина контраста» (о «Медном всаднике»), главы из которой кто-то читал, и кое-какие высказанные вслух замыслы, намерения и суждения сыграли значительную роль в создании р е п у т а ц и и. У Левы она была.

У Левы была определенная репутация, то есть та самая неопределенная вещь, к которой все инстинктивно стремятся, но не все обладают. Очень трудно четко выразить, что это такое — репутация — и из чего состоит. Но мы попытаемся окружить ее многими невнятными словами, с тем чтобы потихоньку сомкнуться вокруг понятия. То есть мы хотим попытаться справиться с задачей не словами, которых нет для определения столь любопытного, но ускользающего явления, как «репутация», — а стилем, напоминающим по фактуре ее поверхность...

Итак, у Левы эта определенно-неопределенная вещь была. Левиной особой заслуги в этом, впрочем, не было, она получилась как бы сама собой, но, обнаружив ее, уже существующую, Лева как бы ею воспользовался и постарался в ней утвердиться. Действия его в этом направлении постепенно становились все более сознательными, и он как бы поддерживал ровный огонь в очаге, без его ведома зажженном. Это не требовало особых сил и напряжения и даже отдавало игрой до поры. Репутация эта сводилась, в общем, к тому, что Лева никогда не делал черную и легкую работу, что в стенах данного института совпадало, а лишь чистую и квалифицированную.

То есть он не вылезал на тех или иных выгодных идеологических поветриях, чтобы выступить там со статьей или речью лишь для того, чтобы всем стало видно и ясно, за что ее автор и против чего он, и чтобы эта откровенная очевидность сразу была кем надо замечена и пошла данному автору в пользу. Нет, Лева в подобных ситуациях сохранял некую трезвую ясность мышления и не бросался сгоряча кого-то поддерживать, а кого-то осуждать хотя бы потому, что ему было ясно, что этой конкуренции, требующей совершенно тоже определенных качеств, ему не выдержать. К тому же небольшого ума требует, взглянув на все, понять, что выигрыш тут мал и временен и все совершенно вилами по воде писано: выигрыш ли еще это, — а скорее всего, что и нет, потому что необходимость столь определенно высказаться, хотя и с полным обеспечением, может иметь потом, и даже вскоре, самые невыгодные последствия в случае возможной перемены самого обеспечения, и тогда все те, кто не высказался столь определенно, начнут с радостью тыкать тебя носом в собственную определенность и твое падающее знамя будет мигом подхвачено другими, полными готовности руками. Лева все это понимал, даже, может, и не понимал, потому что так понимать — это слишком уж откровенно и цинично, и обвинять в этом Леву все-таки несправедливо, но, во всяком случае, он хорошо это чувствовал.

Он занимался своей незапятнанной стариной и не изменял ей, и эта определенность его снискала к себе доверие в определенной интеллигентной среде, иногда называемой либеральной. Эта-то его чистоплотность, по которой он никогда не лез, вовсе уж забывая о средствах, чтобы что-то себе урвать внеочередное, безмерное, а потихоньку брал свое, в конечном счете выигрывая, потому что обходился тогда хоть и без крупного выигрыша, но и без проигрыша, — эта его чистоплотность была и не чистоплотностью вовсе, а, быть может, лишь инстинктивным или фамильным нежеланием ходить под себя, попросту кое-какая культурная привычка к санитарным нормам, но она именно создала Леве ту его репутацию.

Эта репутация, как правило, считается прогрессивной и невыгодной, но это скорее распространяется теми самыми людьми, которые ее носят, — она по-своему выгодна, потому что, обладая ею, человек попадает в совершенно определенный круг незаметной поддержки, как бы по национальному признаку, и не пропадет. А люди эти, всегда наиболее квалифицированные, сохраняют и поддерживают свою необходимость обществу, и ты сам тогда тоже как бы необходим. В общем, Лева не хотел принадлежать ни к людям, которые только что говорили «белое», а назавтра уже, по внезапной перемене, утверждают «черное»; ни тем более к людям, которые хотели бы быть столь же подвижными, как первые, но это им не удается, и они всегда немного позже начинают говорить «черное» вместо «белого», несколько позже перестраиваются и оттого попадают впросак; ни тем более к совсем неудачникам, которые совсем уж поздно подхватывают всеобщее поветрие и решаются наконец произнести «белое», когда уже назрело «черное» и самые ловкие уже почувствовали это и, с бросающейся в глаза самоотверженностью, это «черное» уже снова провозглашают. Не хотел Лева принадлежать и к той максималистской, наиболее либеральной группе, которая всегда, подчеркивая свой проигрыш, утверждает обратное официальному мнению, тут он охотно поддерживал то мнение, что такими крайними мерами ничего не добьешься, а скорее, наоборот, все испортишь. В общем, что бы ни утверждали люди: А вместо Б, или наоборот, Лева предпочитал свое, к примеру В, или даже Щ, пусть не самые актуальные, но остающиеся в своем значении и почти не подлежащие девальвации. Исходя из этой же репутации, Лева не старался выдвинуться по общественной линии, то есть избежал общественной работы, что в принципе просто соответствовало его склонности, фамильной интеллигентской инертности, защитной впрочем. Такие люди подскакивают в момент крутых поворотов, как постоянные, честные и в то же время не отпугивающие своими крайностями. Лева уже так раза два потихоньку подскочил, в последний раз совсем недавно; он стал редактором-составителем одного важного коллективного труда, ему была почти обещана стажировка за границей, как только он защитит диссертацию. Самое прекрасное, что его кандидатура ни у кого не могла вызвать возражений, Лева не оставлял следов, а потому впереди открывалась ему широкая и гладкая дорога, по которой дальше всего можно пройти незамеченным.

(123

Как было уже сказано, он поддерживал ровный огонь своей репутации, и до поры это даже отдавало игрой, почти искусством, где художник постоянно использует случайность, им самим нежданную и возникшую лишь в процессе творчества, а из управления этой случайностью — возникает свежая краска. Это было игрой до тех пор, пока репутация упрочилась настолько и настолько набрала сил, что чуть не вышла из-под Левиного подчинения, потому что уже слишком сильно определяла все его действия, то есть выходила из-под власти и заставляла иногда действовать не так, как ему бы хотелось, или не позволяла действовать так, как хотелось. Короче, однажды возникла ситуация, когда Левина репутация заставляла его поступить совершенно определенным и совершенно невыгодным, более того, ставящим все под удар образом. Лева, до сих пор не испытывавший особых затруднений со своей репутацией, не знал, что теперь с нею делать, и устрашающим образом потерялся. Он как бы дрожал в кресте прицела, причем наведены были сразу два пулемета — один на него, другой на репутацию, — от него требовались лишь «да» или «нет», а он совершенно не знал, как тут быть. То есть, с одной стороны, он очень хорошо знал, что «да», но в этом случае нажималась гашетка одного пулемета — тогда уж «нет», но в этом случае срабатывал второй. Репутация, существовавшая до сего дня как бы сама по себе, бесплатно, потребовала плату — п о с т у п о к.

Дело касалось его старинного друга, самого близкого (настолько, насколько это было возможно у Левы), положение было отвратительное, разбирательство очень тяжелое и чреватое (друг этот не то что-то написал, не то что-то подписал, не то напечатал, не то вслух сказал...). Лева не то был замешан, не то касался боком... От него — требовалось. Он совсем потерял себя и ходил вовсе без лица и без языка, окончательно мычал, и все бы, конечно, кончилось плохо, если бы вдруг не сошлось самым удивительным образом: заболела тяжело мама, подошел отпуск, он был срочно отозван в Москву на совещание, умер дед, одновременно Лева выиграл в лотерею заграничную поездку, к нему на время вернулась старинная любовь, и он заболел гриппом с тяжелыми осложнениями. Короче, на всех этих разбирательствах он был лишен возможности присутствовать, а когда смог, все было решено и друга уже не было. То есть он был, но где-то уже не в институте, а встретившись раз на улице, не подал Леве руки и как бы не заметил. Лева отнесся к этому почти спокойно, с удивлением обнаружив, что, пожалуй, они и не были такими уж друзьями, как казалось, потому что не нашел никакого в своей душе волнительного движения ни навстречу, ни против друга. Хотя до этого очень переживал, как они встретятся... Вся эта история вызвала в Леве смутное и неприятное воспоминание — тень деда, и он прогнал эту тень. Репутация Левы несколько покачнулась и упала, особенно в умах крайних, у остальных же осталась почти такая же, потому что слишком много объективных неподдельных обстоятельств сопутствовало этой истории и почти Леву оправдывало. Потом, вообще время идет и все забывается, и мало ли...

В общем, в таком, незавышенном, виде эта репутация теперь была даже более удобной, спокойной и безопасной. Она была — ее как бы и не было. На Леву чересчур не рассчитывали, а насколько рассчитывали, настолько уж он и не подводил. Лева же стал опасаться слишком близких дружеских и обязательных отношений и стал сохранять в основном приятельские, неблизкие и необязательные.

Приятелей оказалось вдруг очень много.

В личной жизни Левы Одоевцева тоже все обстояло, можно сказать, благополучно. Он по-прежнему жил с родителями и пока женат не был. Мама гадала на этот счет безуспешно. У Левы было три подруги, которых мама называла «приятельницами». (Диких их имен, столь характерных для Левиного поколения, она не могла произнести...) Так постепенно получилось, что три, и именно эти три. В первую он был безнадежно влюблен еще со школьных лет. Он бегал за ней, она — от него. Лева даже терял голову и, как говорила мама, «делал массу глупостей», но, несмотря на эту «массу», все оставалось все-таки на своих местах. Эта женщина изредка даже приходила к нему, но в основном уходила. Она побывала замужем, и развелась, и снова теперь собиралась выйти — Лева же был по-прежнему рядом и никуда не уходил. И он и она привыкли к этому. И всякий раз, срываясь в любое время дня и ночи по любому ее капризному звонку, Лева с удивлением думал, что делает это хоть и опрометью, хоть и сломя голову, но и как-то чуть ли не спокойно одновременно. У него уже как бы вошло в норму и привычку обивать эти пороги. (125

Вторая же приятельница была, наоборот, со школьных лет безнадежно влюблена в Леву — он же ее и вовсе не любил. Тут наступало как бы равновесие: Лева помещался между этими двумя женщинами как бы в середине, как бы не трогаясь с места. Вторая приятельница покорно исчезала каждый раз, когда Лева окончательно расставался с ней, существовала где-то в неизвестности и с поразительным чутьем объявлялась вновь, когда Леву выгоняла первая приятельница. Она появлялась как примочка на ссадине, снимала отчасти Левино унижение, принимая от него — свое, и он позволял ей это.

Третью же приятельницу можно было бы вообще не поминать, разве из авторской дотошности... Никакие сильные чувства их с Левой не связывали. Они вроде бы ничего друг от друга не требовали, хотя что-то друг от друга и получали, они не давали друг другу никаких обещаний и не испытывали никаких обязательств, но тут как раз и наблюдалось некое постоянство и верность, каких не могло быть в первых двух случаях. Какие-то неписаные правила и рамки были, впрочем, и в этих отношениях.

Таким образом, и в этом вопросе у Левы возникло равновесие, ритм, даже режим, настолько размеренный и привычный в своей невыносимости, что легче казалось принять его, чем изменить. Умолять одну, не любить другую, иметь третью... Они существовали порознь, и от каждой он получал свое, но они составляли и что-то одно: ту одну женщину, которой не было, да и быть не могло.

Мы привыкли думать, что судьба превратна и мы никогда не имеем того, чего хотим. На самом деле все мы получаем с в о е — и в этом самое страшное... Лева с детства мечтал о научной работе в тихом, солидном институте, вроде Ботанического, что напротив его дома. Можно, конечно, сказать, что это была несерьезная, даже глупая детская мечта. Лева о ней и думать забыл, когда метил и попал в свой институт на набережной. Но мечта эта, при всей нелепости формы, все-таки б ы л а, и она с б ы л а с ь: Лева работал точно в таком институте, таком же академическом, в таком же старинном здании, в таком же тихом и красивом уголке родного города, и вот уже диссертация на сносях, в неполные его тридцать... Лева любил и хотел одну только женщину, тоже почти с детства, и вот хотя она и не полюбила его, но и никуда от него не делась, и он даже получил ее по-своему, хотя и в трехстворчатом виде. Тут неправильно, конечно, сказать: сбылась и эта мечта, — но что-то в этом роде произошло: ритм, временами — успокоение.

В общем, Лева получил свое. И не то чтобы дорожил этим или полагал, что в этом и счастье... Но это была уже не Юность, а е г о жизнь. И в этом — все дело.

В таком положении обстояли дела с Левой накануне Октябрьских праздников 196... года.

Именно в эти обрядные дни прочной Левиной репутации суждено претерпеть серьезнейшие испытания: столь неожиданно покачнуться, почти рухнуть и все-таки устоять. Это, быть может, и есть, вернее, должна быть — главная история в романе, его сюжетный узел. И что весьма любопытно, угроза эта нависнет без какой-либо политической или идеологической ошибки или промашки с Левиной стороны. Казалось бы, чистый случай, гримаса судьбы, неожиданное помрачение...

На праздники Леву оставили дежурным по институту. Было у них такое заведение. По разным обстоятельствам, одним из которых была предстоящая защита, Леве было на этот раз не отвертеться.

Свой первый же, предпраздничный еще, вечер дежурства Лева провел в совершенной и все возрастающей тоске. Он то звонил Фаине, то хватался за диссертацию и впадал от нее в уныние и, впав, начинал перебирать разрозненные свои «сокровенные» заметки. Они казались ему гениальными, и тогда он еще более удручался оттого, что их забросил, и снова звонил Фаине, пытаясь все-таки выяснить отношения и тем самым еще более осложняя их. Хотя куда уж более... Фаина перестала поднимать трубку.

Лева так и уснул на директорском диване, чуть ли не с телефонной трубкой в руке. Приснился ему страшный сон, будто ему надо сдавать нормы ГТО по плаванию, прямо около института, в ноябрьской Неве...

Разбудил его звонок Митишатьева...

. . . .
. . . .
. . . .

(*Курсив мой. — А.Б.*)

И — стоп. Мы стоим на берегу лелеемого с самого начала сюжета, он вспухает буруном перед нами — но здесь, оказывается, нет брода, не перейти: нас сносит вспять к началу повествования и выбрасывает на тот же неуютный берег, почти к той же точке, из которой мы начали свое путешествие...

Наследник (Дежурный)

Казалось, своротили валун... А он опять на дороге. Будто мы не пройтись по всей Левиной жизни, от упомянутого вскользь рождения вплоть до обозначенной еще в самом начале смерти, ибо сейчас нас отделяет от нее лишь день или два. Но что мы, собственно, про самого-то Леву рассказали?.. Ну, дедушка... скорее наше пожелание, а не дедушка. Ну, отец... скорее дядя, чем отец. Отца-то почти нет. Убрать несмелый намек — то и вовсе его нет. И сам Лева... лишь косым лучом сквозь случайную щель — край уха и глубокая тень под подбородком, — обошлись без портрета. Голос его еле слышен за стенкой: чем он там занят, кому звонит, чей номер помнит наизусть?

Какая Фаина? откуда Митишатьев? что за «сокровенные» листки? Мы уже не раз обмолвились, что расскажем о чем-то потом; нам было некогда, а теперь — уже негде. Грустно обнаруживать, что, идя последовательно, мы настолько забежали вперед, что отстали от собственного повествования.

Возможно, такая неполнота возникла по одной лишь причине: с е й ч а с у нас другое прошлое, чем было т о г д а, когда оно было для себя настоящим. Глядя то с той, то с другой вершины на одну и ту же точку равнины, мы видим разный пейзаж. Каждое из двух изображений не полно, и они несовместимы. Мы рассказали всю Левину жизнь из сегодняшнего дня, представив Леву равноправным и полномочным участником исторического процесса. Возможно, теперь он сам именно так вспоминает свое прошлое и узнал бы себя в нашем изображении. Но если бы он читал все это тогда, когда это с ним происходило, то никогда бы не признал себя в герое, ибо крайне сомнительно, чтобы люди свидетельствовали о своем участии в историческом процессе изнутри процесса. Так что, хотя все, что описано здесь, б ы л о с Левой, — он-то об этом понятия не имел. Для себя-то, пожалуй, он имел только одно понятие... и не знал, что его любовь — исторична.

Итак, рассказав все, мы ничего не рассказали. Мы рассказали все, что могли, об «отцах» и почти ничего — о «детях». Те герои, о которых мы успели рассказать, умерли, а главные герои той главы, которую мы наконец собрались писать, — все еще отсутствуют. Нет чтобы обойти ту яму, где недавно лежал валун, — мы хотим через него перелезть. Здесь пролегает естественный р а з д е л. И прежде чем нам удастся продолжить, нам придется пересказать всю нашу историю заново, с тем чтобы уяснить, чем же она казалась герою, пока он в ней был жив.

И это будет другая история. Она будет об одной любви.

И хотя нас вправе упрекнуть (уже упрекнули), что мы способны рассказывать лишь все по порядку, «от печки», мы считаем это правильным, то есть иначе не можем. Ибо и у нас есть право...

Во-первых, потому, что более правильной последовательности, чем временна́я, все-таки нет: именно в ней содержатся не только нами открытые закономерности, но и те, которых мы не улавливаем до сих пор. А во-вторых, эпоха, которой принадлежит Лева в первой части, и время, которому он будет подлежать во второй, позволяют, как нам кажется, рассказывать порознь и по очереди почти обо всем, что нас окружило, как о не принадлежащем друг другу. Отдельна жизнь от истории, процесс от участника, наследник от рода, гражданин от человека, отец от сына, семья от работы, личность от генотипа, город от его жителей, любовь от объекта любви. Не только между страной и миром опущен занавес, но повсюду, где только есть на что повесить, колышется множество как бы марлевых занавесок, одной из которых человек занавешен и от самого себя.

Подумать только, лишь десять лет с небольшим проходит, и уже объяснять надо, как могло быть такое, как мог быть такой Лева! Да ведь обучение раздельное, забыли?.. Как все отдельно, так и мальчики и девочки. Как не ведает Лева о том, что он князь, так и не ведает он, откуда завелся в нем некий идеальный образ, дымком стоящий в его душе. Поэтому, естественно, должен был этот образ достаться первой же встреченной им женщине. Так и есть: лишь секунду потрепетав от полного несоответствия, он тут же полностью и совпадает. И уже Фаина была той самой взлелеянной в мечтах и под партой, а в недоразвитой родовой его памяти произошла полная перестройка — история подчищена, подскоблена под Фаину.

Вот и придется рассказать ее заново, параллельно первой. То есть предстоящая нам вторая часть романа является лишь версией и вариантом внезапно завершившейся

Наследник (Дежурный)

первой. *Какой из вариантов точнее? Нам кажется, что второй, ибо он реальнее. Зато первый вариант истиннее. Но если мы употребили слова «реальный» и «истинный» в такой относительной форме, то — о чем еще говорить?.. Нам кажется, что во второй части Лева будет более реален, зато он живет в максимально нереальном мире. В первой же части куда реальнее был окружающий мир, зато Лева в нем совершенно нереален, бесплотен. Не значит ли это, что человек и реальность разлучены в принципе? Немножко сложно...*

Может быть, как раз и следовало начинать роман со второй части, а продолжать ее — первой?.. Но — подчинимся хоть тому, что получается, — это, в конце концов, тоже принцип. Так и не уяснив себе последовательность частей, какая вторая, а какая первая, то есть какая из частей является основной, а какая — ее версией и вариантом, мы приступаем к нашей с л е д у ю щ е й части — вслепую, как тот Лева, который будет в ней жить, не ведая о том, что ему предстоит. (В первой — мы уже знали, что с ним будет.) Мы продолжим и доведем его бытие до той же точки времени и пространства, где он остался поджидать нас в части первой. Параллельные наши пересекутся, и мы сольем время с той счастливой надеждой, что время героя обретет полноту своего течения как бы совсем сейчас, в самый момент написания, и мы узрим тогда Настоящее — прямо перед собою, не из прошлого и не из будущего, мы увидим перед собою безвариантное настоящее, и это не будет глухая стена.

Не знаем, какая часть тяжелее для героя, первая или вторая. Может быть, что и вторая, хотя она — об одном лишь счастье... Потому что историческая оценка личного прошлого все-таки облегчает участь некоторой торжественностью принадлежности каждого к громыханию исторического процесса, реальная же жизнь погружена в безвременье, где человек не ведает будущего и лишен возможности оценить себя, где человеку достаются все навсегда отмеренные ему муки, независимые от страны и века, хоть нам и кажется временами, что и на ДНК проступил общий знак качества.

Конец первой части

ДВЕ ПРОЗЫ

Они думали, что у дяди Диккенса никого нет, но,
опоздав на похороны, из Йошкар-Олы приехала его сестра,
учительница в отставке. Кто-то даже что-то вспомнил, что
дядя Диккенс что-то как-то говорил, что есть сестра... они
еще даже все поспорили, говорил или не говорил. Но сестра, вот она, сидела на кухне у Одоевцевых и, стыдливо
и бурно, пила чай из блюдца: пальчики у нее были тол-
стенькие и упорные. От всего, кроме чая, она наотрез отказалась. Она робела и стеснялась, мама была особенно пре-
дупредительна — Лева усмехнулся, на них глядя. Она была
«другой породы», как сказала потом мама. И действительно, это выглядело так, будто у пойнтера была сестра такса.
Она была, наверное, не то в бабушку, не то в маму дяди Мити, не то башкирку, не то чувашку. Об этом тоже как-то что-
то говорил дядя Митя... Одоевцевы еще поспорили, чувашка ли. Но чувашка наконец попала в квартирку дяди Мити
и сейчас, взглядом цепким и испуганным, фотографирова-
ла материальные ценности...

Ничто не упустила отставная учительница, до гвоздя все
вывезла в Йошкар-Олу. И сколько ни говорили ей Одоев-

цевы, рояль-то хоть оставьте, что рояль они купят, что он не вынесет перевозки, что в Йошкар-Оле он никому и не нужен, — губы ее становились все более ниточкой, и она не дала себя провести: рояль поплыл в Йошкар-Олу. Кажется, именно не поехал, а поплыл, потому что так оказалось дешевле, а торопиться ей было некуда. Любопытно, что семьи у нее тоже не было.

Даже Пюви де Шаванна, сколько ни объяснял ей Лева, что это всего лишь репродукция, не стоящая ни копейки, а ему дорога как память... — она, передергиваясь от слова «копейка», тоже не дала. Ну да, как память... Можно было вспомнить рассказы дяди Диккенса о фамильной жадности... Одоевцевы их потом, перебирая учительницу, вспомнили.

Только и сумел Лева что стащить «Атлантиду», пока она следила за Левиной мамой, к которой с самого начала отнеслась с необъяснимой пристальностью. Он перечитал ее и растрогался... «В эту тихую, лунную ночь де Сент-Ави убил Моранжа...»

Зато бумаги дяди Диккенса отдала она Леве с легкостью. Их, впрочем, отобрала мама и заперла. Лева не уверен, что она их не почитывала, оставаясь в одиночестве. Однажды она передала Леве «как специалисту» две тетрадки: посмотри, может, тебе будет любопытно... Это были сочинения Диккенса.

Одна тетрадка называлась «Стихотворения», другая — «Новеллы». Лева испытал стыд и боль любви, читая их... Он неизбежно «уценил» дядю Митю по отношению к культивированным детским представлениям. Но эта уценка была не совсем хамской, а многоступенчатой и сложной: низкое удовлетворение от полупадения кумира сменилось разочарованием (не от кумира, а от этого падения), а разочарование — стойкой нежностью. Боль от крушения старого образа оказалась легкой и быстрой, а становление нового — было зато светлым и радостным, уверенным и окончательным — как бы истинным. В общем, Лева лишь сильнее полюбил этот образ, теперь уже не прибавлявший к себе черт.

Стихи были бесспорные: слабые и наивные до неправдоподобия, — но и в них сквозила незапятнанная диккенсовская душа. (С прозой, в отношении оценок, вообще обстоит сложнее... Ее труднее оценивать категорически, как поэзию: поэзия и непоэзия — середины как бы не существует. В прозе всегда что-нибудь да окажется выраженным: намерения ли автора, сам ли автор... Как документ хотя бы она всегда представит частный интерес.) Проза же Диккенса (дяди) нам даже чем-то нравится, и мы оцениваем ее выше, чем Лева, еще не вполне свободный от снобизма. С Левы в данном случае и нельзя спрашивать, хотя он и специалист в этой области более профессиональный, скажем, чем мы.

Он не может судить объективно потому, что чтение прозы Диккенса-дяди для него скорее непосредственный, личный опыт, нежели опыт опосредованный, читательский. У него возникают иные связи, кроме выраженных именно этой прозой. Для него, например, потрясением было некоторое приоткрытие завесы между поколениями, завесы, всегда существующей... Так юный человек, достигнув сам возраста личной жизни и с головой уйдя в нее, вдруг задает себе наивный вопрос: а что, неужели у других так же? — и в поисках ответа вспоминает (кого же еще может вспомнить человек столь юный?) своих родителей и обнаруживает, что ничего-то в этом смысле ему про них неизвестно: любили ли они, страдали ли, какие они были и, может даже, е с т ь для себя и друг для друга, когда его, скажем, нет? неужели они тоже... и т.д. То есть ему, уже взрослому, казалось бы, человеку предоставляется постигать все самому в формах, предложенных его временем, а то, предыдущее, поколение стареет и уходит, так и не раскрыв перед ним карт: жило ли оно вообще? — оставляя ему на всю жизнь запас образов и опыта детства о жизни людей взрослых. Это, наверно, замечательно, и тут есть тайна, нерушимая и святая — охранная. Потому что даже совершенная логическая уверенность, что у других так же, остается пустой и неживой, неоплодотворенной. Это-то, возможно, ценой страданий и позволяет человеку проживать дальше с в о ю жизнь...

Так вот, когда Лева читал сочинения Диккенса-дяди, то завеса эта как бы шевельнулась от ветерка и чуть загнулся край... Никаких «подробностей» в пошлом смысле он там не вычитал, зато образ человека, старого и мудрого,

(133

с неким уже сверхопытом, выраженным в одном лишь поведении, где каждый жест является конечным и итоговым, завершает глубокий ряд, — такой образ сильно покачнулся, обнаружив бесконечную детскость, наивность, сентиментальность, отсутствие вкуса и силы. Зато тут же этот образ был заново отштукатурен и раскрашен в трогательность: раньше люди были чище и благородней, раньше люди были разные, раньше они были наивней, трепетней и идеальней — это и есть индивидуальность в истинном, а не в «профессиональном» понимании («стать индивидуальностью»), — все эти «раньше люди были» равнялись одному ушедшему дяде Диккенсу.

Тут наблюдался один эффект, который наводит нас на одну легкую мысль о природе прозы, и мы не можем удержаться от этого намека...

Эффект этот заключается в том, что, внезапно наткнувшись на страничку человека, хорошо знакомого или даже близкого, но про которого мы не знали, что он «пописывает», и с непонятной жадностью прочтя ее, мы тут же начинаем знать о нем как бы во много раз больше, чем знали до сих пор путем общения. И не в каких-либо секретных или ревнивых фактах дело. Доказателен как раз пример, когда подобных фактов для любопытства или ревности мы бы на этой страничке не нашли. Именно в этом случае нам ничто не заслоняет и мы узнаем про автора еще больше. Та непобедимая любознательность, с которой мы поднимаем при случае подобную страничку, — есть не что иное, как жажда узнать «объективную» тайну — тайну «без нас», а такая тайна — это облако, на котором мы живем. Что же мы узнаем из этого листка, если в нем нет сплетни? Стиль. «Тайну», о которой мы говорили, несет в себе стиль, а не сюжет («ревнивые факты»).

Кроме задач и фактов, поставленных автором к изложению, получившаяся проза всегда отразит более его намерений, проявившись самостоятельно от автора, иррационально, почти мистично, как некая субстанция... (У нас есть опыт неожиданных удивлений перед ней.) Человек, впервые взяв перо в руки, еще смущенный этим неожиданным позывом, еще защищающийся пренебрежительной ухмылкой (хотя его никто не видит, он улучил этот момент) от возможного своего фиаско, а на самом деле инстинктивно (здоровье!) страшащийся того, что сейчас не с ней (с прозой) — с н и м будет... этот человек уже столкнулся с феноменом литературы: хочет или не хочет — он выдаст свою тайну. С этого момента он всегда может быть изобличен и узнан, пойман — он виден, он зрим, он — на виду. Потому что стиль есть отпечаток души столь же точный, столь же единичный, как отпечаток пальца есть паспорт преступника.

И здесь мы приходим к давно любезной нам мысли, что никакого таланта нет — есть только человек. Никакого такого отдельного таланта, как рост, вес, цвет глаз, не существует, а существуют люди: добрые и дурные, умные и глупые — люди и нелюди. Так, хорошие и умные — талантливы, а плохие и глупые — нет. И если у человека есть ум сердца и он хочет поведать миру то, что у него есть, то он неизбежно будет талантлив в слове, если только поверит себе. Потому что слово — самое точное орудие, доставшееся человеку, и никогда еще (что нас постоянно утешает...) никто не сумел скрыть ничего в слове: и если он лгал — слово его выдавало, а если ведал правду и говорил ее — то оно к нему приходило. Не человек находит слово, а слово находит человека. Чистого человека всегда найдет слово — и он будет, хоть на мгновение, талантлив. В этом смысле про талант нам внятно лишь одно: что он от Бога.

Поэтому так неловко, так страшно, так стыдно и опасно узнать о близком человеке, что он «пописывает». Поэтому же мы обязательно воспользуемся первым же случаем узнать об этом... Писать — вообще стыдно. Профессионал защищен хотя бы тем, что давно ходит голый и задубел и закалился в бесстыдстве. Он так много о себе уже сказал, разболтал, выдал, что уже как бы и сократил полную неожиданность информации о человеке, которая есть литература. И мы снова о нем ничего не знаем. Человек во всем имеет цель быть невидимым (защита) другим, и к этому есть лишь два способа: абсолютная замкнутость и полная открытость. Последнее — и есть писатель. О нем мы знаем все и ничего. Поэтому так пристально (с той же неподвластной жадностью, что и подглядывание в чужой листок...)

(135

начинают после его смерти устанавливать, кто же он был: письма, воспоминания, медицинские справки, — и не достигают успеха. Этот человек, проживший так открыто, так напоказ, так на виду, — оказался самым скрытным, самым невидимым и унес свою тайну в могилу.

Чтобы было так, писатели должны быть гениальны, графоманы — кристально искренни и чисты.

В тетрадке «Новеллы» было до десяти масеньких штучек. Все они были написаны на фронте летом и осенью 1944 года. В самой маленькой было чуть более ста слов, в самой большой — не более трех страничек.

Вот новелла, события которой, видно, и послужили толчком ко всему циклу — «Одиночество». Герой («Он») приезжает на побывку в город и приходит к любимой («Она»), чтобы еще раз (без надежд и посягательств) заверить ее в своей любви. «Я знаю, — тихо сказала Она. Сдерживая волнение, но уже спокойным голосом, как бы не придавая значения своим словам, он добавил:

— Я приехал с фронта — и снова уезжаю на фронт.

Сказал — и вышел из комнаты».

Потом он бродит весь день по городу, всю ночь простаивает на мосту... *«И только в полдень, когда уже солнце высоко залезло на небо, — он сел на поезд и уехал на фронт».*

Очень одиноко жилось дяде Мите! Тем с большим уважением отнесемся мы к его независимости. Вот он встречает на дорогах войны сиротку («Девочка»): *«...ведь у меня нет ни хлеба, ни копеечки, так же как у тебя, вероятно, нет ни близких, ни родных, которые могли бы приютить тебя...»* «*Бедная моя крошка!* — пойдем со мной по этой прямой дороге. Мы не будем сворачивать ни вправо, ни влево... Нам некуда сворачивать, моя маленькая сестренка! — у нас ведь нет ни друзей, ни дома — даже нет маленькой, медной копеечки».

Дальше идут новеллки, свидетельствующие о том, что никаким скептиком или циником не стал этот человек, поддаваясь жизни... Столь искрення и простосердечна его ненависть к немцам: *«Никакая залетная птица, никакой голодный зверь не будут клевать и жрать эту мерзость»* или: *«Что думал этот подлый ублюдок поганой немецкой*

136)

нечисти, выполняя задание хозяев-палачей?» И столь безусловны и надличны сочувствие и боль: «Я стою у окна и смотрю на это пепелище — и сердце мое обливается кровью».

А вот и то и другое вместе, сплав: «...Это еще более останавливает ваше внимание и, вглядываясь пристальней, вы уже ясно видите, что это "фриц", сраженный пулей во время своей работы.

Эта фигура с естественностью самой позы, производящей ремонт проводов, вас ошеломляет, поражает своей живучестью и вызывает в конечном счете чувство отвращения и глубокой ненависти».

Замечательно это «в конечном счете»! И мы верим, что Диккенс был настоящий солдат. Одиночество его судьбы, безответная любовь, вечная война, боль за отечество — какими немногими чистыми и сильными линиями набросан его автопортрет! Чувствительный и романтичный... и мы чуть ли не впервые принимаем и прощаем романтику — для этого потребовалась лишь кристальная чистота.

Проза Диккенса (дяди) бесспорно выражает его больше, чем он — ее. Он, пожалуй, и не подозревал, насколько она его выразила... Но сам он так для нас хорош — что лучше любой, самой крепкой прозы, и мы благодарны Прозе, что она нам его выразила.

Для чистого человека и чистой бумаги не жалко...

Вот самая длинная его новелла.

МЕТЕЛИЦА

Это было давно, очень давно, — в дни моей далекой молодости, когда я был влюблен в одну девушку. Звали ее Настенькой. Может быть, она была не так красива и не так хороша, может быть, даже не так умна, как другие, но я ее любил, как только может любить пылкое сердце молодого человека. Любил безумно, страстно, неистово, — любил, как говорят, до преступления, — и в то же время чувствовал всю безнадежность своих мечтаний, всю тщетность своих порывов.

Я был беден, даже очень беден, — и это мешало мне осуществить свои надежды и быть более смелым и решительным. — В конце концов, не в силах более сдерживать свою страсть и честные намерения, я пал к ногам Настеньки, прося у нее руки и сердца.

Настенька не удивилась, не возмутилась и не пала мне на шею. Она только ответила: «Пойдите к папеньке. Без папеньки я не могу».

Как мне ни было тяжело, я все же вынужден был это сделать.

Как и следовало ожидать, я получил отказ. Отказ суровый, категорический.

Я был взбешен, оскорблен, — я готов был застрелиться с горя, — и вдруг случай иль сама Судьба повернулись мне навстречу, обнадежили золотыми лучами и толкнули на путь искать счастье другой дорогой.

Мой приятель, лучший мой школьный товарищ, надоумил меня «украсть» невесту, обвенчаться с ней втайне, помимо желания родителей... Я, как сумасшедший, ухватился за эту мысль, побежал к Настеньке и поделился с ней своим планом. Настенька страшно испугалась, замахала руками, но в конце концов согласилась и даже заинтересовалась будущим путешествием.

Все было готово к назначенному дню и часу. И крытая бричка, и пара добротных лошадей, и верный ямщик. Вот — я с Настенькой сижу в бричке и едем в село, от нашего города верстах в 40—50. Едем молча, невесело, а тут еще подула непогода, закрутилась метель по дорогам, замела все пути и перекрестки. Снег валит, ветер... одним словом, нахлынула вьюга, метелица, света божьего не стало видно.

Настенька нервничает, грызет губки, но молчит и ни о чем не спрашивает. Я сижу, сдерживаясь от бешенства, готовый перегрызть горло всякому встречному существу — зверю, лошади, готовый разбить окна в бричке и собственными руками задушить ненавистную метелицу.

Я потыкаю ямщика, ругаюсь с ним, злюсь, — но кони стоят на месте, а вьюга все больше, все нещадней заметает следы и мою бричку.

Уже стемнело, когда мы въехали в какую-то совсем незнакомую деревушку. Вьюга стихла. Снег перестал падать. На небе всходила луна, большая светлая луна, как серебряный рубль иль обеденное блюдо.

Настенька плакала и просилась домой. «Хочу к маменьке, хочу домой», — поминутно всхлипывала она и настойчиво требовала возвращения.

А я... я понимал безутешность настоящего горя, неправимость обстановки, — и был подавлен несчастьем, обманут безжалостной Судьбой, — и ничего уже не мог поделать перед охватившим меня ужасом.

К ночи мы с трудом добрались до города. Настенька вылезла из брички, даже не попрощавшись со мной.

С тех пор я ее больше не видел. Память о злополучном приключении до сих пор живет в моем сердце, волнует меня и заставляет переживать прошлое.

Как наяву я и теперь вижу Настеньку, сидящую в бричке, закутанную в шубку и тихо-тихо плачущую. Я вижу синие глаза, растерянный вид милого личика, — вижу красивые, детски капризные губки, вздрагивающие от нервности, — и вижу светлые, как хрусталь, слезинки, пробивающиеся из-под темных густых ресниц.

Это было давно, очень давно, когда я был молод и влюблен, — и, как все молодые и влюбленные люди, я должен был заслужить прощенья в своем легкомыслии и неистовых юношеских порывах. Но я не просил прощенья и даже не искал в чьих-либо глазах сожаленья. А теперь я слишком стар, чтобы менять свои привычки и вкусы.

И все же это все очень грустно, мой дорогой читатель.

И мы настолько поддаемся такой прелести, что не можем удержаться и не привести еще одной новеллки, хотя и так все уже ясно. Но у вас не будет другого шанса прочесть это — и мы приводим здесь еще одну... (Это последняя новелла в цикле: все началось с приезда и кончилось возвращением.)

(139

ЗЕРКАЛО

После многих лет странствований и скитаний по дикой местности, где иной раз месяцами не встретишь ни человека, ни зверя, — я попал в местечко, где ютились люди со своим скудным хозяйством, обычной беднотой и грязью.

Меня приняли гостеприимно и разместили в небольшом домике, показавшемся мне уютным и симпатичным.

По какой-то странной случайности в комнате оказался и камин, — и это еще более привело меня в хорошее настроение. Наконец-то я смогу отдохнуть и привести себя в порядок!

Я растопил камин и стал обогреваться. Приятная дремота овладела мной. Я старался ни о чем не думать, не мыслить — так приятно было сидеть у камина, но всяческие образы будили воспоминания, залезали в голову, копошились, как черви, и понемногу растравляли мои нервы.

140) Я вспомнил прошлое, своих друзей, любимую женщину. Вспомнились дни горьких разочарований, несбыточных надежд, одиночества...

Как все это казалось теперь далеким, давным-давно позабытым, — и только сердце еще билось в груди, заставляя переживать пережитое.

Да, да! Ты право, мое бедное, измученное сердце. Я все еще люблю эту женщину, — и никакие годы разлуки не смогли заглушить моих чувств и страсти.

Я все еще хочу любить, мечтать, надеяться, я все еще жажду быть обласканным рукой любимой женщины. Ведь я еще не так стар, чтоб не иметь прекрасных желаний, — и разве дороги рано иль поздно не сходятся на жизненном пути, и разве весной реки не всплывают из берегов?..

Все меняется в жизни — и времена, и люди, и чувства. Может, и та, которую я еще люблю до сего дня, осчастливит меня своей улыбкой и нежностью.

Так я сидел у камина, вспоминая прошлое и мечтая, как в былые дни, о счастье.

Вдруг я увидел на стене зеркало — снял его и... рука моя вздрогнула. Старческое лицо, с седыми волосами, с высоким, полысевшим лбом, с тусклыми, провалившимися вглубь глазами, — смотрело на меня.

Нет, нет! — это не мое лицо, это был не я. Я не верил, не узнавал, — я был поражен жестокой переменой.

Горькая, какая-то ехидная усмешка скользнула по лицу старика и заставила меня встрепенуться.

Я захохотал — и с отвращением и ненавистью швырнул зеркало в камин.

— «Пусть горит все, — и позолоченная рама, и старость, и фантазии!»

Я выпил стакан застывшего кофе и лег спать в теплую, мягкую постель впервые после долгих лет странствований и скитаний.

И если Диккенс (дядя) не столько выразил что-нибудь словом, сколько Слово выразило его чистую душу, то дед Одоевцев, по нашей гипотезе, мог сам что-то выразить Словом (скрыть в нем), поскольку, в нашем допущении, нес в себе (вместо чистой души) черты гения. Попробуем проверить. Две жизни, два достоинства, две смерти, две прозы...

Роясь в дедовых бумагах (их, кстати, сохранилось не так много), набрел Лева на текст своеобразной рукописи, оставшейся незаконченной. Это не был еще зрелый и великий Модест Одоевцев (зрелым ему быть всего несколько лет, а «великим» — для нас, потом...); заметки носили личный, как бы дневниковый характер — «для себя»... Однако сочинение это не было дневниково-беспорядочным, у него явно намеревалось общее строение, свидетельствовавшее о конечности замысла, но в чем он состоял, по этим страницам судить было рано. Называлась рукопись «Хождение в Иерусалим[1] (Записки гоя[2])» и была разбита на главы с чередующимися названиями «Бога нет» и «Бог есть».

[1] В 1913 году М.П.Одоевцев путешествовал по Ближнему Востоку.
[2] Слово «гой» не было знакомо Леве, как и те слова, о которых мы уже говорили. Но «тем» он уже обучился, а с этим у него возникла единственная ассоциация: «Ой ты гой еси, добрый молодец».

И опять «Бога нет» и «Бог есть»... Глав сохранилось не то шесть, не то семь.

Шансов на опубликование такой рукописи не было, однако Леве она так же понравилась, как деду ее писать... «для себя». И Лева кое-что из нее выписывал, для себя. Вот одна из его выписок, помеченная им: «Из "Бога нет"»:

«Вот отечественная иррадиация: вполне имея от чего страдать, страдать не от того. Как нас, однако, уже успели воспитать (то ли еще будет!..): что что-нибудь непременно у тебя д о л ж н о быть, что как-нибудь и м е н н о т а к должно быть, кроме как е с т ь, что как-нибудь н а д о, чтоб было. С чего бы, казалось? Откуда пример? С чего взять, что именно тебе должно даться то, что никому не удалось? Откуда взялась эта толпа ложных идеалов, которая сообщает нашему, и действительно несчастному, человеку еще и чувство необоснованной неполноценности (ибо есть повод для обоснованной...)? Эта постоянная российская озабоченность судьбой Пизанской башни... Как, однако, надо было подтасовать общественную жизнь, чтобы добиться такого эффекта! Что надо сделать еще, чтобы окончательно в нем утвердиться? За отсутствием мало-мальской жизни, ввести в сознание доступность категорий и идеалов, смутить души возможностью материализации абсолютных понятий, заменить способность к чему-нибудь на право на что-нибудь — что проще? — назвать усталое супружеское соитие "простым человеческим счастьем"... и — готов новый человек! Однако как это близко: свербит упущенное счастье, ноет первородный обман. "А счастье было так возможно, так близко..." Кажется, совсем недавно под "счастьем" и понимался только миг (сей-час, счас, счастье... настаиваю на этимологии!), мотыльковый век счастья никого не смущал, подразумевалось, что счастье — только е с т ь (или нет), но не продолжается, не экстраполируется, не б у д е т. Пообещаем его впереди, но зато уж навсегда, навек. Обмануть инстинкт несложно — это называется "развратить". Незаметно внушить, что может иметь место поллюция длиною в год, каких и у слонов не бывает... и тут же получится, что лишь случайное и злое стечение обстоятельств помешало именно тебе (потому что кто и рожден для этого, как не ты?) достичь упомянутого эффекта. А для того чтобы не было обиды на судьбу (раз было тебе единственному предназначено, значит, единственному и не удалось...), то к судьбе-то как раз и следует привить материалистическое, вульгарное отношение, как к предрассудку, необъективному фактору, просто — как всего лишь к с л о в у. Вот к Слову-то и надо прежде всего привить новое отношение, переставить его в конец житейского ряда, а "В начале было Слово..." — отдать поэтам, под метафоры. Короче говоря, надо передать пошлость в вечное и безвозмездное пользование народу, благо — не земля, пошлость удобрять не надо, она сама себя удобрит. Пошлость — это, впрочем, не сама по себе "доступность", а отношение к "доступному", как, скажем, к воде и воздуху у нас пошлое отношение (то есть что они — даром). Счесть законы природы оскорбительными для Человека с большой буквы (или дороги...); победить Природу с ее тяготением... Вести материальное отношение к абстрактным категориям, с одновременным привитием романтического взгляда на реальность — вот методология Пошлости. Основа уже заложена, русло под ее поток распахали борцы с нею, пророки "новой жизни" — "милый Чехов", "сложная фигура Горький".

(143

Что-то, однако, ноет, что именно твоя жизнь прошла... что именно ты провалился в промежуток... что именно тебе не повезло с веком... Вот это-то Она и есть».

Странное это чувство — время! То ли мы это уже писали, то ли кто-то уже читал... Тот же Лева уже читал. Было, стало, сбылось... Какой смысл — про то, что познал, узнать, что это было известно давно? В чем пафос?.. Эта радость нам не понятна... Пусть независимо, пусть даже раньше нас, пусть в 19-м году, пусть до революции даже... Приоритет — вот что нас уже не тронет.

Другое соображение задевает нас: какими бы разрушительными ни казались изменения, происшедшие с человеком, личность в нем, коли она была, остается тою же на всем протяжении, может быть даже, за счет искажения, деформации, даже обезображивания всех прочих обнимающих ее параметров. Поздний дед, ранний дед — нам это уже без разницы: он — был, был — он.

Другое дело — Лева. Что именно в этом отрывке так особенно понравилось ему, трудно сказать. Деду было 27 лет, когда он писал это; Леве — 27, когда он это читал. Но это еще не означает, что прочитано было именно то, что написано. Скорее наоборот. Слишком уж с большим подъемом переписал Лева этот текст. Радостное поддакивание устремило почерк. Против слова «Горький» стоит Sic! переписчика. Однако именно на инерции этого подъема прорвался Лева дальше, в главу «Бог есть»:

«Господи! каким молчанием бываю я наказан! шарю в темноте, пустоте, слепоте и звука шороха не слышу. Вот уж доказательство, что ничего-то вокруг нет. Когда тебя — нет. Поиски вне себя — тщетны. Мир невидим в твое отсутствие. Наказание Божье, награда Божья миром, существованием вокруг тебя...

Когда совесть говорит — уста молчат. О чем?..

"Служу Богу или дьяволу?

Борясь, не признал ли за действительное то, с чем борюсь?

Враждуя с прогрессом, не служу ли ему, совершенствуя и оттачивая его механизм?

Изгоняя дьявола, не искушаюсь ли?

Доводя до сведения людей на живом языке то, что не было им доступно, проводя в жизнь идеи, быть может, самые благородные и, как мне вдруг покажется, Богу угодные — не выступаю ли слугой прогресса, расширяя Сферу Потребления еще одним Новым Наименованием? Чем и из Духа извлекать «прок и пользу», так не лучше ли — не просвещать потребителя?

То есть угодно ли Богу то, что я делаю? или я пользуюсь Им, ворую у Него и сбываю?

Богу, людям, себе? своему богу?

Ответ: одному лишь Богу — не расширит «сферы потребления».

Но знаю ли я, что́ Ему угодно? могу ли знать? могу ли я знать, что — есть, а что приписал Ему в искушении?.."

Вот молитва молчания.

Если человек не может создавать, он может подать пример. Но — Господи, погоди! — я не готов.

Господи! дай мне слова́! У меня куриная слепота слова. Дай договорить! У меня в глазах темно, словно я долго смотрел на солнце. Так пусто, так немо сердце мое, Господи! как небо...»

Лева, видно, утомился переписывать. Буквы его становились ровнее, скучнее, теряли трепет. Странная тоже вещь — узнавание: кто — в чем, кому — что... Переписчик уснул.

И это не Бог, а Лева — не услышал.

Виноват...

Раздел второй

ГЕРОЙ НАШЕГО ВРЕМЕНИ

Версия и вариант первой части

И долго я лежал неподвижно
и плакал горько, не стараясь
удерживать слез и рыданий;
я думал, грудь моя разорвется;
вся моя твердость, все мое
хладнокровие — исчезли как дым.
Душа обессилела, рассудок замолк,
и если б в эту минуту кто-нибудь
меня увидел, он бы с презрением
отвернулся.

Лермонтов, 1839

(Курсив мой. — А.Б.)

Мы вывели крупно, на отдельной, пустой странице название второй части и вздрогнули: все-таки наглость... все-таки Лермонтову... надо знать свое место.

Да, за последние сто лет Лермонтов безусловно произведен из поручиков в генералы и обращаться к нему надо соответственно званию, через ниже и ниже стоящего начальника. И его сомнительный «Герой» за те же сто лет тоже подвинулся по служебной лестнице, к нему тоже, пожалуй, не пробьешься на прием... Так и слышу: «Так то же Печорин! А у вас, я извиняюсь, кто?..»

«Наша публика так еще молода и простодушна, — писал Лермонтов в своем предисловии, — что не понимает басни, если в конце ее не находит нравоучения».

Но перечитайте это предисловие целиком, оно стоит того; мы даже идем на риск сравнения с текстом, находящимся в исторически более выгодном положении, чем наш. Все равно — перечитайте. Мы не можем отказать нашему времени (тем более!) в том, что намечалось уже сто тридцать лет назад.

А мы, пока вы читаете, выведем здесь, тайком и поспешно, несколько слов в свое объяснение и оправдание...

Странное это, телескопическое, завинчивающееся оправдание... Лермонтов оправдывался перед публикой в том, что присвоил Печорину звание Героя Нашего Времени, а мы — проходит какой-то век! — извиняемся уже за одно то, перед ним самим, перед товарищем Лермонтовым, что позволяем себе смелость процитировать его...

И ища себе оправдания, мы опять натыкаемся на газету.

Газета поддерживает нас своим опытом в употреблении «готовых» заголовков... Почти в каждой газете можно обнаружить статью или очерк под каким-либо уже известным нам по литературе или кино названием, иногда чуть измененным, и, как правило, по содержанию статья и оригинал не перекликаются. Но не только газетчики... И у современных нам писателей замечается подобная практика — слегка измененные названия знаменитых произведений, — но измененные так, что и прежнее сразу узнается, и тем, по-видимому, становится автор неодинок и незатерян в своих намерениях, устанавливает «связь времен» и подчеркивает свою современность легким искажением акцента (аналогия и противопоставление) и, таким образом, к своим силам

прилагает еще проверенные силы предшественников. Не всегда это классика, иногда — бестселлер. Например, в одной районной газетке попался нам как-то фельетон под заголовком «Щит и печь» (тогда как раз всюду шел одноименный фильм «Щит и меч» по одноименному роману) — о сопротивлении некоего начальства строительству некой печи. Или вот только что, припоминая другой характерный пример... раскрыли журнальчик — «Автомобиль, который всегда с тобой» — о том, как самому построить малолитражный автомобиль-амфибию (автор читал Хемингуэя, автомобиль для него — праздник).

Таких примеров, может менее забавных, но более прямых, можно привести тысячи. Можно было бы даже написать на эту тему небольшую, но оригинальную структуралистскую работу...

Но дело в том, что и «Щит и меч» — уже цитата, перефразировка. Получается совсем интересно: «Не мир пришел я вам принести, но печь», — впрочем, тут нет «щита»... Тогда, возможно, автор знаменитого романа имел в виду арию «Иль на щите, иль со щитом...», которую все слышали, — но тут нет «меча»... Все равно — откуда-то это цитата. Название же Хемингуэя — тоже цитата, из одного американского поэта, которого мы не читали.

(У него (Хемингуэя) вообще почти все названия — цитаты: «По ком звонит колокол», «Иметь и не иметь», «И восходит солнце...» — то есть это бывшие эпиграфы девятнадцатого века — теперь названия. «Анна Каренина», по Хемингуэю, называлась бы «Мне отмщение» или «Аз воздам».)

То есть меньшее знакомство с предметом — вызывает бо́льшую прямоту обращения... «Эй ты!» — вместо «милостивый государь». И когда мы встретим в газете заголовок «Время — жить!», можно сказать с уверенностью, что автор заметки намекал на Ремарка, а не на Ветхий Завет.

Получается интересно, как мы и что узнаем, и когда, и из каких, так сказать, рук...

И мы, не приступив, отступаем... Мы недавно посмотрели фильм «Евангелие от Матфея». Его смотрели профессионалы — режиссеры, артисты, сценаристы, редакторы. И вот мнения разделились: одни были потрясены, а другим — «понравилось, но...». Такое разделение нормально, но любопытно то, что и в том и в другом лагере было приблизительно поровну людей: умных и глупых, со вкусом и безвкусных, правых и левых, старых и молодых, восторженных и равнодушных, искренних и неискренних, — то есть никаким образом не удавалось отчислить их восторг или умеренность по какому-либо признаку, как обычно: «так это же дурак» или «так это же сволочь», — общая структура зала сохранилась уменьшенно в каждом из лагерей. Мы бы так и ушли, не разгадав феномена, если бы кто-то из восторженных сторонников в запальчивости, по-видимому, как довод в пользу фильма, не вскричал: «А Нагорная проповедь?..» И тут нас осенило, и на нескольких опытах мы проверили правильность своей догадки. Мы подходили и сначала вынуждали какую-нибудь страшную клятву в том, что на наш вопрос будет отвечено честно, а потом спрашивали: «А вы Евангелие-то читали?» И вот что получилось: в безусловный восторг пришли те, кто не читал Евангелие, а кто был уже знаком, отнесся более объективно и строго. Напрашивается простой вопрос-вывод, что произвело впечатление: Евангелие или сама картина? Цитата или фильм? Честные, розовея, соглашались, что да, цитата, нечестные соглашались не розовея. Значит, многие были впервые потрясены Евангелием, читанным им по подстрочнику сидящим в темноте переводчиком.

Так что важно — из чьих рук. А не все равно.

Даже трудно оценить общий вес подобного цитирования в нашем образовании... Иногда кажется, что именно благодаря ему начитанные люди знают имена «Христа, Магомета, Наполеона» (М.Горький), или Гомера, Аристофана, Платона, или Рабле, Данте, Шекспира, или Руссо, Стерна, Паскаля... и ряд их «крылатых» выражений.

И название этого романа — краденое. Это же учреждение, а не название для романа! С табличками отделов: «Медный всадник», «Герой нашего времени», «Отцы и дети», «Что делать?» и т.д. по школьной программе... Экскурсия в роман-музей...

Таблички нас ведут, эпиграфы напоминают...

ФАИНА

...идея зла не может войти в голову человека без того, чтоб он не захотел приложить ее к действительности...

В жизни Левы Одоевцева, из тех самых Одоевцевых, не случалось особых потрясений — она в основном протекала. Образно говоря, нить его жизни...

Даже оторопь берет: сейчас нам придется рассказать заново все то, что мы уже рассказали. Начать следует с того... Это, впрочем, очень произвольно. Опустим рождение и раннее детство, которым и в первой части посвящено не более десятка страниц, — оставим их в том же значении: в каком-то смысле самые первые годы проходят для человека всегда в одном значении. Подчеркнем из них — любовь к маме как первейшую, предшествующую первой. И продолжим, мимо отца, мимо Диккенса, мимо деда, скорей — к Фаине. Про отрочество ведь у нас вырвалось: отрочества не было. И начав вторично рассказывать историю Левы, мы снова его (отрочество) опустим.

И начнем с его конца. Будто Леве уж так повезло: рубежами возраста отмечать исторические рубежи. И рождение его, и намек на смерть — все даты, все вехи в истории страны. Опустив отрочество, начиная юность, мы опять совпадаем с датой. Той самой, которой определена вся первая часть, все отбытия героев и, главным образом, возвращения. Брюки... Там эта дата не названа, быть может, именно потому, что причинна. Здесь же — как же еще начать историю первой любви? — здесь же назовем эту дату без причины: 5 марта 1953 года умер известно кто.

Как нам ни хотелось избежать в этой части неаппетитных объятий исторической музы (мраморная, без глаз...), как нам ни хотелось избежать школы — заскочить туда на секунду, по-видимому, придется, именно в этот памятный день...

Как школе не хватает света! День растет уже третий месяц, а все — темно. Очень уж по утрам темно — вот все, что надолго запомнит Лева о школе. Именно на утреннем морозном бегу в присутствие можно еще раз помянуть Петра: что может быть нелепее Северной Пальмиры?.. Какие, к черту, пальмы!

9.00, темень. Леву выстроили в школьном актовом зале на траурную линейку. Вот он стоит на линейке, «учащийся выпускного класса», полный розовый мальчик, басовитой наружности, мечта растлителя, но и растлители повывелись в то время... вот он стоит. Он не вполне уверен в себе — очень уж глубокая должна быть скорбь... Трудно описать...

Действительно, трудно. Как раз то, чего мы так хотели избежать, приступая ко второй части, ради чего, собственно, к ней и приступили... и опять — туда же! Как изображать прошлое, если мы т е п е р ь знаем, что, оказывается, тогда происходило — т о г д а не знали. Это сейчас мы придаем этой смерти именно такое значение, будто ее понимаем. Лева же понятия не имеет, что эта смерть обернется для него прежде всего сексуальным раскрепощением, — более дикую мысль нельзя представить себе: ручаюсь, ее не могло быть ни в одной голове. Между тем именно эта смерть — конец раздельному обучению, ура-а!.. Но Леве не воспользоваться уже этими плодами, потому что он как раз заканчивает школу. Так в его биографии и останется на всю жизнь: будто женщины водятся не в пространстве, а во времени: снаружи шестнадцати лет, после получения паспорта... Так что поди знай, чему придать значение: тому ли, что люди не знают, что их, как песчинку, волочит глетчер исторического процесса, или тому, что им наплевать на этот процесс, ибо им кажется, что это они сами ползут? Трагедия или комедия? Лишь взглядом назад отмечен исторический поворот. В корабле настоящего ничто не движется — все движется вместе с кораблем. Чудом ожившая муха вокруг лампочки летает...

Все замерло. Лева старательно не смотрит на муху. Он стоит и понятия не имеет, как это именно для него важно то, что он на этой линейке сейчас стоит. Он не ведает, что в этот миг кончается его сладкое почитывание в отцовском кабинете, дверь распахивается и входит... Фаина. Совсем иначе переживает он эту смерть, вовсе не как освобождение: он — смущен. Он смущен недостаточностью своего потрясения, неглубокостью своего горя. Он — боится. Он боится, что недостаточность эта видна на его лице. Ибо что потрясает его во всех остальных лицах — это именно искренность и глубина скорби. У завуча полные очки слез. Портрет, обвитый черной лентой, — его Леве немножко жалко: это портрет уже неживого человека. Это странное чувство, что портрет — уже не жив, ибо жив был именно портрет, потому что самого-то живого — никто не видел. Леве хочется понять, что́ исчезло из портрета: ему кажется, что он изменился, хотя, ясно, не мог он измениться за одну ночь... Лева опять не смотрит на муху.

]155

Пахнет отмерзающей хвоей. Леве кажется, что хоронят учителя литературы: хорошо учителю — он не пережил вождя, как бы он сейчас рыдал, обгоняя завуча. Лева увлекается воспоминаниями об этих похоронах: так же пахло хвоей, так же не смотрел он направо, где стоял гроб... Лева рискует посмотреть направо — и не видит гроба. Удивляется и спохватывается: старается нагнать скорбную тучу на свое розовое и доброе лицо. Как сластолюбец, хочет он испытать скорбь — и не может.

(Нет, он не знает, в отличие от остальных, которые уж точно не знают и именно поэтому так глубоки в своей скорби... нет, он не знает об истинном лице усопшего: родители сумели не посвятить его. Так что род его равнодушия совсем особый и для Левы непонятный: Лева никогда не сомневался в божественной природе этого гения — и вот, однако, стоит и не чувствует ничего, кроме того, что не чувствует ничего... Это особая, Левина, статья.)

Фаина

Он не может скорбеть так же сильно, как Гарик Покойнов, самый красивенький и самый глупый мальчик в классе. Какие слезы вскипают на длинных, изогнутых ресницах Покойнова! Как он хорош...

Вся страна застыла в пятиминутном простое... А Лева думает, что первый урок — физика, контрольная, к которой он так был не готов, и не может не испытывать кощунственной радости, что урок этот тем временем идет, что контрольной, пожалуй, не будет...

Очень смущается он, поймав себя на этой мелкой нехорошей мысли. Думает, что это он один такой душевный урод среди всех этих, умеющих так глубоко чувствовать, людей. Как бы они отвернулись от него, как бы вознегодовали, с каким презрением... если бы только мысли его стали всем видны. Но до этого еще не дошло развитие общества, и Лева в эту минуту благословляет это отсталое человеческое свойство, то есть что на лбу ничего не написано. Один только ненавистный физик, этот тупой крестьянин, короткий человек... У него единственного — туп же! — ничего не написано на лице, кроме томления. «Небось жалеет, что контрольная пропала...» — ядовито думает Лева. Физик не выдержал Левиного взгляда и постарался незаметно выскользнуть из зала. Тут все как-то кончилось, прозвучали торжественные слова клятвы завуча вечно учиться... голос его дрожал, был он в эту минуту красив, как Покойнов, который наконец не смог подавить вырвавшихся из груди рыданий. Муха немножко посидела на лысине математика, он боялся ее согнать кощунственным жестом. Улетела... Все разошлись по классам, разнося в своих душах скорбь, как в переполненных сосудах, боясь расплескать.

Они удалились в класс, не перемолвившись ни словом, не шелохнув своего горя, тихо опустились за парты, не стукнув крышками. Покойнов уткнул свое необыкновенно красивое — в ладони. Многие воспользовались той же позой. Так тихо не бывало в классе за все десять лет. Слышно, как муха пролетит. Но она осталась в зале... Контрольная между тем явно прошла... Где-то Лева уже читал, что глубочайшее горе не имеет уже форм выражения, что оно иногда замещается самыми странными проявлениями и ощущениями... Если это так, как у него... то он ставил под сомнение истинность подобного наблюдения. Он хотел бы именно так истолковать свое равнодушие, чтобы стать как все, не быть уродом, но, по чести, он не мог так себя в этот миг истолковать. И Покойнов оставался недоступным идеалом, красота его оказалась такой оправданной и не внешней... Лева был смущен.

Не могли же все так же думать, как Лева: об удаче, что он умер, раз контрольная прошла?.. Этого Лева, казня себя, никак не мог допустить про других. Другие все просто забыли напрочь о таких мелочах, как контрольная, убитые... Именно поэтому все как один остались скорбно сидеть в своем классе, не поднимаясь в кабинет физики... Все как один — и один лишь Лева. Одиноко было Леве в таком самоощущении посреди этой стихии народного горя...

Не мог Лева, конечно, подумать, что все притворились на какой-то счет. «Ну один, ну двое... — думал Лева логикой следователя. — Все не могут же одинаково притвориться?..»

Так что не всегда эта смерть понималась как сейчас. Но и не просидеть им вот так всю жизнь в скорбном классе. Ведь даже за окном посветлело... Попробуем не придать ни того, ни другого значения этому мировому событию. Оставим Леву в его недоумении насчет собственной искренности. Куда важнее хорошо отнестись к истории — с человеческим пренебрежением: мне тогда было не до того, не до ее поступи — я запомнил рубчик на ее подошве, когда она на меня наступила.

Конечно, невозможно предположить, что все, не сговариваясь, могут одинаково притвориться. Но что же тогда общество? Рано еще Леве подумать, что общество и есть коллективная неискренность.

Тем более что через минуту в класс ворвется раскаленный физик: какого черта не идут они в кабинет?.. Ну и что ж, что умер!.. — вырвется у этого грубого, недалекого человека. Как все будут им возмущены! А Лева с трудом удержит идиотский, возмутительный, ни с того ни с сего в себе смех: контрольная-то прошла. Не знает он, что это в нем — хохот самой Истории, если она все-таки есть. Не знает он, что о ненавистном во все школьные годы физике станет когда-нибудь вспоминать с теплотою, а о кумире и властителе дум завуче — с содроганием. Не знает физик, что заведет себе наконец домик с садиком и огородом, не знает завуч, что станет вице-президентом Академии педагогических наук, не знает Покойнов, что придет через комсомол к русской идее, не знает Лева, что за дверью проходит Фаина... Никто ничего не знает из того, что все мы теперь знаем.

Итак, попробуем переменить тон всеведения и займемся унылой реставрацией Левиного прошлого. Попробуем привыкнуть к фанерной и ветреной лачуге настоящего взамен комфортабельных и пышных развалин прошлого. Приготовимся к резкой перемене повествования: мы попадаем в разреженный, слепой мир Левы, каким он был, когда он был...

Тут нельзя не рассказать историю о кольце. Хотя бы как символ она чрезвычайно характерна.

Поскольку весь Левин сюжет легко свертывается кольцами, образуя как бы бухту каната или спящую змею. И если рассказ был начат с красивой фразы, как Левина нить мерно струилась из чьих-то божественных рук, то с какого-то момента это божественное существо, как нам кажется, то ли утомилось, то ли просто уснуло, завороженное мерным и однообразным мельканием Левиной нити без узелков и обрывов, и клубок как бы вывалился из его рук, и нить, разматываясь, стала падать кругами на воображаемый пол, петля за петлей, петля за петлей, как на тех детских картинках, где уснула бабушка и котенок играет ее клубком. Не хватает, правда, котенка. Но можно с успехом принять за него Левину первую и вечную любовь или его друга-врага Митишатьева как некий собирательный образ, воплощающий собой некую силу, Леве противостоящую.

И потому еще — кольцо, что тут все трое из треугольника как бы схватились за руки и закружили, притопывая, с неестественной радостью, и началась цепочка, по которой, если один делал гадость другому, то тот и незамедлительно передавал ее третьему, а третий возвращал первому, и в конце концов все закрутилось на одном месте, как заскочившая пластинка; и вряд ли, пытаясь вернуться памятью к исходному, кто-либо мог утверждать наверное, что начал первый или что не он начинал, а уже выглядело так, что начали они одновременно, да и так как-то даже лучше, поскольку — равенство, и никто больше других не ущемлен, и никому не обидно, так, по крайней мере, выигрывает Лева в мужском своем самоощущении.

История эта тем более характерна, что была пусть наивным, но наиболее сильным из первых или первым из сильных выражений воздействия на Леву того самого механизма отношений, по которому Лева чрезвычайно быстро и легко попадал под власть каждого, умеющего этим нехитрым механизмом пользоваться, а также и потому, что показывает, как испытавший поражение уже заражен, становится тем самым механизмом, который ему ненавистен, то есть становится не только оскорбленным, ущемленным или проигравшим по сюжету, ситуации, повороту, но и действительно п о р а ж е н н ы м, как бывают поражены болезнью.

Потом, эта история, не претендуя на первоисток, просто открывает перечисление, она — № 1 если не по значимости, то по порядку. Если исключить нечто смутное об отце, что в ту пору Леве вовсе не было известно, но все-таки как-то существовало, неким облачком, как бы в том воздухе, которым дышал Лева, не замечая еще того компонента, не смертельного, но все-таки опасного, от которого если не угоришь, то, по крайней мере, получишь склонность к угоранию впоследствии, некоторую незаметную предрасположенность организма... Так вот, если исключить этот запашок, который Леве не был, в общем, известен, то история с кольцом действительно № 1, если считать по порядку.

Ряд этих колец и протянется по рассказу, отражая определенный отрезок Левиной жизни, а именно тот, когда существо задремало и нить, выпадая из его рук, стала ложиться кольцами, причем верхнее так же ложилось на предыдущее, как то — на еще предыдущее, как все они, скапливаясь, лежали на первом кольце. И остается только надеяться, что что-нибудь вдруг подтолкнет это существо в бок, оно встрепенется и возьмется за упущенную нить.

К тому же история эта и действительно о кольце, о самом обыкновенном обручальном кольце («желтого металла»,

Фаина

как выразился бы следователь), о круглом дутом колечке, которое носила на своем пальце Фаина.

Только о кольце.

Начать же ее следует с того, что, выйдя из класса, где проходил последний экзамен на аттестат зрелости, выйдя из класса после того, как им объявили оценки за этот последний экзамен, — все вдруг закурили. То есть Лева даже не предполагал, что все в классе курят. Оказалось, существовала даже договоренность, что все закурят, только Лева, по какой-то случайности, не был этой договоренностью охвачен. Каждый достал свою пачку и закурил свою папиросу, в большинстве — неумело. Митишатьев встряхнул свой «Север» и предложил Леве. И Лева взял.

Экзамен этот был «История СССР», и Лева получил пять, а Митишатьев, единственный в их сильном классе, — три, потому что увлекался в ту пору историей и все экзамены провел за чтением старинного Соловьева и Карамзина, а «Краткий курс» прочесть не успел и, таким образом, знал одни лишь третьи вопросы, и те — совершенно в противоположном, чем надо, виде; Лева же прочел лишь «Краткий курс», а третьего вопроса у него не спросили вовсе. Таким образом, испытывая скрытое торжество над Митишатьевым, Лева тоже взял папиросу, и когда сумел не поперхнуться от первой затяжки, некая даже гордость, вместе с головокружением, охватила его, и тут он вдруг почувствовал, что наконец-то со школой — все.

Так и соединилось в его памяти на всю жизнь ощущение первой затяжки с окончанием школы. Все поплыло перед глазами, и он вдруг испытал легкость необыкновенную, и ему показалось, что он не прошел, а перелетел солнечный, вытоптанный школьный двор и очутился с Митишатьевым на улице. «Напиться бы», — сказал Митишатьев, мрачный от своей тройки. «А что, не мешало бы», — радостно сказал никогда не пивший Лева и удивился. Он словно впервые очутился на открытом пространстве и сразу подставился всем ветрам.

Митишатьев тут же договорился, что Лева купит за них обоих, потому что у Левы деньги были, а у Митишатьева не было. «Будут настоящие женщины, — сказал он, — францу-

160[

женки». — «Как — француженки?..» — задохнулся Лева. «Студентки иняза». Но и «студентки» прозвучало для Левы, как куртизанки. Одна из них, как сказал Митишатьев, была даже замужем...

И Лева уже не столько одалживал Митишатьеву деньги, сколько сам становился навек ему обязанным. Потому что все это Леву, что естественно, необыкновенно занимало и ничего э т о г о он не знал, а Митишатьев, много раньше Левы начавший продвигаться во всех э т и х вопросах, никогда раньше Леве подобных предложений не делал, а намеки Левины и редкие и робкие напрашивания с ухмылкой обходил, чем и обижал его, оставляя наедине с достоинством, которым тот почти уже готов был пожертвовать...

Теперь — все обстояло иначе. Они уговорились встретиться вечером, и Лева, закурив еще одну митишатьевскую папиросу, ушел домой, и не ушел, а снова полетел, как бы уносимый всеми открывшимися вдруг ветрами, в сторону дома...

Весь день он чистился и скоблился, и, за час до условленного часа, уже кружил, порхал, попыхивал только что купленными сигаретами с золотым ободком, и успел облететь один и тот же квартал раз сто, пока подошел не спеша Митишатьев.

]161

В пустоватой комнате оказались три девушки — обозначим их условно: черненькая, беленькая и голубенькая. Говорили они по-русски (Леве непременно казалось, что они будут говорить только по-французски, — тут он мог блеснуть, потому что, усилиями родителей, владел этим наречием своего рода). Время было еще кое-как заполнено, пока Митишатьев здоровался сам, знакомил Леву, Лева пожимал непривычные ладошки и выдерживал взгляды; потом он извлекал бутылки, два «Муската», который, как слышал Лева, так любят дамы, что теперь показалось Леве нелепым, хотя это он сам покупал их; время опустело, и он вдруг смутился.

Митишатьев тут же предоставил его самому себе, заговорив в уголку сразу с черненькой и беленькой. Лева ничего не предпринимал, смущаясь, заговорить был не в силах и пока оправдывал это тем, что надо же определить из трех

Фаина

девушек одну, причем не митишатьевскую. «Которая из них была замужем?!» — гадал Лева... Пока получалось так, что Леве предназначена голубенькая: она так же, как он, была несколько в стороне. Лева перелистывал журнал, ничего в нем не видя, иногда поглядывал на свою голубенькую. Она была действительно голубенькая, и платьем, и волосы как-то так отливали. Беленькая — хозяйка — все входила и выходила...

Лева, собственно, не предпочел ни одну: все они были как-то одинаковы для него, хотя и разномастны. То ли нерешительность свою и смущение подменял он как бы безразличием и незаинтересованностью конкретно ни в одной из трех... Он уже стал инстинктивно выискивать в себе силы, чтобы из всех ему понравилась именно голубенькая, и начал понемногу преуспевать в этом, отыскивал в ней достоинства и отличия от подруг. Но тут все сбил Митишатьев: незаметно покинув свой кружок, он оказался вдруг разговаривающим (Лева даже возмутился) с Левиной голубенькой. Черненькая засуетилась: «Ну что же мы не выпьем? Где же Фаина? Долго мы ее еще будем ждать!»

«Кто из них Фаина? — заторможенно подумал Лева. — И почему ее надо ждать, когда все здесь...» Как тут же отворилась дверь, и в комнату, отбрасывая ладошкой сыроватые распущенные волосы, вошла совершенно новая девушка... И не девушка — женщина! — в самом настоящем, с точки зрения Левы, смысле этого слова. Да, это была женщина — так она вошла. Лева, сам не заметив, быстрыми шагами пересек комнату, пока она успела сделать едва три шага от двери, и встал перед ней истуканом, слегка расстегнув рот и как бы сказав «О!». Фаина, — потому что это была именно она и это именно она была замужем, никакого сомнения в этом и не могло быть, — Фаина, как бы только оттого, что что-то преградило ей путь, подняла глаза на Леву, застывшего перед ней, и, улыбнувшись как бы от той же внезапности, что и Лева, тоже сказала «О», причем так, что Леве в этом могло послышаться даже одобрение, оно и послышалось. «Фаина», — сказала она сиплым, тут же восхитившим Леву голосом и протянула ему руку; Лева ощутил эту руку и податливой и уверенной одновременно, прохладной, нежной — у него по спине пробежал сладчайший холодок от этого пожатия. Он все держал ее руку в своей, когда услышал: «А вас как же?» — «Да, да... — сказал он, поспешно выпуская руку и как бы припоминая. — Лева, Лева меня зовут», — проговорил он, как бы сам себя в этом убеждая.

В общем, это была любовь с первого взгляда и наповал. Лева и не заметил, как мускат был выпит, отодвинулся в сторону стол, сама собой завелась радиола, а Митишатьев затанцевал с беленькой хозяйкой. Лева, танцевать не умевший, зато умевший по-французски, разговаривал с Фаиной, перемежая русские фразы с французскими, где она, как специалист, не могла не оценить его произношения. Стыдно ему не было. Они помещались у стенки, в проеме между двумя кроватями, держались за никелированную спинку, как за поручень, и куда-то ехали в этом автобусе, далеко, и пассажиров не было... В их купе было довольно тесно, до руки Фаины оставалась маленькая никелированная полоска — кольцо, — Лева задыхался от этой близости, сжимал это кольцо, и у него красиво белели пальцы. Митишатьев танцевал уже с черненькой. Голубенькая подошла к Леве и простодушно протянула руку, вовлекая в круг. «Нет», — как-то даже зло сказал Лева. Она пожала полупрезрительно плечами и отошла.

Митишатьев отдувался за Леву, танцуя с голубенькой. Он танцевал, как бы все более заводясь и уже в неистовстве, но Лева этому неистовству, хотя оно, в общем, у Митишатьева и получалось, не доверял. Тут было, по мнению Левы, слишком видно усилие этой безотчетной конвульсии, слишком уж оно говорило за неистовство митишатьевской натуры. Сам же Лева, в противовес Митишатьеву, разговаривал легко и непринужденно — так ему казалось. Фаина больше молчала, слегка поддакивая, очень, впрочем, точно, умненько и в такт, так что Лева все больше убеждался в незаурядном ее уме, и ковчег ее достоинств, в представлении Левы, уже становился чрезмерен для возможности оценить и одарить эту женщину сполна. К тому же Фаина, хотя и помалкивала, как-то умудрялась не давать Леве почувствовать неловкость от его неумеренной болтливости; и от того, что она так чутка и тактична, Лева становился ей тем более благодарен и сильнее влюблялся, если такое было еще возможно.

Фаина

Митишатьев, оттанцевав с голубенькой, подошел к Фаине и, слегка покраснев, стал знакомиться, чрезвычайно чопорно, как бы в контраст с неистовством только что законченного танца. Лева немножко удивился, что вездесущий Митишатьев не был, оказывается, знаком с нею, и ощутил оттого над ним чуть ли не превосходство. Познакомившись, Митишатьев пригласил Фаину на следующий танец, и Лева взглянул на него так грозно, что Митишатьев, все-таки оттанцевав один танец и с Фаиной, даже нашептав ей что-то к особому Левиному неудовольствию, во всяком случае больше ее не приглашал, полностью предоставив Леве.

Веселье между тем выдохлось; черненькая совсем ушла, а беленькая хозяйка непрестанно, кстати и некстати и словно нечто подчеркивая, входила и выходила из комнаты. По всему, Фаина сегодня оставалась у хозяйки и никуда уходить не собиралась, а Леве — давно пора было уходить, о чем и намекнул ему помрачневший Митишатьев, надевая плащ, и времени у Левы для тех решительных действий, на которые он решался весь вечер, заключавшихся в том, чтобы обеспечить и гарантировать себе следующую встречу с Фаиной, чтобы она теперь уже никуда от него не делась (потому что именно это странное ощущение преследовало его: что она уже пропадала у него однажды, словно он давно с ней знаком), — времени для этих, так и не продуманных, действий не оставалось никакого. И он, уже впопыхах, как бы зажмурив глаза и прыгнув, ни с того ни с сего (а именно хотелось, чтобы плавно и между прочим) предложил Фаине сходить в ресторан. Лева очумел от собственной смелости и задохнулся в непременном ожидании отказа и даже возмущения. Но Фаина согласилась удивительно легко, сразу же, будто в этом ничего такого сверхъестественного не было; это было неожиданно для Левы, и тогда его смелость повисла для него в пустоте. «Только когда?» — спросила Фаина, и в тоне ее прозвучала деловитость. «Да хоть завтра!» — восторженно воскликнул Лева. «Нет, тогда уж послезавтра», — сказала Фаина. Они сговорились встретиться послезавтра, в восемь вечера.

И Лева брел домой, совершенно уже порхая. Митишатьев ушел в другую сторону, с голубенькой. Лева еще удивил-

ся, что с голубенькой (ему почему-то казалось, что Митишатьев — с черненькой), удивился — и тут же забыл. Потому что, судорожно вспархивая вместе с сердцем, взлетая
и опускаясь, мгновенно очутился у своего дома и тихо ко-
вырялся в замке, чтобы не разбудить уже спавших родителей. И все вспыхивало кругом странноватым дрожащим
светом, лившимся неизвестно откуда, потому что лампочка
на площадке не горела...

Как Лева дождался послезавтра, как он нашел в себе силы преодолеть это бездонное время, остается только удивляться, — но вот он уже сидел в самом роскошном ресторане (его выбрала Фаина), за столом с двумя растратчиками
из республик, и говорил с Фаиной, в основном по-французски, потому что разговор его (они уже немало выпили)
был таков, что посторонним не предназначался, и Лева
воспарялся все выше, потому что дело, насколько он мог
судить по молчаливым и оттого для него как бы еще более
красноречивым поддакиваниям и взглядам Фаины, явно
шло на лад.

Они досидели до самого закрытия, остались почти одни
в зале, во всяком случае — за столиком, а дальше Лева почти и не видел: в тумане. Официантка, милейшая женщина,
к которой Лева испытывал все большую симпатию, потому
что особая, казалось ему, ее забота простиралась на их
стол, — стояла у стенки и поглядывала в их сторону чуть ли
не материнским, умиленным взглядом... Леве все было
приятно, все его трогало: он ловил и этот взгляд, — и тогда
как-то особенно распрямлялся и говорил громче... Фаина
слушала его, потуплялась, крутила на своем суховатом
пальце обручальное кольцо.

Тут произошла совсем символическая сцена, наполнив-
шая Леву окончательно — восторгом. Официантка подошла к ним и сказала, разгибая блокнотик: «Вы, наверно,
молодожены?»

Лева покраснел в замешательстве. А Фаина вдруг легко,
так же легко, как в свое время согласилась идти с ним в ресторан, сказала «Да». Тогда и Лева, спохватываясь и давясь,
тоже сказал: «Да, да». — «Сразу видно, — сказала официантка, — самая хорошая сегодня пара... И давно вы жена-

ты?» Лева растерянно глянул на Фаину. «Полгода», — сказала она. «И три дня», — обрадовавшись, пошутил Лева и тут же очень стал собой недоволен. «Сразу видно, — сказала официантка, — что удачный брак. Теперь это так редко». — «Да...» — нелепо вздохнул он. «Ну, вы посидите еще немного? Еще минуток пять можно...» — с благоволением сказала она и опустила блокнотик в карман. И, отходя от их столика, спросила: «А живете с родителями?» — «С родителями», — уже уверенно сказал Лева. Тут Фаина, к некоторому Левиному удивлению, подозвала ее снова и зашептала ей что-то на ухо. Официантка бросила коротенький и блестящий взгляд на Леву и ответила так же шепотом. Лева воспитанно откинулся на спинку стула и задумчиво посмотрел в сторону, как бы ничего не слыша, но, как ни напрягался, — ничего не слышал. Только какое-то другое, недоступное Леве понимание между ними насторожило Леву, они были как «свои», официантка и Фаина, — а потом и этот странный смех, и потом официантка отходила еще с улыбкой, относившейся к тому, о чем они говорили, и последний обмен взглядами, — во всем этом померещилось Леве что-то плотское и нечистое, но он постарался тут же об этом забыть, что ему и удалось. Официантка вернулась через некоторое время и принесла небольшой пакет, вручив его Фаине. Тут они и рассчитались, Лева много дал на чай и поморщился, потому что поймал себя на пересчете чаевых на билеты в кино.

Но дальше было вообще чудо: провожание это слилось для Левы в сплошное цветение, полыхание и благоухание. Никогда не говорил он так дивно, как тогда, когда они вдруг приостановились на канале, оперлись о парапет и смотрели на черную воду, и он наконец решился взять Фаину за руку... Потом они целовались в парадной так истово, так неудержимо, что за окном предательски светлело. Фаина говорила ему такие слова, такие слова, что повторить их нельзя, даже про себя, потому что они ничего уже не будут значить и завянут тут же, не оставив ничего, кроме разочарования.

Он и не подозревал тогда, что в свертке Фаины лежат шесть пирожных; что она ни слова не понимает по-французски, потому что в инязе никогда и не училась, выйдя замуж сразу по окончании курсов машинописи; что и из его, уже русской, речи тогда, у парапета, которая, казалось Леве, и утвердила окончательно его победу, без которой он не добился бы ее любви, и из этой речи она ничего не запомнила, вполне удовлетворяясь прекрасным пониманием и знанием его состояния, и только; он не имел представления, в какой мере те единственные слова, которые он впервые услышал от Фаины тогда в парадной между лобзаниями, столько же естественны и обязательны для нее, как поцелуи, и почти ничего не значат: просто она знала, как доставить ему радость, и не было никакого повода отказать ему в ней... (Хотя не следует до такой степени отказывать и Фаине — в искренности. Потому что и неискренности мы — отдаемся. Во всяком случае, она отдавалась ей вполне.) Лева же ничего этого не знал — это было бы даже отвратительно, если бы он подозревал об этом. Он ничего этого не знал, и единственное, что нестерпимо отравляло его упоительное счастье, была одна маленькая нужда, застилавшая своими размерами свет... (Позже, когда он поведал ей об этом своем смешном мучении в ту ночь, в расчете на некоторое даже умиление с ее стороны при воскрешении столь радостных первых воспоминаний, Фаина лишь пожала плечами: «Мог бы и отойти, я бы подождала», — сказала она.)]167

Следующее их свидание было опять послезавтра. Лева не прожил, а как бы силой прорвал это время и очутился утром в комнате Фаины; никого наконец не было, и, проявив неожиданную смелость, он тут же овладел ею; она, впрочем, нисколько ему в этом не препятствовала. Лева тотчас чуть не помешался, но не от божественного наслаждения — оно оказалось не так уж и велико, как он ожидал, и он впервые провел границу между желанием и наслаждением, — а от самого факта, разрывавшего его сознание со счастливым треском и не умещавшегося в нем. Он, не зная, чем отблагодарить, как уравновесить то, что́ она ему дала, осыпая ее поцелуями, радостно признался, надеясь польстить ей, что она первая женщина в его жизни (до достижения он, наоборот, старался казаться бывалым), — Фаина же ему не поверила: то ли действительно уж больно оказался ловок и спор на этот раз, то ли польстить хотела тоже.

На следующий день Лева расчувствовал все несколько больше. И теперь ему, в его опьянении, казалось, что так и будет, все выше и выше, до какого-то уже нестерпимого по сладости звона — и так всю жизнь...

Но почти тут же заметил, что в Фаине что-то изменилось, будто она удивлена, что он опять пришел, что она отводит глаза и молчит, когда он требует прежних слов, теребя ее жарко за руки, что и отдается она ему, при всей уже отмеченной Левой преданности этому делу, с каким-то даже равнодушием, чуть ли не с неохотой.

Один раз ее уже не оказалось дома, и он дежурил три дня — ее все не было; наконец поймал — и она была веселее и добрее, чем обычно... А Леву теперь мучило не только ее исчезновение на эти три дня — куда? к кому?.. — но и то, что она вернулась такая довольная. Леве, уже обеспамятевшему, все хотелось понять, в чем же дело, чтобы ему «только лишь» объяснили, чего не хватает в нем и что еще нужно делать, чтобы все было «как прежде», — потому что нет такой вещи — это было очевидно ему, — которой он не сделает для Фаины, точнее, ради нее.

168 Он решил поговорить с ней «начистоту» (в этой «чистоте» он, бессознательно, подразумевал лишь одну сторону — восстановление ее прежних слов и признаний) и повел ее для этой цели в кафе, отчасти желая повторить тот прекрасный вечер в ресторане и все больше уверяясь в том, что он непременно повторится, этот вечер (это давно следовало сделать, укорял себя Лева, это следовало сделать раньше, до «похолодания» Фаины). Но повел он ее в кафе, а не в ресторан, потому что у него мало денег (так мы всегда, давая все меньше, полагаем, что отдаем последнее, а за последнее — требуем от другого всего), но и кафе это, по признанию Фаины, очень ей всегда нравилось: какое-то уютное, особое освещение, там можно «побывать вдвоем» и т.д.

В этом кафе и спросил он с отчаянья напрямик: что ей еще нужно?.. Она не рассердилась (потому что продолжала пребывать в некотором добродушии после своего исчезновения) и сказала тоже напрямик: «Ты должен дать почувствовать мне свою силу». Что она под этим имела в виду, догадаться трудно, но Лева, как ни странно, сразу ее понял, и сердце его сжалось в тоске и отчаянье. Это означало попросту, что он слишком хорошо относится к Фаине и что все было бы лучше, если бы хуже...

Лева целый час говорил, столь же вдохновенно и прекрасно, как в тот вечер у парапета, о том, как она не понимает, что это отвратительно: эта игра «кто кого», что он, Лева, просто не хочет в нее играть, в эту игру, что он не может, как некоторые, как, к примеру, тот же Митишатьев («Какой Миша? Ах, тот, что танцевал. Хороший мальчик!»), что он верит, продолжал Лева, что могут быть истинно прекрасные отношения, большинству неведомые, вне этой игры, что он ее любит именно так, а это редкая любовь, даже не редкая, а единственно та, что может быть названа любовью. («Вот... — сказала она и даже ласково погладила ему руку. — Просто ты меня слишком любишь, а мне это трудно». Лева удивился и ужаснулся этой простоте, хотя надо отдать Фаине должное: никогда потом не говорила она так же чисто и честно.) Но, говорил Лева, он не хочет, да и не может становиться в один ряд со всеми, и тогда, в таком-то смысле, он может показаться кому-нибудь и слабым, но это вовсе не слабость, а сила, сила его! что это тот самый, редкий дар, который случается с человеком раз в жизни... И как же можно отворачиваться от него (дара и Левы), когда он таит в себе (дар или Лева?) самое высокое счастье, какое только может дать один человек другому человеку! Отворачиваться от этого дара даже преступление... (Но Фаина и впрямь отворачивалась, давно уже пропуская Левину речь мимо сознания, потому что тоже давно ее как бы знала, в принципе и в целом, и все, что могла сказать Леве по этому поводу, очень откровенно уже высказала. Она отворачивалась, провожая взглядом только что вошедшего длинного молодого человека в усиках.) «Там-то как раз и бессилие, бессилие чувствовать и любить по-настоящему, где она подразумевает силу...» — сказал было Лева и ослаб, сник, смяк и не мог больше выговорить ни слова.

— Я вдруг ужасно проголодалась, — сказала Фаина (придя в кафе, она от всего отказывалась). — Закажи мне, пожалуйста, лангет. Тут его очень хорошо готовят.

«Откуда она знает, как здесь готовят лангет?» — подумал Лева.

]169

Они продолжали «встречаться» (трудно было бы не встретиться, даже если бы Фаина хотела этого). Лева, так и не доказав своей силы, очень маялся и страдал, и денег на все это уходило как-то больше и больше. Отец косился и, дойдя до определенного, по каким-то своим соображениям избранного предела, дотаций не увеличивал. Один раз выручил дядя Митя, хотя Лева, наслышанный о его скаредности, и не думал у него просить. «На, — сказал он, со вздохом прощаясь с купюрой, — тебе деньги нужны». И, опуская в карман свое «портмоне» без этой купюры, рассердился: «Ты, Лева, не человек, а добыча». Лева не обиделся и был растроган до слез. В другой раз это была Альбина, единственная, пожалуй, девочка, с которой Лева был знаком даже раньше Фаины (по стечению жизненных, а не романных обстоятельств — дочь старинной приятельницы того же дяди Мити). Лева считал ее некрасивой и стеснялся при встречах: она всегда смотрела в глаза, — и он всякий раз не знал, что сказать, чтобы скорей распрощаться. В этот раз — пожаловался, что бедствует, и она тут же предложила взаймы. И, почувствовав себя скверно, уронив взгляд, Лева — воспользовался. Воспользовался еще и тем, что знал, что сама она никогда ему об этом долге не напомнит. Впрочем, он сознавал свою некоторую низость лишь как унижение, и то до тех пор, пока не скрылся за углом с этими деньгами. И — все. На этом самаритяне кончились, началась — «нужда». И ее синонимы. Лева потаскивал книги, продал какую-то фамильную печатку одному жулику за сущий бесценок, — но и эта сумма, для Левы тогда очень значительная, мгновенно утекла, именно как в песок.

Так что теперь его, чуть ли не наравне с выяснением отношений между ним и Фаиной, стала интересовать проблема, как и где раздобыть денег (так он, незаметно, привыкал покупать любовь). Он учился экономить (это был уже семейный процент их отношений), ходить в ресторан ему казалось уже слишком невыгодным, потому что существовали куда более насущные траты (чулки, косметика, электричество и газ, булавки, нитки, не забыть купить два метра к о р с а ж а, так и спроси: «корсаж»...). Хоть бы он цветов когда-нибудь купил!.. Лева улыбался криво.

Тогда-то и принял он участие в «складчине» (которая дешевле ресторана). Эту складчину устраивал его однокашник с двумя другими, очень продвинутыми в развлечениях сверстниками, в том числе и Митишатьевым. У кого-то из них высвобождалась квартира («предки» куда-то уезжали), и они могли там делать что хотят. Митишатьев вспомнил о Леве и пригласил его «с дамой», за что Лева, давно истощив все доступные ему варианты развлечений Фаины и находясь по этому поводу в глубокой растерянности, был ему очень признателен, даже тронут.

Фаина долго ворчала, не соглашалась идти, морщилась: «детский сад»; потом собиралась так же долго, даже тщательнее обычного.

То, что нас утомляет впоследствии, Леву еще нисколько не утомляло — он нисколько не скучал, наблюдая ее сборы, даже получал удовольствие. Он находил особую красоту и прелесть в этих заученных, машинальных, почти инстинктивных движениях Фаины перед зеркалом. Именно в этих, вовсе не рассчитанных на постороннего, на эффект, не эстетизированных движениях — находил он теперь именно и прежде всего красоту...

]171

Его радовала закопченная железная вилка, которую Фаина уходила калить в кухню на газе и бегом возвращалась, отставив слегка руку в сторону с раскаленной вилкой и помахивая ею (на эту вилку она наматывала прядь, совершая последний и самый выразительный локон), и столовый нож, которым она с поразительной ловкостью загибала себе ресницы, и иголка, которой она разделяла по отдельности ресницы, уже накрашенные... Эта возня с колющими и режущими предметами (у самых глаз!) казалась Леве рискованной и опасной, а то спокойствие и деловитость, с каким Фаина это все проделывала, и восхищали, и пугали его, как смелость артиста в цирке. Притягивало и пугало его и выражение глаз Фаины в зеркале, когда она занималась всем этим, — отсутствующее, холодное, прицеленное, снайперское какое-то. Заученная, непреклонная последовательность движений и операций, проводимых Фаиной при сборах, при всем единообразии не теряла прелести для Левы; он испытывал определенное удовлетворение от мысленного опережения, предвосхищения движений Фаины и некую радость от совпадения воображенного движения с действительным через какую-нибудь секунду.

(И пока он так робко наблюдает и безропотно ждет Фаину, у нас есть время разглядеть его взгляд... Как он умудряется, не сводя с нее глаз, настолько не видеть ее? Настолько ее не видеть, что, глядя в этой повести его глазами, и мы — не видим ее?..)

Особенно нравилось ему, когда она смывала старую краску и становилась на миг будто растерянной и близорукой, будто ее легко можно было сейчас обидеть, а Лева бы — защитил... Вообще, Лева все больше любил и дорожил этой незамеченной красотой Фаины: заспанным или усталым ее лицом, какой-нибудь небрежностью в одежде, неуклюжим безотчетным движением — это вселяло в него блаженное ощущение прочности, принадлежности и благодарности, которые, в иных условиях, Фаина давала ему испытывать все реже.

Так уж получалось, что когда Фаина жаловалась на то, что плохо выглядит, то казалась Леве наиболее красивой, любимой и близкой. Если бы это было вполне осознанно, можно было бы сказать, что его радовало, когда она бывала измученной, слабой и несчастной (так, особенно любил он ее, когда она заболевала), и, наоборот, пугало, когда она была «в форме»: красивой, уверенной, бодрой. В первом случае возникала иллюзия ее зависимости от Левы, она никуда не уходила от него и никуда не могла деться; во втором — она уходила от него бесконечно, всегда, уходила тем безнадежней, чем была красивее, уходила, даже если была рядом и они были вдвоем: он как бы над ней уже не простирался и отставал, задыхаясь от отчаянья.

Тут была какая-то парадоксальная путаница в понятиях близости и отдаления, в обозначениях этих состояний словами — обычно и иногда, естественно и неестественно, как правило и в исключительных случаях. Для Фаины обычным и естественным, приносившим легкость и удовлетворение, было состояние «в форме», а исключительным, нежелательным, редким — обратное состояние: усталости, неуверенности («сегодня я "не в форме"»). Для Левы — наоборот, все более нежелательным, неприятным и неестественным казалось ее пребывание в форме, а обычным, естественным казалось как раз ее состояние «не в форме». В Левином сознании эти два ее состояния приходили все в больший антагонизм: «в форме» Фаина казалась Леве неестественной, злой, лживой, черствой, эгоистичной, наделенной всеми пороками, «не в форме» — милой, естественной, нежной и т.д. Именно не в форме, казалось ему, бывала Фаина сама собой, а в форме — чужая, не своя, подмененная. И хотя он был не властен поколебать соотношение этих двух ипостасей Фаины, хотя Фаина прежде всего стремилась свести к минимуму те свои состояния, которые чем дальше, тем больше становились дороги Леве, а именно: она стремилась как можно реже бывать не в форме, — тем не менее Леве казалось, что Фаина, пусть медленно, через бесконечные его страдания, но приближается, подвигается к тому своему состоянию, которое Лева полагал ей естественным, ее сутью и которое, если снять покровы с неосознанных Левой явлений, называлось «принадлежностью Леве». И поскольку никаких действительных оснований к тому, чтобы полагать, что она принадлежит ему все больше, у Левы не было, скорее наоборот, ему удавалось видеть желаемое способом, который может показаться странным, но совершенно естественен в то же время; он все больше узнавал Фаину лишь с одной стороны, он все копил и собирал в себе эти ее состояния «не в форме», столь любезные ему: он их просто лучше видел и узнавал, сосредоточивая внимание на моментах, которые, может, были чрезвычайно невелики в общем образе Фаины, но как бы увеличивались и росли именно за счет возрастающего к ним внимания. То есть явление это было чисто психическим или даже оптическим, но оно придавало силы и помогало пережить самые обезнадеживающие ситуации.

Впрочем, осознай Лева необоснованность подобной логики, был бы он наинесчастнейший человек, потому что не обладал достаточными силами, чтобы справиться со своим знанием. Таким образом, чем больше проводил он времени рядом с Фаиной, тем меньше знал ее. Это, по-видимому, и значит, что «любовь — слепа». Ту Фаину, которую мог ви-

]173

Фаина

деть любой и каждый, прохожий и встречный, Фаину реальную, он — не видел ни разу.

Когда Фаина красилась и готовилась, момент этот хоть и радовал Леву, но был все же двойственен: она была с ним и не уходила, поскольку не была готова, поскольку самой неестественной женщине нельзя отказать в естественности, когда она пребывает перед зеркалом, но она и уходила — уходила, в перспективе оказаться наконец совсем готовой, красивой, в форме и — вздохнув в последний раз с облегчением или удовлетворением, бросив последний взгляд в зеркало, — в один какой-то миг, сразу и окончательно в эту готовую форму войти, в ней оказаться — и тем уйти от Левы. А пока Лева сиживал и наблюдал этот переход, он еще бывал счастлив, наблюдая: лишь легкое волнение и муть набегали на его расшатанную любовью душу (по мере приближения к концу ее туалета все чаще), он снимал, как бы смахивал это со лба легким движением руки, как смахиваем мы в осеннем лесу паутину. Жест слабый, как вздох...

Конечно, это неточно, так говорить, что у зеркала Фаина бывала наедине с Левой, нет, у зеркала, конечно, она была совершенно одна во всем мироздании, как и любая женщина, — но она и не была ни с кем другим — и этого Леве было достаточно, а определенность и последовательность ее движений рождали в нем ощущение устойчивости. Так же натяжкой было бы говорить, что Фаина повторяла свой ритуал перед зеркалом всегда одинаково. Эта одинаковость была скорее явлением качественным, но не количественным. Она вела себя у зеркала по-разному, в зависимости от того, куда собиралась: был ли это рядовой, ответственный или исключительный случай сборов. Она могла собираться наспех, с обычной тщательностью и — с вдохновением. Это были как бы малый, средний и большой набор операций и движений, с разным объемом вкладываемых физических и духовных сил. (Сейчас она, поругивая сосунков, к которым вынуждена идти, потому что больше идти некуда, и, соответственно, поругивая безответного Леву, собиралась тем не менее по самому полному, максимальному комплексу.) Но каждый из этих комплексов: и малый, и средний, и большой, — были постоянны внутри самих себя, почему Лева и любил сопереживать эти моменты.

Впрочем, ни возражать на ее замечания, ни откровенно наблюдать за ней Лева не имел права — это ничем хорошим для него не кончалось. Но он уже прекрасно видел Фаину каким-то боковым зрением, в отношении ее необыкновенно обострившимся, особенно на людях... Он мог видеть ее даже спиной, ничего зато не различая в журнальчике, который листал с видимым интересом.

В результате они несколько запоздали и застали уже то возбуждение и оживление, которое называется первым, или легким, опьянением. То есть они пропустили тот таинственный момент, когда некоторая холодность, скованность и разброд полузнакомых людей понемногу накапливались и подошли к тому пределу, когда все в сборе, и готов стол, и вот все рассаживаются, уже возбуждаясь и отпуская напряжение; разливается по рюмкам водка, и она, еще не выпитая, уже как-то подействовала; а потом, за первой рюмкой, ходом вторая — и уже все знают друг друга, тормоза сброшены, и кто-то говорит громко, и кто-то очень смеется, и всем кажется, что веселье длится уже давно, — но если кто-либо, с напрасной исследовательской жилкой, засек бы время, оказалось бы всего десять минут, как они сели за стол, от силы — пятнадцать; а уже первый хмель начинает свое плавное и неумолимое перерастание во второй, — и все это тем быстрее, чем независимей, чопорней и чинней ожидали гости этого момента...

Когда они пришли, дверь им открывали уже с неумеренной улыбкой на лице, без пиджака, с расстегнутым воротом, при галстуке, приспущенном, как флаг, с ничем не оправданной радостью говоря: наконец-то! и все вас ждут, — хотя вы и не знакомы вовсе. Такой открытый прием всегда, впрочем, впору — что-то вы оставляете за порогом: какую-то тяжесть, как шубу на вешалке. А поскольку время летнее и ни о каких шубах не может быть речи, тяжесть была единственной невидимой одеждой, которую Лева скинул тут же в передней и как бы даже проводил ее падение взглядом: взгляд упал на сундук.

Передняя незнакомой, тем более коммунальной квартиры — тоже таинственна: небольшое чистилище перед весельем, впрочем темноватое, заставленное и захламленное, — скорее предбанничек. Сундук, над ним велосипед, над велосипедом рога, под рогами подкова — все это незаметно входило в Леву, когда он, достав бутылки и передав хозяину, поджидал Фаину, внутренним усилием ее поторапливая, пока она, движением столь легким, что, казалось, и практически ненужным, прикасалась, как бы чуть подталкивая, ладонью к прическе, меняла туфли и еще раз пронзала самое себя неподкупным взглядом; вся она тут будто вздрагивала, вытягивалась, лицо ее становилось холодным, как бы чеканным, почти величественным — это все отражалось какую-то секунду в зеркале, Фаина поворачивалась и, не глядя на Леву, чтобы не растерять выражение, шла к дверям, а у Левы было впечатление, что это уже не Фаина, а отражение ее вышло из зеркала и пошло, неживое, — и сердце его чуть сжалось.

Если продолжить сравнение, то из холодного и темного предбанничка они очутились прямо в парилке; или, если вспомнить сравнение с шубой, оставленной в прихожей, то они вошли как бы с сильного ночного мороза в жарко натопленную и освещенную избу, когда из распахнутой двери большим светящимся шаром вываливается пар, а потом, когда дверь захлопывается за вами и вы начинаете видеть, то сами оказываетесь в пятачке холода, исходящего от вас; или, проще, — на них опрокинулся шум, и дым, и смех, и некоторое не окончательное и не всеобщее, но вполне ощутимое замолкание и разглядывание, как бы туше́, а потом — снова тот же шум.

Их рассадили порознь — это был принцип компании. Леве он показался глупым, и Лева досадовал, — но делать было нечего, и он был помещен рядом с пухловатой девушкой в прозрачной кофточке, сквозь которую просвечивало очень розовое белье; она прыснула, когда Лева садился, а Лева каменел и еще раз досадовал, потому что девушка не шла ни в какое сравнение с Фаиной, — и это так же нелепо, как сесть на транспорт, идущий в противоположную сторону. Но он уже мог осмотреться. Собственно, осматриваться он начал еще до того, как сел, потому что у него сразу же включилось острое его боковое зрение в отношении Фаины.

Она была помещена рядом с Митишатьевым, и это Леву до некоторой степени удовлетворило: хотя бы знакомый человек. Она сумела сохранить свое выражение, вернее, свое отражение, которое она вынесла из зеркала, столь чинное и холодное, и, присев, исподволь, но цепко осмотрелась. Это был тот же ее как бы отсутствующий, но снайперский взгляд, каким она прицеливалась в зеркало, орудуя, например, тем самым столовым ножом для загибания ресниц. Лева бы ничего все равно не увидел вне Фаины, он просто последовал за ее взглядом — взгляд был обращен сначала на девушек: они все были очень юны, даже не девушки, а девочки, но, как говорят, «развитые» (в те годы это было еще не частое явление, своего рода заслуга). Взгляд был мгновенен, пристален и пронзителен, он мигом расставил оценки и как бы успокоился, удостоверившись, что никакого намека на подвох нет: она их отбросила, она вне конкуренции. Лева мысленно согласился с нею: никакого сравнения быть не могло. Фаина была гранд-дама в этом птичнике. Успокоившийся и как бы размякший ее взгляд, во вторую очередь, прошелся по парням, уже более медленно, лениво и благодушно, но тоже ни на ком как будто не задержался. Ну, парней-то Лева всех знал, ему их рассматривать было и ни к чему, и, проследив ее взгляд, он потянулся к водке. Все это разглядывание протекло, впрочем, в кратчайший промежуток, скорость, с которой справилась Фаина с рекогносцировкой, свидетельствовала об опыте, но об этом Лева как раз и не подумал.

Митишатьев уже наливал Фаине, Лева приподнял рюмку, выжидая отведенного взгляда Фаины, желая установить невидимую и столь сладостную, как бы телепатическую связь через стол (натянуть бы эту нить и держать ее весь вечер...), и увидел, что Фаина, еще раз безучастно охватив взглядом все молодое собрание, незаметно стянула со своего суховатого пальца обручальное кольцо и спрятала его в сумочку. Затем она приподняла рюмку и ответила кивком Леве; Лева весь как бы подался ей навстречу, но ответного желания установить эту невидимую связь не обнаружил: Фаина словно бы не заметила этой протянутой руки и обернулась чокнуться с Митишатьевым. Лева несколько расстроился и с жаждой выпил, сразу повторив («штрафная» пришлась кстати), инстинктивно желая поскорее набрать то же ускорение, которым обладали все си-

Фаина

дящие за столом, и не находиться вчуже, мучительным особняком, что всегда и тебе и другим неприятно.

Тут какой-то отрезок времени промелькнул для него незамеченным. Он обнаружил себя вдруг что-то впопыхах жующим, чтобы поскорей сбить неприятный вкус очередной рюмки, и при этом еще говорящим что-то смешливенькой соседке. Это (что он и жевал и говорил одновременно) как-то его удивило — он проглотил и перестал говорить; с удовлетворением откинувшись на спинку стула, понял, что рывок уже сделан, что он — нагнал. Приятная теплота пробегала волнами и блаженно проталкивалась все дальше, к пальцам рук, к кончикам пальцев. Лева посмотрел на свои пальцы и подумал, что ему чего-то хочется, чего-то еще не хватает, какой-то простой вещи, — только что же это? «Закурить, — вдруг радостно сообразил он, — как же это я забыл?» Закурив, он почувствовал себя окончательно хорошо, словно был до того мучительно разорван на две части, и вот сейчас они соединились, слились: ни шва, ни следа разрыва — и он опять тот самый, каким был всегда, — целый. Почувствовав себя таким образом более живым, он, откинувшись и покуривая, мог осмотреть стол во второй раз, совсем иначе, и как бы даже в первый раз его увидел — все приобретало привлекательность, девочки были даже милые. Но все это приятное единство прожило в его душе секунду-другую, между первой и второй затяжкой, потому что должен же был он увидеть, вновь оглядывая стол, и Фаину, помещавшуюся по диагонали в дальнем углу. То, что он ее увидел не сразу, как бы во вторую очередь, уже было достаточно странно.

Сейчас он поймал взгляд Фаины и по выражению его понял, что она уже некоторое время, по-видимому, следит за ним. Взгляд был чуть насмешливый и удивленный одновременно. Лева тотчас вспомнил, как запихивал вилку в рот и одновременно говорил нечто соседке, отчего она так хихикала, — что-то в нем сжалось, и тут же он снова ощутил в себе разъединение, раздвоение этих двух мучительных частей: они снова были порознь, самостоятельны и начали слегка друг друга покусывать. В нем, мельком, ощущением, проскочила мысль, что Фаина не находится ни в той, ни в другой из этих разъединенных частей; ее не было, следовательно, и когда эти части были только что вместе, — тем более не было, даже, быть может, не могло и быть... значит, Фаина и есть сам факт раздвоения, сам разрыв, та пустота, что разделяет две части. Она — абстракция, ее и нет — так почему же она реальна, если вся помещается в разрыве?..

Неверно было бы думать, что, когда он поймал ее взгляд, его испугала ревность Фаины, — ревность, если бы она была, могла бы только его обрадовать как некое обеспечение и гарантия. Испугало Леву, что она тут же могла этим воспользоваться (тем, что он забыл о ней на минуту), испугал не сам взгляд, а его перемена. Потому что и он, Лева, тоже, в свою очередь, застиг ее взгляд немного врасплох и увидел тогда в нем лишь прохладное удивление и любопытство; когда же их взгляды встретились и до Фаины дошло, что Лева видит ее взгляд, она поспешила его переменить на взгляд чуть ли не обиженный и вот, бросив Леве именно такой взгляд, повернулась к Митишатьеву. Лева весь внутренне заметался, готовый придать своему лицу самое предельное выражение виноватости и мольбы, но был оставлен с этим своим лицом, как и тогда с протянутой рюмкой, безответным.]179

По-видимому, Фаина с Митишатьевым лишь ненадолго прервали свой разговор, причем весьма частный, какой-то даже сближенный: так они его теперь продолжили, так наклонились они друг к другу, улыбались и кивали. Это насторожило Леву. «Они же не были знакомы», — поразился он. Лева вспомнил, как удивился тогда, в первый вечер, что они не были знакомы, — теперь же они явно выглядели давно з н а к о м ы м и. И эта неясная степень их знакомства, эта окончательная путаница во времени и собственных представлениях — закружили в Леве. А может, они и были знакомы, еще до Левы? И то, что Митишатьев тогда так подчеркнуто с Фаиной знакомился, было лишь дурацкой шуткой в его стиле?.. Но Лева не мог вспомнить, улыбалась ли тогда в ответ Фаина, — кажется, и не улыбалась... а может, это была даже не шутка, а такое подчеркивание, понятное лишь им двоим, может, Митишатьев так выразил свое недовольство, даже ревность? А может, они потом встретились, разговорились и познакомились ближе?

Фаина

В общем, Лева запутался, его даже это перестало интересовать, слишком в о л н о в а л его сам факт их разговора т е п е р ь, эта очевидная близость, интерес, особая оживленность... О чем там они говорят? Он никогда об этом не узнает... Это его всегдашнее бессилие что-либо знать о Фаине снова подступило в полный рост, и самым сильным его желанием сейчас было иметь бы некий фантастический аппаратик, чтобы все это незаметно от них слышать. Левино воспитание, по которому подслушивать считалось нижайшей ступенью падения, было сейчас вовсе ни при чем. Желание было слишком страстно, чтобы воспитание выдержало... Но аппаратика ведь и не было. Тоже и телевизорчик махонький с удовольствием имел бы сейчас Лева, потому что не видел их рук и ног, лишь склоненные головы, — а вдруг Митишатьев уже держит Фаину за руку или они касаются горячими коленями? Но и телевизорчика — тоже не было. О чем они там так уж говорят, так уж поглощены? А может даже — о нем? Посмеиваются? Вот и Митишатьев, смеясь чему-то, что сказала Фаина, поднял взгляд на Леву как бы удостовериться, словно Фаина экскурсовод, а он, Лева, — экспонат, такой взгляд. Удостоверился, как бы даже усмехнулся еще больше, удостоверившись, — и снова весь поглощен Фаиной, говорит ей что-то, и теперь смеется Фаина... Так и не обернулась с тех пор к Леве ни разу! Как Лева ни протягивал немую свою мольбу, как ни вызывал мысленно ее ответный взор — ни разу...

Что-то говорила Леве, пытаясь продолжить прервавшуюся их беседу, его розовая соседка — он отвечал рассеянно, односложно и невпопад. Она даже обиделась, ощутив столь резкую подмену, замолкла, но, проследив Левин растерянный взгляд, по-женски, несмотря на юность, тут же рассекла, что к чему, и рассмеялась. «Ревнуешь? — сказала она, наклонившись к нему. — Выпей лучше». Лева мучительно покраснел, ему было стыдно, что он настолько ничего с собой и своим лицом не мог поделать, что полностью себя выдавал; потому что вторым по силе желанием после подслушивающего аппаратика было именно желание сделать как можно более равнодушное, безучастное, даже холодное лицо. И это вот лицо, которое он с такой энергией над собой совершал, оказывается, больше всего и выдает. «Нет, что за глупости, нет, конечно!» — зло, впопыхах ответил Лева розовой соседке, тут же понимая, что если он и хотел ее разубедить, то не такой фразой этого возможно достигнуть. «Что, и выпить не хочешь?» — насмешливо передергивая, сказала соседка. «Нет, это я в другом смысле, это я в смысле, — окончательно смешался Лева, — выпить-то я с удовольствием...» Они выпили. Лева даже сумел несколько опять отвлечься, ему удалось выровняться в глазах соседки, сказав что-то такое, чему она опять чрезвычайно рассмеялась. «А вы ничего, остроумный», — сказала она. «Остроумный, но без чувства юмора...» — подумал с тоскою Лева.

Ему мучительно хотелось обернуться к Фаине с Митишатьевым, и он себя сдерживал из последних сил. И конечно, не выдержал. И тогда опять поймал взгляд Фаины. Этот второй взгляд был как второе предупреждение, и смысл его был вроде: «Ну, раз так...» Леве даже показалось, что он застал, в последний, правда, момент, некий кивок Митишатьева в его сторону, почему и обернулась к нему Фаина. Леве показалось, что за ним все наблюдают: и Митишатьев, и Фаина, и соседка, и весь стол, — ему стало неуютно, а Фаина снова повернулась к Митишатьеву, так определенно, так подчеркнуто навсегда, что Леве захотелось опрокинуть на них стол, даже все тело напряглось для усилия. Он, конечно же, не опрокинул и тогда тоже демонстративно (только кому была нужна эта демонстрация, ведь Фаина на него не смотрела?) снова повернулся к своей соседке, с неудовольствием ловя и ее наблюдательный взгляд. Хотя она была уже изрядно пьяна, соседка. Она, хихикая, сама налила себе еще и протянула бутылку Леве. Он, чувствуя, что именно эта рюмка сильно на него подействует, тем не менее выпил ее с самым решительным видом и захмелел.

Тут заскрежетали все разом отодвигаемые стулья, и Лева наконец услышал, какой гвалт стоит в комнате... До этого момента со звуком творилось что-то неладное, его как бы не было: была Фаина с Митишатьевым и прислушивание к ним, которое-то и сводило на нет все прочие звуки, — Фаину же с Митишатьевым ему тоже не удавалось расслышать, и тогда звук врывался на секунду, как уличный шум из распахнутого окна. Так жил звук, то включаясь, то выключаясь... И вдруг загрохотали стулья, кто-то погасил верхний свет, все разом встали из-за стола и словно бы разом и заговорили: «Танцы, танцы! Почему мы не танцуем!» — вот, оказывается, почему все встали. Лева тоже встал, слегка качнувшись.

Поволокли в сторону стол. Лева тоже поволок, вернее, он глупо следовал за столом, все ища, куда бы можно было просунуть руку, потому что стол облепили со всех сторон, словно огромную тяжесть: это было всем очень весело — тащить стол, кто-то даже упал — совсем восторг!

Именно в таком глупом виде, следуя за столом и пытаясь найти себе место, чтобы тоже за него уцепиться, обнаружил Лева в двух шагах от себя Фаину с Митишатьевым — они в этом предприятии не участвовали, лишь наблюдали, единственные из всех трезвые. Лева поспешно выпрямился и приотстал от всей компании, сделав каменное вытянутое лицо, и почувствовал себя мучительно глупо. «Левушка, — сказала ему Фаина ласково, — какой ты смешной!» Лева и расстроился, что она так сказала, когда рядом с ней Митишатьев, и обрадовался ласковому ее тону, которого не ожидал. Ласка была ему важнее. «Смешной? Правда?» — сказал он словно так, что если это плохо, то он больше не будет, а если Фаине нравится, так он может стать еще смешнее: как она захочет — так и будет. Фаина, смеясь, потрепала его по руке. Лева растаял.

Танцевали. Фаина сама пригласила Леву. Лева танцевал радостно и неловко и очень смешил Фаину. Он наконец понял, что все его страхи насчет Митишатьева — полная ерунда: просто был он сосед — естественно, она разговаривала с соседом. А так, вообще-то, она все время была с ним, с Левой. Это наполняло его радостью, а глядя на других, и гордостью: конечно же, она была лучше всех и ни у кого такой дамы не было.

Танец кончился, Лева, расплывшись, сам подвел Фаину к Митишатьеву, как бы вернул кавалеру — такая шутка. Тут же Леву подхватила розовая его соседка: она все смеялась и держалась на ногах нетвердо. Лева посмотрел в растерянности на Фаину, находясь в той странной позе, когда человека тянут за руку, а он, уже шагнув от внезапности, начинает тянуться в противоположную, а именно — к Фаине, к Фаине!.. Но Фаина кивнула ему с улыбкой: мол, ничего, давай.

И Лева танцевал теперь с розовой соседкой — она была горячей и мягкой, таяла в Левиных руках и все хихикала, глаза ее плавали, не в силах посмотреть в одну точку — на Леву это, к удивлению, даже действовало... Тут увидел Лева спину Фаины — она танцевала с Митишатьевым. Леве показалось, что у них это очень красиво получается, и сам он тогда стал вовсе неловок. Соседке это было все равно и даже нравилось, когда он на нее наталкивался. Фаина же танцевала как-то так, что все время была к Леве спиной, и он никак не мог улучить момент, когда она повернется, и видел все время лишь лицо Митишатьева, улыбавшегося какой-то взятой из кино улыбкой и беспрерывно что-то Фаине тихо (так, что опять без аппаратика не обойтись!) нашептывавшего.

Лева, стремясь поправить положение, бросился приглашать Фаину на следующий танец, но ее опять словно подменили. «А ты растанцевался...» — сказала она холодно и как бы с ехидством, будто опять намекая на соседку, и отказалась.

Но танца и вообще не произошло, потому что вдруг кто-то зажег свет и скинул иголку с проигрывателя. «Играем в бутылочку!» — закричал он. «В бутылочку, в бутылочку!» — закричали все. Лева вспомнил, что слышал об этой игре: она — с поцелуями. Образовался круг. Митишатьев с Фаиной тоже в нем оказались — тогда втиснулся и Лева (это его запоздание напомнило ему передвигание стола, и он поморщился). В центре оказалась большая бутылка из-под шампанского. «Крути, крути!» — кричали. Кто-то попробовал ее крутить — ничего не получилось, сам упал. «Не можешь, не можешь, освобождай!» — кричали стоящему на четвереньках. «Она и не будет крутиться», — сказал тот обиженно. «Почему ж не будет?» — неожиданно для себя спросил Лева. «А так — не будет, — рассудительно сказал тот, поднимаясь с четверенек, — нужна бу-ты-лоч-ка, — зло сказал он Леве, — а тут бутылища! Нужна же бутылочка, пузырек!» — «Пузырек! — хохотали. — Пузырек!»

Кто-то крутанул ловчее, и серебряное горлышко уставилось на Фаину, как стрелка компаса на север. «О-о-о!» —

Фаина

пронеслось по кругу. «Крути — с кем! крути скорее!» — крикнул кто-то нетерпеливо. Лева весь замер и побледнел даже. «На меня, ну, на меня же!» — мысленно приказывал он бутылке, и даже губы у него шевелились. Бутылка указывала на Митишатьева. Лева помертвел. «Целуйтесь же, целуйтесь!» — закричали. Митишатьев вопросительно посмотрел на Фаину. Лева впился в нее взглядом. Фаина странно засмеялась, взглянула на Леву и покачала головой. «Ну вот!» — с досадой протянул кто-то.

Бутылочку крутанули еще раз, но указала она на самую неинтересную девочку — целоваться всем расхотелось, всё как-то само собой распалось. Снова потушили свет и начали целоваться просто так, кто с кем хотел. Левой опять завладела розовая соседка, она тащила Леву куда-то в угол, а он все упирался и озирался, но нигде не находил Фаины с Митишатьевым, ни в одном темном углу. Их не было.

«Да, да... я сейчас...» — невнятно сказал он соседке и вскочил с дивана, на который она-таки успела его усадить.

Так он стоял некоторое время, побледнев, весь состоящий из толчков и порывов, делал стойку — даже ноздри у него раздувались (или слышал вдали призывные звуки рога?). «Ну, зачем же ты уходишь?» — ласково спросила соседка. Он не ответил. «Ах вот что, опять ее ищешь?..» — догадалась она. «Да нет же! — зло буркнул Лева, — мало ли зачем?» — и широкими, прямыми шагами, все равно казавшимися нетвердыми, направился к двери.

Он увидел Фаину с Митишатьевым настолько сразу, как выскочил из комнаты, что даже опешил и как бы споткнулся: чересчур разбежался — и резко затормозил. Фаина стояла у сундука, прислонившись спиной к стене, а Митишатьев — перед нею, поставив одну ногу на сундук и одной рукой упершись в стену над плечом Фаины. Вроде бы они так и стояли, не касаясь друг друга, и до прихода Левы, но Леве почудился некий шорох, какое-то их движение, которое он не сразу уловил. (И некоторое время потом, смотрел ли он «Утраченные грезы» с Сильваной Пампанини в главной роли, где она стоит на лестнице, а ее матрос как-то особенно поджимает ногу, или читал у Хемингуэя его знаменитую фразу: «Как всякий мужчина, я не мог долго разговаривать о любви стоя», он не мог ни видеть, ни читать этого спокойно — все мерещился ему сундук в той прихожей.)

Они оба посмотрели на него спокойно и вроде без замешательства. «Ну что, Лева, — сказала Фаина, — как твоя соседка?» — «Ничего», — выдавил Лева, не в силах побороть в горле спазм. «А мы тут разговариваем, — сказала Фаина. — Там душно». — «А», — сказал Лева. Митишатьев слабо кивнул и только теперь несколько изменил позу, оттолкнулся от стенки и убрал руку, ногу же оставил на сундуке — все у него получилось как бы так, что ему нечего скрывать от Левы: ничего необычного в его позе и не было: могут же два человека, увлекшись разговором, стоять именно так (в наш век нескованных и естественных движений), — думать что-нибудь другое, мол, было бы глупо на Левином месте, и что может быть смешнее неоправданных подозрений... Но Лева думал как раз то самое, а все силы уходили на то, чтобы этого никто не заметил. Но он ощущал, что ничего поделать с лицом не может... «Иду писа́ть», — сказал он тогда, как бы шутя и оправдываясь. «Фу, Лева», — смеялась Фаина, чуть ли не одобрительно. И Лева прошествовал не оборачиваясь. Он постоял некоторое время на кухне, остервенело куря, и вернулся назад. Митишатьева с Фаиной уже не оказалось у сундука.

Они были уже в комнате. «Ну, как ты?» — участливо осведомилась Фаина. «Как, как! Естественно, как», — сказал Лева даже раздраженно. «Да я не об этом... ты что, дурачок, подумал что-нибудь? Это же смешно». — «Я ничего не думаю», — гордо заявил Лева. «Вот и молодец», — сказала Фаина. Подошел Митишатьев. «Может, выпьем? — предложила Фаина. — Позови свою соседку». — «Да ну ее!» — сказал Лева. «Что же так? Нехорошо...» — сказала Фаина. Лева разбудил соседку, она встрепенулась и радостно согласилась. Леве пришлось ей сильно помочь встать с дивана. Выпили. Лева опять оживился, заговорил, все время испытывая неловкость оттого, что розовая соседка висела у него на руке, и неживо топорщил локоть, стараясь казаться отдельным от нее. «Смотри, ей совсем плохо, — сказала Фаина. — Проводи ее». — «Тьфу, черт!» — чуть не взвыл Лева и посмотрел на Фаину с ненавистью.

Фаина

Он повел соседку к дивану, но тот уже был занят: на нем целовались. Он посадил ее на кровать и хотел там и оставить, но она не отпускала его руки. Лева, не способный все-таки на грубость, с тоской сел рядом. Соседка замычала и мягко и ласково приткнулась к нему, терлась головой о плечо. Лева совсем одеревенел. Фаина с Митишатьевым стояли там же, где он их оставил, спиной к Леве. Соседка вдруг застонала и начала мучиться. «Этого еще не хватало», — с тоской подумал Лева, слегка отстранившись. Он увидел ее лицо, открывшийся пухлый рот — она была совсем ребенок. Мучительная, брезгливая жалость к ней подступила вдруг. «Ну пойдем, ну пойдем, — уговаривал он ее, — ну пойдем...» Он тащил ее и тут снова обнаружил, что Фаины с Митишатьевым нет в комнате.

Не было их и у сундука. Он тащил розовую соседку с совершенно белым уже лицом по темному коридору, затравленно озираясь по сторонам, словно мог увидеть Фаину в какой-нибудь щели. Ткнулся в ванную — она была заперта изнутри, из-под двери выбивался свет. Он почти втолкнул соседку в уборную, сам бросился на кухню — там их тоже не было. Снова бросился к ванной — там было по-прежнему заперто. Он даже наклонился, припал к полу, но ничего не увидел и не услышал. «Я схожу с ума», — сказал он себе, поспешно вскакивая и отряхивая колени.

Он вернулся в комнату и бессмысленно озирался, снова ища Фаину как бы в щели. Ее не было. Он обнаружил лишь ее сумочку, приткнутую за настольную лампу. Он схватил почему-то сумочку и с нею выскочил в коридор. В дверях столкнулся с той парочкой, что целовались на диване. Дверь в ванную была отворена, и там теперь никого не было. Он услышал тогда за спиной, как хлопнула дверь на лестницу. Некоторое время стоял в тяжелой растерянности и ничего не соображал. Бросился на лестницу. Внизу были слышны голоса. Сбежал через три ступени вниз. Никого. И во дворе — никого. Ему вдруг показалось, что идет снег.

Он вернулся и в тупости сидел на диване, открывал и закрывал сумку — щелкал замком. Наконец заглянул внутрь: пудреница, огрызок карандаша, платочек... Завязан узелком. Развязал узелок и обнаружил кольцо.

Вспомнил, как она тихо сняла его с пальца. Примерил. Оно не лезло ни на один палец. «Ну и что же, сама говорила, что оно стоит пятьсот рублей[1], — как-то сухо подумал он, — мы можем три раза сходить в ресторан, — прокрутилось в нем безучастно, как в арифмометре. — Что же я могу поделать, раз у меня нет денег...» И он сунул кольцо в карман. Завязал обратно узелок на платочке. Закрыл сумочку. Отнес ее и задвинул за настольную лампу. Отойдя, еще раз посмотрел — точь-в-точь. Уселся ждать, странно спокойный.

«Разве так можно, Фаина! — говорил он мысленно, у него даже шевелились губы. — Разве так поступают люди? Даже если я не прав и зря тебя подозревал, разве можно так измываться надо мной! Чем я виноват? Разве не видно, как человек страдает... Тут и любви не надо — любой сжалится. А ты — как вивисектор. Мне даже представить невозможно, что один человек может другому такое... Да еще любящему. Именно любящему — не Митишатьеву же? Что же ты, Фаина...»

Так он тихо уговаривал Фаину, и она появилась. Подскочила к нему. «Что с тобой, бедненький?» Лева молчал, пощупывая в кармане кольцо. «Мы гуляли. Знаешь, как хорошо на Неве!..» Лева молча поглаживал кольцо. «Ну что ты, глупый?.. Нельзя же быть таким глупым! Ты обиделся на меня? Но как же с тобой еще можно...» — «Ну как же с тобой еще можно...» — повторил Лева. «Пошли отсюда, пошли скорей! Как тут можно находиться! Так хорошо на улице... Светло уже». — «А я думал почему-то, что снег пошел...» — сказал Лева. «Какой же снег в июле? Вот чудак!..» И Фаина направилась к столу, извлекла свою сумочку из-за настольной лампы. Лева с непонятным удовольствием проследил, как она это проделала. Что-то в нем расслабилось, и он вздохнул.

187

---

[1] Масштаб цен до реформы 1961 года. Деньги тогда были другими, большего формата, но меньшего номинала. Так что когда Лева мучился насчет раздобыть 50 рублей, то это не то, что 50 рублей сейчас, а так — рублей 5 по-нынешнему. А вот то, что 5 рублей теперь ни для кого не серьезно, а 50 тогда могло быть очень даже серьезно, — этого уж совсем не объяснишь тому, кто этого не помнит, — время! (Вот секрет возраста, каждым человеком достигнутого: только вспомни все, как было, как следует: даже на день вспять я не хотел бы вернуться!)

И они вышли все втроем.

На улице действительно было прекрасно.

Лева шел, все в нем слегка и высоко звенело, он не чувствовал своего тела и словно даже летел; что-то они говорили все втроем, и Леве казалось, что что-то все время несильно вспыхивает рядом, — он даже поворачивал голову проследить эту вспышку, но там ничего не вспыхивало, а вспыхивало еще рядом, еще немного в стороне... Время от времени он с испугом ощупывал кольцо; оно же — никуда не девалось, было на месте. Он вздыхал с облегчением, немножко гладил его, и вспыхивание становилось ярче. «Как Аладдин...» — вдруг сказал он вслух. «Что — как Аладдин?» — спросил Митишатьев. «Шпиль, — сказал Лева, поспешно выдернув из кармана руку, и именно ею показал на знаменитый золоченый шпиль, что был через реку. — Его хочется потереть суконкой, и все тогда пройдет...» — «Это, я тебе скажу, образ...» — сказал Митишатьев. «О чем вы?» — сказала Фаина.

Потом они долго прощались у дома Фаины, словно выжидая, кто первый пойдет домой, а кто останется. Лева молча и терпеливо ждал, разглядывая три выбитых кирпича (они как раз были на уровне его глаз), и наконец они расстались все сразу: Фаина вошла в свою парадную, они же с Митишатьевым пошли вместе.

Лева испытывал облегчение и радость, и это странное вспыхивание вокруг при каждом шаге еще усилилось. Они шли к трамвайной остановке, подозрения спадали с Левы, как душные одежды, и в сердцевинке, голенький и чистенький, окруженный лишь вспыхивающим белым светом, оставался Лева — ядрышко, зернышко!.. — вдыхал всей грудью, слушал звуки и запахи, и отчетливо зажигались для него звезды; у остановки уже совсем светлело, Митишатьеву еще два шага — и он дома; они дружески, открыто пожимали друг другу руки, и Лева вспрыгнул на подножку первого утреннего трамвая...

ФАТАЛИСТ

(Фаина — продолжение)

— Вы нынче умрете! — сказал я ему. Он быстро обернулся, но отвечал медленно и спокойно:
— Может быть, да, может быть, и нет...

Он ожидал услышать с порога про кольцо, но Фаина была весела, неожиданно ласкова и приветлива, и он удивлялся. Пусть он немного подождет на лестнице, а она быстренько оденется, и они пойдут гулять. Он ждал.

И тут же появилась Фаина, и на ней не было лица. «Что с тобой?!» — воскликнул Лева, чувствуя, какой он бездарный актер. Через минуту он уже раскаивался в содеянном — никогда еще не видел он Фаину в таком неподдельном горе! Его любящее сердце обливалось кровью. С радостью вернул бы он сейчас ей кольцо и утешил, но все в нем сжималось от страха, лишь представлял он себе это свое признание... Фаина его прогонит сразу же, и никогда, никогда больше не увидит он ее! «Хорошо, ну не плачь же, я куплю тебе другое! — говорил он, как в сказке. — Не простое, а золотое... Может, не такое дорогое... Но это будет м о е кольцо. Тебе ведь дорого само кольцо, а не то, что оно от н е г о?..» — спрашивал он с испугом и надеждой, уже умиляясь возможному счастью: его кольцо — его тогда навсегда и Фаина. «Конечно же само кольцо! при чем тут, что от него!..» — очень прямо сказала Фаина. «Ну, тогда будет, будет тебе кольцо! — с восторгом сжимая ее суховатые руки, говорил Лева почти плача. — Только не расстраивайся, только не плачь!» Фаина вдруг очень быстро успокоилась. «Правда, значит, ты купишь?» — «Правда, правда», — говорил Лева, чувствуя, что вместе с ней успокаивается и сам, и даже огорчаясь, что она так быстро успокоилась. «Ну что ж, продам это и куплю другое... — почти равнодушно уже думал он. — Раз уж так...» — «Ты знаешь, — говорила Фаина. — Можно купить кольцо сравнительно дешево... За двести, даже за сто пятьдесят рублей, если поискать... И тогда уж мы будем обвенчаны...» — сказала она; поцеловала его нежно, как она это умела.

Лева опять растаял и остался ждать, пока она соберется. «Ну что ж, — рассуждал он. — Продам это, куплю другое, дешевле, и у меня еще останется, и мы сможем раза два сходить в ресторан. Не два, а три, — опять сухо, как в арифмометре, прохрустнуло в его голове, — какая разница. А то, что я ей куплю кольцо, так это мне еще вознаградится, — так ужасно он думал. — Поймет наконец, как я ее люблю. Знает же, как трудно мне достать денег...»

190[В скупочном пункте приемщик повертел в руках кольцо и сказал: «Пятьдесят рублей». — «Нет, пятьсот!» — чуть не закричал Лева. «Нет, не может быть! Жулик, ну, конечно, старый жулик!»

И он мчался в другой пункт. В другом пункте был уже не приемщик, а приемщица; она бросила кольцо на весы, такие точные весы («Ну конечно же, тот был жулик, — радостно подумал Лева, — даже не взвешивал!»); приемщица тщательно, без конца подталкивая нежную гирьку, взвешивала, потом щелкала на счетах — у Левы все сжалось и замерло внутри. «Сорок девять рублей», — наконец сказала она.

Он остолбенело стоял, держа перед собой кольцо, и оно тускнело на глазах. «О господи! медяшка!» — воскликнул он и в сердцах чуть не выбросил в урну, но что-то вдруг, какая-то неясная мысль остановила его, он увидел, как с любопытством смотрит на него приемщица из своего окошка, зажал кольцо в кулак, кулак засунул глубоко в карман и, резко повернувшись, быстро вышел.

Узкое, длинное, пустое небо проспекта уходило вдаль. Ни одна птица не пересекла эту полосу, сколько он ни смотрел. Именно почему-то — хоть бы птица пролетела... Понял Лева, что у него никого нет. Ни отца, ни друга... Почти счастье — такое горе...

Именно это чувство привело его... ноги сами пришли... случайно его бесцельный путь пролегал мимо... и не заметил, как оказался в этом подъезде, на этой площадке... дернул на себя медную надраенную пуговицу... В глубине старинно звякнул колоколец. Дядя Митя открыл сразу, будто под дверью стоял, небритый, в шали, без зубов. «Не дам, — сказал он через цепочку. — В долг — не дам».

Лева еще походил по магазинам, просто так, чтобы время шло, — приглядывался к кольцам: разбить витрину, попросить показать, вырвать... и — бежать, бежать! Он успевал прежде, чем они спохватывались... Сердце его стучало над прилавком. Кольца все были очень дорогие, даже за двести-то не было. А откуда же у него хотя бы и двести? А кольца действительно в основном стоили пятьсот и дороже. Фаина была права, Фаина правильно лгала... Вдруг неотчетливая та мысль, по которой он кольцо все-таки не выбросил, как-то вывернулась в его мозгу и стала такой ясной, что Лева чуть не подпрыгнул, во всяком случае, воскликнул нечто невнятное, вроде: «О-ля-ля!» Какая-то злость и даже торжество шевельнулись в нем.

Когда он пришел к Фаине, идея уже настолько владела им, что он не мог затягивать игру, придумывать какую-то мерку, которую должен снимать с ее безымянного пальца... а прямо приступил к делу, уже не заботясь о том, чтобы все было правдоподобно. Он все еще ощущал непонятную, непривычную в себе силу и злость.

«Дай мне свою руку», — сказал он Фаине. Фаина несколько удивилась непривычному его тону, но, как-то сразу подчинившись, руку дала. «Закрой глаза», — приказал он. «Ой, миленький! — вдруг догадалась Фаина. — Неужели!.. — И она бросилась ему на шею. — Но как же ты смог?..» — «Закрой глаза, — повторил он, — и не смей открывать, пока я не скажу». — «Хорошо», — покорно согласилась она. «На каком пальце ты его носишь?» — спросил Лева, вдруг сообразив, что этого-то он не помнит. Фаина отогнула безымянный. Кольцо наделось легко, как того и следовало ожидать. «Теперь можешь открывать», — сказал Лева.

Фаталист (Фаина — продолжение)

Он все еще держал ее руку в своих так, что кольца не было видно. «Ой, Лева, в самый раз!» — восклицала Фаина, блаженно пошевеливая в его руке пальцем. Никогда Лева не видел у Фаины такого самозабвенного, такого счастливого лица. Она подпрыгнула поцеловать его и попала как-то неловко, мимо, не то в нос, не то в глаз, не то в лоб. Лева почти ненавидел ее.

«В самый раз! — воскликнула она, и Лева отнял руку. — Как ты сумел...» — Фаина осеклась, вглядываясь в кольцо. Такого лица, пожалуй, Лева тоже никогда у Фаины не видел... Огромное расстояние пролегало между первым и вторым лицом — оно было преодолено мгновенно, со скоростью того света, который пробежал по нему. «Где ты достал это кольцо?» — спросила Фаина другим голосом.

«Купил», — спокойно сказал Лева. «Где?» — «С рук», — сказал Лева. «Это мое кольцо», — сказала Фаина. «Не может быть», — сказал Лева, леденея от неизвестного ему удовлетворения. «Мое. Я знаю свое кольцо», — сказала Фаина. Жизнь, казалось, вовсе исчезла из ее лица. «Неужели ей так больно узнать, что это сделал я?» — почти удивился Лева. Словно у нее ускользнула почва из-под ног и она уже пошатнулась упасть — такое было у нее лицо.

«Оно не может быть твое. Сколько стоило твое?» — спросил Лева. «Пятьсот», — механически, тускло отвечала Фаина. «А это я купил за сто, — сказал Лева, — и то переплатил вдвое. Я потом оценил его — оно стоит на самом деле пятьдесят». Фаина молчала. «Не веришь — пойдем проверим», — уже пережимал в своем торжестве Лева.

«Я не хочу, — сказала Фаина, и лицо ее даже слегка оживилось. — Я не хочу носить кольцо, которое уже кто-то носил». Лева чуть растерялся. «С чего это ты взяла, что его кто-то носил?» — «Это сразу видно». Лева растерялся еще больше. «Ты бы сама походила по магазинам — увидела бы, что дешевых колец вовсе нет. Откуда бы я взял такие деньги? Мне еще повезло, что я на это-то натолкнулся». — «Все равно я не буду носить чужое кольцо! — настойчиво, еще более оживая и воодушевляясь, сказала Фаина. — Новое я бы надела, потому что это было бы твое кольцо, от тебя... а это — нет».

И Фаина стянула кольцо с пальца и протянула Леве, отсутствующе на него глядя. Лева потупился, цепенел, с силой сжимал кольцо, словно желал раздавить его... И опять что-то спасительно вспыхнуло в его мозгу, он не успел даже четко понять что. «Ах так! — вдруг вскричал Лева. — Ну так мне оно тоже не нужно. Никому оно не нужно!..» И он размахнулся с неестественной силой и подбежал к окну. Рука его уже летела в замахе, и он все сильнее сжимал кольцо, чувствуя, что никогда не сможет действительно его выбросить... Вдруг он почувствовал, как Фаина вцепилась в его руку, — обернулся, взглянул высокомерно: что, мол, еще такое? Так он обернулся, все еще замирая от сладчайшей ненависти, столь заполнившей пространство горькой его страсти, поражаясь этому мгновенному равенству, с колечком в занесенной руке... «Не надо, — сказала Фаина. — Отдай его мне...» — сказала она тихо и покорно. И Лева подавил облегченный вздох.

Много позже, когда все, так сказать, быльем поросло, Лева взглянул однажды на ее кольцо (Фаина теперь никогда не снимала его) — и вдруг все ожило и завертелось перед его глазами, воскресло и ощущение того вечера с Митишатьевым и всех последовавших дней... Так сильно, так точно это ощущение вспомнилось, как бывает иногда от забытого запаха или музыки. (Они ехали в стареньком трамвайчике, на последней площадке, по окраинному пустырю, и перед тем, как в д р у г у в и д е т ь кольцо, Лева долго смотрел на рельсы, убегающие из-под вагона в этот пустырь...)

Лева вдруг все это так вспомнил, что не удержался и спросил (а они никогда с тех самых пор обоюдно не заводили разговора об истории с кольцом, а тут он спросил): «Слушай, Фаина, сколько стоило твое бывшее кольцо? Скажи правду...»

Фаина удивленно, недоуменно на него взглянула: «Почему бывшее? Всегда это и было. Оно стоит пятьсот рублей».

«Нет, оно стоит пятьдесят», — настойчиво сказал Лева.

«Ну да, — сказала она, — в новом масштабе цен оно стоит пятьдесят».

(Примечательно, что после истории с кольцом у них был, пожалуй, самый продолжительный и мирный период их отношений. «В настоящем-то смысле, все науки — естественные, — подумал по этому поводу Лева, — и филология...» И возможно, именно тогда отправился на поклон к деду. Впрочем, не придавая этому шагу столь уж большого значения...)

Фаталист (Фаина — продолжение)

АЛЬБИНА

— Или вы меня презираете, или очень любите! — сказала она
наконец голосом, в котором были слезы... — не правда ли, —
прибавила она голосом нежной доверенности: — не правда ли,
во мне нет ничего такого, что бы исключало уважение...

194[Во всех выяснениях отношений, особенно если
они давно уже выясняются и обрели свою периодичность,
свой ритуал и ритм, как бы сложны и разработаны ни были
надстройки обвинений и доводов, участников интересует,
в принципе, один вопрос: кто начал первый?

И положа руку на сердце, на которое он в эти моменты ее
сценически клал, трясясь от отчаяния, Лева, что совершенно естественно, был убежден, что — Фаина и только Фаина,
что он — даже вот на столечко!.. а она... Да что тут говорить,
вопиющую несправедливость ее упорства мог снести только Лева, любой бы другой на его месте... «Ну ладно, не он
первый, не он последний, сам факт еще можно пережить... — говорил он, — но вот эта стена лжи, о которую он
бьется, она-то за что?! это же сойти с ума! Именно, что она
хочет свести его с ума... Ведь что такое "правда", Фаина?
Правда — это хирургия, операция: ты лишаешься чего-то,
но и выздоравливаешь... Все еще будет хорошо у нас...
но для того, чтобы оставить прошлое в прошлом, надо там
оставить в с е. Понимаешь, ВСЕ!..» О господи! Он-то выдержит, он все ради нее выдержит... но — сердце!

Раздел второй. ГЕРОЙ НАШЕГО ВРЕМЕНИ

Это действительно подлежит удивлению, как выдерживает наше бедное сердце! Оно — выдерживает. Всякий раз.

Но если бы он действительно положил руку на сердце, вернее, если бы он мог положить сердце на руку, то там, на дне его, в еле угадываемой сосудистой перспективе, таилось что-то такое маленькое, неразличимое, самое страшное, на что бы он никогда не согласился, в чем бы он не сознался ни под какой пыткой, будто здание его неопровержимой правоты, возводимое в лесах логики по типовому проекту ссоры, было единственной его недвижимостью, обеспечивающей какое ни на есть продолжение их жизни... одна спасительная опора — была его правота, единственный берег в океане ее предательства... Но там, на донышке, которого он не приближал и не разглядывал, потому что уже знал, что́ там, — там он не знал, кто́ же первый. Конечно, Фаина — та была действительно глубоко грешна, а он — так, пустяково, неблагодарно, не в счет, но все-таки... если помнить об этой ерунде, позиция его начинала зыблиться и заваливаться...

Несомненно, что Лева любил Фаину. Даже если поставить под сомнение «истинность» его чувства, то хоть и в «неистинном» — он любил ее всегда. Даже тогда, когда ее в помине не было (еще в школе он дружил с Митишатьевым...). Но однажды (пусть это звучит как в сказке) и Фаина любила Леву. Не то чтобы любила, но так, в общем, сложилось или получилось. Возможно, это тот самый «мирный» период, которым завершилась история с кольцом... Вернее, что просто некий промежуточный был период у Фаины, может, и не любовь — просто ничего другого не было, так что Лева, прекрасно это чувствуя (все мы прекрасно это чувствуем), был спокоен и мысли о том, что любая уверенность оплачивается у него последующей неуверенностью, куда более мощной, не допускал, как и всякий живущий. Тут и вся разница: одни получают уверенность как бы в награду за предыдущую неуверенность, другие получают неуверенность в наказание за предыдущую уверенность. Впрочем, все это неразделимо и едва ли различимо и все это вместе. Короче, Лева был спокоен, но, как это ни странно (быть может, одному Леве это и странно), того ров-

Альбина

ного и бесконечного счастья, какое могло бы тут померещиться, вовсе не произошло, а возникла просто некая пустота, приправленная некоторой сытостью и самодовольством, которые, возможно, и не суть, а лишь форма той же свойственной людям Левиного типа растерянности, когда неизвестно, как тут быть. А им всегда это неизвестно, только иногда это страдание, а иногда — сытость. Лева очутился супротив возникшей перед ним пустоты удовлетворения и — то ли был растерян, то ли сыт.

Тут и появляется Альбина, как возможность. Хотя Альбина, с точки зрения Левы, никогда бы не уязвила Фаину, измена с ней ровным бы счетом ничего не значила и никакого равновесия установить не могла. Если Лева и обращал иной раз внимание на женщин, то только как бы с точки зрения Фаины, только на тех, кого Фаина могла бы счесть своими соперницами (так мы усваиваем вкусы противника и начинаем насвистывать «Розамунду»).

Однако именно Альбина. Она была бедная девушка, и Лева очень стыдился своего долга (которого так никогда и не отдал). Они встретились снова на дне рождения дяди Мити. Лева был удивлен, увидев у дяди Мити Альбину. (Приглашая его, Диккенс сказал: «Только без своей бабенки», — он не любил Фаину, и только ему Лева прощал это.) И еще был удивлен Лева, отметив особую предупредительность и галантность Диккенса в разговоре «с этой молью». Это-то и заставило Леву обратить на нее некоторое внимание. К тому же он поднавлег на «Митинку», в жилах его загудел ржавый чифирок. Дядя Митя, продолжая любоваться своей гостьей, достал даже какую-то репродукцию Гирландайо и всех приглашал отметить сходство. Тут-то Лева и имел неосторожность пожать под столом руку бледной Альбины. Некоторое время он мял ее нежную ручку, и она не отбирала.

Лева и думать наутро об Альбине забыл — только голова трещала. А она не забыла. Она звонила ему без конца. Лева, к стыду своему, вспоминал, как жал ее руку и договаривался о встрече. Она звонила об этой самой встрече. И голос в трубке был такой, что и отказать он не мог, ни тем более согласиться. Он очень ругал себя за это. Он вспоминал дядю Диккенса — вот это мужчина! это джентльмен... Этот бы никогда не постеснялся за ближнего. Как он вчера был предупредителен с нею!.. Но даже пример дяди Диккенса не вдохновлял его.

(Пора признаться себе, нам очень хочется, чтобы именно в этой части впервые объявился дядя Диккенс! Как вариант деда, вместо деда — он бы очень подошел и очень украсил (на роль лермонтовского Максима Максимыча...) Тем более именно его воспринял Лева в красках юности и таким запомнил... Но — поздно. Мы истратили дядю Митю в первой части, другого такого у нас нет. И все-таки он необходим именно в той части, чтобы уравновесить некрасоту деда. Он там «нужнее» (как бы он отнесся сейчас к этому словечку!..). Он ведь всегда там, где кому-нибудь нужнее (чем ему): Леве, стране, мне... Он всегда и покорно там — с бедной гордостью на лице.)

В общем, Лева не хотел идти на это свидание. То ли застенчивость Левина (раздельное обучение), то ли Фаинины вкусы (что скорее) невольно выражались в этом внутреннем хамстве, но, во всяком случае, ничего он поделать с собой в этом отношении не мог: не столько останавливало его то, что свидание это ему было нисколько не нужно, сколько необходимость встретиться и быть вместе с Альбиной на людях. Хотя она отнюдь не была некрасива. Было в ней что-то... И еще что-то, как говорится, хорошее и чистое: врать она не могла, к примеру, — но вот Леве в высшей степени были безразличны эти ее столь редкие достоинства, в том числе и ее внезапная преданность, столь вроде бы ничего не требующая от него... Не мог он с ней появиться на людях, хоть тресни. Но доброе его сердце каждый раз не только раздражалось, но и обливалось кровью, как только он слышал в трубке ее голос, ее старательно спрятанную и оттого столь очевидную мольбу. Он бы с радостью уже согласился... Он уже уговаривал себя: мол, и лицо у нее ничего, и одета она со вкусом, что это только он ее так стесняется, другие — нет... а ведь об уме, сердце, всяких внутренних качествах и говорить не приходится — полный идеал. Но было, тут Леву можно понять, в ее отнюдь не безобразном лице нечто, выдававшее подвластность тому же механизму, к которому столь страдательно до сих пор был причастен сам Лева. Она была как Лева, — вот в чем дело. Только Лева был уже не тот... И он пошел наконец на это свидание.

Альбина

Была кромешная, слякотная, с ветром, погода — выбрал же! — они сразу свернули из центра на безлюдные боковые старые улочки, темные почти совсем. Это Лева свернул, сказав так, что не переносит толпу, что ему просто дурно делается. Он, в данном случае, и не врал: ему действительно почти делалось дурно от кажущегося внимания толпы к нему с Альбиной. (Может, это был все-таки страх встретить случайно Фаину?.. Хотя Лева и верил математике: вероятность этой встречи в большом городе так мала... Но и эта вероятность могла его испугать.)

Они свернули в эти улочки, здесь Леве было холодно, но хотя бы темно и людей не было. А она ему в рот смотрела, что бы он ни говорил. Говорил, что толпы не выносит, — так и принимала, соглашалась охотно. Она все как бы ждала (это Лева прекрасно чувствовал), чтобы он напомнил о том вечере, что все это не просто так, что он жал ей руку, а раз непросто, то чтобы пожал еще раз и чтобы дальше все пошло развиваясь. Но Лева старался не замечать этого молчаливого требования, говорил какую-то скуку о своей работе запальчивым голосом: как бы его сегодня очень разозлили, и у него все с ума не идет. Он как бы не замечал, как она снова и снова протягивала ему свою мольбу (хотя только ее и видел), ему было очень нехорошо, стыдно, неловко — никогда он себя таким мерзавцем не чувствовал, что вот не в силах ответить на чувство столь абсолютное...

Альбина же все равно ему в рот смотрела, хотя и не слышала ничего. Только вот у нее все шнурки развязывались. Она краснела, жалобно просила прощения и начинала их завязывать: от желания проделать все поскорее принимала такую неловкую позу, что завязывать их и вовсе становилось невозможно. Лева же стоял над ней, суетливо торопящейся, ничего не могущей поделать со стынущими на этом ветру руками, молчал, злой дебил... — да и что он мог сказать, весь искореженный стыдом за ближнего и стыдом за этот стыд! И не дай бог проходил прохожий, одинокий в этом пустом переулке, оттого непременно было ему необходимо оглянуться и посмотреть с любопытством...

Альбина распрямлялась наконец.

Они шли немного дальше, шнурки ее снова развязывались, снова все повторялось — она стояла, скрюченная на ветру, без конца теряя равновесие, суетливо от поспешности путаясь в шнурках и от отчаяния уже, по-видимому, вовсе забывая, как она это всю жизнь проделывала: левую петлю на правую, правую на левую?

А погода была — ужас что за погода! Альбина в пальтишке своем уже ходила крупной дрожью и тоже ничего не могла с этим поделать, как и со шнурками. А Лева был почти счастлив, что погода именно такая, что она как бы кладет естественный предел, и он стал уговаривать ее: она так продрогла, еще заболеет, так не повезло им сегодня, лучше в следующий раз, когда погода будет не такая, — непременно в следующий раз, обещал Лева. Альбина же говорила, что сама не понимает, почему дрожит, потому что ей тепло. Это у вас, наверно, жар уже, лихорадка, говорил Лева, и как жаль, что все так вышло...

В общем, с помощью погоды все еще как-то обошлось сравнительно недолго, и Лева, собрав последнее мужество и терпение — довести ее до дому, лишь только хлопнула за ней дверь парадной, — уже летел как из пращи, ощущая легкость необыкновенную, чуть ли не счастье даже, хотя бы и постыдное. Он так быстро вылетел за поворот, что Альбина, тут же отворившая снова дверь парадной, чтобы что-то у Левы еще спросить или выяснить, никого уже не увидела на этой пустой улице, лишь ветер залепил ей лицо мокрым, тяжелым снегом...

А Лева летел назад, к Фаине, пел даже от радости и клялся себе, божился, что никогда больше на такую жуткую штуку не попадется: кому же приятно ощущать себя скотом?

Однако, вернувшись, он не застал Фаины. Он ждал ее, ждал — она же куда-то делась, неизвестно куда, не оставив даже записки, не предупредив. Собиралась же весь вечер быть дома?.. И не звонила даже. Впрочем, был уже час ночи, объяснял он себе, и она боялась разбудить соседей...

Лева не спал ночь. Так вот — возмездие! Фаина появилась даже не рано утром, а в первой половине дня. Какая-то фантастическая история, тут же с порога, была предложена дрожащему холодной дрожью Леве, вместе с поцелуем в лоб (для чего Фаине пришлось сильно привстать на цыпочки, потому что Лева, стараясь быть каменным, холодным, невозмутимым, головы не нагнул; впрочем, Фаину такой его вид никогда не пронимал).

История была о том, как в Левино отсутствие совершенно внезапно пришел ее старинный приятель и предложил покататься: машина ждет внизу... (Она же знала, сказала Фаина, что Лева сам пошел на свидание, хоть он и старался скрыть, но он же все равно этого не умеет, пусть и не пытается никогда, так она и решила, что почему бы и ей тоже не...) В общем, они поехали за город... нет, они не были вдвоем, был еще приятель приятеля, тоже доцент, он-то и вел машину, потому что ее приятель еще не получил прав... Такая красота! — тут все тает, а там елки в снегу, настоящая зима. Они приехали на дачу, нет, не ее приятеля, а приятеля приятеля, тоже доцента, там поужинали... ну да, выпили немного, она почти не пила... сейчас, погоди, тут-то все и начинается... приятель приятеля, тот, который должен был вести машину, вдруг напился, совершенно напился, и они не могли выехать... что же они делали всю ночь? играли в карты, в кинга... можешь мне поверить, никогда такой тоски не было... да, играли... ты что думаешь, я не знаю, что в кинга вдвоем не играют? втроем играли... ну и что ж, что пьян, играть-то он мог... да и не в этом дело — бензин кончился, да и не в этом дело — машина сломалась, ах, отстань, пожалуйста, не приставай!..

Лева обнаружил на руках, груди, шее такие следы, что — какой там шофер! Фаина еще слегка попуталась, поплавала, но и Лева был ловок ловить в этой мелкой воде. С его обостренной логикой насчет Фаины он быстро припер ее к стенке, и она, с неожиданной, мучительной легкостью, созналась во всем. И сознавшись, к Левиному несчастью, уже ничего не врала. У Левы мигом выскочили рога, причем если бы она хоть соврала с кем, а то с лучшим другом Митишатьевым, и чуть ли не сам Лева виноват: откуда она знает, зачем Лева пошел на свидание? да, если хочешь знать, из ревности... Господи, во что обошлось Леве его свидание!

А потом началось, поехало: сколько раз, да раздевались ли?.. Конечно, это был не Митишатьев... Ах, какая тебе разница, кто он... не все ли равно! Ну, один раз, и не раздевались вовсе. Так он и поверил, ха! Ну уж, и разделись! да, догола, а что же терять было уже? Ну и пусть Митишатьев...

Пьяна была, вот и вышло так. Ах, отстань! Истинно он про тебя сказал: ...страдалец! Да нет же, не он... Сам сволочь!

Оставим их.

Лева удалился на пустую дачу пестовать свое горе. Фаине, в общем сильно его жалевшей, сказал, что не может никого видеть и хочет остаться один. Отцу — что надо срочно завершить одну работу. Сам же пребывал там в жутком слюнтяйстве и маразме, раскладывал без конца какой-то тупой пасьянс, единственный, какой знал, и пил. Тут и навестила его Альбина. Ей сказали по телефону адрес (Фаина, что ли?)... да, женский голос.

Альбина привезла ему какие-то дурацкие пастилки в шоколаде и бутылку кислого вина. Лева холодно и тупо погасил свет. И странно ничего не чувствуя, ничего, кроме власти, именно о в л а д е л Альбиной. Будто разглядывал себя сверху, будто висел под потолком и мстительно наблюдал механический ритм покинутого им тела... И лишь повторял на жаркие ее расспросы, полагая в этом некую свою честность, что нет, он не может врать, он ее не любит, то есть любит как человека и очень хорошо относится, но — не любит.

Утром Альбина заспешила на работу, робко пытаясь разбудить его: у него сна ни в одном глазу не было, но он мычал, как бы не в силах проснуться, и глаз не разлеплял. Она, из нежности, не стала будить его, раз он так крепко спит. Нацарапала какие-то свои теплые и жалкие слова на коробке от пастилок и, в последний раз погладив его дрожащей рукой и пролепетав что-то вроде «ласточка моя», отчего Лева покраснел безумно, хотя уже и храпел для убедительности, — ушла наконец.

Лева сел на кровать и завыл. Это именно то слово, без всякого преувеличения. Выл он долго: сначала от души, потом с удивлением к собственному вытью прислушиваясь, потом уж вовсе просто так, от отупения. «Вот тебе и пастилка! Ну и сволочь, — сказал он себе равнодушно. — Что ж такого?» Быстро собрался он и с дачи съехал. В пустой электричке выпил маленькую и проспал всю дорогу.

Он знал, что он сделал это после Фаины. Да и разве мог он считать свою измену изменой?.. Но и ее было достаточно, чтобы все сдвигалось, колебалось. Он теперь не был аб-

солютно чист: хотя бы — поперся ведь на это свидание?..
И как бы это теперь ни объяснялось, абсолютной правоты
уже не выходило — все это было как бы несущественно для
следствия... и тогда открывалось второе донышко, а там,
в глубине глубины, что еще могло таиться? Там таилось настоящее головокружение: Лева не был теперь уверен
и в этой последовательности. В этот раз — да, он пошел на
свидание, которое заведомо не могло привести к измене.
Но вот почему же он все-таки на него пошел?.. Был, кажется, все-таки был один незамеченный, вернее, не отмечен-
ный им эпизод, почему Альбина и могла для себя остаться
в недоумении и проявлять свою настойчивость. Он, конечно, не мог считать (тем более!) тот растаявший факт фактом. Он списывал и этот факт, но там уже воспалялось другое забытое, и это была снова Фаина: неужели уже тогда?!
Он ведь так и не знал, куда она еще и в тот, и в тот раз пропадала, к какой подруге ездила на дачу?..

«Да что ты говоришь! что говоришь!.. — восклицала в этом
погружении темы Фаина. — Да в самый первый вечер, когда
мы познакомились, тебе нравилась другая! Будто не помнишь?.. Стелла...» — «Какая еще Стелла!..» — взревел Лева.
«Голубенькая такая... — И Фаина так ловко ее передразнила,
что Лева не мог не усмехнуться, не вспомнить. — Ты же тогда
к ней к первой полез!» — «Ну уж...» — опешил Лева, поль-
щенный ее ревностью, и Фаина снова была — родной.

«Так что вот так вот, — думал Лева. — Вплоть до Евы
(и Ева изменила Адаму до того, как стала его женой),
до первородного греха... Дрожит, как элементарная частица, все дробясь и не уничтожаясь... Есть ряд АБ, АБ, АБ,
АБ... Измена А, следом измена Б, измена следом опять А,
опять Б — такая цепочка... раз начавшись, тянется. Опустим первое А, и получится: БА, БА, БА... Какая разница, если ряд в бесконечность уходит?» Так математично рассуждал филолог Лева Одоевцев, тяготея к естествознанию.

«Ну и убирайся!» — сказала Фаина. «Почему это я —
убирайся? — ядовито цедил Лева. — А не ты — убирайся?»
Эти слова звучали в их жизни не в первый раз, и каково же
было Левино удивление, когда он нашел вместо Фаины
лишь маленькое, на редкость ласковое письмо. Она ушла.

«Не пытайся меня разыскать» — и все такое. Лева рванулся, но на Сахалин все-таки за ней не поехал.

Дня через три он очнулся. Он шел в этот момент по Невскому, вечереющий проспект как-то особенно отчетливо лоснился после дождя: зонты, автомобили, асфальт, сытое шуршание шин, красное вспыхивание и повизгивание тормозов, — будто видел он все сквозь подсыхающие последние слезы и будто все это мчалось, притормаживая и объезжая его... Он не чуял под собою ног, задирал голову в выполосканное, пересиненное небо и понимал, что он жив, жив!.. Это ни к чему, ни к какому помыслу не относилось: он был жив, потому что дальше его горю двигаться было некуда, он стоял на вершине его и с легкостью смотрел вниз на окружающее и предстоящее пространство жизни. И он вдруг ожил и зажил, зажил — ровно, мерно... будто в прошлом, в пропущенной им более ранней жизни, словно до войны, до революции даже... Тихо, не убыстряясь и не медля, уходил день за днем, и Лева все успевал. Матушка не нарадовалась: Лева — работал, писал, без труда сдал экзамены в аспирантуру... И не заметил как. И всего-то — месяц прошел.

И так вдруг, так внезапно! — умирает дядя Диккенс. Вот горе! Леве дается подумать о том, как ненасущны его личные дрязги, какое это все не то, как мелко и стыдно — перед лицом этой, на букву С...

...Лева увидел Альбину в церкви, на отпевании, и был поражен. Он ничего не подумал, не вспомнил неуместного, он не сказал про себя, как ей к лицу этот черный шарфик... но именно этим был поражен. Когда ему пришлось неопытной рукой кинуть в яму горсть песка, он заплакал. Все тут же и кончилось: маму, быстренько и деловито, как бы скатав, свернув в узелок пустого пальто, увел отец, почему-то мимо Левы, почему-то даже показав ему молча, ладонью, за ее спиной — не подходить... Леву взяла под руку Альбина.

Всю дорогу с кладбища они прошли пешком. Альбина замечательно говорила о Диккенсе. Лева удивлялся: он тоже почти так думал, но слов таких у него не было. Оказалось, они были не просто знакомы, а дружны с Альбиной — об этом Лева понятия не имел. «Он был очень одинок, — сказала Альбина. — У него совсем, совсем никого не было. Все е г о «погибли». Кое-каких подробностей даже Лева не знал... «Может, ему там будет лучше, — сказала Альбина, — там н а ш и х больше». Как-то хорошо она это простое соображение сказала, как-то особенно, будто имела на него право.

Она имела в виду своего отца.

Его фотографию, висевшую над тахтою, Лева разглядывал утром, лежа рядом с пустой промятой подушкой и откинутым уголком одеяла... Белое, расстрелянное лицо близоруко-чисто смотрело сквозь пенсне на смятую половину постели, где только что лежала его дочь. Он был подданный государства Литвы, строитель, возводивший свои сооружения в Париже и Берне, европейское имя, затерявшееся после войны в просторах Азии... В сумрачной глубине квартиры звякнула чашка, вспорхнул халат... «Ты проснулся?..»

...Фаина для Левы всегда была одна не только потому, что единственна, — вокруг нее никого не было. У нее, как и у Альбины, не было отца, но, кажется, — вообще его не было. Засмущавшаяся же ее мать, приехавшая из Ростова (на Дону), — куда-то тут же пропала, будто Фаина ее спрятала. Мать была толста и черномяса, двух слов не связала... Лева с еще пущей нежностью прижимал к себе тогда — одинокую, безродную красоту Фаины. Лишь один раз видел он на улице ее бывшего мужа, тенью которого (богатство, успех у женщин...) бередила она Левину ревность, и Лева, с некоторым даже разочарованием, успокоился: разве что богатство... Муж был старый и некрасивый. Даже по этим застаревшим, застрявшим в лексиконе Фаины по отношению к прошлому (до Левы) провинциально-девичьим меркам — Лева был лучше. Такие оседания образа для Фаины были недопустимы. Образ этот не мерк лишь с глазу на глаз. Вокруг Фаины — не было никого.

Альбина никогда не была и не бывала одна: она была с легендами об отце; с сохранившей и в бедности какой-то заграничный жест богатства мамой (Леве нравилось ее лицо, нравилось проявлять молодые черты сквозь «следы былой красоты»); с фотографиями вилл и бабушек; с кошкой Жильбертой и устройством ее котят, с быстро возросшими «общими» воспоминаниями: соседство школ, дядя Диккенс, Левины идеи и «замыслы»... Ее «прошлое» было предложено Леве тут же, как бы все без остатка: муж, за которого она вышла без любви (ни одного дурного слова о нем), интеллигентный, мягкий человек, они разошлись по ее воле (получалось — после того свидания с Левой...), муж просил, хотя она уверяла, что все кончено и не может быть, просил еще некоторое время подождать с разводом: готов вернуться по первому ее зову... — все было рассказано, как бы чтобы и не поминать об этом. («Все жены — вдовы», — как сказал однажды дядя Митя.)

Лева был молчаливее. Он покойно лежал рядом с Альбиной на спине, разглядывая на потолке призрачный оконный переплет, с нечеткой сетью забалконной дворовой листвы, и бесстрастно думал о Фаине... Ведь вот что получалось: он никогда ее не видел, не понимал, не чувствовал: она была не человек, а предмет... ну да, «предмет страсти»... как точно! Ах, слова!.. (Лева любил слова.) Пред-мет. Только рядом с Альбиной начинал он что-то понимать и видеть. Ведь ясно: Альбина тоньше, умней, идеальней, интеллигентней, сложнее... а вся — понятна и видна Леве, р е а л ь н а. А Фаина? — груба, вульгарна, материальна и — совершенно нереальна для Левы. Реальна была только его страсть, ведь и Лева переставал ощущать себя реальным в этом поле. Но он, хоть и не понимал ничего, даже и себя, в отношениях с Фаиной, — однако мог быть уверен, что знает про себя в с е. Про Фаину же — ничего. Только ряд бестолковых, редко даже когда ему помогавших навыков в обращении: сейчас не стоит к ней подходить... сегодня пора уже изобрести какой-нибудь подарок... этого надо не заметить... эту прическу надо особенно расхвалить («Какой ты внимательный и милый!..» — вдруг въявь слышал он ее голос — и оборачивался с сердцебиением). «Что с тобой?» — спрашивала чуткая Альбина. Лева стонал и, выдавая грубость за страсть, привлекал ее к себе.

Она неистовствовала и исходила в его руках, чужая любимая жена, но при чем тут она и при чем тут Лева? — это Фаина выкручивалась в руках Митишатьева, и не Лева изменял Фаине, а Фаина, в который раз, повторяла для него все это, и Лева был не Лева, а уже Митишатьев, — это было уже почти раздвоение личности в самом медицинском

Альбина

смысле слова; отвращение и непонятное, страшноватое по
силе и остроте наслаждение испытывал тогда Лева, так и не
обладая ни той, ни другою...

И тут, внезапно, вернулась Фаина. Оказалось, вовсе не
на Сахалин, а к матери в Ростов она ездила... Это Леву тут
же успокоило, что не на Сахалин. На Сахалин, уж точно,
без мужика не уедешь... Лева смотрел в ее загоревшее, по-
простевшее лицо и с удовлетворением отмечал некоторое
спокойствие в своей душе. Все-таки за этот краткий период
с Альбиной он набрался какого-никакого самоощущения.
Фаине он, однако, не сказал про свой роман. Не то чтобы
что-нибудь его останавливало... что-то, впрочем, и останавливало. От Фаины он несколько отвык, но тут же понял:
от отношений, от счетов, от в р а ж д ы — нисколько не отвык. Он с удивлением это отметил: как быстро с нею он становится другим человеком, тем Левой. Он ничего не сказал
ей об Альбине, как бы запасая козырь... Однако Фаина заметила перемену. «Я в тебя, кажется, снова влюбляюсь», —
сказала она. В ее лексиконе это означало, что она почувст-
вовала «силу». Лева ее презирал и был удовлетворен.

Сложнее ему пришлось с Альбиной. В первый день он не
решился ей сказать о возвращении Фаины. Во второй — не
сказал, угрызаясь, что не сказал сразу. Муки совести донимали его. (С Фаиной было хоть то преимущество, что там
эти муки у него начисто отсутствовали.) В третий раз...
Альбина уже и сама знала.

Леве было, конечно, сильно не по себе. Он — раздваивал-
ся. «Какое же одиночество в наше время — действительно
найти друг друга!.. — думал Лева, тоскуя рядом с Альбиной. — Нет, этой обреченности вдвоем — не вынести, когда
рядом есть перед кем прикинуться таким же, как другие.
В чужом мире легче с чужими, чем со своими: не заметишь,
как хрюкнешь, — и никто не заметит».

Но когда вдруг выяснилось, что в Ростове Фаина тоже не
была, а загорела в Махачкале, то все вернулось на прежние
места: актеры снова разобрали свои роли, которые по-прежнему помнили назубок. Фаина — жизнь, Фаина — красота,
Фаина — страсть, Фаина — судьба... Что — Альбина!..

Ах, какая все это мука!.. какая муть. Одна красивая, другая — нет. Но и это поди докажи. Красота — это такой об-

ман! А красива ли Фаина? Смешной вопрос — какая разница. Отекшая, с расплывшейся косметикой, храпящая (лишь бы рядом...) — она дорога Леве, и все тут, даже дороже. И как же измучит его отвращением крохотный угорек под ухом раскрасивейшей Альбины, когда он, лишь только погаснет этот сладкий и такой невечный миг, отрывается от нее всем своим существом и разглядывает со стороны. Нет ничего некрасивей женщины, если вы ее не любите, если уже на то пошло. Только временный обман, оптический фокус, а потом — одно уродство и неудобство.

И сколько же люди накрутили на женскую красоту — бред какой-то! Красивая Альбина некрасива, когда ее не любят. Вот идут они с Левой, умолила о встрече, напросилась в кафе, ест пирожное и плачет — что, кроме ужаса, испытает Лева?.. а потом они идут рядом, и Лева словно в километре от нее, и руки в карманы спрятал, и локти к бокам прижал — и ей руки никак под локоть ему не просунуть... Тычется бедная лапка, бедная варежка, бедное отдельное существо ее руки, рыбка об лед, рыбка с тупой меховой мордочкой. Плачет красивая Альбина, говорит что-то жарко, слитно, горячее дыхание рвется с ее губ, глаза ее в Леву]207 заглядывают, просят, а он и не посмотрит и не слышит ничего — идет в километре. И только все видит боковым своим неприязненным зрением, как крошка от пирожного застряла у нее на губе и прыгает, прыгает. Отвратительна ему эта крошка от пирожного — и больше ничего в Леве нет. Какая там красота — одно уродство! какое там уродство — одна красота...

Только не раз еще вернется к ней Лева, и каждый раз после того, как ему сделают больно. Придет передать боль. Поначалу совесть помучит, а потом возникнет удобный механизм. А Альбина-то — сразу и поверит, и разбежится. А Лева как наберется уверенности — то и уйдет сразу же, а как растеряет — то снова придет. Подло? Подло. Но — пусть читатель оплатит свои счета...

Тем более что и не так это все. И Лева не такой уж подлец, и наша Альбина — не такая уж нищенка. Она, конечно, страдает, но «и страдает»... Очень существенно это «и»! Она убеждена, что Лева хоть часто и ведет себя не так, как ей бы мечталось, — а ведь любит ее. Иначе зачем же бежит, а все возвращается и возвращается, как привязанный. И видит она эти его проявления любви во всем и копит их. Пришел — любит, ушел — тоже любит. Ласковый — это к ней. Неласковый — неприятности по работе. А вдруг заболел?.. А может, Лева и любит Альбину, кто знает. Хотя бы — «по-своему»... Она-то одна и может это знать. Ведь Лева знает, что Фаина любит его. Только напускает на себя что-то: молода еще или не понимает, не осознает...

Все ложь, и все правда...

В этот свой недолгий и настолько потом отрицаемый, что, со временем, как бы и вовсе с ним не бывший период жизни с Альбиной, дано было Леве на своей шкуре испытать всю силу и ужас чувства собственной НЕ любви (именно отдельно НЕ, а не вместе: просто нелюбовь — простая эмоция), дано ему было испытать тиранию чужого чувства и христианскую беспомощность человека.

За что мы не любим? Ведь положа ту же руку на то же сердце, Альбина была более достойна его любви... Но когда он клал эту руку, то клал ее — на ту же Фаину: сердце его 208[было занято. Нас так мало, чтобы досталось место еще кому-нибудь, и за это свое меньшинство мы еще раз не любим того, кто дал нам его почувствовать. «Ты можешь меня не любить, — сказала Альбина, истощив богатство своих предложений. — Но ведь у тебя сейчас никого нет? — (Что наговорил ей Лева?..) — Тебе ведь женщина нужна? Я же не хуже других...» Лева вздрогнул, будто его ударили, — опять его достигала вся мера. «Ты — н е   д р у г а я...» — догадался ответить он. В этом была доля. И вот еще за что мог он ее не любить: она была из   с в о и х, он ее предельно чувствовал: она была как он: каждое ее движение проектировалось в его душе как узнанное, как понятое: они были одинаково устроены и настроены на одну волну: он мог не любить ее, как себя. Он принимал каждый ее сигнал, прекрасно знал, как ей следует ответить, но — чем? — и не мог. За это — кто же полюбит? И еще сильнее мог он ее не любить за Фаину: от сравнения Фаина не выгадывала — обиднее становилась потраченная Левина жизнь. И еще он мог досадовать, что теперь Фаина уже знала про Альбину и не столько была уязвлена, сколько воспользовалась этим. А самое, за что он не любил Альбину, был первый опыт узнавания того, что он так напрасно всегда пытался выяснить у Фаины: действительное ее отношение к нему, что же она к нему питала во всю их жизнь... А вот то и чувствовала! — осеняло иной раз Леву, когда он корчился от своей ложной несостоятельности рядом с нелюбимой Альбиной. Какая же убийственная тоска пронизывала от этого допущения Леву! Тем более что на собственном опыте он мог теперь выразить Фаине некоторое сочувствие и чуть ли не восхититься ее корыстным долготерпением. А за это можно бы и не только не любить, но и убить виновницу (опять Альбину)... В общем, то чувство НЕ любви, о котором мы здесь говорим, — крайне утомительно и чрезвычайно НЕ лестно тому, кто не любит. Не знаем, как сносят это чувство женщины, как они имеют дело с успехом, которого жаждут (нам кажется, что они должны в момент успеха никого не любить, чтобы ощущать его), не знаем... но мужчина, любящий свой успех у женщин, нам кажется не вполне мужчиной... И Лева проклял это чувство безответной любви к себе. Но — не свое.

Как сильно он не любил! Как навсегда... Если и через десять лет (старательный потомок может попытаться определить дату, покопавшись в истории ширпотреба...) Левино сердце ныло какою-то тошною тоскою при виде невинных предметов, впервые встреченных им почему-то именно у Альбины, как то: род цветастых тапочек с вдетой в них резинкою, так мягко облегавших ее ногу, или предмет того же рода — «подследник» — невидимый носочек, «дефицит» своего времени, — все вещи, казалось бы, даже трогательные... Но и на «дефицит» более поздний, к Альбине уже не имевший отношения, — на модный складной зонтик — перенеслась ни с того ни с сего Левина ненависть. Все это сжималось, съеживалось, сворачивалось — без ноги, без дождя... Образ бесформенности, невыносимый тлен... Торопливо сдернутые с ноги, покинутые на полу, тапки эти неоправданно сжимались, как его сердце, и пугали, как Альбина, своею нагою покорностью. И впоследствии самое очаровательное существо могло погибнуть в Левиных глазах от одной лишь принадлежности ей подобной вещи.

Лева старался видеться с Альбиной все реже, но оскорблять ее чувство все же не мог: слишком, ему казалось, зна-

Альбина

ет он, что она испытывает, как страдает, и, когда не видел ее, до некоторой степени начинал сочувствовать ей (может, издали, неконкретно — такое страдание все-таки лестно нам?..). Так он виделся с нею все реже, из чисто христианских побуждений освежая ее раны. Но однажды-таки решился на последний разговор.

Они встретились на каком-то углу и молча дошли до ее дома. Он — не решаясь, она — боясь. К ней Лева отказался подняться. Вышло, что он ее только проводил. Ей надо было еще что-то Леве сказать. «Что?» — спросил Лева. «Не здесь». — «К тебе я не пойду», — сказал Лева, представив себе тихо исчезающую в сумраке маму, успевающую «почти не посмотреть» Леве в глаза. Альбина воспользовалась случаем взять Леву под руку и повела его неподалеку в скверик.

Там они сидели молча, будто уже сидели, когда туда пришли... Небо сквозило в поредевшей листве, было преждевременно холодно, стыли руки. Это был такой первый осенний холод, до пальто и перчаток... Этими-то озябшими руками Альбина расправляла на колене слетевший к ней кленовый лист. Лева позволил себе разозлиться, приняв это за кокетство. Кокетство — не было привилегией слишком хорошо воспитанной, с в о е й Альбины. Оно ей не шло, было жалким. Лева был несправедлив к Альбине: она на самом деле была занята листом: чтобы ненароком не заглянуть Леве в глаза, не прочесть в них...

«Ну так что?» — сказал Лева, разозлившись. Большая одна капля упала на лист. Тут Лева опять ощутил в с ю ее муку в себе, мечущейся в его чужой душе, и не вынес ее... Зажмурился — и сказал. Она молчала. Лева не вынес паузы и еще довольно долго говорил, обмазывая пилюлю таким признанием ее достоинств, что от этих ледяных комплиментов Альбина застыла окончательно, капелька повисла на ее носу... «Но ведь ты — мой, мой!..» — отчаянно воскликнула она и увидела, что смотрел он ей — на кончик носа, на каплю... Она не засуетилась, не смутилась, а смахнула ее и сказала каменно: «Ну что ж, прощай». — «Ты пойми...» — начал Лева и не продолжил. «Иди». Лева почувствовал какой-то холодный укол, будто с другой стороны сердца, с которой никогда не ощущал боли, будто его сердце, как Луна, имело

210[

обратную сторону, понял, почти с разочарованием, что достиг своей цели, что — не кажется, а — в с е. (В этом и мужское сердце элементарно, как женское.) Он понял, что должен встать и уйти, что это ее право, чтобы он ушел, ее последняя (единственная за все их время) привилегия, какой она воспользовалась. Тут Лева наконец увидел, что Альбина — красива, высокая шея... что она могла бы быть желанна и любима, но почему-то опять не сейчас, а тем, отдаленным Левой, который так щедро не любил ее, именно тем, а не этим, все еще сидящим рядом, все еще не уходящим и почти любящим ее. Да, он мог бы любить ее, она могла быть его женой. (Ему представилась ее квартира, открытые двери, мелькнул в сумраке и запахнулся халатик, тоненькая кофейная чашечка в руке...) «Я не люблю тебя больше», — сказала Альбина.

Мокрая полоска все еще блестела на ее руке. Лева молча охнул и поднялся... Но если б он вдруг распался, рассыпался, раскололся и оборотился наконец к ней с чувством, — то было уже поздно. Эта необратимость поразила Леву — в первый и последний раз перед ним реально возник тот врожденный образ вечной любви, с олицетворением которого он так настойчиво приставал по первому же адресу... Это была Она — и он тут же простился с нею навсегда, больше не мечтая о том, чего не бывает в жизни...

(Больше они не виделись. Лева шел по желтой дорожке садика, и уходил, и долго он так шел с этой желтизной перед глазами, бормоча какие-то ненаписанные стихи, вроде: «Прощай! До встречи... Там нас больше... Прощай!.. Та-та́-та, та-та-та́...»)

Так прочитана история Левы под знаком Альбины: другие звезды в этом небе иначе расположены по отношению друг к другу. Лева не видит их точно так же, как не видим мы в нашем Северном полушарии Южный Крест.

ЛЮБАША

Страсти не что иное, как идеи при первом своем развитии: они принадлежность юности сердца, и глупец тот, кто думает целую жизнь ими волноваться: многие спокойные реки начинаются шумными водопадами, а ни одна не скачет и не пенится до самого моря.

Третью же Левину женщину назовем простым русским именем Любаша. Любимая, нелюбимая и любая... Она не играет роли в его судьбе, лишь — что-то в ней означает. Какую-то прибыль, чью-то убыль. Времени еще прошло. Ничто вроде не изменилось, а все стало другим. Ничего не узнать, а все то же самое. И Лева — на вид совсем другой: поосунулся, переоделся, стал поуверенней, понахальнее, попривык к своим мукам, пообтерся об себя же. Хвастаться вроде нечем, а что-то уже б ы л о в его жизни, а это, само по себе, что-то. Он приобрел кое-какие черты из тех, что всегда у него были. Он как бы проявился, проступил сквозь себя.

Лева появлялся у Любаши неожиданно, невзначай. Дома у нее телефона не было, а на работе был, но неудобный, далекий. Любаша ему этот телефон дала, но как бы одновременно не советовала им пользоваться: чуть ли не требовалось сначала позвать некую Лиду, а Лида, близкая Любашина подруга, уж непременно ее позовет... Это было как-то неловко Леве; он один раз было попробовал, и тот мужской голос был недоволен, казалось, даже тем, что позвали Лиду, а потом Лида, сказав «сейчас», пропала так надолго, что Лева изнемог вслушиваться в это далекое немое потрескивание, потел в жаркой телефонной будке, поглядывал на мнущегося за стеклянной дверью нетерпеливого на вид человека, который, однако, в стекло монетой не стучал, чем действовал на Леву еще хуже: Леве приходилось тупо молчать, меняя позы и придавая лицу осмысленность; ему становилось жарко, и по всей коже он уже ощущал покусывание, происходившее словно от потрескивания в трубке, тем более что чуть ли кто-то не подошел, пока он ждал, опять мужчина, и снова спросил: кого надо? — и когда Лева с испугом назвал Лиду, тот сказал, что Лида вышла, и чуть ли не повесил трубку прежде, чем Лева сообразил как-то объяснить все это... в общем, когда он наконец услышал в трубке ленивый Любашин голос, то, одновременно с облегчением, почувствовал некое замешательство от явного несоответствия всех этих трудностей и переживаний с тем, что он должен сказать сейчас Любаше. Он замешкался, замолчал. «Что-нибудь случилось?» — очень спокойно сказала Любаша. «Нет, ничего, я просто хотел к тебе зайти». — «Ну так заходи», — просто сказала Любаша. Лева повесил трубку. Телефончик Любашин у него, выходит, был, но на экстренный случай. Какой же мог у них быть с Любашей экстренный случай? — этот, что ли? — поэтому Лева больше не звонил. Не дождись он тогда, ничего бы могло и не быть. А не было бы, то что бы было?..

Он заходил невзначай и довольно редко, но всегда до сих пор заставал Любашу дома, причем одну, и она будто ждала его, хотя никакой лишней радости не разыгрывала, но всегда была приветлива. Они садились не торопясь пить чай, и Леве никогда не удавалось заметить, как это все начиналось и оказывалось, но как-то они все успевали и уходил он всегда вовремя, как ему это требовалось: на следующее утро или в тот же вечер, — тоже как-то не замечал этого.

Сначала его эта непривычная удача, что он всегда заставал ее дома одну, удивляла, потом даже польстила, потому что, при столь нетребовательных отношениях, Лева нисколько бы ничему не удивился, потому что полагал себя вне ее личной жизни. То ли ему просто поначалу везло так нападать на Любашу, то ли что ли, но и тут вдруг что-то переменилось, стало «проще»... Он застал, как кто-то вышел, когда он подходил к двери, потом кого-то не пустили, когда он был у Любаши, а потом однажды и Леву не пустила: мама внезапно приехала.

При этом широкое ее лицо ту же широту и выражало. А Леву это будто даже устраивало, что сегодня к ней нельзя. Будто это время, которое было некуда деть, как бежать к Любаше, вдруг становилось подарком...

Интересно также отметить, в каком редком для себя настроении сворачивал Лева со своего обычного пути и заходил к Любаше. Не как к Фаине — где, чем невыгоднее бывало его положение и настроение, тем неотвязней был его приход, и Лева как бы уже дожимал, почти настаивал на своем все большем проигрыше, как мы давим на больной зуб или, сдержанные, трогаем его языком; где попытки разжалобить, тронуть, унизиться были тем настойчивей, чем бесполезней... и не как к Альбине — где он появлялся лишь почерневший, расслабленный, несчастный или злой.

Во всяком случае, именно не несчастный, захаживал он к Любаше. Может, еще злой, но не несчастный.

Что-нибудь вдруг удавалось ему, вселявшее в него силы: или Фаина бывала неожиданно любезна к нему, или даже вдруг — зависима; то ли погода, давившая неделями в этом дождливом городе, вдруг оборачивалась первым весенним днем или бабьим летом; или просто бодрость непонятная нисходила на Леву внезапно, ни с того ни с сего, как та же редкая погода, и он вдыхал тогда воздух, неважно какой, широко раздувая ноздри, радовался жизни в неприметном ему листочке и нравился сам себе, казался сильнее и выше ростом; или кто-то нравился ему на улице или в автобусе, и он ловил ответ, чуть ли не перемигивался уже, но она проходила дальше или сходила на остановке, а он так и не решался догнать, соскочить... — но внезапное возбуждение и прилив неожиданных сил оставались в нем и уже распирали его, подталкивали и приводили — к Любаше.

И такой, не привычный никому, возбужденный, запыхавшийся, чуть ли не с горящими глазами, легкий самому себе, даже радостный, оказывался он у Любашиных дверей и уже нажимал звонок.

Раздел второй. ГЕРОЙ НАШЕГО ВРЕМЕНИ

Он и не думал, и не вспоминал о Любаше иногда подолгу, у него вполне хватало Фаины на это... И вдруг оказывался у Любашиных дверей, свежий, красивый, такой далекий от отчаяния — и уже нажимал звонок.

Или даже так уж образовался механизм впоследствии, что, оказываясь у Любашиных дверей, становился он вдруг совершенно другим, свежим, красивым и т.д... — и решительно нажимал звонок.

То есть он уже мог приходить сюда забывать свои горести, исправлять настроение, тут уже как бы рефлекс, и тогда все звучит гораздо банальнее, но и в этом случае необходимо отметить, что настроение его исправлялось не только в результате встречи с Любашей и не в процессе, а еще и до этой встречи, по крайней мере, у самых ее дверей, и то, что он так менялся прежде, чем видел Любашу, что-то нам свидетельствует, не то о Леве, не то о Любаше... Была в ней та поразительная способность, не договариваясь, не выясняя, сразу определить меру, характер и единственность отношений — в противном случае, люди ей, по-видимому, не подходили, и Леве, чтобы подходить, приходилось это учитывать, хотя бы и инстинктивно.

Только и Любаша однажды спросила, правда, спокойно очень и будто без чувства: «Я ведь тебе больше нравлюсь, чем Фаина?» Лева очень изумился и чем-то был польщен. Задумался и так и недодумал. А Любаша и не требовала ответа. Спросила, и ладно. По-своему-то она знала, что — больше.

А Любаша всегда бывала дома, и даже тогда, когда Лева отказался от нелепых своих, хоть и лестных предположений, что он единственный у нее. Она была всегда дома и тут не подводила, устранив в определенной своей жизни лишние волнения встреч и сборов в дорогу: то ли когда-то в сердцах отвергнув, то ли спокойно отрицая наличие какого бы то ни было другого и сколь-нибудь интересного мира или образа жизни, дополнительного к какому ни на есть, но своему. Она всегда была дома или на работе, никуда, кроме бани и кино, не отлучалась, приходили же — к ней, и имели в этом потребность и даже необходимость.

Итак, Лева внезапно для себя оказывался у ее дверей — и уже нажимал звонок.

Любаша

Любаша открыла ему и впервые как будто удивилась. «Это ты? — посмотрела на него внимательнее обычного и словно что-то тут же про себя решив: — Ну что ж, проходи. Только я не одна». И пока Лева, как обычно возбужденный, неожиданно быстрый в движениях, следовал по коридору, и не было подозрений, способных приостановить или расхолодить его в стремительном беге следом за медлительной Любашей (потому что в чем же возможно было заподозрить Любашу?), пока он, проходя по темному коридору, что-то спрашивал: «А кто же у нее?» — и недорасслышивал ответа, — все было по-прежнему чудесно. Но тут же он стоял в тесной Любашиной комнатке, и ему становилось не по себе...

Они не могли не встретиться. Эта встреча столь естественна здесь...

— Пришел-таки!.. — восклицал Митишатьев. — А я тебя поджидаю...

МИФ О МИТИШАТЬЕВЕ

*Нынче поутру зашел ко мне доктор; его имя Вернер,
но он русский. Что тут удивительного? Я знал одного
Иванова, который был немец.*

Проходит время, и в прошлом — все становится
как бы более простым и понятным, чем было в настоящем...
Теперь уже могло показаться странным, но Митишатьев
был еще школьным товарищем Левы. Просто Митишатьев
до времени полысел и обрюзг, а главное, как-то незаметно
и давно уже приобрел тот ряд незначительных движений
и привычек чисто внешних, по которым мы всегда отличим
человека пожилого хотя бы со спины: садится ли он в автобус, вытирает ли ноги, сморкается ли. Если вспомнить,
а Леве это еще легко удавалось, то и в школе Митишатьев
уже выглядел старше всех, даже мог выглядеть старше учителя, словно он менял свой возраст в зависимости от собеседника так, чтобы всегда быть слегка старше его. Вообще,
он с видимым удовольствием набрасывался на свежего человека, тем более если они были полностью противоположны друг другу, но всегда умудрялся сойти за своего, даже
чуть больше, чем за своего. Говорил ли он с работягой,
фронтовиком или бывшим заключенным, то становился
чуть ли не более собеседника — работягой, фронтовиком
и заключенным, хоть никогда не работал, не воевал и не си-

дел. Но никогда не перебирал — оставался, в общем, наравне, лишь слегка обозначив превосходство так, словно бы он если и пересидел в окопах или в лагере своего собеседника, то всего на день какой-нибудь или месяц, но, в то же время, хоть и на день какой-нибудь, но пересидел. По этому ли желанию казаться всегда постарше и помногоопытней, по физиологическим ли своим особенностям или по некой внутренней нечистоплотности, которая старит до времени, но Митишатьев выглядел чуть ли не вдвое старше Левы.

Таким он и сходил. Никто толком не знал его года рождения, а кто вдруг узнавал (начальник отдела кадров, к примеру), то от удивления естественно возникала версия о каких-то невиданных событиях и травмах, потрясших недолгую жизнь Митишатьева и наложивших свой неумолимый отпечаток и след. Так или иначе, Митишатьев сразу же внушал уважение и избирался собранием в президиум.

И Леве, знавшему Митишатьева с детства, казалось неправдоподобным быть его сверстником. Лева с большей легкостью соглашался с фронтовым и лагерным прошлым Митишатьева, чем с тем, что они сидели за одной партой. Конечно, никаких заблуждений на этот счет у Левы быть не могло: просто в сознании его мифы Митишатьева давно уже стали более реальными, чем сама правда. Поэтому-то Лева никогда его не выдавал, ему не стоило никаких усилий перешагнуть в себе правду о Митишатьеве и согласиться с любой неправдой (ибо, опять же, неправда была в отношении Митишатьева как бы большей правдой); Митишатьев это ценил, хотя и относился к такому парадоксу как к чему-то совершенно естественному. Во всяком случае, он перестал опасаться Левы в обществе посторонних, не опасался даже молчаливого, косого или насмешливого взгляда, всегда нас так расхолаживающего, и нес при Леве что на ум взбредет, чуть ли не вдохновляясь его присутствием.

С самого детства Леве оставался непонятным секрет особого воздействия на него Митишатьева. В этом было что-то чрезвычайно простое, даже простейшее — чисто силовое и ничем не оправданное движение, некий прием, всегда один и тот же, даже запрещенный (ниже пояса), но всегда безотказно действовавший на Леву. Это голое давление не поддавалось ни анализу, ни логике: никак не мог Лева расположить его, поняв, в своей системе, то есть победить, перешагнуть разумом, — оно просто было как некое особое физическое явление, в поле действия которого Лева непрестанно попадал. Более того, оно его притягивало. Лева, конечно, восставал, сопротивлялся (в том-то и дело!), выдвигал щитом свой разум, но противник был неожидан и неистощим.

С детства действовала эта модель, как вечный двигатель... После долгого и безрезультатного препирательства, где правда убедительно оказывалась на Левиной стороне и преимущество неоспоримо, Митишатьев вдруг говорил: «Давай поборемся!» («Стыкнемся!») — и соответственно побарывал... и это вдруг оказывалось не просто насилием или физическим превосходством, а подлинно — победой! — в моральном, умственном, во всех возможных планах: так подавал все Митишатьев, и так ощущал это Лева.

Постепенно Лева не мог не заметить, что, испытывая интерес и пытаясь разрешить механизм воздействия Митишатьева, он всегда терпит поражение, а когда, отчаявшись и прозлившись, просто на время забывает о нем, отодвигает, нисколько и не победив, то и воздействие кончается, и в этом как бы мерещится победа. Но это неглупое открытие не очень помогло Леве — Митишатьев умудрялся снова и снова втягивать его в свой механизм и подчинять себе. Начиналось это с ласки: с дружбы, с утверждения Левиных достоинств, с равенства и признания, — и когда Лева, растаяв и даже насладившись лестью и ощущением превосходства, снова клевал на наживку, то тут же бывал подсечен: от него отворачивались, над ним смеялись, и он оказывался в полной власти.

Этот, все тот же, цикл заманивания и последующего предательства, такой простой и всегда непонятный, притягивал к себе Леву, как мотылька свет, и растлевал его душу, постепенно залегая в сознание и там прорисовываясь. Страдание, всегда сопровождавшее этот Левин процесс вовлечения в предательство, каждый раз проходило словно по тому же нежному месту, которое со временем могло перейти просто в нечувствительную ткань, некий плац, по которому шествует предательство, не оставляя следа.

Миф о Митишатьеве

Особенно четко выразилось это в отношениях Левы с его первой и бесконечной любовью. Однажды (по прошествии нескольких лет) Лева внезапно сообразил, что секрет воздействия этой женщины на него, тайна бесконечного его плена удивительно сходны, по механизму своему, с секретом Митишатьева. Господи! ни там, ни там это не была вполне Левина инициатива... просто эти люди, как некие животные, ощущали как бы некий запах, исходивший от Левы, и чуяли по нему, что Лева им необходим. В том-то и дело, что скорее им был необходим Лева, чем они ему. Они заманивали его, он ощущал эту свою притягательность и некоторое время ходил гоголем, но потом все же раскрывался, разворачивал анемичные свои лепестки — и тогда ему смачно плевали в самую сердцевину... он сворачивался, створаживался и был уже навсегда ущемлен и приколот, не то бабочка, не то значок... И даже если Левина чаша переполнялась от такого глумления, он лишь срывался, как правило, на глупую и позорную грубость — в этом не было и тени превозмогания, преодоления или победы. А они пользовались: он тут же оказывался виноват, они же как бы бесконечно обижались в своих чистых чувствах, — и тогда тот же Лева не уставал ползать, умолять и извиняться, более и более попадая под власть.

Все тут совпадает до смешного, все время пульсируя по той же простенькой и всесильной схеме. Даже Митишатьев совпал с Левиной возлюбленной в какой-то точке однообразного Левиного сюжета. Они, конечно, не могли не встретиться, поскольку питались одним и тем же Левой, а встретившись однажды, будто по чистому стечению обстоятельств того же сюжета, как бы всплеснули руками и уже не могли друг без друга — слились.

Лева навсегда запомнил тот дрожащий, расплывчатый вечер, угол ее дома с тремя выпавшими кирпичами (они как раз были на уровне глаз и без конца отвлекали Леву), а они втроем расставались и никак не могли расстаться. Чья-то фраза распалась на полуслове и повисла неоконченной, внезапно обозначив никчемность всего предыдущего разговора, столь оживленного; горячее, неприличное даже молчание вытесняло Леву; все трое переминались от нетерпения и в глаза уже давно друг другу не заглядывали... А Лева все не мог уяснить себе что-то, что было, по-видимому, ясно Митишатьеву и Фаине, не позволял себе думать так.

Наконец они разошлись все-таки, и Лева испытывал облегчение и радость, вышагивая рядом с Митишатьевым к трамвайной остановке. Подозрения спадали, как душные одежды, и в сердцевинке, голенький и чистенький, оставался Лева — ядрышко, зернышко! — слышал звуки и запахи, и отчетливо зажигались для него звезды... У остановки они расстались с Митишатьевым (тому было еще немного пройти — и он дома), Лева дружески, открыто пожимал Митишатьеву руку, и тот тоже жал изо всех сил и даже поцеловал, внезапно и порывисто. Лева вспрыгнул на подножку, смущенно улыбаясь и маша рукой, и честно ехал домой.

Спустя несколько лет, в период наиболее длительного разрыва с любимой, когда он уже начал забывать ее понемногу, с удивлением обнаруживая, что вот же, может быть без нее — и ничего, и хорошо, и не уставал радоваться этому, он встретил на улице Митишатьева. И они бродили, заходили в погребок, потом в зоопарк... Митишатьев вдруг поразил Леву тем, как примечательно точно отзывался он о зверях, с большой интуицией и проникновением. В Леве снова ожило школьное представление о некоей самобытности, скрытой талантливости натуры своего врага и друга: Лева любил, когда говорили точно, радостно раскрывался навстречу слову... Полукавив и посентиментальничав о зверях, они пили пиво.

— Послушай, князь, — сказал Митишатьев, сдувая пену, — у тебя есть фотография нашего школьного выпуска?

— Есть, конечно. Что вдруг?

— Так... с удовольствием сейчас бы взглянул. Слушай, а ты часто ее рассматриваешь?

— Нет... зачем? — удивился Лева. — Она у мамы где-то лежит...

— А как ты думаешь, сколько у нас в классе было евреев? Лева опешил:

— Никогда не считал...

— А ты припомни, припомни!..

Лева задумался.

Миф о Митишатьеве

— Да нет, странно, — сказал он, — не припомню. Все русские фамилии, ни одной еврейской. Не было, что ли?

Митишатьев расхохотался:

— Как же! Скажешь... А Кухарский, по-твоему, кто?

— Крыса-то? Русский, конечно, — сказал Лева. — Такая ряха, да и фамилия...

— Фамилия, фамилия! — передразнил Митишатьев. — Мало ли что! Еврей он, еврей. А Москвин, по-твоему, не еврей?

Лева от души рассмеялся:

— Ну уж ладно Кухарский... Но — Москвин! Мы его, правда, все Мойшей звали. Но ведь это так, для смеха, ни у кого и в мыслях не было... Было бы — так и не звали бы.

— Значит, это была у вас интуиция, — сказал Митишатьев. — Она никогда не обманывает. Мойша и есть.

— Да ты что? — удивился Лева.

— И Тимофеев твой — тоже еврей.

— Тимсон-то?

— А как же, — важно сказал Митишатьев. — Вот вы его и прозвали Тимсон.

— Может, и Потехин — еврей? — ехидно спросил Лева.

Теперь расхохотался Митишатьев:

— Потехин? Ха-ха... Лева — ты святая душа! Конечно же, стопроцентный!

— Ну а Мясников?

— Какое может быть сомнение! Ты его нос видел?

Лева в раздумье потрогал себя за нос.

— То-то, — сказал Митишатьев. — Слушай, князь... — как-то испытующе, секретно заговорил вдруг Митишатьев, — а ты сам, часом, не еврей?

— Я?! — Лева даже задохнулся.

— Ну да... — поспешно отступил Митишатьев. — Ты же князь. Почему же тогда тебя Левой зовут?

— Господи! — воскликнул Лева. — Да что с тобой? И Лев Толстой был Левой...

— М-да... Толстой... — произнес Митишатьев как бы в явном сомнении. — И друзья у тебя все были евреи.

— Как так все? Кто, например?

— Тот же Тимофеев хотя бы. Или Москвин.

— Да не евреи же они!

— Евреи, — неколебимо сказал Митишатьев.

— Сдурел я, что ли! — вдруг спохватился Лева. — А хоть бы и евреи, мне-то что?!

— Вот видишь... — удовлетворенно сказал Митишатьев.

— Постой, — Леву вдруг осенило. — А ты-то сам? Ты-то, часом, не еврей?

Митишатьев от души расхохотался. Потом как бы покачивал головой и чуть всхлипывал — так уморил его Лева.

— Ну а как же, — продолжал Лева. — Вот у тебя тоже носик-то подкачал, а?

— Но-сик... — только и смог выговорить Митишатьев, снова задохнувшись смехом. — Чайник...

— И потом, ты же мой друг, — с непонятной радостью и восторгом говорил Лева, — а у меня все до одного, по твоему же признанию, друзья — евреи. И сам я — вроде тоже еврей. Так что и ты тоже. Мы ведь тебя, помнишь, Мякишем звали? Очень тебе подходило, — говорил Лева с приятной, протрезвляющей резкостью, — Мякиш — тоже что-то еврейское...

— Мякиш, — Митишатьев вроде очнулся и даже обиделся: — Что же тут еврейского, в мякише-то?

— И потом, почему тебя этот вопрос так донимает? Это обычно с теми, у кого у самих рыльце в пушку, бывает. Ну, если и не еврей, то полукровка, к примеру, или квартерон. — Лева вдруг обнаружил, что они просто обменялись с Митишатьевым текстами, настолько похоже у него стало получаться. — Или даже осьмушка — тоже чего-то стоит?

— Ну уж нет, — отрезал Митишатьев.

— Что же ты тогда имеешь против них?

— Евреи портят наших женщин, — твердо сказал Митишатьев.

— Как так??

— А так. Потом, они — бездарны. Это не талантливый народ.

— Ну уж это ты извини!.. А как же...

— Только не говори мне ничего про скрипочку.

— При чем тут скрипка! — Лева вдруг рассердился и перечислил поэтов.

Митишатьев их отверг.

— Ну а Фет? От Фета-то ты не отречешься?

]223

— Фета оклеветали.

— Ну а Пушкин? — озарило Леву. — Как — Пушкин?

— При чем тут Пушкин, — пожал плечами Митишатьев. — Он — арап.

— А арап — знаешь что? Э-фи-оп! А эфиопы — семиты. Пушкин — черный семит!

Довод был силен. Митишатьев мрачно замолк. Лева торжествовал, становился снисходителен...

Митишатьев уловил это и воспрял. И отвернувшись, будто пряча, будто безразлично сказал:

— А ты, кстати, свою Фаину давно видел?

Это же надо так — в лоб, в пах, в поддых! — Лева задохнулся.

— Давно вроде... А что?

— Да так... ничего, — сказал Митишатьев, допивая пиво. — Встретил ее недавно... Ну что, пошли?

А у Левы вдруг так захолонуло, так засвербило воспоминание о том вечере: как стояли они у ее дома, все втроем... И Лева теперь все собирался и не решался задать мучивший его вопрос. Митишатьев вышагивал не глядя и молча, собранный...

— Может, еще выпьем? — робко попросил Лева.

— У меня нет денег, — твердо сказал Митишатьев (хотя и до этого все шло за Левин счет).

У Левы — были.

Лева угощал и, симулируя беспечность — о том о сем, — все подбирался к цели. И когда наконец, не узнавая свой голос, сразу выдав себя с головой (хотя все силы его были направлены, чтобы вопрос был безразличен и между прочим), все-таки задал его, то неповторимая улыбочка вдруг подернула губы Митишатьева, хотя он и сказал, что нет, ничего такого не было. Ох эта улыбочка... Лева уже готов был снова мчаться к Фаине и обивать ее пороги. А Митишатьев — в этом было даже какое-то безволие, погружение в порок — не удержался и добавил, что если уж быть до конца честным, каким он и должен быть перед лучшим другом, чтобы уже — все подчистую и между ними ничего не оставалось, так он вернулся все-таки тогда, когда Лева поехал домой, но, опять же, ничего такого не было.

А тут уж и вовсе кто скажет: было или не было? Хотя, с другой стороны, зачем было бы Митишатьеву скрывать, раз он знает, что все у Левы с Фаиной кончено? Хотя, и еще с другой, зачем ему признаваться в том, что он вернулся, и скрывать дальнейшее?.. Короче, Лева снова погрузился по уши в прежнее, будто и годы не проходили один за другим и ни шага не сделал он от все той же печки. Вскоре он задавал тот же вопрос Фаине...

И она уклонялась, потому что у них с Левой был мир — только что после встречи, — но тоже, как и Митишатьев, не удержалась и выдала мучительную Левочке улыбочку. А потом, как бы устав от Левиных наседаний и махнув рукой, согласилась с предложенной им же версией, тут же отказалась от нее, сказав, что да, Митишатьев вернулся потом, но она его не пустила, а они просто пошли прогулялись и поговорили, что да, конечно, он приставал к ней, но ничего у него не вышло, да, не вышло, хотя он даже затащил ее в подвал своего дома, где хорошо знал все ходы и выходы, что там было тепло и он там тоже приставал, но, опять же, у него и там ничего не вышло, и что — к черту, наконец! лишь бы Лева отстал от нее! — все, все было, только не в подвале, конечно же, а у нее дома, потому что, когда Лева уехал, Митишатьев вернулся и провел у нее ночь, и потом тоже, когда она однажды не пустила Леву (помнишь?) — это тоже был Митишатьев, и потом еще несколько раз... Ну ладно, это она назло говорила, ничего этого не было, ничего-ничего! всегда был только Лева (иди ко мне, милый...). Ну хорошо, было, тогда, в подвале, было, но только один раз, и то — один позор... Да нет же, ничего никогда не было (чтобы я с этим уродом?.. да мне и смотреть-то на него противно!), просто Лева сам напрашивается, что же она может ему еще ответить? ну не надо, милый, я же люблю тебя, ну и убирайся к черту — надоел совсем!..

И такую, все воскрешающую и освежающую, пыточку испытал тогда Лева, так ничего и не узнав! «Да и что мы вообще можем знать о другом?» — мудро думал он, но в этом было даже больше отчаяния — и ничуть не утешало. Он вспоминал своих других женщин — и тогда взлетал, как от зубной боли, и все освещалось ярким белым светом: раз уж у него... то у нее что же?! И изменять-то он не изменял, ока-

]225

Миф о Митишатьеве

залось — его измены лишь ложились на него же добавочным грузом и тянули вовсе на дно. В каждой своей другой женщине ему чудился прежде всего ее другой мужчина, еще Митишатьев. И эта единственная известная Леве ее измена (замужество в счет как-то не шло) оказывалась наиболее из всех ему известной. И вскоре Леве должна была прийти поздняя мысль, что он и не любит уже, а лишь мечтает от этой любви избавиться...

И Лева примерял уже картонные латы и выдергивал из ножен некстати деревянный раскрашенный меч! Но, пытаясь бороться с врагами их же оружием, то есть, в свою очередь, предавая их, так и не удавалось переиграть их, перещеголять в предательстве. Он сам же поскальзывался на слабенькой и тихой своей продаже, отшатнувшись от внезапного, возникающего как бы ниоткуда, невероятного их предательства. Чудище огромное, и головы каждый раз новые отрастают... Надо прятать деревянный меч — весь демонизм Левин вдруг оказывался простительной ребячьей шалостью, им преувеличенной до гиперболических размеров, над ним можно было лишь снисходительно и ласково посмеяться.

И хотя эти двое так и не дали Леве ни разу совершить истинно предательство и перешагнуть их, это, к сожалению, вовсе не означает, что чистая его натура вывозила его и не давала пачкаться — это лишь в сравнении с ними обстояло так. На самом деле, вовлеченный в этот процесс, в этой погоне за растущим как снежный ком предательством он и сам подвигался к краю, только как бы не сам, а с ними, за ними следом. То есть незаметно для самого себя он оказывался по ту сторону и уже потихоньку был способен совершать в отношении других то, от чего страдал сам. И эта возмутительная игра «кто — кого», которую все время подсовывали Леве, пока он верил, что должна быть любовь, а не «кто — кого» (откуда-то льется свет и играет музыка, и они идут и идут, рука об руку, растворяясь и утопая и не наступая друг на друга, и все танцует и кружит в плавном танце, воздетая и разбегаясь, как планеты и миры, расширяясь за все пределы), — эта игра «кто — кого», эта нереальность (Искушение) становилась все более явью для Левы, и он пусть неумело и не в силах еще сравниться, но уже пробовал шкодливой ручонкой... переносил свой опыт на всех, и ему казалось: все делают — так чем же он хуже всех?.. И так эти двое вдруг стали делиться и помножаться в его глазах, распространяться со скоростью опыта, что мир уже отчетливо начинал делиться на ОН (Лева) и ОНИ (все).

Вот так, подвигаясь по миллиметру с невыразимыми мучениями и страданиями (что еще никогда ни для кого не было оправданием) все более к краю, должен же был Лева и свалиться и оказаться в том большом и набитом людском зале (вокзале), где состоялось бы торжественное закрытие души Льва Одоевцева! И Лева никогда бы уже не знал, какой он на самом деле, — потому что его бы уже не было.

Лева в конце концов просто поздновато стал понимать, что не столько митишатьевы его давят, сколько он позволяет им это. И то, можно отдать ему должное, он долго сопротивлялся системе отношений «кто — кого», пока, подвинувшись вслед за своими мучителями к краю, с удивлением не обнаружил, что лишь время разделяет их и кого-то другого он уже продает и предает потихоньку, передает, так сказать, эстафету кому-то, возникающему в недалеком времени, — и не хотел ведь принимать ее, а вот уже и сжимает палочку...

...Но в одном Фаина все-таки помогла Леве — он вышел из-под власти своего друга. После расплавленного свинца Фаины его уже не обжигал соленый кипяток Митишатьева. Время лечит.

Но и в этом он ошибался. Так ему, естественно, должно было казаться, потому что долгое время ему было не до Митишатьева. Но Митишатьев, как известно, терпелив. Он может ждать своего торжества сколь угодно долго. А у Левы лишь засыпала бдительность. И однажды, в наиболее спокойный и полный Левин период, когда Фаина уехала с кем-то чуть ли не на Сахалин, а Лева, наконец как-то стабилизировавшись, поступил в аспирантуру, набрел на очень интересную тему и погрузился в науку, был горд и счастлив от этого, ощущал прилив сил и некий творческий потенциал, возносивший его над однокашниками, коллегами и руководителями, когда он хоть в своем деле, но почувствовал себя зрячим, когда жизнь наконец начала приносить удовлетворение и он почувствовал, что его не собьешь, — Митишатьев объявился из небытия. И Лева повторил ту же ошибку, которую бесконечно повторял еще в школе.

Митишатьев не менял основного своего метода, но менял обличье. Против всех его обличий, казалось, Лева уже выработал противоядие и развенчал их для себя. Но он все-таки ошибся, наивно предполагая увидеть в Митишатьеве одно из прежних обличий и восторжествовать, будучи до зубов вооруженным: Митишатьев же зашел, как всегда, с тыла. В наше время уже очевидно, что Ахилл самый обреченный человек и падет едва ли не первым. Потому что бессмысленно бить по неуязвимым местам, когда есть эта прозрачная пятка... На этот раз Митишатьев обвел Леву вокруг пальца так просто, так примитивно, что потом, отойдя, Леве лишь оставалось развести руками, недоумевая. Это было все равно, что, ожидая быть отравленным редкостным азиатским ядом, подсыпанным в столетнее вино, попросту получить в зубы.

Митишатьев позвонил Леве и, опустив всяческие приветствия, расспросы и рассказы о том, что произошло за все это долгое время их разлуки, сразу, рывком, вырвал у Левы немедленное свидание. Тем особым для такого случая голосом, который Лева прекрасно узнал, Митишатьев сказал, что им обязательно надо встретиться и поговорить, потому что он должен объяснить Леве нечто чрезвычайно для всех важное, до чего додумался только он, Митишатьев. Принципиально новый взгляд на историю... Все было так на него похоже: и многозначительный тон, и намерение поделиться каким-то своим сверхопытом, — что Лева чуть не потирал руки от удовольствия, как невластен окажется Митишатьев со своими прежними штучками — против него, Льва Одоевцева, в равновесии и мудрости; Митишатьев со своим невежеством — против научной, совершенной мысли... Вся беда, что Лева слишком вооружался, слишком воображал себе врага — враг же был прост.

Условно (а эту сцену и можно изобразить лишь условно) дело происходит так...

Митишатьев с порога заявил, что он — мессия, что достиг вершины и способен перевернуть мир. Что были до него, пользуясь выражением Горького, Христос — Магомет — Наполеон (он назвал, впрочем, иные имена), — а теперь он, Митишатьев. И потому он, Митишатьев, для начала духовно задавит Леву. «Ну, и как же ты это сделаешь?» — сказал Лева, снисходительно улыбаясь. «Очень просто, — сказал Митишатьев, — я ощущаю в себе силы». — «Силы — для чего?» — «Для того, чтобы перевернуть весь мир, а для начала духовно задавить тебя, потому что ты — мой идейный враг». — «Почему — враг? Мы же еще не...» — «Враг», — твердо сказал Митишатьев. «Хорошо, но как же ты меня задавишь?» — «Очень просто, — уверенно отвечал Митишатьев. — Я ощущаю в себе силы. Были "Христос — Магомет — Наполеон", — а теперь я. Все созрело, и мир созрел, нужен только человек, который ощущает в себе силы, — я ощущаю в себе силы». Все, больше Митишатьев ничего не мог сказать. Лева подставлял ему ловкие подножки, развенчивал, глумился — Митишатьев лишь презрительно морщился: ерунда, интеллигентские мелочи, слабость ваша вас же и съест, слабость ваша сильнее вас, с вами и бороться не надо — вы все сделаете своими руками, им уже написана статья «Уверенность в собственном враге», и скоро она появится в «Правде», и тогда все поймут, а Лева — враг, и он, Митишатьев, просто поставил сегодня маленький эксперимент (небольшая проверка теории на практике) и еще раз убедился, что прав и ощущает в себе силы... «Откуда правота, какие силы? — думал, слабея, Лева. — Просто подонок...» — «А что, — говорил Митишатьев. — Подонок сейчас — человек главный. Все так расслабились, растеклись, что он-то один и может сказать хоть слово отчетливо, хоть матом послать...» И вдруг Лева устал и сник. Он не мог уже ничего противопоставить Митишатьеву, не мог ему возразить, не мог его победить — побеждать было нечего: все то же голое давление, голое пространство, пустыня... «Стыкнемся?..» — Лева обессилел.

«А что если действительно? — уже почти в бреду, даже отодвигаясь от Митишатьева, подумал Лева. — Он же действительно их в себе ощущает... Я вот знаю, но бессилен доказать ему даже то, что знаю. А я же не ощущаю в себе силы? А Митишатьев ощущает...»

Миф о Митишатьеве

229

«Ты чувствуешь в себе эту силу?» — грозно, как бы в ответ на Левины мысли, сказал Митишатьев. Лева машинально, прежде чем опомнился, отрицательно и робко дернул головой. «А во мне?» — шагнул он к Леве. Лева чуть ли не сжался, и действительно, какое-то чудо происходило на его глазах с Митишатьевым — тот раздувался, становился громоздок и постепенно заполнял собой комнату, надвигаясь на Леву и жарко дыша. Лева ощутил сильный, настоящий ток, исходивший от Митишатьева. Это было как психическое поле необыкновенной силы, и Лева цепенел и глядел неподвижными глазами — Митишатьев заполнял собой комнату... «Чувствуешь силу? — громко шептал Митишатьев, жар так и полыхал в его словах и дыхании, и Лева все сильнее прижимался к шкафу как к последнему оплоту. — Ну, говори, возражай, что же ты молчишь?! Чувствуешь или нет?!» — «Чувствую...» — беззвучно разлепил губы Лева. «То-то же», — удовлетворенно сказал Митишатьев и вдруг, резко развернувшись, ушел. Лева остался, чувствуя себя совершенно разбитым и больным. Он не мог себе объяснить, что же произошло и не померещилось ли ему все это. Он уснул вскоре тяжелым сном и наутро попросту отогнал от себя все, как мираж и видение.

230[

Но и это прошло. Они столкнулись с Митишатьевым в учреждении, где Лева уже дописывал диссертацию, а Митишатьев только поступал в аспирантуру. Оба теперь производили весьма солидное и заурядное впечатление, обо всем вспоминали как о детстве, и когда Лева не совсем уверенно намекнул на тот странный визит, Митишатьев все начисто отверг и посмеялся. Тут же он очень путано рассказал, как лечился одно время в нервной клинике. «Странных, знаешь ли, людей там повидал... — самодовольно говорил он. — Берет тебя такой за пуговицу среди бела дня и шепчет пронзительно: "Видишь, звездочка? зелененькая, видишь?"» Но и эти рассказы несколько напоминали его окопы и тюрьмы. Не мог Лева, столько лет принимавший Митишатьева на свой счет, согласиться с тем, что он просто сумасшедший.

И хотя все проходит и мы со временем все-таки выходим из-под вещей и людей, нас тяготивших (точнее, изживаем их в себе), хотя Лева теперь уже уверенно полагал, что Митишатьев попросту незначительный и дрянной человек, — нечто если и не загадочное теперь, то загадочное по воспоминаниям, нечто, освященное детством, сохранялось в отношении Левы к Митишатьеву до сих пор. «Все мы отчасти Митишатьевы...» — успокоенно говорил себе Лева и уже не обязан был ощущать нечто непременно значительное в людях попросту дрянных. «Как и не мы»... — говорил себе Лева словно с грустью, употребляя любимое выражение Митишатьева: «Как и не мы».

Примечательно, что, несмотря на свои необыкновенные для карьеры достоинства и чуть ли не из-за этих своих талантов, Митишатьев, так сказать, еще малого достиг в жизни, даже много меньше Левы. Хотя они и работали в одной области, и тут Митишатьеву следовало, по старой его схеме, ни в коем случае не уступать. Но Митишатьев словно успокоился, а может, и растратился бескорыстно, в огромной степени на Леву, еще в школьных и университетских стенах.

Курил Митишатьев только «Север».

Не совсем такие, но такого рода мысли и воспоминания с особой четкостью и внезапностью пронесутся однажды в голове Левы, и повод для этого будет достаточно далекий. Тем более что Митишатьева Лева теперь видел почти каждый день и вовсе не думал о нем.]231

...Был морозный день, и Лева топтался на углу, под часами, вблизи автобусной остановки, ожидая одну действительно прелестную девушку (не Фаину), которой в ту пору так старательно морочил голову, что даже сам заморочился, хотя бы из честности. Он пришел чуть раньше, так получилось, он нисколько не нервничал, так как был уверен, что она придет, даже примчится, а потому спокойно поглядывал по сторонам, по возможности развлекаясь зрением улицы.

Тогда-то он и обратил внимание на одного юношу, стоявшего на автобусной остановке, не в очереди, как все, а несколько поодаль. Юноша этот, несмотря на мороз, был без пальто и без шапки, причем было видно, что так он ходит всю зиму, а не просто выскочил в ближайший магазин за вином. По какому признаку это было очевидно, трудно сказать: то ли не было в нем того возбуждения и нетерпения, которое естественно для раздетых людей на морозе, то ли так спокойно он стоял — не дрог, не переминался, что было понятно, что это для него привычное дело, закалка; то ли еще и одет-то он был бедно под несуществующим пальто — свитер, нечистый и коротковатый, и большие стылые кисти вылезают из рукавов, сколько их ни поддергивай; ну, естественно, брюки мешками на коленях и тоже короткие... Лицо его было сделано крупно и неплохо, довольно мужественное лицо, несколько сероватое, из тех, что даже у чистоплотных людей кажутся немытыми или слегка порочными; было и еще выражение, не очень броско, но четко расположенное в его лице, — его можно было бы назвать выражением самолюбия: некая сумма отблесков вызова, скрытности и недоверия. Так он исподволь поглядывал на прохожих, со скрытой насмешкой, что ли, особенно на девушек — тут скрытая усмешка чуть возрастала и почему-то очень его выдавала не открытостью выражения, а наоборот, его скрытостью, ощущением невероятного напряжения воли, уходящей на эту скрытость. Такой вот он стоял, вполне нормальный, разве чуть более независимый и отдельный, с книжками в руке (наружу смотрел Писарев золотыми буквами), и Лева вдруг сообразил, что видел подобного юношу не однажды — только внимания не обращал. Давно уже попадался ему на глаза такой молодой человек. Он объявился в их группе на втором курсе. Его закаленность вызывала уважительную усмешку, и прозвали его поэтому и почему-то «циклоп»; девушки все посматривали на него внимательно и заинтересованно, но ни одна бы с ним не подружилась; учился он не слишком ровно, но иногда становился мазохически трудолюбив, поднимая какую-нибудь, ни с того ни с сего, очень узкую и странную область знаний и прочитывая чудовищную по объему литературу; в нем был намек на призвание, но к диплому он уже охладел и надежд не оправдал, что же еще? — подтягивался на перекладине он, безусловно, рекордное количество раз (в длинных трусах, с некрасиво согнутыми ногами), вызывая удивление без восхищения, но в общем был не слишком ловок, занимаясь наедине подниманием утюгов и стульев... Перед Левой вдруг отчетливо всплыло его тело: с чрезвычайно мощным брюшным прессом и длинными сильными руками, очень бледное... оно именно всплыло, как тело утопленника, на поверхность его памяти.

Справедливости ради, он вовсе не был похож на Митишатьева, но вспомнил же Лева именно Митишатьева, причем с такой внезапной ясностью и свежестью, которые были уже невозможны благодаря столь долгому, близкому и затертому общению. Особенно тот момент, тогда у шкафа. И еще один, о котором не вспоминал никогда, более того, не понимал никогда и только сейчас вот, глядя на юношу, ощутил и понял...

Митишатьев не умел звонить по телефону-автомату! То есть опустить монету, снять трубку, набрать номер, нажать кнопку... Вся эта последовательность была для него абсолютно неясна. Пожалуй, он научился этому лишь на последнем курсе университета. Да, да, да! Он не знал, как это делается, и спросить ни у кого не мог. И всегда, когда Лева говорил: «Так ты позвони мне», — Митишатьев странно улыбался и никогда не звонил. И даже за каким-либо пустяком пер через весь город, совершенно без всякой гарантии застать, а позвонить не мог. Зато никто не знал этой его маленькой слабости... Тут Лева так пронзительно ощутил человека этого изнутри, что у него даже слезы навернулись. И эта странная, непонятно откуда пришедшая убежденность, что этот-то момент больше всех прочих раскрывает душу Митишатьева, тоже была ни на что не похожа, и объяснить ее себе Лева бы не мог.

(...Лева стоял и смотрел на поверженного своего врага и ощущал некую пустоту, не то печальную, не то сладкую, и враг его уезжал от него, ловко повиснув последним, и сам он был уже в автобусе, а рука с Писаревым еще плыла по улице.)

ВЕРСИЯ И ВАРИАНТ

«АБ, АБ, АБ...» — думал как-то Лева и, опустив лишь первое А, получал: — «БА, БА, БА...»

Б, Б, Б, Б! — вот ряд. Это все равно как сказать: Лев Одоевцев! Как же, знаем-с, читали... Или — Одоевцев Лев! — «Здесь!» — и руки по швам. Разница все-таки есть.

Ведь есть же действительность! Есть, — можем или не можем мы ее постичь, описать, истолковать или изменить, — она есть. И ее тут же нет, как только мы попытаемся взглянуть чужими глазами... Тут-то и возникает марево и дрожь, действительность ползет, как гнилая ткань, лишь — версия и вариант, версия и вариант. Не разнузданная, как воля автора, не как литературно-формалистический прием и даже не только как краска зыбкой реальности, — но как чистый механизм так называемых «отношений», в которые следовало бы никогда, ни при каких обстоятельствах, больше не вступать. Но и оглянуться не успеешь — как снова барахтаешься в этой паутине.

И тут уже начинают мерещиться, двоиться, множиться и исчезать — и Фаина, и Альбина, и Митишатьев... Может, Фаина — уже другая Фаина, не в том смысле, что изменилась (на это мы не уповаем), а просто другая — вторая, третья... И Митишатьев — наверняка ведь не один, с десяток митишатьевых пройдет через Левину жизнь, прежде чем он постигнет первого, Любаш же — можно и со счету сбиться. Разве что Альбина — его первая вторая женщина — так и останется неповторенной... Может, их с самого начала было сто, а я как автор слил их в одну Фаину, одного Митишатьева, одного... чтобы хоть как-то сфокусировать расплывчатую Левину жизнь?.. Потому что люди, действующие на нас, — это одно, а их действие на нас — нечто совершенно другое, сплошь и рядом одно к одному и никакого отношения не имеет, потому что действие их на нас — это уже мы сами. И поскольку нас занимал именно Лева и действие людей на него, то и наши Фаина и Митишатьев — тот же Лева: то ли они слагают Левину душу, то ли его душа — раздваивается и растраивается, расщепляется на них. Мы воспользовались правилами параллелограмма сил, заменив множество сил, воздействовавших на Леву, двумя-тремя равнодействующими, толстыми и жирными стрелками-векторами, пролегающими через аморфную душу Левы Одоевцева и кристаллизующими ее под давлением. Так что некоторая нереальность, условность и обобщенность этих людей-сил, людей-векторов не означает, что они именно такие, — это мы их видим такими через полупрозрачного нашего героя. И раз все они прочерчены через его душу, то они не могут не встретиться хоть однажды все вместе, стоит только Леве замереть и остановиться.

Все остыло в прошлом, и легкодоступное будущее крошится под его резцом. Раскаленная стружечка настоящего обжигает бумагу. Мы — не знаем. Только версия и вариант, версия и вариант тасуются перед взором автора при приближении к настоящему времени его героя.

Что же думает сам Лева, поражаясь тому, как его жизнь день за днем отъезжает в прошлое, нигде не останавливаясь, все время проскакивая полустанки настоящего по дороге из будущего — в отсутствие его?

Думая о неверном ходе своей истории, Лева начинает в последнее время все большее значение придавать двум, непонятно откуда подхваченным им понятиям — «жизненности» и «нежизненности». Ему кажется, что они что-то значат и объясняют его собственный сюжет и близкие ему судьбы. Подавленный своим опытом, он полагает, что жизненность и нежизненность — есть некая врожденная данность. Ему кажется в последнее время, что он — нежизнен или маложизнен. Он удручен этим заключением.

Никак ему не достичь, как бы ни хотел он сохранить свою жизнь, вернее, существование, — той жизненности, которая притягивала его в других: в Митишатьеве или Фаине, не говоря о деде или Диккенсе, где все иначе измерено. Ему бы уже хотелось так же убегать, увиливать, ускользывать из рук, оставаясь победителем.

Потому что, что такое победитель, думает Лева, как не человек, убегающий от поражений, в последний момент спрыгивающий с подножки идущего под откос поезда, успевающий выпрыгнуть на ходу из машины, летящей с моста в воду, — как не крыса, бегущая с корабля. А в наших условиях, скорее всего, — крыса. Никто не виноват, что жизненность воплощается в наше время в самых отвратительных и прежде всего подлых формах. Никто не виноват, потому что все виноваты, а когда виноваты все, прежде всего виноват ты сам. Но жизнь уже строится по такому костяку, чтобы люди никогда не сознавали своей вины, этим способом и будет воплощен рай на земле, самое счастливое общество. Убегание, измена, предательство — три последовательных ступени, три формы (нельзя сказать, жизни, но сохранения ее), три способа высидеть на коне, выиграть, остаться победителем. Такой ход приняло жизнеизъявление. Ну а нежизненные — должны вымирать. Их усилия дуть в ту же дуду необоснованны и жалки и не приводят к успеху, а лишь к поражению. Они если и спрыгивают с машины, то, во всяком случае, несколько позже, с той разницей от не-спрыгнувших, что летят в ту же пропасть отдельно от машины, параллельно ей. И жизнь теперь — затянутое совокупление с жизнью, отодвигаемый оргазм.

Лева думает, что деться ему теперь уже некуда, что он тут, навсегда тут, голубчик.

Ему так вдруг показалось, но мы не уверены...

Они не могли не встретиться.

Наиболее простое и естественное общее место для такой встречи — у Любаши.

Раздел второй. ГЕРОЙ НАШЕГО ВРЕМЕНИ

— Пришел-таки! — восклицал Митишатьев. — А мы тебя поджидаем... — И действительно, не только Любаша на этот раз была не одна в своей светелке — не один был и Митишатьев.

И Лева, глядя сквозь объятья (Митишатьеву через плечо...), с внезапной прозорливостью признавал в третьем, по виденной им когда-то мельком и вскользь и, казалось, тут же забытой фотографии, — мужа Альбины.

Они подавали руки и называли себя по именам, до отвращения друг другу знакомым. Их было трое, и они «скинулись». Жребий бежать за водкой выиграл, как приз, Лева.

Выскочив на улицу, он некоторое время очумело озирался и подчеркнуто вдыхал всею грудью воздух. «Бред, бред, бред! — повторял он. — Все, что было, оказалось — всего-то... Господи! есть же реальность... Вот она! — и Лева обводил благодарным, исполненным спасения взором деревья в соседнем скверике, мокрый асфальт после только что проехавшей поливалки, воробьев, развозившихся на крыше сарая, баню напротив и распаренную бабу, направляющуюся от бани, казалось, прямо к Леве... Глаза его увлажнялись. — Неужели спасся? Не было этого ничего! Бежать, скорей бежать...»

И Лева выбегает из этой версии, из этого варианта.

«Что ж, и такое бывает...» — думает он с удивлением. Да, в жизни такие варианты встречаются сплошь и рядом — они скомпрометированы лишь на сцене...

Лева выбегает — и вбегает в другой вариант...

Этот вариант — не в общем, а в общественном месте. Речь пойдет о кафе «Молекула», самодеятельном молодежном кафе при крупнейшем и очень секретном научно-исследовательском институте. Это место также принадлежит к разряду тех мест, где подобные встречи не могут не происходить.

Кафе отмечало свой пятилетний юбилей. Готовился роскошный вечер. На него были приглашены в качестве гостей самые знаменитые люди: поэты, артисты, космонавты.

Кафе было построено самими сотрудниками института — молодыми учеными — по проектам самодеятельных

архитекторов и расписано собственными абстракциони-
стами. Мебель была изготовлена по собственным черте-
жам в собственных мастерских. Все это — не без трудностей, не без сопротивления отдела кадров, на одном энтузи-
азме и не без борьбы. Но — все было преодолено: роспись
оказалась несколько дилетантской, но вполне милой, мебель — несколько неудобной, но оригинальной, помещение, полуподвальное, — несколько сыроватым, но уютным.
Встречи в кафе всегда были с необыкновенно интересными людьми — всем было лестно выступить в столь знаменитых и секретных стенах — и проходили в живой, не-
принужденной обстановке. Отчеты об этих вечерах, тоже
живые и непринужденные, помещались в городской мо-
лодежной газете.

Юбилейный вечер должен был превзойти все предыду-
щие. В гости были приглашены такие люди, как Евтушенко, Смоктуновский, Гагарин и т.д., — люди интересные, как
дельфины. Впуск будет производиться строго по пригласи-
тельным билетам и по списку — избранная публика. Кроме
выступлений приглашенных и лестного соседства с ними
за столиками, предполагался также показ редкостного
фильма не то Хичкока, не то Феллини. Прислуживать за
кофейной машиной должен был лауреат Нобелевской премии, директор этого института, а подавать — доктора наук,
не меньше.

И действительно, контроль пускал строго по пригла-
сительным и по списку. Патруль теснил толпу прекрасно
одетых интеллигентных молодых людей, рвавшихся,
но не имевших билета. Но в последний момент оказалось, что Евтушенко быть не может, вместо него — пустили поэта X, и Смоктуновский — не может, а вместо него — Y, и Гагарин — Z. Наблюдался даже такой парадокс:
X, Y и Z — тоже были в списке, но только где-то ближе
к концу, так что вместо них было впущено еще трое.
Строго пятьдесят человек было впущено по списку, ста-
вились галочки, зачеркивались и надписывались фамилии: каждый — вместо кого-то. И за кофейной машиной
стоял не нобелевский лауреат, а кандидат наук, подавали — лаборантки. Вместо икры была семга, а вместо сем-
ги — шпроты. Не говоря уже о фильме.

Любопытно отметить, что, по некой случайности, вместо Х, на вечер попал один меньше, чем Х, известный, но зато — поэт. Среди прочих он прочитал такой милый стишок:

То ножик — в виде башмачка,
То брошка — в виде паучка,
То в виде птички — ночничок,
То в виде бочки — башмачок.

Все вверх тормашками, вверх дном!
Какой-то сумасшедший дом!
. . . .

. . . .

Предмет кивает на предмет:
Вот столик — он же табурет,
Вот слоник — он же носорог...
Назад! на воздух! за порог!

Не жизнь — чудовищный вертеп,
Подмен неслыханный притон!
Творец метафор, ширпотреб,
Как мыслит образами он!

Так вот откуда этот вкус
К сопоставленью слез и бус
И страсть к стихам у продавцов...
Домой! от чтений и стихов![1]
. . . .

И дальше — тоже славно. Этому стихотворению все аплодировали особенно бурно.

«Странно, — думал по этому поводу Лева, потому что он тоже оказался на вечере, — вот они аплодируют... У всех довольные и веселые, даже подмигивающие лица. Им по-настоящему понравилось. Им лестно быть причастными. Но ведь понравилось-то потому, что этот стишок — именно о них, о их призрачности за этим отсутствием столиков...

[1] Использовано стихотворение А.Кушнера.

Версия и вариант

Понравилось именно прямым отношением к ним — и в ту же секунду, таким таинственным, не ранящим душу способом, впечатление их стало абстрактным, и они оценили лишь уровень поэзии, отнюдь не проникаясь безнадежностью собственного существования. Они довольны стихами, поэтом, эти стихи написавшим, собою, эти стихи выслушавшими, тонкостью своего восприятия — довольны намеком на что-то внешнее и над всеми довлеющее, который они в стихе сообща, перемигиваясь, обнаружили, — довольны... и никакого самоощущения! Как это он сказал: "Вот что-то — он же пистолет..." — никто не стреляется!..»

Эти суровые обобщения имеют под собою еще более почвы, если сообщить, что он оказался за одним столиком с Митишатьевым и мужем Альбины. Это немудрено: Лева там оказался, кажется, вместо Шкловского, Митишатьев — вместо Z, и лишь муж Альбины был как бы при деле, потому что сотрудничал в институте и был одним из главных устроителей вечера. Сейчас он, не выговаривая всех букв и брызгая Леве в ухо, рассказывал о трудностях, с которыми пришлось ему столкнуться, приглашая на вечер такого-то, ведь вы знаете, что он подписал одно письмо... но он не уступил и настоял, дошел до директора — и вот, видите, он сидит, слева от нас... Муж Альбины смотрел в Леву собачьими глазами, и Лева очень хорошо понимал сейчас Альбину...

Они сидели за одним столиком, все вместо кого-то, но все они были самими собой, и все разыгралось почти в той же последовательности, что и в первом варианте. И они играли в ту же игру; все много знали друг о друге — но, в то же время, только познакомились; будто ни разу до этого ничего друг о друге не слышали — и не должны были выдать, где они друг о друге слышали. И пока методика поведения каждого не была определена, естественно, самым выигрышным было поведение н и к а к о е — это было, впрочем, и наиболее привычное поведение для каждого. Игра, так сказать, носила позиционный характер.

«Господи! — думал Лева, вспоминая, что, кажется, видел, и мельком, мужа Альбины — у Любаши... — Какое все ненастоящее!..» Тут же выпил, налив себе больше других, и резко захмелел.

...Ему вдруг очень явственно показалось, что все они — детали некой конструкции, не вполне до этого сознававшие свое назначение, а теперь внезапно слившиеся воедино так прочно, так плотно, что уже никогда им не разъединиться. Что если у него, Левы, в одном боку был штырь, а в другом — отверстие, — то сейчас все обрело свое место, потому что там, где у него был штырь, у мужа Альбины было рассчитанное под этот штырь отверстие, и они совпали сразу же... и, соответственно, у Митишатьева — и все это совпало, упрочилось, конструкция обрела устойчивость. И теперь, скрепленные, все они уже не могли стронуться с места. Формулы из школьного учебника химии вдруг вспомнились ему. «Да, да, именно! — почти радостно кивал он самому себе. — Органическая химия. Цепи. Циклы. Каждый элемент связан с другим одной или двумя связями, и все вместе — связаны...»

С пьяным вдохновением он стал чертить что-то на салфетке, чувствуя себя немножко Менделеевым. Выглядело это сначала так:

]241

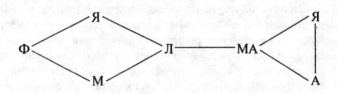

потом так:

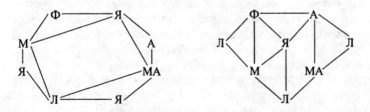

Не получалось...

Версия и вариант

Так?..

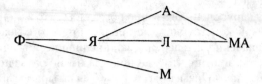

Наконец все выглядело более обобщенно и просто, как все гениальное:

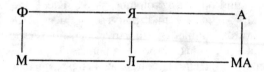

ГДЕ:
Ф — Фаина, А — Альбина, Л — Любаша, М — Митишатьев, МА — муж Альбины. Я — сам Лева.

242[

«Молекула... — повторял себе Лева. — Настоящая молекула! Ни один из нас не представляет собой химически самостоятельной единицы. Мы — единое целое. Где у меня дырка — там у него штырь, и где у меня штырь — там у него дырка. И где у меня выпуклость, у него — впуклость. И мы притерты и собраны тщательно. Часики, колесики. А Любаша нам как СН или ОН, всех нас соединяет. Колесики, часики... детский конструктор... Как ни крути, либо тележка, либо подъемный кран...»

Он разделил два получившихся квадрата диагоналями — и у него зарябило от множества треугольников: кажется, по числу участников, у них использованы все варианты соединений в треугольник.

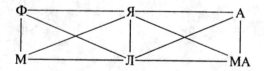

«Я — Фаина — Любаша, Я — Фаина — Митишатьев, Любаша — Митишатьев — Фаина, Я — Альбина — Фаина, Я — Альбина — муж Альбины, Любаша — муж Альбины — Альбина...» Молекула, настоящая молекула... не хватает, чтобы Фаина сошлась с мужем Альбины, а Альбина — с Митишатьевым, ну да все впереди! ФАЛ, ЛФМ, — бессмысленно думал Лева. — ЯФМ и ЯЛМ...»

Тут можно сказать, что распахнулась дверь и вошла — Фаина... Такое — тоже вполне реально и допустимо. Она могла бы прийти на свидание с Митишатьевым, или разыскивать Леву, или просто так. Это вполне реально и допустимо... «Но — невыносимо», — сказал Лева.

(Заканчивая отчет об этой встрече, мы должны сознаться, что несколько увлеклись, несколько чересчур прямо поняли задачу и легко клюнули на жирную наживку. Все это водевиль, и не стоит того... Теперь уже поздно: мы вытоптали это пространство прозы, — на нем уже не растет трава. Зря погорячились...

Перед глазами почему-то маячит такая картинка-загадка, картинка-ребус из журнальчика нашего детства: какие-то деревья, сугробы, — бурелом из тонких и лишних линий. Найдите на этой загадочной картинке медведя, ворону, зайчика... Куда спрятался мальчик? Чем-то нас это до сих пор задевает: где мальчик...

Смысла не больше и в нашем ребусе:

КТО — ЛЕВА?
КТО — ФАИНА?
КТО — МИТИШАТЬЕВ?

Мы, водевильно же, представляем себе затруднения Господа на Страшном Суде... Он вертит нашу картинку и так, и так... пожимает плечами. Где они?
Бросает в папку:
«НЕОПОЗНАНЫ НА СТРАШНОМ СУДЕ».)

...Пока я вот так расставляю и расставляю фигуры, и все затягивается необыкновенно, и мне никак не начать партию, то есть никак не подойти к тому развороту, который я знаю и лелею с самого начала, ради которого все и затеял, в надежде расставить фигуры в течение каких-нибудь двух-трех первых страниц... а вдруг появляется дед, Фаина, многие... Вдруг, пешкой, выскакивает муж Альбины, даже не пешкой, а минус-пешкой, — то и начинает понемногу мерещиться, что так я никогда и не дойду до самой партии, она отомрет и отпадет, и то ли в ней не окажется уже необходимости или просто, от слишком долгого ожидания, не захочется уже играть.

То есть я наконец, расположив их всех в надлежащем порядке и связи по отношению друг к другу, так и оставлю партию в боевой позиции: все фигуры в ней будут выражать готовность ринуться в бой и не смогут стронуться с места, схваченные слишком жесткой и безысходной конструкцией — «так и есть», — и я не смогу взорвать эту конструкцию... Ибо для чего и вся возня, для чего все отодвигающийся сюжет, если не для того, чтобы взорвать все это накопленное изнутри и тем хотя бы пролить на все яркий, пусть мигом исчезающий с в е т: свет взрыва! Я все больше, чувствую по своему герою, который все больше превращается в коллективного героя, что даже если и удастся написать самый сюжет, то будет это мнимым взрывом. То есть, может, и потрясающим, — но все останется на месте, лишь утихнет его гул и распространятся, затухая, волны... Но и тогда у меня еще останется надежда на свет: если взрыв даст трещину хотя бы в одном из героев, снова, как при рождении, отмежевав хотя бы одного и тем расколов неприятную их слитность. Они же, как ком, у меня — авторская кома... едины в своих лицах. Так что уже и не они, и тем более ни один из них, не становятся героями повествования (если только не отнестись к делу формально, приняв за главного того, о ком больше всего говорится, допустим, Леву).

Так вот, так все развилось, как я и не ожидал, что ни один из них не герой и даже все они вместе — тоже не герои этого повествования, а героем становится и не человек даже, а некое явление, и не явление — абстрактная категория (она же явление), такая категория... которая, как по цепной реакции, начавшись с кого-то, и может, давно, за пределами рассказа, пронизывает всех героев, их между собой перепутывает и убивает поодиночке, передаваясь чуть ли не в момент смерти одного в суть и — плоть другого; потому что именно у этой категории, внутри моего сбивчивого романа, есть сюжет, а у героев, которые все больше становятся, от протекания через них одного лишь физического (не говоря об историческом) времени, «персонажами», — этого сюжета все более не оказывается; они и сами перестают знать о себе, кто они на самом деле, да и автор не различает их, чем дальше, тем больше, а видит их уже как некие сгустки, различной концентрации и стадии, все той же категории, которая и есть герой... Но — что же это за категория?!

И только тогда автор сможет как-то вздохнуть и испытать мало-мальское удовлетворение, если кто-нибудь из этих сгустков, из этих персонажей, вдруг все-таки сможет обрести сюжет и хоть разорвать, хоть вкрапленником войти в сюжет категории, который уже томит своей однообразностью, своей примитивной передачей, своей неизбывностью и нарушением всех энергетических законов, не только не теряя в силе, но словно «с ничего» возрастая, от самого себя... И вот, если кто-нибудь обретет этот сюжет, скорее всего погибая, и все окрасится трагедией: человек обретает сюжет, сюжет обретает человека... — хоть одна цепь окажется законченной, и в конце ее покажется светящаяся точка, как выход из лабиринта в божий мир, точка света, которая, может, и не осветит, но хоть силы какие придаст хотя бы и автору: добраться до конца, — хоть что-то задрожит, как далекая звездочка, пусть недосягаемая, — хотя бы видимая невооруженным глазом. И если так, дай бог, случится с повествованием, чего искренне жажду, на что уповаю, и начнется сюжет не категории, а хотя бы одного сгустка, хотя бы Левы, я с радостной жестокостью дам ему даже погибнуть во имя его сюжета, лишь бы не вернуться к сюжету проклятой «категории». (Как мне недавно рассказал один образованный человек, в древние времена,

]245

при приготовлении целебного бальзама, в варево из меда, трав и прочего бросали живого раба, непременно живого, чтобы он, погибая, в мгновение перехода отдал составу свою жизненную силу, растворившись в нем...) Ну, а как он не погибнет, не полезет в мой чан — и мне не удастся разрушить этой цепочечки, этого ручейка предательств — и все замкнется в кольцо? — то повествование покончит с собой, как скорпион, ибо и скорпион образует кольцо в этот свой последний момент... не дай бог автору задохнуться в собственном воротничке! Одеяло, видите ли, его душит...

Третья часть, третья часть!.. Господи, дай силы завершить содеянное...

Г-ЖА БОНАСЬЕ

(Дежурный)

(Глава, в которой первая и вторая части
сливаются и образуют исток третьей)

*Когда ночная роса и горный ветер освежили мою горящую
голову и мысли пришли в обычный порядок, то я понял,
что гнаться за погибшим счастием бесполезно и безрассудно.
Чего мне еще надобно? — ее видеть? — зачем? не все ли кончено
между нами?*

Сейчас нам придется забежать вперед и изложить
эпизод, по последовательности принадлежащий лишь будущей, третьей части романа; этот эпизод, однако, очень
нам нужен именно здесь...

На праздники Леву оставили дежурным по институту.
Было у них такое заведение.

Лева спал на директорском диване и видел сон. Разбудил его звонок Митишатьева. Митишатьев собирался его
навестить. Очень важное дело...

Опять та же таинственность... Лева добродушно усмехнулся этому постоянству. Лева прекрасно знал, что это за
«важное дело», — Митишатьев хлопотал по поводу юбилея
их школьного выпуска, организовывал встречу. «Уже че-
тырнадцать лет!» — растрогался Лева.

И проснулся. Он был рад, что проснулся другим человеком. Вчерашнее намерение утром поработать, несмотря ни
на что: ни на злополучный разговор с Фаиной, ни на все эти
праздничные неудачи, — пометавшись секунду, легко исчезло... и остался всего лишь Лева, радующийся подвернувше-
муся случаю быть не одному, а на людях, без необходимости

вести тяжкий диалог с самим собой; Лева, отпустивший вечного своего партнера (двойника); Лева, вскакивающий с дивана, потягивающийся неловкими членами, криво улыбающийся, протирающий глаза, собирающий у конторского зеркала свое разбежавшееся лицо в некое частное целое; Лева, вдруг направляющийся к окну и выглядывающий в него...

Это было неожиданное и неоправданное движение, проделанное уже другим Левой, внезапно вернувшимся. Как уж там замкнулось в его мозгу, таким легким мостом соединив две точки, столь удаленные, трудно объяснить, как и во всем последующем сейчас куске трудно установить последовательность, что после чего и что в результате чего, и трудно не перепутать причину со следствием, чем дальше, тем больше являющихся полным равенством в отношении моего героя, — но он подбежал к окну с той внутренней легкостью и невесомостью ребенка, которая не имела никакого уже внешнего выражения: он протопал поспешно к окну, что-то подтолкнуло его поскорее выглянуть в него. И пока он подбегал к окну и выглядывал в него, небольшая мысленная картинка вставала перед ним, будто объясняя его внезапную детскую легкость. Картинка была из «Трех мушкетеров», в том виде и ощущении, какое было вот тогда, давно-давно, лет так двадцать назад, когда он, вернувшись из школы, в пустой квартире сидел с ногами в мягком кресле, напялив отцовскую ермолку и прихлебывая чересчур сладкий чай из стакана в фамильном подстаканнике (вензель с подстаканника стоял внизу картинки, как подпись художника). На картинке г-жа Бонасье в монашеском одеянии, такая прелестная, подбегала к узкому монастырскому окну и застывала в той неостановившейся позе: как бы еще бежала туда, за окно, и дальше, ступая легкими ногами уже по воздуху; замерев, выглядывала она в окно, а там скакал спасительный и надежный д'Артаньян, и плащ его развевался с крестом мушкетерским; но было уже поздно: она могла подбежать к окну, могла выглянуть, — но простоять в этой своей стремительной позе не могла дольше, чем д'Артаньян, стуча запыленными каблуками, вбежал бы по монастырской лестнице, оттолкнув шпионку-настоятельницу... А там госпожа все падала и падала, сладко охнув, так медленно, что д'Артаньян успевал пробежать всю

залу и подхватить ее, падающую, и лишь тогда она испуска-
ла дух на возлюбленных руках, и этот вздох был последним
поцелуем, таким сладким, что, что же делать, как не умереть! — продолжения уже быть не могло... Фаина, о боже,
Фаина! Она падала у высокого стрельчатого окна, и успеть
можно было лишь подхватить ее, но уже мертвую, обрека-
ющую ее д'Артаньяна лишь скакать и скакать до самой
смерти, чтобы плащ его развевался...

Лева подбежал к высокому окну бывшего особняка,
а ныне учреждения, заточившего его в свои стены на время
всенародного праздника и гулянья, и выглянул в окно с за-
щемленным сердцем.

Набережная, как всегда пустынная, имела все же некий
отплеск гула проходившего рядом потока демонстрантов;
черный копер, ныне столь безжизненный, плавал, при-
ткнувшись к недобитой свае; булыжная мостовая конча-
лась, не достигая реки, оставив земляную полосу, ограж-
денную от воды частоколом шпунтовых досок, и по этому
тротуару, по этой тропе шла Фаина с неизвестным доселе
Леве спутником... Был он как-то высок, кудряв, неожидан
для Левы по внешности, почему-то в ватнике — не пижон.
Как раз они огибали лужу, лужа в этот момент раздвинула
и разъединила их, дотоле шедших рядом, руки их натяну-
лись над лужей, посреди лужи оборвались и упали со смехом. Были они одни на набережной, отдельно и странно,
точно актеры, точно сзади медленно полз открытый ЗИС
и велась за ними съемка, а Лева, где-то сверху, следил за ра-
зыгрываемой сценой — режиссер и бог.

То ли погода была. Ветер высоко в небе. Раздутые струй-
ки облак. Прозрачность. Странная погода, что в голову приходило, что действительно накануне демонстрации разгоня-
ют непогоду самолетами, чтобы сама природа праздновала
вместе с людьми, как в отчетах. Вчера — непогода и слякоть,
завтра — та же непогода, даже еще бо́льшая, озверевшая от
людского вмешательства, сбитая с толку, запутавшаяся
в собственной злобе... А сегодня — ясность, промытость,
синь разорванного пополам пространства, разорванного та-
инственными и мощными боевыми машинами, которые сегодня полетают еще на парадах в расчищенном для себя небе, хорошо видимые народу.

]249

Г-жа Бонасье (Дежурный)

Лева замер в окне, распахнув его одним ловким движением, только что не вываливаясь из него на улицу. В Леву дуло пронзительным, с иголочками, ветром, словно бы получившимся в результате этих неправдоподобных самолетов. Дуло словно в люк, и действительно, все это синее, прозрачное и пустое пространство было вполне дырой, стремившейся сомкнуться и исчезнуть, прорубью, которую тянет затянуться льдом, и ветер был вполне понятен.

Лева стоял в этом окне никогда не спавшим человеком, имея в душе непонятное сходство с этой рваной, истерзанной, проясненной погодой.

Видел он и Фаину, еще вчера такую мучительную, и ее нового спутника, именно того, неведомого и недосягаемого, который стоял за всеми конкретными ее спутниками, который удалял Фаину, осязаемую и близкую, в далекую даль, — туда убегала Фаина с опрокинутым и уносящимся лицом, исполненным некой отчаянной и рискованной надежды, похожей все на ту же сегодняшнюю погоду.

И спутника ее, такого кудрявого... Что-то кудрявые и не встречаются нынче?.. Лева вдруг одобрил ее вкус. Красивым тот, конечно, не был. Но было в нем нечто, избранное Фаиной, открытое ею. То, что Лева никогда бы не увидел в нем, не будь Фаины рядом. Лева ощутил нечто вроде того удивленного почтения, которое мы испытываем, увидев некрасивого партнера с красивой женщиной или, наоборот, видного мужчину — с некрасивой, когда красивые кажутся нам обладателями некого знания или истины, позволяющей им быть вместе с любимыми, независимо от общественного мнения, и владеющими потому тайной счастья. Он вспомнил свое тихое недоумение над иностранными журналами с фотографиями кинозвезд и их супругов.

Спутник шел исполненный силой, которую придала ему Фаина, и это не убивало Леву, как обычно, навылет, хотя Лева и видел все, как всегда видел, но — не так видел. Тут был и неважен факт, который так терзал обычно Леву в отношении его любимой: было или не было? С этим или с другим?.. Что за глупость! Это ли может кого бы то ни было интересовать? Это ведь даже не факт... Факт — это сама Фаина. Перед Левой вдруг впервые за много лет возник сам предмет, реальный предмет, реальная Фаина, идущая вот сейчас мимо его окон, по набережной, с незнакомым Леве спутником. Лева впервые за много лет увидел Фаину...

Была она совсем не так хороша, как казалась его растревоженному воображению. Была она устала и невесела, хотя и было в ней что-то, не позволявшее подумать, что она несчастна сейчас, — тишина, что ли, и покой. И значительность ей, пожалуй, мог придать лишь ее спутник, как и она ему. Нет, он не смотрел на нее ни восторженно, ни восхищенно, ни умиленно — просто во взгляде его не было и тени сомнения, что Фаина — единственная на земле женщина и о достоинствах и недостатках ее говорить не приходится, потому что сравнения нет и быть не может. Так выглядят, наверное, счастливые люди, неотъемлемыми друг от друга...

У Левы все замерло от любви к ней, именно к ней, ни к кому больше — и себя в этом не было. Впервые, быть может, за все время его чувство и можно было назвать любовью, разве что еще какой-нибудь один далекий момент, самый первый, уже забытый им.

То ли резкая такая была сегодня атмосфера, что хоть через улицу и сверху, Лева видел все как в бинокль: морщинку на шее и слабеющую уже кожу щек, шляпа какая-то дурацкая, пуговица болталась на ниточке, истерзанный один каблук (в эскалаторе, наверно, побывал) и подламывающаяся ее походка... Резкость изображения вдруг начинала исчезать — слезы Левины.

И то, что всегда представлялось ему броней, силой, направленной против него: наряды, марафеты, повадки, — вдруг показалось Леве трогательной беззащитностью, неуверенностью, слабостью — нежный хлыстик против навалившейся жизни, — все это не имело знака ни плюс, ни минус, не имело вектора, не было направлено, чтобы пронзить его... И недавний, последний их разговор: Лева все нападал в отчаянии и не добивался ничего, бился об нее, а она — как стена, — и словно бы кровь течет по его лицу, терновый венец... Что она сказала ему? Молчала и молчала, непроницаемая, и вдруг: «Ну что я тебе сделала? Что я с тобой такого сделала? Ну, ответь? Ответь!» И вдруг Леве нечем ответить ей, ведь действительно: что она ему сделала?.. Лева опешил, и все его многочисленные, разветвленные доводы испарились, и просто — не было

Г-жа Бонасье (Дежурный)

ничего. Действительно, что она сделала? Лева остался в немом удивлении, и она ушла.

Счеты?.. Какие же у них могли быть счеты!..

Вот и лужу они обошли. И руки их снова нашлись. И лица повернулись к Леве в профиль и исчезать начали... Затылок у него смешной... Смех, ее извечный смех, вдруг рассыпался по мостовой, по отдельным булыжникам запрыгал, отскакивая, страшный ее смех, Леву пугавший всю жизнь... Жалкий ее смех, слабый и к Леве не относящийся... «Вот она, — вдруг осенило в озарении Леву, — любовь моя! она — жена моя!..»

Ему вдруг захотелось высунуться по пояс из окна, закричать, замахать руками. Радостный такой и возбужденный, Лева машет ей руками и кричит: «Фаина! Эй, Фаина!» Она оборачивается, удивленная, и улыбается, узнавая. «Заходите ко мне! Заходите оба!» — «И я?» — молча спрашивает ее спутник, указывая себе на грудь, и улыбается обаятельно. «Конечно, конечно! Вместе!» — кричит Лева и машет руками.

Лева стоял, задохнувшийся, в окне и смотрел им в нелепые их спины. Как вдруг Фаина узнала что-то (Ну да, ведь она приходила к нему сюда, и не раз! — вспомнил Лева) — и .обернулась. Взгляд ее заскользил по зданию, узнавая. И бровь приподнялась. И спутник приостановился и отраженным от ее изменившегося лица взглядом скользнул по окнам.

Лева отпрянул от окна и чуть не заплакал от некого страшного чувства, что ему нельзя, чтобы она вдруг увидела его, потому что он не может никогда ей объяснить, почему и как он на нее сейчас смотрел, потому что эту возможность он потерял навсегда, и этого права посмотреть на нее у него нет, и гнев ее справедлив будет... Лишь — подглядеть.

Лева стоял, отпрянув, прижавшись спиной к стене, будто возможно было его увидеть, испуганный тем, что его увидят, представил себе вдруг, как она, взяв спутника за руку, повлекла его: «Пойдем, пойдем отсюда быстрей!» — «Что с тобой?» — сказал, допустим, спутник. «Ничего, так», — сказала она.

«Неужели она... от меня?.. — с ужасом подумал Лева. — Боже, как страшно. Когда?..» Он закрыл лицо — ему не хотелось видеть. Дни его побежали перед ним в темноте ладоней.

Раздел второй. ГЕРОЙ НАШЕГО ВРЕМЕНИ

Так хотелось найти простую, маленькую ошибку, объясняющую все. Но дни его были продолжением один другого, и не было, все не было спасительной этой точки, с которой-то все и началось. Он не мог найти обрыва в своей нити и нащупать узелок. «Не надо было брать тогда кольца...» — без всякой уверенности сказал себе Лева.

«Вот что! Просто я не позволял ей любить себя... Не позволял», — с облегчением подумал он и отнял руки.

Со странным спокойствием выглянул он снова в окно. Две маленькие фигурки вдали, и уже не определить, спешат ли... Может, бегут даже.

— Я люблю ее, просто люблю — и все. При чем тут я? — сказал Лева. — И она — жена моя. Так.

Он вспомнил лицо ее спутника. «Ей это приснилось однажды, она рассказывала... Нагретое поле, полынный запах. Вот в чем дело. Просто поле. И запах. Что-нибудь невнятное на горизонте, как забытое. И что кто-то идет за ней сзади, не спеша нагнать».

— Холодно, — поежился Лева и закрыл окно.

(Он смотрел сквозь почти прозрачное стекло, и мысль, так давно уже казавшаяся ему окончательной в его опыте, мысль о том, что ничто как предательство приковывало его к этой любви столь долго, — показалась ему вдруг самой предательской и пошлой. То есть сама мысль о предательстве показалась ему предательской. Вот что.)]253

Конец второй части

*Приложение
ко второй части*

ПРОФЕССИЯ ГЕРОЯ

Недавно я узнал, что Печорин, возвращаясь из Персии, умер. Это известие меня очень обрадовало: оно давало мне право печатать эти записки, и я воспользовался случаем поставить свое имя над чужим произведением. Дай бог, чтоб читатели меня не наказали за такой невинный подлог!

Мы собирались улучить момент... Нам кажется, что он не только поспел, но и опять упущен в угоду композиции.

Мы собирались подробнее рассказать о том, чему же Лева посвятил себя, какому д е л у.

И сразу настораживает, что дело, которое мы ему подобрали, возможно, не вполне нравится ему. Не вполне удовлетворяет. Хотя, если это и так, он это тщательно скрывает даже от себя. (Знал бы он, чем, по замыслу, грозит ему эта неискренность!) Может быть даже так, что это лишь нас не устраивает его профессия — а Леву-то она как раз и устраивает. И эту, обычную для человека, ошибку — подставлять себя на чье-нибудь место и делать выводы — автор тогда не вправе уже делать даже по отношению к собственному герою. Раньше надо было думать. В самом начале...

Вообще выбор профессии для интеллектуального героя — есть профессиональное затруднение романиста. Если ты хочешь, чтобы герой ходил, видел, думал, переживал, — то какая же профессия в наше время позволяет иметь время на это? Ночной сторож? Но он приобретает черты непризнанного гения, как только автор пытается вложить ему в голову мысли отчасти интеллигентные. Так сказать, «правда жизни» сразу пострадает при таком неудачном выборе. Вот и возникает перемежающаяся лихорадка дела: «один молодой архитектор... нет, слишком торжественная профессия, молодой врач... слишком ответственная профессия, надо быть врачом, чтобы... Один молодой, подающий надежды мостостроитель... громоздко, но ладно... но когда же он успеет, если уж подает надежды, задуматься? на берегу реки? стоя на собственном мосту?.. что-то веет снизу сыростью и холодом, прозрением самоубийцы... и потом, при чем тут мостостроитель?!» — досадный холодок, приходится выбирать сначала... Тут объявляются неожиданные возможности: выход на пенсию, первые расслабленные дни, первые мысли за весь допенсионный возраст... герой староват... Тогда болезнь, выздоровление... но хочется, чтоб хоть со здоровьем у героя было в порядке... Тогда демобилизация, освобождение из тюрьмы... не подходит?.. Тогда — отпуск... Как много пишется рассказов à la Бунин, когда герой, отдышавшись на лоне, прозревает адаптированными откровениями автора! Необитаемый остров — вот что мираж сюжета! Его давным-давно отобрал у нас Дефо. Вообще много таких вот решений уже отобрано — можно сказать, все.

Не мне одному мука... Еще Лев Толстой... (Еще или уже?) Помнится, один советский писатель тонко упрекал его за Левина: мол, решись Толстой назвать Левина писателем (кошку — кошкой) — и избежал бы всей связанной с Левиным фальши... Однако это кажущаяся легкость решения. Назови его писателем — сразу подумали бы, что это сам Лев Николаевич и есть. А надо сказать, что пропасть между помещиком Левиным и помещиком, похожим на «правду», покажется крайне незначительной по сравнению с пропастью, разделяющей писателя Левина и писателя Льва Толстого. Тут есть один парадокс, никогда не учитываемый неблагодарным читателем с его скорой расправой. Парадокс в следующем: о себе-то как раз писатель-то и не может написать. Приближение героя к себе — лишь оптический обман: края пропасти сближаются, но сама она углубляется. Есть классический пример: многочисленные на

Западе исследователи Пруста испытывают затруднения при попытке отыскать прообразы героев и ситуаций его бесконечного романа, задуманного как повторение собственной жизни, производящего впечатление неискаженной реальности. Между тем у того же Толстого, служащего образцом реалистической типизации и объективизации, без труда находятся многочисленные кузины и дядюшки, бывшие прообразами почти всех его героев.

Но в те времена — ладно... В те времена герой, имеющий время на все оттенки переживаний, мыслей и чувств, — ни для кого не удивителен. У Толстого и у Пруста была среда, которую они, скажем так, разоблачали, но она же, эта среда, их и понимала. Хватало просвещенных и не порабощенных жизнью людей, у которых были и время, и деньги. Некоторая утонченность или там интеллектуализм, при всем «беспощадном» разоблачении, были им доступны и льстили им. Теперь значительно труднее так занять героя, чтобы он более или менее выразил последние мысли автора. Чехов еще несколько раз изящно вывернулся из подобного положения. В наше время это стало выглядеть удивительно неуклюже. На нашей памяти в последний раз из этого профессионального затруднения с головокружительным чувством меры сумел выйти один лишь Мих. Зощенко. Предоставим ему слово:

«По профессии своей Котофеев был музыкант. Он играл в симфоническом оркестре на музыкальном треугольнике.

...Странные и удивительные бывают профессии.

Такие бывают профессии, что ужас берет, как это человек до них доходит. Как это, скажем, человек додумался по канату ходить, или носом свистеть, или позвякивать в треугольник.

Но автор не смеется над своим героем. Нет, Борис Иванович Котофеев был...» и т.д.

Гениально. Не только трудно стало подобрать подходящую профессию герою, чтобы он более или менее пододвинулся к автору, и не наврать при этом против «правды» жизни, но и неловко как-то, стыдно... Вот и в автобусе стыдно, когда какие-нибудь два, резонируя друг от друга, громко разговаривают об «умном», интеллигентные фразы выгибают, будто в автобусе больше никто не едет, будто они не в автобусе едут... Стыдно до жути, неловко... Стараешься не вспомнить, когда ты сам в последний раз мог вот так же себя вести.

Это вот то самое чувство, про которое можно сказать, что «писатель вместе с народом». Писатель, даже тот, что «не про народ», существо очень народное. Этим народным чувством и производится тот тайный отбор, где критерием отнюдь не является понятность, доступность или популярность. Писатель-то как раз, даже самый разутонченный, прежде всего не интеллигент, если он настоящий писатель, конечно. Но, выйдя, уверенно скажем так, в любом случае из народа, писатель приобретает новый социальный опыт, жаждущий своего воплощения, и, проверяя этот опыт от рождения свойственным ему «народным» чувством (шестым?), испытывает неловкость, замешательство и стыд. Отсюда можно заключить, что совесть — черта народная, опять же не в том смысле, что народ обязательно с совестью — бессовестный бывает народ, что и говорить. И это с особенной силой относится к тем, кто как раз из него вышел. Так вот. Это, быть может, и есть писатель, кто не теряет народной совести, выйдя из народа.

В общем, неловко, стыдно, совестно. Зря писателя пригрели — он всегда ренегат того слоя, в который проникнет с таким трудом. Если ему требуется герой интеллигентный, интеллектуальный для более прямого выражения и соответствия своему уровню, можете быть уверены: герой этот будет разоблачен.

Неловко ездить в автобусе и громко разговаривать «об умном». А Лева как раз способен увлечься и что-нибудь такое брякнуть не к месту. Хотя к чести его могу добавить, что он легко краснеет. Ведь профессию ему какую выбрал!.. Чтоб не писатель был, но все-таки писал. Чтоб жил литературою, на литературе, с литературой, но не в ней. Мне-то удобно стало, ему — нет.

И действительно, стоило мне заняться его пристрастным описанием: погрузиться в его семейные, исторические, любовные переживания и мытарства, развивая и формируя героя самой его жизнью и все не достигая того узла, в котором вся присвоенная нами проблематика должна была найти свое суровое разрешение, — все вроде стало получаться верно, но через время стала проступать какая-то даже бо́льшая непри-

]257

Приложение ко второй части. Профессия героя

глядность героя, чем я бы хотел и был намерен. В чем дело? Он все чувствует, думает даже кое-какие мысли, ничего скверного или подлого во всяком случае... но он н и ч е г о НЕ ДЕЛАЕТ. Странно было испытать это поражение авторского самолюбия. Ведь я вовремя сообщал, что он учится, в школе, в университете, в аспирантуре, вот уже и диссертацию закончил, только еще не защитил. Где-то он даже, может быть, работал, между университетом и аспирантурой, набрался опыта... Каждый может себе представить, как это не просто; однако по-прежнему — он ничего не делает. А когда такой чувствительный лоб ничего не делает — то поневоле станет несколько противно. У меня упоминались время от времени еще некие его сокровенные замыслы работ, упоминалось, что замыслы эти вызывали даже восхищение сотрудников, во всяком случае, способствовали закреплению за ним репутации даже «талантливого». И все равно оставалось это бездельное впечатление. И это окончательно топило моего героя.

Но нет худа без добра. Раз уж я так неудачно выбрал профессию моему герою, что никак его труд не облагораживал на страницах романа, то в этом же, понял я вдруг, и удача. Потому что вряд ли, избрав любую другую профессию, мог бы я приложить к роману непосредственно продукт труда моего героя, скажем, сноп пшеницы, или паровоз, или тот же мост... А здесь — я же могу привести в романе сам продукт его труда, опубликовав, скажем, какую-нибудь статью Л.Одоевцева из тех, что он сам считает у себя «за дело», или из тех, что вызвали наиболее горячий отклик его соратников...

Мы уже говорили, что аспирантом Лева написал статью о трех поэтах. Что она была кое в чем наивна, а еще кое в чем стала наивна. Что она не строго научна, но зато Лева много сказал в ней от себя, а это в наше время ценно. Что тем она и свежа до сих пор, что она не о Пушкине, не о Лермонтове и тем более не о Тютчеве, а о нем, о Леве... в ней сказался его опыт. Встреча с дедом, любовь к Фаине, любовь Альбины, дружба с Митишатьевым — не прошли-таки даром и этим опытом сказались. Любопытно приурочить работу Левы над этой статьей как раз к тому моменту, когда его «побеждает» в последний раз Митишатьев (к моменту «у шкафа»). То есть писание этой статьи совпадает по времени романа с главой «Миф о Митишатьеве» и значительно опережает главу «Г-жа Бонасье», вырвавшуюся даже вперед последующего нашего повествования, — никак все это не примирить...

Итак, статья называлась

«ТРИ ПРОРОКА»

Статье были предпосланы два эпиграфа, напечатанные не друг под другом, а бок о бок, параллельно, что отчасти говорит не только о содержании, но и о методе...

И чувства нет в твоих очах,
И правды нет в твоих речах,
И нет души в тебе.

Завистник, который мог   *Мужайся, сердце, до конца:*
освистать «Дон Жуана»,   *И нет в творении — творца!*
мог отравить его творца.   *И смысла нет в мольбе!*

     Пушкин о Сальери, 1832   Тютчев, 1836

И Лева продолжает сопоставление. Он берет два хрестоматийных, школьных стихотворения: «Пророка» Пушкина и «Пророка» Лермонтова, — и это бы была не новость, но он нашел третьего, и они у него охотно «скинулись». Третьим оказалось стихотворение Тютчева «Безумие». Все три были написаны в разные годы, но Лева радостно употребил арифметику, вычел из дат написания даты рождения и во всех трех случаях получил один и тот же результат — 27. Леве шел двадцать седьмой, и это вдохновило его. Первым из всех четырех двадцать семь исполнилось Пушкину в 1826 году («Пушкин еще успел родиться в XVIII веке! — восклицает Лева. — Этот один год очень знаменателен...»), — и он написал своего гениального «Пророка». Но и в другие годы (и эпохи, думал Лева, подставляя себя) люди достигали того же возраста: Тютчев — в 1830-м (он опоздал родиться в XVIII веке, что тоже знаменательно, отмечает Лева), Лермонтов — в 1841-м (Лева — в 196...-м, добавим в скобках), — и их начинали волновать те же вопросы.

Какие же это вопросы?

Лева утверждает, что суть их сводится к проблеме непрерывности. Чтó он подразумевает под этим словом, не сразу становится понятным, но и потом — понятно не до конца. Лева говорит, что люди рождаются и живут непрерывно до двадцати семи лет (год-два — туда-сюда — все равно, в двадцать семь, утверждает Лева), они живут непрерывно — и в двадцать семь умирают, к двадцати семи годам непрерывное и безмятежное развитие и накопление опыта приводит к такому количественному накоплению, которое приводит к качественному скачку, к осознанию системы мира, к необратимости жизни. С этого момента, говорит далее Лева, человек начинает «ведать, что творит», и «блаженным» уже больше быть не может. Полное сознание подвигает его на единственные поступки, логическая цепь от которых уже ненарушима и если хоть раз будет нарушена, то это будет означать духовную гибель. В такой жесткой системе духа выживает уже только Бог. Человек вымирает. Эта точка критична, конкретна и очень кратка по времени, не очень-то растяжима... и человек должен решить и избрать дальнейший путь, не опаздывая и потом уже не оглядываясь. Перед ним три дорожки, как перед богатырем. Бог, черт или человек. Или, может быть, Бог, человек, смерть. Или, может быть, Рай, Ад, Чистилище[1] (и эти образы, утверждает Лева, взяты из нашего опыта: три стадии одной человеческой жизни, вечно повторяющиеся — в каждой и не зависящие от времени Истории). Пушкин, Тютчев и Лермонтов выбрали из трех и каждый свою. Пушкин выбрал Бога (или у него хватило гения жить непрерывно до тридцати семи, что, в общем, одно и то же). Лермонтов предпочел смерть прерывности, повторности, духовной гибели. Тютчев продолжил жить прерывно. В двадцать семь умирают люди, и начинают жить тени, пусть под теми же фамилиями, — но это загробное существование, загробный и мир. На пороге его решается все, вся дальнейшая судьба души. Поэтому-то и обратились к одному и тому же все три гения, и все трое ответили по-разному. Они все спорили с первым, с Пушкиным. Тютчев даже злобствовал (один Лева, через сто-адцать-ать лет, протянул ему руку...).

[1] Нам не хотелось исключать эти Левины построения как к делу не относящиеся: они Леву — характеризуют. В этом возрасте бывают поражены числом «три», ибо оно означает рождение ряда, первую родовую схватку опыта.

Мы, конечно, слишком сжато и бесстрастно передали сейчас то, что волновало Леву, то есть, возможно, ничего не передали, но мы читали статью давно и уже привыкли бродить в потустороннем, теневом, загробном, по определению Левы, мире. Нам трудно соотнестись с тем, что мы уже успели забыть...

А Лева, благословясь, начинает литературную часть статьи с одной примечательной оговорки... Что вот он берет три бесспорно гениальных стихотворения, написанных тремя бесспорно гениальными двадцатисемилетними поэтами. Все три стихотворения абсолютны по форме и поэтической выраженности. Именно поэтому он берет на себя смелость, не вдаваясь в обсуждение развития поэтических форм, сравнить их по с о д е р ж а н и ю, что в науке в последнее время не принято, потому что содержание — есть предмет не вполне научный. Раз так, то он выступает как критик... Пусть меня простят, заявил Лева, что я сличаю не форму, а смысл.

Вся статья в целом была написана откровенно (со всей прямотой) в пользу Пушкина. Во имя его...

Лева поставил ему в заслугу высокое отсутствие личного, частного «Я», а наличие лишь высшего, общечеловеческого «Я», страждущего исполнить свое назначение на земле. И действительно,

Духовной жаждою томим... —

все восхищало здесь Леву. И точность записи духовного сюжета, и лаконизм почти нечеловеческий, «нагорный». И полная неважность личного, житейского, в чем-то непосредственно заинтересованного «Я» перед «Я» духовным и божественным...

Полной и смешной противоположностью являлся для Левы «Пророк» Лермонтова. Это была тоже гениальная по точности запись сюжета, но и только. Не совсем уж не духовная, но «додуховная», юношеская, чуть ли не подростковая. Самовыражение гениальное, но сам, кто выражается, словно бы еще не гениален. Вернее, он-то гениален, но то, что он выражает, совсем уже не гениально. (Лева не до конца обижал Лермонтова, потому что «Пророк» — последний в томике, чуть ли не завещание, дальше уже дуэль и смерть, так что по-

Приложение ко второй части. Профессия героя

правиться Лермонтов не мог.) Каждые первые две строки свидетельствовали, для Левы, о бесспорном природном гении Лермонтова; если бы все оно было составлено из этих первых строк минус вторые, то все было бы так же хорошо, почти как у Пушкина. Но зато вторые две... боже, зачем же так! все насмарку; начал за здравие, кончил за упокой; теза — прекрасна, антитеза — насквозь лишь детская, наивная обида; не признали, не отблагодарили! Но ведь именно в этих, «задних», строках — сам Лермонтов, именно их он противопоставляет от себя первым двум, которые как бы не его, чьито, опровергаемые самой жизнью, — пушкинские... Лева разбил это стихотворение и построил как диалог: начинает как бы Пушкин (тот же Лермонтов, но — басом, поскальзываясь в фальцет) — отвечает, обиженно бубня, надув губы, сам Лермонтов, жалуясь на какую-то детскую, дворовую, игровую несправедливость... Например:

ПУШКИН:
С тех пор как вечный судия
Мне дал всеведенье пророка...

ЛЕРМОНТОВ:
(перебивая, выскакивая, тонко и сердито):
В очах людей читаю я
Страницы злобы и порока.

ПУШКИН:
Провозглашать я стал любви
И правды чистые ученья...

ЛЕРМОНТОВ:
(опять перебивая, срываясь в слезы):
В меня все ближние мои
Бросали бешено каменья...

И так далее, в том же духе. Вот вам, заключал Лева, то недостойное и жалкое поведение, которое неизбежно свойственно каждой Я-личности, вступающей в борьбу, предъявляющей миру свои права. Чем и велик Пушкин, что его это не занимает, что он выше и з а н я т е й, чтобы обижаться на боль (мозоль) собственного тщеславия... Лермонтов за все ждет признания и благодарности, конфетки, поглаживания, обиженный мальчик...

Это же само человечество! — восклицал дальше Лева, — ни с того ни с сего обиделось на самого себя, или споткнулось о камень и еще, в досаде, пнуло его ногой — и обиделось на камень и заплакало... Пушкин и Лермонтов, пускался он в свободные аналогии, как Моцарт и Бетховен. У одного — все еще целое здание мира перед глазами, храм, ясность; другой — забежал туда и потерялся, видит каждый раз какой-нибудь угол или балку, хочет воздуха, света и забыл, где выход... Видит балку — она и становится миром, на нее и проливается и печаль, и злость, и отчаяние: некрасивая балка, нехорошая. Или опять же угол, паук в нем, обидно. В раздробленном на кусочки мире человек входит в каждый кусочек, как в мир; появляется Я — «свое», ущемленное, сопротивляющееся самому себе, борющееся во внезапном закутке, само себя хватающее и царапающее и противопоставляющее себя собственной тени. Бетховен — бурная борьба под свалившимся с балкона и накрывшим с головой одеялом[1]. Я уже кричит во весь голос, что оно Я, и обижается, что не слышно его, что не слышно уже ничего, потому что все одновременно орут свое Я и не слышат ни себя, ни тем более другого...

Так решительно и образно расправлялся Лева (открещивался от самого себя, добавим в скобках). Это еще хорошо, чисто и понятно: Пушкин — Моцарт, но вот появляется, кроме шумного и несчастного Лермонтова — Бетховена — Сальери, — Тютчев... Хотя он и раньше Лермонтова (ему раньше двадцать семь), но он — позже, он ближе к нам, он нам современней. Тоже утеряв из виду ориентир и целое здание, он не расплакался, как Лермонтов, без бабушки, а тщательно, глубоко присмотрелся ко всем паучкам и уголкам одного из притворов. Пушкин еще не знал такой пристальности, он стоял на свету и на просторе, но Тютчев-то почувствовал, что он видит то, чего Пушкин не видит, а этого за ним не признают, что он — д а л ь ш е... Это мы уже, спустя, признаем, а тогда — нет; тоже, как и Лермонтову, не досталось сразу — но иначе, злобней, мелочней, реагирует Тютчев. Ему не ласка нужна, как Лермонтову, ему — памятник. Он хочет себе м е с т а. Смотрите...

И дальше Лева, тем же приемом, строит параллель пушкинского «Пророка» и тютчевского «Безумия». Только если Лермонтов говорит в открытую, на той же площадке,

[1] Оставим «музыку» на совести Левы.

лишь выглядит смешно, — то «этот» (Тютчева Лева уже не пожалел) и не на площадке, а из-за сцены, из-за кулис, спрятавшись, тайком, почти шипит, злым и громким шепотом: за каждое пушкинское слово — словом секретным, потёмным — даже не перебивает (как Лермонтов), а зудит, вслед и одновременно со словом пушкинским...

ПУШКИН: *Пророк*	ТЮТЧЕВ: *Безумие*
Духовной жаждою томим,	Там, где с землею обгорелой
В пустыне мрачной я влачился,	Слился, как дым, небесный свод,
И шестикрылый серафим	Там в беззаботности веселой
На перепутье мне явился;	Безумье жалкое живет.
Перстами легкими, как сон,	Под раскаленными лучами,
Моих зениц коснулся он:	Зарывшись в пламенных песках,
Отверзлись вещие зеницы,	Оно стеклянными очами
Как у испуганной орлицы.	Чего-то ищет в облаках.
Моих ушей коснулся он,	То вспрянет вдруг и, чутким ухом
И их наполнил шум и звон:	Припав к растреснутой земле,
И внял я неба содроганье,	Чему-то внемлет жадным слухом
И горний ангелов полет,	С довольством тайным на челе.
И гад морских подводный ход,	И мнит, что слышит струй кипенье,
	Что слышит ток подземных вод,
	И колыбельное их пенье,
И дольней лозы прозябанье.	И шумный из земли исход!..

Тютчев писал как бы емче, короче, хлестче... Его яду хватило лишь на пол пушкинского стиха. На вторую, божественную (уже не процесс к Богу — обретенный Бог), половину пушкинского стиха Тютчеву не оставалось силы: изжалив сапог, он уполз. Так рассуждал Лева.

Раздел второй. ГЕРОЙ НАШЕГО ВРЕМЕНИ

Пушкин открыто рассказывает, как у него было дело с Богом. Лермонтов довольно линейно и монотонно жалуется, как у него не вышло с Богом. И оба говорят от «Я». У Тютчева в стихотворении нет Я. Он его скрыл. Он утверждает свое мнение о другом, а его самого — нет. Он категоричен в оценке — и ничего не кладет на другую чашу весов (не оценивает себя). Такое впечатление, что он хочет уязвить, оставшись неузнанным. Какая-то есть злая трусость в скрытом наблюдении и суждении, на которое ему не ответят. Он не надеется, что его услышит тот, над кем он издевается, и поэтому успевает спрятаться прежде, чем его не заметили. Ведь самое, быть может, обидное для самолюбия: нанести оскорбление — и чтобы его не заметили...

Пушкин отражал мир: отражение чистое и ясное; его Я — как дыхание на зеркале — появится облачком и испарится, оставив поверхность еще более чистой. Лермонтов отражает себя в мире открыто, у него нет за пазухой... и как бы мутно ни было отражение — это все он, он же. Тютчев, более обоих искусный, — с к р ы в а е т («Молчи, скрывайся и таи» — гениальные стихи, в том же тридцатом году; их тоже привязал Лева к своей мельнице...). Он первый скрывает что-то — самый свой толчок к стиху, занавешивает его, прячет, даже отсекает сюжет, и в результате он, такой всем владеющий, не выражает себя, а сам оказывается выраженным. Так заключает Лева, пытаясь формулировать некий парадокс мастерства, границами своими непременно очерчивающего очаг поражения, язву души, рак индивидуализма. Только откровенность — неуловима и невидима, она — поэзия; неоткровенность, самая искусная, — зрима, это печать, каинова печать мастерства, кстати, близкого и современного нам по духу.

Но не надо Тютчева полагать «опередившим время» — он частный случай своей эпохи, который, без культуры и гения, стал ныне всеобщим. Он не прародитель, а прецедент во времени, если только пытаться заключить о нем по законам его времени, а по каким же еще законам его судить? По нашим? — «закон не имеет обратной силы». До таких парадоксов договаривался Лева. Но далее он договаривался и до более странных...

«Тютчев как убийца Пушкина» — одна из самых впечатляющих глав. Она — не то сама опыт в криминалистике, не то предмет для криминалиста; не то пример из психиатрии, не то свидетельство для психиатра. Во всяком случае, психоаналитику — раздолье... Автор статьи строит некое неустойчивое сооружение из дат, цитат и ссылок, некую таблицу, напоминающую Менделеевскую, где буковки и цифирки, кое-как уцепившись хвостиками друг за друга, держатся на одном трении, — строит, довольно, впрочем, нетерпеливо и торопясь дойти до того, ради чего он строит. (Мы не в силах, естественно, вспомнить эти его выкладки; на кафедре статьи уже нет: Лева отобрал у них в свое время и перестал показывать; обращаться к самому Леве нам не хочется...) Суть этих выкладок сводилась не к собственному доказательству, а к доказательству непротиворечия, возможности Левиной версии. Он высчитывает «тактику» Тютчева в издании своих стихов. Он окружает «Безумие» плотным кольцом стихотворений, опубликованных Пушкиным же в предсмертных «Современниках». Он рассуждает, мог ли читать Пушкин «Безумие» в неком альманахе, где оно было единственный раз опубликовано. Характерно, что «Безумие» не было включено (хотя по уровню поэзии могло бы...) в цикл, предложенный «Современнику», характерно, что ни в какие прижизненные издания Тютчев более его не включал, словно хотел, чтобы «быльем поросло». И еще целый ряд подобных предположений, и все это он как-то показывает...

И тут Лева (мы помним ощущение от этого места, но не в силах воспроизвести) делает некий стремительный, завинчивающийся логический переход, оттого что «что-то есть» в отношении Тютчева к Пушкину, к тому, что «что-то было» в этих отношениях. Что-то было такое, что-то имело под собой... был п р е д м е т этих отношений, между ними был с ю ж е т, и что самое жгущее для Тютчева, Пушкиным не замеченный. Дальше Лева называет слово «дуэль» и долго и красиво ездит на нем от предложения к предложению, сшивает, как челнок в швейной машине... Мы хорошо запомнили это колебательное движение. Дуэль — дуэль, которой не было, — дуэль, которая была, — именно это и дуэль. Дуэль тайная, потому что никто, кроме одного из дуэлянтов, не знал о ней, — дуэль явная, в которой один из противников просто не заметил, что с ним стрелялись (мало ли было у него вызовов и дуэлей?).

Раздел второй. ГЕРОЙ НАШЕГО ВРЕМЕНИ

И через тридцать с лишним лет, через двадцать пять лет после гибели Пушкина, Тютчев п о м н и т, и ох как помнит! Не так уж много у него перекличек в стихах через тридцать лет, — а тут цитата... И это уже дважды скрыто, трижды зарыто. Скрывается уже факт «Безумия», оно переписывается и переадресовывается Фету[1]... в тоне менее «задетом», более эпическом, умудренном и смиренном (усталом?):

> Иным достался от природы
> Инстинкт пророчески-слепой,
> Они им чуют, слышат воды
> И в темной глубине земной...

«Иным», видите ли... «Пророчески-слепой»... Здесь наконец прорастает слово «пророк». Значит, уже согласен с тем, что «пророческий», но продолжает ревновать и ненавидеть саму природу явления — «инстинкт», которым не обладает. «И в темной глубине земной» с тютчевским же многоточием — это, чуть ли не из могилы, все еще «чует и слышит» Пушкин[2].

Этому четверостишию противопоставлены четыре строки, вялые и в себе неуверенные... И если первые четыре — о Пушкине, то им противопоставлен то ли Фет, то ли некий образ вообще «посвященного» поэта, включающий в себя и Тютчева. И что забавно, единственно, быть может, кто не противоречит идеалу поэта, выраженному в этих противопоставленных строках, так это тот же Пушкин. Тютчев кроет Пушкина Пушкиным же...[3]

Что же касается этих «водоискателей» (на которых ссылаются все исследователи), якобы послуживших прообразом для обоих стихотворений Тютчева, то что же

---

[1] Кстати, отмечает Лева, если Пушкин мог читать и не читать «Денницу» 1834 года, то Фет, почти наверняка, ее не читал, и «Безумия» не знал, и отнесся к посвященному себе стихотворению как к новому.

[2] В тоне «смиренном и усталом» чудится Леве, некстати, потупленность старого Дантеса: «Бес попутал».

[3] Лева предполагает, что «мостом» от этого стихотворения к «Безумию» является статья Фета «О стихотворениях Ф.Тютчева», которую Фет строит «от» Пушкина, сопоставляя два стихотворения с темой «сожженного письма» (метод так не нов!).

в этих несчастных и ничтожных так лично, так конкретно, так дневниково задело Тютчева? такого мастера именно к о н к р е т н о й поэзии, так новаторски введшего именно конкретные детали личного, даже частного, подлинного (подленького?) опыта в свою поэзию? Чем они его обидели, водоискатели?.. «Водоискатели», следует заключение, та же тютчевская новаторская «ширма», которой отгораживается поэтическое переживание, выраженное необычайно отчетливо и конкретно, от с ю - ж е т а этого переживания.

Что же в этом случае — сюжет?

Сюжет — обида. Причем сложная, многогранная, многоповоротная. Самая тайная, самая глубокая, скрытая едва ли не от себя самого обида, которую тем более легко было скрыть и тем более трудно заподозрить, потому что, со временем, Тютчев очевидно доказал всем (и себе?), что он т о ж е гений, — обида эта была на самую природу, вследствие чего он так замечательно и надолго над ней задумался. (Это уже слишком! — воскликнем мы.) И никогда не ощутил бы он этой обиды, если бы не было рядом, бок о бок, затмевающего и опровергающего всякую логику постепенного возвышения и роста примера для сравнения — Пушкин!

Все было «лучше» у Тютчева, в самой строчке — лучше, чего-то все равно не было из того, что так легко, так даром, так само собой было у Пушкина. Тютчев при жизни переписывал Пушкина (в смысле дальше, в смысле перегонял), — но Пушкин не видел его спины, а все спина Пушкина маячила, уже маниакально, перед Тютчевым. И Тютчев знал втайне от себя, не выговаривая словами, но знал глубоко, что у него нет одной «маленькой вещи», казалось бы второстепенной, даровой, но которой уж совсем негде ни заработать, ни приобрести... а Пушкину и знать было не нужно, что у него есть, раз у него было. Они были одного класса, но Пушкин — аристократичней: у него *было*, не задумываясь откуда; Тютчев — уже разночинней, он х о т е л, чтобы у него было, но у него не было. Это была тютчевская щепетильность — заметить, что ему чего-то не хватает; никому и никогда не бросилось это потом в глаза — его дело было не проговориться. И он не проговаривался. Проговорившись же (по собственному мнению), тотчас прятал, как «Безумие», но не уничтожал... Достался же гений — мелкому человеку!.. Что его толкало? Чего ему не хватало? Он опоздал? Позавидовал? Посягнул?.. Но этого своего ма-аленького отсутствия, незаметного и неощутимого для обычного человека, нормального, но уродливого для гения, каким был Тютчев, — и не мог простить именно тому, у которого было все, — Пушкину.

Из этого мог быть один выход: признание и дружба самого Пушкина. Чтобы еще при жизни связались имена, и то, чего недодал Господь Тютчеву (Вот! — осенило Леву, — счет Тютчева с Богом в отличие от разговора Пушкина и обиды Лермонтова[1]), — они бы отчасти поделили с Пушкиным, похлебав из одной тарелки, и этой тарелкой, которую можно поделить, лишь разбив ее, предметом хрупким и прочным, — быть соединенными в веках. Но Пушкину было не до того, чтобы следить, какую новую гимнастику выдумал г. Тютчев в Германии... он носил свою железную трость. И он не заметил подтянутой фигурки г. Тютчева, с красиво напряженным бицепсом под тонким сукном... И тут вторая обида, тем более сильная, что вступает в резонанс с первой (она могла ее погасить, она же ее удваивает), — 1830 год. Тютчев почти пять лет не был в России и приезжает в Петербург, и здесь он читает в «Литературной газете» ту пресловутую статью, где Пушкин признает талант бесспорный за кем?! за Шевыревым и Хомяковым и отказывает в нем Тютчеву!

Возможно, они даже встретились где-то мельком (у Смирдина, скажем); Пушкин прошел мимо, раскален-

---

[1] Кажется, в этой связи не пощадил Лева и Бунина, проводя историческую параллель. Мол, «опоздавший», лучше, совершенней (как и Тютчев) писавший Бунин ревнует все признанные судьбы. И когда наконец переживает всех и остается один, последний, единственный, то всю жизнь потихоньку отодвигает себя от современников и пододвигает поближе к Толстому и единственному современнику Чехову, пытаясь восстановить историческую (временну́ю) справедливость попросту своими силами. У него, как и у Тютчева, есть к тому все основания. Отступление это, как мы сейчас припоминаем, называлось «Опоздавшие гении» и высказывалось намерение посвятить этой теме отдельную статью. Этой статьи мы не видели.

Приложение ко второй части. Профессия героя

ный, белый, сумасшедший, не обратив внимания на трепет и подрагивание незнакомого молодого человека (которому двадцать семь, не так мало! — это возраст самого обидчивого самоощущения пропущенной жизни, возраст прощания с непрерывностью жизни — недаром не пережил его Лермонтов...), который уже пишет свои совершенные и более «далекие» стихи, пребывая в тени и не-узнанности... Про себя-то он всегда знал, для себя-то он никогда не был «второстепенным» (по определению Некрасова), как для истории... А где же Пушкину в это лето замечать хоть что-либо? Когда его опять не выпустили за границу; когда Гончаровы наконец дали согласие; когда он вырвался от образцового и непривычного жениховства в Петербург, где «к стыду своему, признаюсь, что мне весело...» (как и где там ему весело?..); когда вокруг него особенно сгустилась мелочная атмосфера непризнания и дележа славы («пересмотра») и литературная жизнь ему уже успела опротиветь до крайности; когда впереди у него — Болдинская осень, то есть внутренние давления развиваются в нем, по-видимому непереносимые?.. «Там, там он напишет!.. — восклицает, кажется, Лева. — Единственную драму, дважды поставленную при жизни»[1].

Он может не заметить сейчас Тютчева, потому что уже видел его, знает давно и надолго вперед, насквозь, навылет!.. «Так он прошел мимо Тютчева, обдав его потом и ветерком, ничего не видя, посмотрел на Тютчева белыми глазами, взбешенными жизнью, как на вещь не посторонившуюся, — значит, и не живую... обошел не видя. Может, он раскланивался и улыбался оскальной, мышечной улыбкой... может, нагло, может, как гаер... и Тютчев примерил на него только что перечтенный стих из начавшего выходить четырехтомника (собрание сочинений — первые публикации: какой разрыв! — несправедливо превышающий четыре года в возрасте), — приме-

---

[1] Лева имеет, по-видимому, в виду и действительно поразительное совпадение дат. Трагедия «Моцарт и Сальери» шла дважды в 1832 году (27 января и 1 февраля) и успеха не имела, а через пять лет, ровно в те же числа, в «новой режиссуре» — дуэль и отпевание.

270[

рил на него «Пророка», будто Пушкин, раз что-то написав, должен был уже ходить в этом стихотворении всю жизнь, как в пиджаке! Примерил и... обратите внимание, даже фон — петербургско-августовский, с духотой, маревом, пожаром... а сколько портретности в «Безумии», стихотворении о незнакомых Тютчеву водоискателях! «В беззаботности веселой...» — где он наблюдал беззаботность водоискателей? («к стыду своему, признаюсь, что мне весело...»); «стеклянными очами чего-то ищет в облаках...» — легко представить себе взгляд Пушкина, когда он никого не хочет ни узнавать, ни видеть; «С довольством тайным на челе...». Нет, это все портрет, и портрет мимолетный, прозленный, задевший душу фотографа. Перечитайте «Безумие» — какая подробность описаний движения и жеста! Наступил на ногу и не извинился, что ли, Пушкин? Как мог Пророк наступить на ногу?! Мы не знаем... но в Тютчеве вдвойне прорывается желчь, и он пишет «Безумие» — с образом Пушкина — шамана, «водоискателя»...

Такое и еще какие-то предположения предположил Лева, кое-как их обосновывая. В частности, нападал он и на легенду об особой якобы благосклонности Пушкина к Тютчеву при публиковании знаменитого цикла в «Современнике». И в заглавии, данном самим Пушкиным, «Стихотворения, присланные из Германии», — усмотрел Лева, вразрез с привычным толкованием, не подчеркивание философской направленности лирики Тютчева, а просто — что они не из России, а из Германии, и нечего спрашивать с них по-русски. Именно это якобы имел в виду Пушкин. Но тут даже мы, не будучи специалистом, с ним не согласны[1].

Но вот с тем, как Лева заявляет, что вовсе необязательно вечно должен работать двигатель «Старик Державин нас заметил...», что надо немножко отвыкнуть все

]271

---

[1] Просто так Пушкин слова не ставил, и что-то в этом заглавии есть, какая-то формула. Но, думается, оттенок смысла в ней не тот и не другой, а более тонкий и двусмысленный, чем почтительность к немецкой мысли или оголенное русофильство. Пушкин еще и тем замечателен, что никогда не в п а д а л.

наблюдать так, как в недавней живописи: «Белинский и Гоголь у постели умирающего Некрасова»; что современники не жили, сговорившись насчет своего будущего значения и места в литературе, как нам по-школьному кажется, когда мы уже привыкли, что все прозревали насквозь в наши и ради наших дней... — с этим трудно не согласиться...[1]

В этом сказался его личный опыт недавнего среднего образования...

Но тут уж Лева договаривается до совсем страшных вещей. Он ставит под сомнение искренность стихотворения Тютчева на смерть Пушкина! (Кстати, Тютчев и не публиковал его при жизни.) Вялое, спертое, утверждает он, удовлетворенное стихотворение. Такое испытывает человек после кризиса, когда миновало. И проговорные словечки: «будь прав или виновен он» (о противнике), «мир, мир тебе, о тень поэта, мир светлый праху твоему!..» (это как «лежи, лежи...»). И все стихотворение, как прислушивание к послеобеденному пищеварению...[2] И только в конце — искренняя, с о в п а д а ю щ а я сила:

Вражду твою пусть Тот рассудит,
Кто слышит пролитую кровь...

---

[1] Что он не читал статью Ю.Тынянова «Пушкин и Тютчев», кажется нам непростительным для литературоведа, хотя Левина статья написана где-то в начале шестидесятых, и тогда статья Тынянова еще переиздана не была. Но «лазил» же Лева по иным недоступным источникам еще и значительно раньше?.. Впрочем, это характерное свидетельство, это типично для нашего времени — выпадение целых очевидных областей даже при пристальном изучении предмета. Но если Лева тогда и не читал, то прочел позже, и тогда не мог не огорчиться и не обрадоваться одновременно. Огорчиться, что не он первый взял под сомнение отношение Пушкина к Тютчеву. Обрадоваться же — толкованию Тыняновым эпиграммы «Собрание насекомых»: «Вот Тютчев — черная мурашка, вот Раич — мелкая букашка», — если еще напомнить, что Раич был учителем Тютчева... Однако не весь приоритет у Тынянова: Лева, быть может, первый о б р а т и л проблему: вместо «Пушкин и Тютчев» — «Тютчев и Пушкин».
[2] Лева ссылается и на удовлетворенное оплакивание Толстым Достоевского: «Как мы сможем жить без него?» И походя толкует, как им не было места в одном времени, подобно Пушкину и Тютчеву.

Раздел второй. ГЕРОЙ НАШЕГО ВРЕМЕНИ

Характерно, что «вражду» еще «рассудить» надо... И не те же ли «водоискатели» отзываются: «слышать воду» и «слышать кровь»?

> Тебя ж, как первую любовь,
> России сердце не забудет!..

И вот эти две, уже замечательные, строки — подлинные. Первая любовь!.. — в этом отношении к Пушкину сам Тютчев. Первая и безответная. Всю жизнь терзающая и ревнуемая. И то облегчение, которое испытывает, вместе с как бы горем, неудачливый и сосредоточенный любовник от смерти возлюбленной: уже больше никому не станет она принадлежать, и это еще что... главное, никого больше не сможет любить. Уф! Но жить-то надо... и Россия будет жить с женой, с любовницами, с ним, с Тютчевым.

Тут Лева написал еще много отвлеченных от Тютчева страниц, рисующих психологическую картину подобного чувства, написал со знанием и страстью, и в этом сказался его опыт печальной любви к Фаине. Как, в свою очередь, сказался и его опыт попытки сближения с дедом при выкладке насчет тяги Тютчева к Пушкину, безответности этой попытки и в таком случае «уценки» самого предмета влечения («не очень-то и хотелось» и «сам дурак»). Мы не можем восстановить по памяти, но там было несколько примечательно разумных страниц психологических обоснований (тоже в отвлечении от Тютчева), свидетельствовавших также о личном опыте, пережитости подобных вещей автором.

Тут следует какое-то неожиданное отточие, и статья обретает еще один, кажется, внезапный и для самого автора, оборот, даже перелом...

...А вдруг был ответный выстрел? В конце концов, у Пушкина была реакция, которой можно и позавидовать, — он был отличный стрелок. Не раздались ли выстрелы почти одновременно? Только Тютчев знал, в кого, а Пушкин — на шорох в кустах...

Приложение ко второй части. Профессия героя

ТЮТЧЕВ, 1830
«Безумие»

ПУШКИН, 1831 — 1833
«Не дай мне Бог сойти с ума...»

Там в беззаботности веселой
Безумье . . . .

. . . . .жалкое . . . .

. . . . живет.

Не дай мне Бог сойти с ума;
Нет, легче посох и сума;
Нет, легче труд и глад.
Не то, чтоб разумом моим
Я дорожил; не то, чтоб с ним
Расстаться был не рад.

Когда б оставили меня
На воле, как бы резво я
Пустился в темный лес!

Там, где с землею обгорелой
Слился, как дым, небесный свод...
...Под раскаленными лучами,
Зарывшись в пламенных песках,
Оно стеклянными очами
Чего-то ищет в облаках.
То вспрянет вдруг и, чутким ухом
Припав к растреснутой земле,
Чему-то внемлет жадным слухом
С довольством тайным на челе.
И мнит, что слышит струй

кипенье,
Что слышит ток подземных вод,

Я пел бы в пламенном бреду,
Я забывался бы в чаду
Нестройных, чудных грез.
И я б заслушивался волн,
И я глядел бы, счастья полн,
В пустые небеса...

Да вот беда: сойди с ума,
И страшен будешь как чума;
Как раз тебя запрут;
Посадят на цепь дурака,
И сквозь решетку, как зверка,
Дразнить тебя придут.
А ночью слышать буду я
Не голос яркий соловья,
Не шум глухой дубров,

И колыбельное их пенье,
И шумный из земли исход!..

274[

А крик товарищей моих,
Да брань смотрителей ночных.
Да визг, да звон оков.

Раздел второй. ГЕРОЙ НАШЕГО ВРЕМЕНИ

Чувствовалось, что Лева набрел на идею такой параллели в процессе работы, когда все у него в мозгу уже было «готово». И можно понять Леву, сотворившего-таки себе кумира: можно отказаться и от чести дуэли с Тютчевым, ради свидания с Пушкиным! Берясь за свой труд, никак не мог Лева рассчитывать или надеяться на это. Волна чувства слизнула его и отнесла совсем уж вдаль от науки, с тем чтобы выбросить к ногам Пушкина. Эта встреча оправдывала все. К чести Левы можно сказать, что он все и отдал.

Ах, как хотелось бы Леве, чтобы «стеклянные очи» Тютчева взглянули в «пустые небеса» Пушкина, чтобы раскаленный пейзаж пустыни перекочевал сквозь тютчевское «Безумие» из «Пророка» в «Не дай мне Бог...»! Леве могло казаться, что такое пересечение сняло бы все затруднения дальнейшего доказательства. Нам так всегда кажется, что только то и препятствие, что на дороге... Но — это было бы слишком «на пальцах» для Пушкина, поворачивает Лева. Даже если представить себе те редкие обстоятельства, абсолютно к тому же неведомые, при которых Пушкин познакомился-таки со списком «Безумия», то, безусловно, он лишь глянул, лишь пробежал, не дрогнув. Его ответ был написан по мгновенному впечатлению, а впечатление это было негативным. Причем негатив этот точен до физического смысла, как в фотографии: по светотени эти два стихотворения соответствуют, как негатив и позитив. У Тютчева — сень в самом безумии, а пламя — вокруг; у Пушкина — наоборот (только хронология позволяет так сказать, потому что наоборот-то как раз у Тютчева, а позитив, как верное изображение, вышел у Пушкина...), у Пушкина — сень вокруг, а безумие — как пламя. Действительно, у Тютчева: тайное довольство и веселая беззаботность безумия — на обгорелой, надтреснутой земле, под слившимся с нею, как дым, небом; у Пушкина: пламенный бред и забытье в чаду — на воле, в благостной прохладе ночи, леса, небес, пенья соловья... Но откуда волны-то взялись в лесу? — изумляется далее Лева. И тут, отмечая некоторый формальный блеск предыдущего построения, мы вынуждены отметить и некоторую натяжку: Лева объясняет это несоответствие в пушкинском стихе подсознательным отражением «водяной темы» Тютчева.

Приложение ко второй части. Профессия героя

Но Лева и сам спохватывается. Наскоро обсудив возможность прямой реакции Пушкина на тютчевское «Безумие», Лева отказывается от этой возможности ради более важных утверждений. Он принимается рассуждать о с у т и, выраженной в этих стихотворениях, о соотношениях Ума и Разума и достигает предельной невнятности. Как будто он силится вспомнить что-то когда-то слышанное и не может — такое впечатление. Он предпочитает Разум Уму и провозглашает Пушкина первым и единственным носителем Разума в России. Со смертью Пушкина, утверждает он, в поэзии п о б е д и л Тютчев. И масштабы современного официального признания Пушкина ничего в этом смысле не доказывают, никакого господства пушкинской линии нет. Это была дуэль, в которой Дантесом был Тютчев. Дух пушкинской поэзии был убит в неявной и неравной борьбе, Пушкину был оставлен почетный мундир поэтической формы — самого его не стало. К мундиру пришили несколько пуговиц и более изящный позумент и набили всякой тусклой душевной дрянью. Цельность, гармония, воздух, мир — все было порешено. И это Лева пишет так же длинно и неясно.

276[Пушкина он обожествлял, в Лермонтове прозревал свой собственный инфантилизм и относился снисходительно, в Тютчеве кого-то (не знаем кого) открыто ненавидел.

Заканчивает Лева свою историческую новеллу (иначе мы не можем это определить) рассуждением о правомерности собственных построений. Он высказывает одну ускользающую по простоте мысль о том, что ра́вно, если не более ложно, заключить какую бы то ни было историческую картину на основании лишь отчетливо известных и досконально выверенных данных. Что таковых мало и они чрезвычайно бедны. Современник и его историк движутся в темноте навстречу друг другу, но это странная одновременность, ибо современника уже нет, а историка еще нет. Для историка слишком отчетливы те немногие вещи, на которые он оглянулся, для современника они — поглощены жизнью. С чего бы, казалось, если исследователю удается что-либо установить в точности, то в прошлом это становится как бы более очевидным и известным? Исследователь чаще, чем драматург, впадает в заблуждение, что «каждое ружье стреляет». Узнав что-нибудь «новенькое» из ушедшей от нас эпохи, перекувырнувшись от радости, он совершает и некое *логическое сальто*: начинает, не задумываясь, считать, что то, что он установил с такой убедительностью, с тою же неумолимостью становится фактом, знанием, переживанием участников изучаемого им отрезка процесса. И как бы ни хотел ученый быть объективным, одним последовательным перечислением известных фактов — он уже рисует, даже помимо воли, определенную жизненную картину и расстановку сил в нашем сознании. Но поскольку в этой картине неизбежно отсутствует какая бы то ни было полнота и, более того, нет никаких оснований утверждать, что факты дошли до нас и исчезли от нас, сохранив подобие и пропорцию действительной когда-то жизни, — то такая «научная» картина так же неизбежно неверна, как, возможно, и его, Левина, с той разницей, что, не содержа ни одной фактической ошибки, «научная» работа узаконивает и впоследствии предписывает всем свою скудость и нищету понимания. Ибо как же мы бываем пойманы именно фактом несомненной достоверности! Едва ли не больше, чем двоящимся предположением.

Пусть многое было неверно в статье Левы, а даже то, что оказалось верно или может вдруг оказаться, получилось случайно (в этом, кстати, весь смысл слова «получилось»), из неверных посылок — совпало. Мы думаем, что если бы версия, подобная Левиной, могла бы получить столь же широкое и предписанное распространение, как и существующая за «научную», то она бы быстро стала столь же скучна и безвкусна, как все легенды о прогрессивной преемственности, о дружбе великих людей, об эстафете мысли и Прометеевом огне. Даже, может, она приелась бы и еще быстрее: столько в ней настырности и шуму. Но у нее есть одно неоспоримое преимущество: она таковой (узаконенной) не станет никогда.

Нас еще могут спросить, как мы все это упомнили. Но, во-первых, мы упомнили (по объему страниц) едва четверть, мы не «упомнили» почти всю «научную» часть статьи. Во-вторых, когда мы читали эту статью, то уже очень интересовались нашим героем. В-третьих, вернувшись домой после чтения, мы тут же бросились листать имеющиеся у нас три томика означенных поэтов, чтобы все проверить личным впечатлением... В-четвертых, это неважно, как мы упомнили.

Приложение ко второй части. Профессия героя

Мы нашли сочинение Левы основательным, но необоснованным, содержательным, но недоказательным. Но сопоставление текстов, освежение и перетряхивание их в нашей памяти было небесполезно, и это благодаря Леве. Поэтому-то, может, и удалось многое остановить в памяти, и до сих пор, как только возьмем томик с полки, неизбежно и неотвязно п о м н и т с я статья Левы, — так что, в конце концов, мы с ней чуть ли не примирились. И тогда подумали, что, может, и не так уж он не прав, то есть, может, он и не прав, но имеет п р а в о... и тогда посягновение его на святыни не кажется нам уже столь святотатственным. Посягать на святыни можно ведь и ради с в я т о г о. Авторитеты заслоняют нам суть, решительно заявляет Лева. Нам нравится в этом смысле больше всего в Левиной статье то, с чего он начал, — с с о д е р ж а н и я, оставляя совершенство формы как бы в стороне, как необходимое условие для начала разговора: о чем все это?.. ах вот о чем...

Единственно, в чем нам остается упрекнуть Леву, что позиции и принципы, выраженные в его статье, при последовательном им следовании исключают возможность самой статьи, самого даже факта ее написания. Что нас удивляет всегда в опыте нигилизма — это его как бы завистливость, его потребность утвердиться на свержении. Своего рода сальеризм борцов с Сальери... Ведь если ты отрицаешь, то отрицай до конца. Почему же такое стремление занять место свергнутого? Тот (свергаемый) хоть утверждал в соответствии с занимаемым им в пространстве и времени местом. Его утверждение и его место столь едины, что отрицать утверждение можно лишь вместе с его местом. Парадоксально отрицать одну половину, желая вторую... В этом смысле любая выраженность отрицания удивительна. Человек, ненавидя, скажем, суету, начинает, суетливо же, ее клеймить. Нет чтобы, раз уж ненавидишь ее — не суетиться?.. Ненавидя несправедливость, начинают восстанавливать справедливость по отношению к незначащему и отмершему, на пути к этому восстановлению верша походя несправедливость по отношению к чему-то живому. Если осточертеет пустота и никчемность человеческого многоговорения, то, отрицая ее, сам начинаешь болтать как безудержный... И так во всем. А главное, что в результате этой деятельности — ничего не происходит, ничего не создается... О люди!

Ну что, скажем, Тютчев сделал Леве? Да что он сделал такого Пушкину, в конце-то концов?.. Даже если Лева во всем прав, то в чем виноват Тютчев? В том, что приревновал Пушкина и к Пушкину? В том, что сквозь всю жизнь пронес он особые и тайные свои с ним отношения? Это еще не преступление. Личного отношения к Пушкину всегда было больше, чем пушкинского к кому-либо, а со смерти его это стало даже своего рода российской традицией — односторонние личные отношения с Пушкиным (у Пушкина род таких же отношений устанавливался лишь с Петром...). Так что Тютчев — лишь пионер этих отношений, как пионер и во многих других отношениях. К тому же это именно он написал «Нам не дано предугадать, как слово наше отзовется...» и много других замечательных стихов (что не отрицает и Лева). И виноват он разве лишь в узнавании, в узнавании Левой самого себя, в нелицеприятном противостоянии собственному опыту. Тютчев виноват в том, что с Левой произошла Фаина, произошел дед, он виноват и в том, что, как и Лева, опоздал с рождением и возникновением (каждый — в свое время), и опоздавший Лева, обратившись сердцем к другой эпохе, не прощает Тютчеву его «современное» пребывание в ней, для Левы желанное и недоступное... Ах, если бы то был Лева! то он бы обнял, то он бы прижал к сердцу Александра Сергеевича... но хватит, он уже обнимал раз своего дедушку.

Нет, положительно, всякий опыт ужасен! Тем более — выраженный. Воплощенный, он торжествует над создателем, хотя создатель, быть может, и тщится, что наконец его превозмог... Воплощенный опыт жалит самого себя, как скорпион, и идет на дно. И если ты уж имел несчастье приобрести его (опыт — как «лихо» в сказке: в торбочке, в мешочке...), то уж не воплощай, потому что не ты его — он тебя повторит!

Тютчев же — на своем месте. Он так же не заметил, что с ним стрелялся Лева, как Пушкин (если Лева прав) не заметил, что с ним стрелялся Тютчев. Но есть и разница...

К тому же странно, перетряхивая и свергая авторитеты, возводить, еще повыше, другие. Действовать любимым авторитетом против нелюбимых, как фомкой, как рычагом, как дубинкой... Опять то же: ненавидя авторитеты, класть себя во славу их. О люди!

О Пушкин!..

Раздел третий

БЕДНЫЙ ВСАДНИК

Поэма о мелком хулиганстве

На звере мраморном верхом,
Без шляпы, руки сжав крестом,
Сидел недвижный, страшно бледный
Евгений. Он страшился, бедный.
Не за себя.

«Медный всадник», 1833

А то ведь, ангел небесный мой,
это будет последнее письмо;
а ведь никак не может так быть,
чтобы письмо это было последнее!
Да нет же, я буду писать,
да и вы-то пишите... А то у меня
и слог теперь формируется...

«Бедные люди», 1846

(Курсив мой. — А.Б.)

Рыхлая дачная колода с круглыми уголками... Что
было, что есть... — (Мы раскинули карты.) — что будет...
Для себя, для дома... — (Гадаем на Леву.) — для сердца... Эта
пара ушла, и эта ушла... с чем он остался? Бубновая Фаина,
крестовый Митишатьев... — (Мы знаем лишь это про-
стенькое гаданьице.) — Чем сердце успокоится?

Потрясеньице, бубновая дама, недальняя дорога, хлопо-
ты... Все это так — кто откажется? Что было, что есть...
что — будет?.. Карты бывают на редкость правдивы, потому что обо всем расскажут, лишь одного не обозначив
с достаточной точностью — времени. Да, дорога, да, казен-
ный дом и, конечно, дама. Но — когда?..

О будущем — я не могу. Тем более что, орудуя опытом,
в будущем все развивается с какой-то химической неизбежностью. Реакция $H_2O + NaCl$ = соленая водичка. Слезы.

Будто так: раннее утро, молодая жена, мы строим дом...
Лесом пахнет стружка, да и сам лес неподалеку. Нам хватает любви не представлять труда... Мы, для начала, роем
яму, котлован. Фундамент, первый венец... Жена склоняет
голову мне на плечо, шепчет. У нас будет сын... Рубашка

липнет к спине, все шустрее машу топором: будущее — сын, дом. Главы, части, флигельки. Оконные проемы, дверные. Герой вошел, забыл выйти, кто-то лезет в окно. Но, ах, я устаю, все устает... Устает топор, устает бревно, устает жена, ребенок устает во чреве. Уже лень родиться — устает само время.

Размахнулись мы с этой жизнью — длинная... Пожадничали. Не стали строить времяночку — сразу дом, домину. Надоело, едва гвоздь за день заколотишь — конца не видно. День стал короче, ночь длиннее, а все — вставать неохота. Жена — незнакомая, с вечным пузом, — зарябела, как осень. Осень и есть: пошли дожди, скорее крышу надо.

А может, и так, без крыши? Чтобы стоял среди щепок, сквозь окнами во все стороны света: южный сквознячок, восточный лес, западный сосед, северный проселок?..

Скажут, как жить в таком доме?

Я отвечу:

— А в Пушкинском доме и не живут. Вот один попробовал, три дня всего — что вышло? Нельзя жить в Пушкинском доме.

284{ — Запутали вы нас вашими аллегориями, — скажет читатель.

Я отвечу:

— А вы не читайте.

Так. Читатель вправе меня спросить, я вправе ему ответить.

Или, как сказал про меня поэт:

> Напишу роман огромный,
> Многотомный Дом — роман...
> Назову его условно,
> Скажем, «Ложь» или «Обман»...

Мы обещали, мы надеялись — свет в конце... Но — у нас предчувствие... Мы не сможем теперь дописать до такого конца. Никакого конца, между нами, нет. Его писатель выдумал.

Мы спешим — впереди Варшава, на носу 1 сентября — срок сдачи, капли первой осени капают мне на стол и машинку — крыши-то нет. Впереди Варшава — творческая командировка по роману (нам важно изучить Россию в границах Пушкинского века). Нам, в таком случае, еще предстоит Финляндия и Аляска, прежде чем мы решимся выехать в Западную Европу или, скажем, в Японию; но это уже для следующего романа — Япония... Печальный опыт строительства склоняет нас к иной крайности: безнадежное стремление построек вверх, эту несчастную вертикаль, вызванную в нас малой площадью петербургского участка, хотим мы, в мечтах, претворить в горизонталь — для свободного и безвольного размещения в пространстве путешествия и гостиничной принадлежности бытию...

У нас далеко идущие планы: нам хочется понять страну в состоянии Империи.

А мы все еще — в Петербурге, переезжаем в Ленинград...

Торопливость, может, и порок, но что поделать, если жизнь и время имеют безнадежно разные скорости: либо ты вырываешься из времени, либо отстаешь от собственной жизни. Плоду надоело ожидание рождения к концу второго месяца, и если он появится к концу девятого, то от безнадежного безразличия к вопросу бытия и небытия. Не удалось стать вовремя рыбкой, попозже птичкой, все пропущено — человек родился.

}285

Дом мой с непокрытой головой — пуст. На полу желтеют листья, которые сбросил мне клен в пустое окно. Герои в нем не живут — мышам поживиться нечем. Герои жмутся у соседей, снимают угол.

В Пушкинском доме и не живут. Один попробовал...

ДЕЖУРНЫЙ

(Наследник – продолжение)

Итак, именно так обстояли у нас дела с Левой накануне ноябрьских праздников 196... года. Прожив для себя достаточно длинную жизнь, Лева был человеком мнительным. То есть он преждевременно взволновывался предстоящим и встречал его почти равнодушно, когда оно наступало. Так он жил по соседству с бедою, всегда переживая ее рядом с непосредственной болью. Он «так и знал», когда что-нибудь с ним наконец случалось, а потому бывало еще обидней, что судьба тупо не меняла своего русла, легко смывая преграду его предвидений и предчувствий...

Эту осень Лева переживал особенно остро. Слишком мерно струилась та самая «божественная нить», слишком долго ничего не происходило, чтобы все это «ничего» не скопилось и не означило хоть «что-нибудь». Лева ощущал над собою некое неявное сгущение, какой-то замысел сил... Неизвестно, откуда и что ему грозило, но Оно подкрадывалось к нему, неопределенное и неоправданное, оттого все страхи Левины казались и ему самому неумными и неуместными, делиться, без боязни быть непонятым, было не с кем, до тех пор пока они не оправдались бы — все смыкалось вокруг Левы. Ждать удара было по-прежнему неоткуда, и он объяснил себе свои предчувствия так, что слишком давно ничего не писал «своего», уже без малого год, даже больше года... Проходила осень, на которую он еще весною с такой надеждой все отложил, золотая осень, которую он, по примеру Александра Сергеевича, предпочитал для вдохновения, вот и октябрь прошел — ничего. И если он не сядет наконец, то и будет совсем плохо — так объяснял Лева тягость своих предчувствий. Если он не сегодня завтра не одолеет себя, то и впрямь, то и что-нибудь внешнее случится... заключал Лева, изучив свою судьбу.

И случилось. Было это скорее насмешкой, чем ударом этой судьбы. На каждые праздники кого-нибудь из наиболее невезучих сотрудников оставляли дежурить в институте... В этот раз такая честь выпала Леве. Выбор пал на него по многим причинам, самой веской из которых, хотя и не названной, была та, что Леве на этот раз необычайно трудно было отказаться. Как молодой, неженатый (разведенный), не несущий никаких особенных общественных нагрузок, хотя и беспартийный, сотрудник, у которого, кстати, вскоре после праздников назначена была защита, отказаться он не мог.

«Вы, конечно, можете на часок-другой отлучиться днем, — ласково, по-отцовски говорил заместитель директора по административно-хозяйственной части, он же секретарь парткома, говорил «идя навстречу»... — Часок-другой... Поесть там, то-другое... Предварительно договорившись с вахтером. Ночью — ни-ни!» Все та же Левина «репутация» не давала ему возможности возразить. Его отказ мог бы быть истолкован антиобщественно, что и подчеркнул взглядом, одним лишь взглядом, замдиректора. Взгляд у него был особый: приходилось думать, вставной ли у него глаз, но, присмотревшись, оказывалось, что не вставной.

Отказаться Леве было невыгодно.

«Ну что ж...» — думал Лева. Он убедил себя, что так даже к лучшему (что ему, впрочем, оставалось?), что с Фаиной он, так и так, снова в разводе и потому никаких планов веселья на праздники у него не было, что наконец-то он сможет сесть за дело, а где же еще в праздничной суете ему удастся поработать, как не здесь?.. Решительно, иметь возможность проработать три дня в полном уединении — есть божье благословение!

Тем не менее первый же свой, предпраздничный еще, вечер в институте Лева провел в совершенной и все возрастающей тоске. Ему показалось, что это его праздничное невезение вовсе еще не отвело от него руки судьбы...

Сесть за работу ему не удалось. Он отворил свою диссертацию («Некоторые вопросы...»), брезгливо полистал стоя. Поза его была небрежна и пластична, демонстративна и отдельна от этой пухлой рукописи... будто кто-то мог его видеть! — он все еще оборонялся, с абстрактной ловкостью... Полистал, скривился: набежал полный рот слюны — приступ тошноты. Сглотнул — и захлопнул театрально. Оглянулся — но никто не мог его видеть.

Он слонялся по коридорам, заходил в пустые комнаты, рылся в чужих столах и ничего не находил там любопытного — одну чепуху и дрянь. Погода за окном была как грязная и мокрая вата. В заведении было холодно, хотя и топили. «Топят — музей...» — сыро подумал он... В течение рабочего дня Леве никогда не бывало так холодно. Он впервые так остро ощутил неприязнь к своей академической цитадели.

Он звонил Фаине — ее все не было дома. Когда же он наконец услышал ее бодрый и веселый голос, его тренированное воображение мигом нарисовало определенные картины, столь привычные, что почти необходимые ему в своей растравляющей яркости. Но нет, сказала она, он все это придумал, как всегда, просто такое у нее сегодня настроение, просто предпраздничное... а как его дела? Она, казалось, ничего не помнила: ни их последнего разговора, ни оскорблений, ни разрыва... Она ему звонила — его не было дома... Вот как, даже звонила? От ласкового ее тона, от неожиданной снисходительности Лева растерялся, растаял и охотно стал жаловаться на судьбу, заперевшую его в стенах института, по-видимому ожидая от Фаины сочувствия. Но она вдруг рассердилась: вот всегда с ним так, а она-то хотела провести праздники вместе... — повесила трубку.

Лева привычно раздергался, начал судорожно звонить, путая цифры, но все было занято. Вдруг, не успел он положить трубку, телефон зазвонил сам. Лева, затрепетав, выхватил трубку как пистолет. «Я тебе все звоню, звоню — все занято и занято! — бодрым и веселым, как бы не позволяющим себе никогда унывать голосом говорила мама. — Левушка, мы все тебе очень сочувствуем, но ты не унывай, Левушка...» Лева вздрогнул: что? откуда это «не унывай, не унывай...»? «Вот и отец тоже...» — быстро говорила мама (она полагала себе задачей — улучшить отношения между отцом и сыном)... В Леве приподнялось и упало, как в лифте, он безнадежно сел на стул, оплыл. Да, да, говорил он, отставляя трубку от уха. Ел ли он, а то она сейчас прямо к нему приедет и привезет, ты не поверишь, грибы!.. коржики, она как раз только испекла, совсем свежие... Коржики — это почему-то задело Леву, и все в нем зазудело и заныло. От любви, жалости, стыда и нетерпения — Лева, зашипев, подпрыгнул и перевернулся, как гриб на маминой сковороде. Может, Фаина ему звонит как раз сейчас? Нет, нет, ничего не нужно! — грубо и сухо прервал Лева.

Тут же решительно набрал номер Фаины. Хватит!! Он хотел ей окончательно сказать, чтобы она его не разыгрывала, что он все знает, что он не мальчишка уже, чтобы вертеть им, как... и т.д. Но было занято. Тогда он захотел ей объяснить, что это не его вина, что он застрял в институте, что (хочешь?) он плюнет сейчас на все, и на институт, и на диссертацию, и придет... Но было занято. Тогда он захотел сказать ей просто, не объясняясь, что по-прежнему любит ее, пусть на него не сердится, и они тогда придумают, как быть, потому что всегда что-нибудь можно придумать, если любить и не мучить друг друга... И тут вдруг соединили. Лева сказал ей, с кем это она, интересно, болтала полтора часа... Фаина сказала... У них состоялся совершенно беспредметный разговор, и оба уверенно швырнули на рычаг трубки. Больше никто к телефону не подходил, сколько Лева ни звонил. Потом он без конца стал попадать в аптеку.

}289

Но и эти телефонные страсти помогли ему скоротать вечер, и он улегся на директорском диване — уснуть же не мог.

Он вдруг вскочил, решительно и бессонно, зажег свет и осветил свое вытянувшееся и побледневшее, с разверстыми, блестящими глазами лицо... Он подошел к столу, резко отодвинул диссертацию, чуть не сбросив ее со стола. До-

Дежурный (Наследник — продолжение)

стал из портфеля зашарпанную тонкую папку: давно он все носил ее с собой, давненько не раскрывал...

Там была и статья «Три пророка», тот самый экземпляр, с ушами... Ее он отодвинул туда же, к диссертации: он относился к ней теперь, как к «Пророку» Лермонтова. Дальше была другая, наполовину перепечатанная, наполовину в рыхлых, будто отсыревших заметках от руки, — эту придвинул к себе. Перелистнул, перелистнул — приостановился, стал читать. Радостно зачмокал, закивал головой... Да, да! подумать только...

И мы заглянем ему через плечо...

Это была «Середина контраста» — работа Левы о «Медном всаднике». Начал он ее тогда же, сгоряча, после «Трех пророков», но, уже в середине, стал всем показывать... и с чем-то таким столкнулся, с неким недоумением. Работа получилась, уже можно было судить, даже более уверенная, ясная и крепкая, более и профессиональная — Лева стремительно обучался, — и вдруг она оказалась как бы не новостью... Хотя Лева так же повествовал, так же непосредственно («не» — вместе и отдельно) излагал новые и не новые, но с в о и, самостоятельно его озарившие мысли, — читавшие похваливали, но без энтузиазма, словно они где-то это уже могли читать, словно эта статья как бы уже была раньше: не новость... Не новостью стало то, что Лева, в принципе, способен написать что-то, с началом и концом, от с е б я. Ну, можешь... ну, показал... но — сколько можно? — хватит, отметился, и будя... Что-то из этого было в соскальзывающих по щеке взглядах. И Лева остыл, расплескался, охладел. Его нагнал новый, уже грандиозный, суперзамысел. Лева стал азартно что-то набрасывать — и осекся...

Сейчас он читал «Середину контраста» и ерзал от нетерпеливого удовольствия: «Как это все верно, верно!..» — озирался по сторонам. Как это он, такой еще молодой, ничего не понимавший и не знавший, в с е з н а л! Он прочитал сейчас о Государстве, Личности и Стихии — и охнул: господи, неужели это он, Лева, написал?! Вскочил, пробежался по комнате, нетерпение его нарастало, взвивалось к потолку, глаза не видели и туманились, потирал руки: так, так... так! А как это он здорово написал — о середине контраста, о мертвой зоне, о немоте, которая есть эпицентр смерча, тайфуна, где спокойно, откуда видит неуязвимый гений! Про главное, гениальное, немое, опущенное, центральное, про ось поэмы!.. Здорово!

Лева бросился к столу... Нет, и это уже пройдено! Он выхватил оставшиеся в папке листы... вот он! свод, купол! сейчас, сейчас... поймаю... Это же, это же м о е дело! Вот и напишу, здесь, всем назло... — более мелко трепыхнулось в нем и отстало — он погрузился в листы. Образ деда, приникшего к кружке, подскочил и отскочил напрочь. Вот оно... ради чего... стоит... Это и был его суперзамысел. «"Я" Пушкина» — не больше и не меньше. Собственно, это естественно для него, такой замысел... Отойдя на несколько лет, он теперь отчетливо видел, что и «Три пророка», по сути, о том же, и тем более в «Середине контраста» — там уже вообще только об этом. Уже тогда намечалась такая органическая линия! уже тогда... Эта невольная цельность еще вдохновила Леву. Он взял перо. Сейчас, именно сейчас!.. Купол!..

Он придвигал и отодвигал листки, выравнивал их края... Он читал эти вдохновенные, обрывочные и «для памяти» записи — и не понимал, что имел т о г д а в виду. Это его теребило и мучило: он не мог отдаться тому, что им владело сейчас, — ему непременно необходимо было вспомнить, что он имел в виду т о г д а, — и не мог. Он отодвинул заметки и взялся за стопку «планов» работы. Их было уже много — первый, другой, третий... Это были следы его «возвращений». Планы становились все отчетливей, и под конец он нашел даже просто копию — патологически ровный, тщательный и мертвый почерк.

Ужас подкрался к нему не до конца: Лева решительно встал и отвернулся от того, что в темном углу, от этой годуновской кашицы во рту. «Заново! заново!» — немо вскричал он, как Шаляпин: «Чур, чур, дитя!» Новый план! — и не заглядывая, не оглядываясь, начинать все снова, с е й ч а с! Только так.

Чистой бумаги не было. Ящик стола был заперт. Все еще возбужденный, и испуг прошел... выскочил он искать бумагу. Дернул соседнюю дверь — ага, ключи у вахтера.

Он спустился тогда, с бессонным своим лицом, к вахтерше, и они разговорились. Лева вежливо выслушал ее рассказ о дочери и пьющем зяте, и ему показалось, что он этот рас-

}291

Дежурный (Наследник — продолжение)

сказ где-то уже слышал или, может, читал. Ему стало скучно и хотелось поговорить о себе. Что он и сделал, постепенно увлекаясь и впадая в ненужную откровенность. Вахтерша слушала со здоровым любопытством и туповатым оживлением на лице: Лева рассказывал о своей любви с большим чувством. Он уже ощущал тот ужасный осадок, который сопутствует излишней болтливости. И чем больше он его ощущал, тем стремительней говорил. Вахтерша уже могла не поддерживать беседу — лишь слушала с очевидным сладострастием. И Лева вдруг сморщился и осекся. Тогда вахтерша, совершенно точно почувствовав свою власть над Левой, попросила отпустить ее к дочке, чтобы помочь ей справиться с пьющим зятем: все равно они вдвоем тут ни к чему, и он прекрасно справится сам. Лева тут же поспешно согласился, сказав «спасибо» вместо «пожалуйста».

Лева поднялся к себе наверх. Освещенно и отдельно лежали раскиданные по столу листы, будто они одни и были в остальной невидимости комнаты... будто плыли. Лева подкрался к ним, заглянул тихонько и сбоку, как через чье-то плечо. «Ну да. Конечно... Но — кому? для кого?! зачем!!!» — молча вскричал он — и сгреб их, не разбирая, в портфель.

292{

Воровато потушил свет и поспешно лег. Он хотел не вспоминать о вахтерше — но вспомнил. Тут Лева, такой большой, представил себе безбрежность казенного дивана, черного даже в темноте, сжался в комочек, как маленький мальчик, чтобы как бы сиротливо и крохотно поместиться на нем, и начал нарочито всхлипывать. Ему очень хотелось плакать. Он представил себе, как в детстве, собственные похороны — и все равно заплакать почти не удалось. Но немножко все-таки удалось, сухими, разучившимися слезами. Больше не получилось, и ему ничего не оставалось, как решить, что — хватит, что за детство!.. что он уже успокоился. «Утро вечера мудренее...» — криво подумал он и торопливо, с опаской, уснул.

Снилась ему широкая река, как бы та самая, что течет у их института, но и не та самая. Она неожиданно и не вовремя вскрылась ото льда и оказалась густая, как клей. Над ней стоял тяжелый пар, и все сотрудники института, невзирая на положение и возраст, должны были плыть через нее, для сдачи норм ГТО.

Многие уже плыли, нелепо и медленно вытягивая белые руки из густой слизи. И лишь он да еще один доктор, благородный старик с длинной бородой, которого все за глаза звали Капитаном Немо, жались и прятались между свай, и Капитан Немо все дрожал и подсовывал бороду под плавки. А у самого берега, болтаясь на медленной, густой волне, как поплавок, лежал на спине, в полном своем костюме и с орденскими колодками, заместитель директора по административно-хозяйственной части и, глядя на них неправдоподобно круглыми и застывшими глазами, манил их картонной рукой...

Разбудил его телефонный звонок. Лева судорожно вскочил, проглотил затрепыхавшее, подступившее к горлу сердце и некоторое время озирался, не понимая, где он и почему. Наконец прошлепал в носках к телефону и как раз опоздал: телефон смолк — только Лева потянулся к нему. Лева так постоял над ним, на вывернутых стопах, поджимая пальцы, рассматривал, не узнавая, стол, словно на нем было пятно. Вдруг вчерашний вечер опрокинулся на него, но все это, тем более вахтерша, был еще сон, театр теней — Лева этого не помнил, он просто еще раз проснулся с тем странным вечерним чувством интеллигента, что был вчера как бы пьян: брал или не брал в рот — безразлично. Кто бы это мог звонить так рано? Фаина?.. Однако — не Фаина: телефон зазвонил снова, как бы громче и чаще, чем в первый раз... В трубке раздавался волнистый плеск, как в тазу...

— Ну как, князь, дела?

Это был Митишатьев, один из наиболее близких новых институтских приятелей, заведшихся в последнее время... Лева взглянул в окно, в казавшееся ледяным небо, и обрадовался Митишатьеву.

— Гниешь? — ласково сказал тот своим прочным, уверяющим баском. — Ну так я сейчас к тебе забегу. Мы идем в тесных рядах и как раз поравнялись с твоей клеткой.

Так вот откуда этот странный плеск в трубке! Действительно, институт был расположен так, что с одной стороны это был совсем тихий и безлюдный уголок, а с другой, всего через квартал, пролегала магистраль, по которой всегда

Дежурный (Наследник — продолжение)

протекал поток демонстрантов, направляясь к Площади. Следовательно, Митишатьев был в трех шагах. Так, так.

Лева подошел к окну... Фаина! о господи... Что это за ватник? «Ха! — подумал Лева с тоскливым злорадством. — Столкнется ли она с Митишатьевым?.. Прошла... Вот все, что у меня осталось...» — скорбно вздохнул Лева, снова доставая бедные свои листки.

Внизу стучали, звонили, гремели. Это вдруг достигло его — грохот... «Слетаются... — мрачно подумал Лева, скорее сгребая со стола бумаги. — Чья это служба так налажена — непременно не дать человеку создать хоть что-либо?..» Когда он подошел к двери, перебирая ключи, — к стеклу уже припало, расплющив нос, толстое лицо Митишатьева: тот слепо щурился и ничего не видел в темном вестибюле, сам хорошо освещенный. И был он не один: за его спиной маячил еще кто-то, рыжий, без шапки. Лицо показалось знакомым.

Лева сам не ожидал, что так обрадуется Митишатьеву.

— Ваш пропуск? — игриво сказал он, ожидая, пока они пройдут, чтобы запереть за ними.

— Вот! — и Митишатьев достал из кармана маленькую.

— Готтих, — представился рыжий мальчик, чопорно поклонившись, даже шаркнув, и покраснел.

— Фон Готтих! — воскликнул Митишатьев и хохотнул. — Мой дипломник. Твой поклонник. Считает тебя четвертым пророком...

Лева припомнил смутно, что как-то видел Готтиха в коридорах института.

И они пошли наверх, похохатывая и похлопывая друг друга, Готтих скромно приотставал на ступеньку.

— Ты с ним поосторожнее... — сказал полушепотом Митишатьев. — Он... — и выразительно постучал по перилам.

— Что ж ты его привел?.. — изумился Лева.

— Уважает нас... — довольно рассмеялся Митишатьев.

И они достигли директорского кабинета.

— Осваиваешься, значит? — сказал Митишатьев, иронически взглядывая на дверную табличку. — А что, я всерьез говорю... Был бы хоть директор с приличной фамилией. Князь! фирма! — говорил он, с треском распахивая дверь, врываясь в кабинет и начиная с запозданием оттаптываться и отряхиваться — отдуваться. Он сбросил на диван пальто и с шумом и удовольствием забегал по кабинету, потирая словно бы озябшие руки. — Вот и стакан есть! — восклицал он. — И запить есть чем. — И он переносил поднос с графином на директорский стол. — И закусить есть чем, — продолжал он, схватывая со стола массивное пресс-папье и подчеркнуто беспомощно пробуя его укусить, — промокашка, так сказать, имеется... Нет, ты мне вот что, князь, скажи, где мне тридцать рублей занять?

Короче, Митишатьев произвел столько шуму, словно ввалилась с морозу большая компания. «Зачем ему еще общество? — с восхищением и завистью подумал Лева. — Он один целое общество...» Готтих пока что тихо снял пальто, повесил его куда положено — на вешалку и стоял около вешалки, разглаживая волосы и выравнивая плечи. Митишатьев тем временем успел сбегать за недостающим стаканом и принес целых два. Вскрыл банку с бычками, разлил маленькую по стаканам.

— Ну, прошу... Чем бог послал.

И он поднял свой стакан.

Готтих подождал, пока Лева поднимает свой, и тогда тоже поднял.

— С великим праздником, дорогие мои-и! — вскрикнул Митишатьев как бы с дрожью в голосе и даже со сдержанным рыданием. — Водкой можно и чокнуться, — добавил он спокойно. — Твое здоровье, ночной директор... И ваше, Готтих... И наше, — и Митишатьев опрокинул стакан и выпучился, поспешно запихивая в рот бычка. Лева выпил с достоинством, а Готтих поперхнулся и уронил бычка на ковер, уронив, очень покраснел и засвистел «Сердце красавицы», незаметно подпихивая бычка под стол.

— Ай-яй! — сказал Митишатьев. — Этому я вас не учил. — Митишатьев, без тени брезгливости, поднял бычка за хвост и бросил его в корзину. — Надо все-таки уважать...

Уничтожив так Готтиха, Митишатьев подбежал к пальто и достал еще маленькую.

— Еще по одной? — И, не услышав ответа, разлил.

Выпили. Лева ощутил тепло и приятность, глаза его повлажнели.

— Что бы я без тебя делал? — сказал он Митишатьеву.

— Уж и не знаю — привел бы девочек, а?

Дежурный (Наследник — продолжение)

— Да ну! — махнул рукой Лева. — Так вот куда лучше...

— Что ж мы стоим? и не курим?

— Действительно, — удивился Лева. — Всегда забываю, что я курю, когда выпиваю, и все думаю: чего же не хватает?

— Еще выпить, — подсказал Митишатьев и достал маленькую.

— Ну ты даешь! — восторженно сказал Лева. — Сколько же их у тебя?

— Сколько есть — все наши, — сказал Митишатьев. Готтих посмотрел на маленькую мутно и с испугом.

— Ладно, перекурим, — вздохнул Митишатьев, взглянув на Готтиха. — Скажите, князь, отчего это так приятно произносить: к-н-я-зь...

— В детстве я больше любил слово «граф», — задумчиво сказал Лева, глянув на Готтиха.

— Это от Дюма, — сказал Митишатьев. — Гр-раф-ф де-ля Ф-фер-р!.. Да ты не обращай на него внимания, — кивнул он в сторону Готтиха. — Он же пьян.

— Теперь мне тоже больше нравится «князь», — усмехнулся Лева.

296{

— Теперь вообще всем это стало нравиться... Куда ни придешь на вечерок, обязательно окажешься рядом с древним отпрыском. Это у нас-то, через столько-то лет, — и вдруг такая тяга у интеллигентов к голубой крови!.. Чуть выпьет-то — и граф уже, по крайней мере тайный советник. Тяга прямо как у кухарок до революции... Ну, те хотя бы у них служили. А эти-то что? Недавно прихожу в один дом, начинаю знакомиться, хлыщ один действительно на гусара похож, только в териленовом костюме, — Нарышкин, говорит. Вот, думаю, кровь-то сказывается — сразу видно! Я у всех спрашивал: что, действительно Нарышкин? — смеются. А он, оказалось потом, Каплан вовсе...

— Да... — довольно засмеялся Лева, потому что разговор был ему лестен: он-то действительно князь, и это ни у кого не вызовет сомнений. — Это ты верно подметил, расхвастались необыкновенно.

— И не хвастались бы, если б это не выгодно было... Да что, на этом сейчас почти карьеру можно сделать! Во-первых, если князь, то уже не еврей, но если и еврей — все равно лестно: сочувствующий, уважительный найдется.

Соскучились люди никого не уважать и всего бояться. Уважать им охота. А тут чего проще — князь... Не страшно. Вот ты, например, думаешь, что ты все сам, что в твоих успехах это ничего не значит, что ты князь? Как бы не так. Тебе многое прощают из того, что не простят другому, тем более ты так прост, лестно для сволочи прост, многое тебе посчитают естественным из того, что другой понимать должен и знать свое место. Или еще доказать должен...

— Да что ты раскипятился? — растерялся Лева.

— Конечно, какие сейчас князья!.. А все-таки... Анкет перестали бояться, — ядовито заключил Митишатьев, — вот знамение времени, так сказать... Вот и хвастают.

— Почему же хвастают? — с трудом разлепив губы, сказал Готтих. — Вот я, например, барон, а не хвастаюсь же?

— Цены бы тебе не было!.. — расхохотался Митишатьев, а Лева отвернулся улыбнуться в сторону. — Цены бы тебе не было — будь ты пролетарского происхождения. Но ты же у меня — фон! Это точно, Лева. Так... Встаньте же, ведите себя, как положено в высшем свете. Вообразите, свечи горят, дамы вальсируют, и я вас представляю друг другу, хотя последнее труднее всего вообразить... Я сын простого лавочника. Вот ведь как, тоже не пролетарий, тоже с происхождением. Ну да в наше время чего не бывает... Итак, я вас представляю друг другу: Князь Одоевцев! Барон фон Готтих! А? Каково! Звучит... Князь Одоевцев — осколок империи, и барон — тоже осколок... Я — в о с к о л к а х! Ха-ха-ха! — загрохотал Митишатьев надолго. Наконец, как бы вытирая слезу, разрешил: — Ну, можете сесть. Все. Вообразили — и хватит. Больше такого вам не представится, поверьте мне. Или ты надеешься на реставрацию? А, Лева?

— Ну уж нет, — с неподходящей серьезностью все-таки косясь на Готтиха, отвечал Лева. — Мне-то она уже зачем? Что я-то с ней буду делать? Это смешно даже представить: что во мне осталось от князя... Имя? Какой я князь, — молвил он печально.

— А достоинство твое? Достоинство-то твое, оно выпирает?

— Какое достоинство — лень одна, нежелание сорваться.

— Не говорите так, — вдруг сказал Готтих, — это недостойно. Надо нести... с честью...

}297

— Что надо нести? — переспросил Митишатьев. — Чепухи не надо нести, милый... И перебивать старших тоже...

— Я могу и встать! — обиделся Готтих, бессильно опираясь о подлокотники и падая назад в кресло. — Я могу и уйти!

— А как же маленькая? — сказал Митишатьев. — Мы же еще не допили?

— Вот допьем — и уйду, — сказал Готтих.

— Ты уж меня извини, барон, — сказал Митишатьев, когда они выпили. — Это я пошутил. Может, грубо, глупо, но пошутил, но любя... Дай мне свою руку. Вот так. И никогда чтобы больше, верно? На всю жизнь, правда? Ну, давай поцелуемся... — И он подмигнул Леве.

Леве стало противно и скучно.

— Не надо, — сказал Лева.

— Ладно, ты прав, — посерьезнел Митишатьев. — Прав, как всегда... Нет, серьезно, примечательная судьба у парня. Он, представь себе, поэт. Печатается. Сотрудничает в патриотических редакциях... Фон Готтих — стихи о мартенах...

— О матросах, — поправил Готтих.

— Ну да, о матренах... Такой судьбы в русской поэзии еще не бывало. После десятилетки отпустила его баронесса со слезами в плавание. Плавал он, плавал — и вдруг сообразил. Пошел в библиотеку, взял подшивки старых областных газет, и посписывал оттуда он праздничных стихов, и стал их носить по редакциям: соответствующие стихи — к соответствующим праздникам. Ну а это такое дело — как известно, голод. Порядочные не пишут, а непорядочным и без того хватает... Стали у него эти стихи брать и стали их, соответственно, печатать. Так он жил от праздника к празднику и носил вырезки в кармане: показывал уполномоченному, если что. Как вдруг — крушение. Какой-то кретин узнал с в о е! Подумай, какая память у людей!.. и зазвонил, затрубил... Даже фельетон появился: лицо без определенных занятий, плагиат и так далее. Наш барон оскорбился и решил: что мне отвечать за всякую дрянь, я и сам могу не хуже. Попробовал — и действительно: вышло лучше. С тех пор сам и пишет. Лучше пишет. Печатается. Сотрудничает... С портретом. И уполномоченному нос утер... Он теперь старше его по чину...

— Вы надо мной издеваетесь... — вяло сказал Готтих. — Я хочу уйти.

— А может, мы еще выпьем?

— Эт-то можно, — сказал Готтих.

— Только надо сбегать, а?

— Сами бегайте.

— Ты же все равно хотел уйти — все равно выйдешь на улицу — так что тебе стоит? — просительно сказал Митишатьев.

— Разве что так... Это верно, я не сообразил... — сказал Готтих. — Все равно ведь на улицу выходить... — И он, резко оттолкнувшись, встал, страшно побледнев при этом. И так некоторое время стоял, вытянувшись, идеально прямой и бледный.

Зазвонил телефон. Готтих упал обратно в кресло, а Лева снял трубку.

Это был старый Бланк.

Сняв трубку, Лева потерял равновесие: несколько оступился и некоторое время балансировал на одной ноге, — но главное, он балансировал на телефонном проводе, покачивался и зависал.

На одном конце провода, на конце Левы, находился Митишатьев — это была реальность: они были вместе и пили, Лева и Митишатьев; на другом конце, где-то очень далеко... (Лева даже странно подумал о неком неправдоподобии: раз он не видит человека, с которым разговаривает, так, может, его и нет; конечно, колебания переходят в электрический ток, меняется сопротивление, угольная пластинка, бред какой-то! что за отношение это имеет к тому, что один человек говорит что-то другому? При чем тут угольная пластинка?)... на другом конце тем не менее Исайя Борисович Бланк, благородный старик...

Одного Леву знал Митишатьев, другого — Бланк.

Лева был вынужден разговаривать с Бланком в присутствии Митишатьева. Его неприятно поражала столь резкая перемена собственного тона, словно заговорил другой человек; от собственной благовоспитанности — слегка мутило. Митишатьев иронично поглядывал из-под трубки, словно все про Леву понимая. Эта ухмылка, не более чем привычная масочка Митишатьева, тоже злила Леву своей выработанностью, что ли, техничностью, тем, что, независимо от прозорливости Митишатьева, она так подходила к случаю.

И пока на том конце рассыпался в любезностях старый Бланк, — Лева на этом конце тоже в ответ рассыпался, но рассыпался буквально, зримо для Митишатьева. Он был уже готов нахамить Бланку в угоду Митишатьеву, — но что-то не пускало: кровь не давала... Тут Бланк стал извиняться некстати — заизвинялся и Лева. Митишатьев, для иронии, сыграл «на зубариках» «Марш Черномора». А Лева, устав от этой своей двойственности, столь постыдно — надо же так получиться! — обнажившейся, уже не слышал, что говорил Бланк, со всем соглашался, в суть не вникая. Когда же повесил трубку — все понял и похолодел: Бланк сейчас будет здесь.

— Сейчас здесь будет Бланк, — сказал Лева иронично молчавшему Митишатьеву, неприятно ощущая, как в этой короткой фразе успела перемениться его интонация: он как бы не то вынырнул на поверхность, не то, наоборот, погрузился, — и если слово «сейчас» было еще произнесено в точности тем тоном, каким он разговаривал с Бланком, то слово «Бланк» Лева уже произнес тоном, каким перед тем разговаривал с Митишатьевым.

— Грядет Исайя! — хохотнул Митишатьев. — Гряди, гряди... Ис-сайя! А что, как ты думаешь, если я у него денег займу?

Леве все еще не хотелось поймать взгляд Митишатьева.

— Не стоит... — испуганно сказал Лева.

— Почему же не стоит? — Митишатьев как бы обрадовался, привычно ухватив Леву, ощутив его слабину. — А вот и займу!

— Прошу тебя, не надо, — съежившись от предчувствия, сказал Лева.

— Почему же не надо? Как раз он и может дать. Подумает, что купил или унизил меня, — и даст.

Лева молчал.

— Слышите, как каплет время? — спросил Митишатьев. — То грядет Исайя!

— У Исайи было удивительное лицо... — глубокомысленно изрек Готтих.

— Иди же вниз, отпирай, — сказал Митишатьев, — не слышишь, как Исайя отряхивает свои бобруйские галоши?

Раздел третий. БЕДНЫЙ ВСАДНИК

Лева спустился по лестнице в невыразимой тоске.

Спускаясь с Левой по лестнице, мы расскажем немного о Бланке. Он — наш последний персонаж...

С Бланком у Левы были особые отношения. Бланк уже давно не работал в институте, существуя на пенсии. Он не хотел на нее уходить — он любил намекать на это: что его «ушли». Он стерпел и продолжал появляться в институте, скорее чтобы потолочься в родной суете, посмотреть, послушать, чем для дела. Но у него имелся и вечный повод: «Одна работа, которую он сейчас пишет, нет, нет, говорить о ней преждевременно...» Был он старик живой, бодрый и общительный, и просто ему было скучно торчать все время дома. «Творить» в тиши кабинета он не умел, да, кажется, и не хотел. Он приходил раза два-три в неделю и перебирался из кабинета в кабинет, слушая новости, сплетни и анекдоты и разнося услышанное из одного кабинета в другой. Он «не мог без людей».

Первое, что обращало на себя внимание в Бланке, была чрезвычайная внешняя опрятность, которую можно было почти счесть изысканностью и изяществом, хотя этими качествами она (опрятность) еще не была. Это была та нечистая печать физической чистоты, какая бывает у давно богатых и давно цивилизованных людей, в прочих же условиях эта черта все-таки индивидуальна... Бланк как бы мог легко общаться с кем угодно, с последней сволочью, — и оставался все тем же отутюженным Бланком, без пятнышка. К Леве он потянулся сразу же, авансом, — на породу, на фамилию. Он любил останавливать Леву в коридоре, и они подолгу разговаривали, и каждый проходивший мимо них вполне питал их разговор, состоявший, главным образом, из оценок и удовлетворения друг другом от совпадения этих оценок и, в свою очередь, от совпадения уже этого совпадения с некой общей, как бы абсолютной, оценкой, которая есть *мнение круга* (на этой «бирже» было точно выверено, кто гений, кто талант, кто честен... и раздвигание подобных «обойм» было смелостью духа, грозившей повышением или понижением в мнении круга, как по службе). Так они обсуждали, и каждый проходивший мимо раздувал огонек их разговора, и за какой-нибудь час они успевали обсудить многих. Кроме радостно-общих тем, Бланк и Лева имели

Дежурный (Наследник — продолжение)

как бы и одну общую коллекционную страстишку. Один как бы уже давно собирал, другой — тоже как бы собирал или собирался начать собирать. Были это то ли монеты, то ли спичечные коробки...

Лева охотно становился тем, кем его хотел видеть Бланк, — человеком «породы», той культуры и порядочности, которая в крови, и ничем ее не заменишь, никак уж ее не выбьешь... Лева подыгрывал, конечно, но это доставляло ему то удовольствие, как будто Лева вспоминал что-то о себе, и была в этом какая-то не проявившаяся в его жизни правда. В этой роли он чувствовал себя естественно и, поскольку давно уже не знал сам, где находится и кто же он, даже доходил до полной достоверности ощущения, что он именно тот, за кого его Бланк принимает и за кого он ему себя выдает. Примечательно, что никогда — здесь его инстинкт был на высоте — не разговаривал Лева с Бланком в присутствии третьего лица: он замолкал и уходил, как только оно появлялось. Для Бланка это, естественно, сходило как бы за то, что у них разговоры не для чужих ушей и ни к чему профанировать настоящее их общение.

Бланк был как бы вот какой человек: он не мог говорить о людях плохо. Если он говорил, что все — ужасно, то его оценка отдельных людей была превосходна. Если же он позволял себе ужаснуться кем-нибудь, то говорил о жизни как о даре божьем... Всякий раз его сознание, описав фантастический логический круг, взмыв спиралью, обернувшись, — но находило объяснение любому человеческому поступку с гуманистической точки зрения, когда еще не все потеряно, рано ставить крест и т.д. (Любопытно только, что, при такой его способности, для Бланка существовала группа людей, объединенная одной всего лишь общею чертою, группа, на которой крест был им поставлен заранее. Но — тем лучше становилось остальное большинство...)

Это-то безразмерное свойство, которое можно обозначить как доброжелательность, особенно приблизило Леву к Бланку после той самой пресловутой истории с Левиным приятелем и того процесса, когда Лева так заметался и растерял лицо... Лева как раз вернулся из спасительного отпуска (а приятеля уже не было в стенах) и сносил, как мог, всякие недомолвки и намеки сослуживцев — тут-то к нему и подошел благородный Бланк. Лева сжался, потому что, если мнение остальных было ему безразлично и могло быть небезразлично лишь по расчету, по расчету же получалось, что им безразличен, прежде всего, сам Лева и что мнения у них и нет, то мнение Бланка, казавшееся таким незначительным в карьерных выкладках, словно бы, странно даже, именно оно, это пустяшное мнение, как раз что-то и значило, причем не только по-человечески — от него-то как раз что-то и *зависело*. То, с чем опасней всего не посчитаться... И тут благородный Бланк выдал Леве огромный аванс. Я понимаю, сказал он глубоко сочувственно, как вам тяжело переносить все эти слухи, всю эту грязь, тем более что вы и возразить-то не можете, как порядочный человек, потому что, защищая себя, как бы чистоплотно вы это ни делали, вы как бы невольно продаете своего друга, а в их зрении безусловно так, и только так; вы не способны на это, я вас так понимаю! но пусть вас хоть утешит, что я ни во слово из всех этих сплетен не верю... Лева чуть не расплакался, тут же в коридоре, от радости и от стыда и взятку принял, тут же поверив, что все именно так, как говорит Бланк. Ведь это же надо, какой голубой человек! Бланк растрогался, увидев Левино волнение, опять истолковал его по-своему, благородно, и они долго, в сладком молчании, с влажными глазами жали друг другу руки. После этого их разговоры стали еще более проникновенными, и у них появилась как бы общая тайна, и при встрече Лева уже предавался ему как пороку, сладострастно разыгрывая то, что хотел видеть Бланк. Так у Бланка появилось некое «право» на Леву...

}303

И чем резче был контраст со всей Левиной жизнью, с тем, что он говорил только что сотрудникам, за минуту до того, как Бланк просунул в дверь свою седую кудрявую голову, и Лева, оборвавшись на полуслове, сразу же выходил к нему и начинал говорить совсем другие вещи, и даже голос его менялся — и чем резче и мгновеннее был контраст, тем, как ни странно (это самого Леву удивляло), ему было не больнее, а слаще. Правда, никогда этот их разговор не происходил при посторонних.

Над их привязанностью посмеивались. Над Левой — как над его слабостью, пусть даже простительной; над Бланком же — вообще посмеивались.

Дежурный (Наследник — продолжение)

И вот сейчас Митишатьев сидел напротив, а Бланк говорил в телефон трезвеющему с каждым словом Леве, что вот он, конечно, представляет, до чего сейчас ему тоскливо сидеть в праздники одному в этой богадельне, что вот его послала жена за хлебом — у них сегодня гости и как жаль, что его не будет, — и вот он уже с хлебом и возвращается домой, и как раз поравнялся с институтом, и звонит из автомата, и сейчас зайдет, чтобы хоть как-то развлечь Леву и скрасить ему его тоскливое время... И Лева, совсем расслабев, так и не смог сказать Бланку, в чем дело и почему ему не стоит сюда заходить. Митишатьев ухмылялся, еще не зная сам чему, прислушиваясь к Левиному разговору, и тут же вдруг входил в силу, словно оживал и снова наливался жизненной силой старый механизм воздействия его на Леву. Лева уже был подвластен Митишатьеву, Леву раздирало между ним и Бланком, и не перевешивал ни тот ни другой. В результате родилась какая-то его немота и мычание — и он ничего не сказал путного Бланку.

Митишатьев и Бланк были противопоказаны друг другу. Митишатьев убивал Леву в глазах Бланка, и Бланк убивал Леву в глазах Митишатьева. Развенчивание и разоблачение... И как предстояло Леве выкрутиться, как говорить сразу на двух языках, поступать в двух противоположных системах одновременно, — Леве было невдомек. И что сейчас произойдет — скандал, презрение — и где та малая кровь, которой, быть может, еще можно обойтись?.. — Леве казалось невозможным распутать этот, по слабости возросший, момент.

И он спускался отпирать Бланку дверь, тускнея с каждой ступенькой, и ему хотелось проглотить ключи.

«Слетаются...» — думал Лева.

НЕВИДИМЫЕ ГЛАЗОМ БЕСЫ

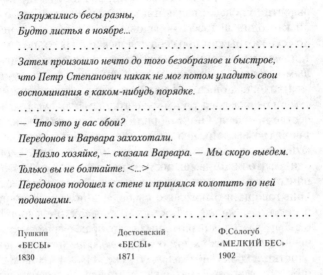

Закружились бесы разны,
Будто листья в ноябре...
. . . .

Затем произошло нечто до того безобразное и быстрое,
что Петр Степанович никак не мог потом уладить свои
воспоминания в каком-нибудь порядке.
. . . .

— Что это у вас обои?
Передонов и Варвара захохотали.
— Назло хозяйке, — сказала Варвара. — Мы скоро выедем.
Только вы не болтайте. <...>
Передонов подошел к стене и принялся колотить по ней
подошвами.
. . . .

Пушкин	Достоевский	Ф.Сологуб
«БЕСЫ»	«БЕСЫ»	«МЕЛКИЙ БЕС»
1830	1871	1902

Кто бы знал, до чего мне неохота вводить сейчас }305 Бланка!.. Но — поздно: он войдет... А Готтих давно уже здесь. Раньше надо было думать, — а дальше все происходит единственным образом, безразличное к нашим попыткам как-нибудь улучшить отдельно взятую ситуацию.

Мы знаем, как Лева предавался своей несостоятельности в одиночестве. Но как бы он ни был жалок в те часы, в этом был все-таки намек на благородство: он находился в этом состоянии один, никого в него не замешивая. Это, скажем так, было его дело. Лева был один, потом пришел Митишатьев. Он привел с собой Готтиха. Затем наметился Бланк... Мы не знаем, в каком состоянии находились эти люди, пока они не пришли к Леве. Здесь и мы, как Лева, полагаем, что они такие, какими переступили порог, какими — кажутся. И у нас нет сомнения, что для себя они такие же, как и снаружи. Мы это без всякого основания подразумеваем, что для них содержание и выражение — адекватны. Поэтому вполне понятно, что, ощущая эту границу между одиночеством и обществом, замирая над этой пропастью, Лева старается быть таким же, как они, ничем себя не выдавая. Трое, затем четверо… автор не заметил, в какой момент их стало пятеро. Они выпили и еще выпили, радостно уподабливаясь и понижая уровень. Они говорили как один человек, обрадовавшись себе, как обществу. То есть как бы сам про себя человек знал все и потому считал себя недостойным, а вдруг оказался окруженным милыми людьми, из которых ни один про него не думал так же плохо, как он сам. И на поверку, при сравнивании, совсем он не оказался таким уж негодным, как думал в одиночестве про себя. Они говорили как один человек, как один такой громоздкий, неопределенно-глиняных черт человек, который, вобрав в себя всех, обновил все стертые слова тем одним, что никогда еще их не произносил именно этот глиняный рот, что никто еще их же из этого рта не слышал… Они говорили о погоде, о свободе, о поэзии, о прогрессе, о России, о Западе, о Востоке, об евреях, о славянофилах, о либералах, о кооперативных квартирах, о дешевых заколоченных деревенских домах, о народе, о пьянстве, о способах очистки водки, о похмелье, об «Октябре» и «Новом мире», о Боге, о бабах, о неграх, о валюте, о власти, о сертификатах, о противозачаточных средствах, о Мальтусе, о стрессе, о стукачах (Бланк без конца предостерегающе подмигивает Леве за спиной Готтиха…), о порнографии, о предстоящей перемене, о подтвердившихся слухах, о физике, об одной киноактрисе, о социальном смысле существования публичных домов, о падении литературы и искусств, об их одновременном взлете, об общественной природе человека и о том, что деться — некуда…

Как странно они говорили! Словно раздав всем поровну ровненькие дощечки и обмениваясь ими, одинаковыми. Словно это было такое детское домино: на одной половинке груша, на другой яблоко, и яблоко приставлялось к яблоку, а груша — к груше. Митишатьев дуплился, мечтая сделать «рыбу»; Лева ехал «мимо». Пластинчатая эта дорожка ловко изгибалась, выделывая коленца и все не обрываясь. Беседа ровненько бежала по шатким этим мосткам. Это было такое детсадовское домино, но какие жуткие картинки повторялись в небольшом количестве на этих досточках-матричках для узнавания!.. Вместо яблока и груши — милиционер и голая баба. Присутствие Бланка и Готтиха раскаляло беседу. Эти две масти были особенно в ходу. То, что ни в коем случае не предназначалось для ушей Готтиха, кричалось на ухо Бланку, а то, что не годилось для ушей Бланка, хором вшептывалось Готтиху. И то и другое говорилось тем более вслух, тем более громко, чем менее предназначалось для высказывания. Это странное равновесие, однако, очень точно соблюдалось, чашечки этих весов едва колебались, перегружаясь, но ни одна другую не перевешивала. Словно то лишнее, что не стоило говорить при Готтихе, совершенно нейтрализовалось тем лишним, что говорилось при Бланке, и наоборот. И этот удивительно разбухавший нуль такого разговора волшебным кольцом обнимал безрассудное бесстрашие говорящих...

Они говорили, что погода стала совершенно другая, что раньше в Москве — так был совершенно другой климат: крепкая зима, жаркое лето, а теперь что Ленинград, что Москва — одно и то же. Да и на Кавказе и в Крыму — один черт, не поймешь. Ну да, говорили они, скажешь, одно и то же!.. Да только сравни Москву и Ленинград — совсем никакого сравнения: разве это Ленинград?..

Они говорили о свободе слова — никакой не может быть }307 и речи. И в этом глиняном водовороте общего голоса лишь изредка ловлю я фразу, принадлежащую кому-то, различаю чей-то голос. Готтих говорит, что это возмутительно, что, рассуждая так, мы окончательно погибнем. Лева отмечает, что литературе никакая свобода слова не нужна, а нужна гласность как условие, допускающее лишь самую ее возможность, не более. Митишатьев говорит, что они сами не знают, о чем говорят, потому что того, о чем они говорят, не бывало в России ни при какой погоде. Как же так, вовсе наоборот, уверяет непьющий Бланк и подтверждает это самим фактом, самою возможностью книги Чехова о Сахалине. Митишатьев же вполне уверен в том, что существование литературы никогда не доказывало возможности ее существования, скорее наоборот. Бланк просит не говорить так при юноше, которому не чужда поэзия. Готтих вполне согласен, что Блок — гений, но ему гораздо ближе Пастернак. Митишатьев говорит, что Пастернак вообще не поэт. Лева мягко уговаривает Бланка переменить его точку зрения на Есенина. Бланк не возражает Леве.

Невидимые глазом бесы

В разговоре о России Бланк молчит, переводя умный и скромный взгляд с Митишатьева на Леву. Из этого разговора, как всегда, мы не запоминаем ничего. Лева цитировал своего деда, якобы лично сказавшего ему однажды, что Россия — заповедник, последний очажок, сопротивляющийся прогрессу. Митишатьев восхищен этими словами. Бланк единственный раз вмешивается, чтобы отметить, что они искажают подлинный смысл этих частных слов великого человека. Естественно, что этот разговор тесно переплетается с темою прогресса, на что Митишатьев едко замечает, что «Америка — еврейская страна». Готтих заикается о свободе личности как о главной ценности. Никто из собравшихся не поддерживает разговора о лагерях. Разговор легко переходит на обсуждение проблемы других отдельных помещений, Митишатьев клеймит кооперативное строительство как главный стимул к возрождению мелкобуржуазной психологии обывателя. Лева проповедует прелесть обратного течения из города в деревню; оказывается, Готтих знает, где можно купить дом за сто рублей. «Никуда ты никогда не уедешь...» — решительно говорит Митишатьев. Лева обижается: «Мне незачем быть славянофилом хоть бы потому, что я славянин». — «Почему это ты славянин?» — интересуется Митишатьев. «По крови». — «Оригинально, — хмыкает Митишатьев. — Мне никто еще так не отвечал». — «А вы всех спрашиваете?» — иронизирует Бланк. «Вас — нет», — хамит Митишатьев.

О Китае, об искусственной икре, о Высоком Возрождении...

— Вентури цитирует Вазари...

— Нет, я вам скажу, самый простой секрет успеха — это поговорить с ней об умном... С бабой непременно надо об умном поговорить...

— Как раз наоборот, — уверяет новый, совершенно неведомо откуда взявшийся персонаж, продукт ложных представлений интеллигенции о народе. — Главное, никогда с бабами об умном не говорить. Как раз надо не говорить об умном, а дать ей как следует выговориться. И сразу — брать... честно, по-солдатски.

Этот персонаж вызывает общее восхищение общества тем, что способен связывать слова, что и у него есть подлежащее и сказуемое. Это зять отпущенной Левой вахтерши, зашедший к ней за оставленным на прошлой неделе у нее рулоном линолеума и очень было огорчившийся тем, что не застал ее... Ко всеобщему удовольствию, он разрешает любой спор, говоря последнее слово. Оно всех убеждает и примиряет. Не человек, а кладезь... Еще он радостен тем, что при нем все острые темы становятся вдруг как бы безопасными... Как им всем повезло, что он зашел, влил здоровую струю... Сейчас уже невозможно представить, что его бы среди них не было. Снисходительный зять позволяет им эту лесть.

— Как это верно! — подхватывает Лева. — Что поразительно, что практически нет женщины, которая не была бы лучше всех. Именно поэтому им надо дать поговорить, что это, так или иначе, будет разговор об их достоинствах. Попробуйте упомяните, даже самым незаинтересованным тоном, просто к слову, имя какой-нибудь вашей знакомой — что вы услышите?.. «Говорят, что у нее глаза красивые... Глаза у нее, конечно, красивые, но...» И от подруги ничего не осталось, потому что она не обладает этим «но», которым, по чистому совпадению, в высшей степени наделена как раз ваша спутница, у которой, не будем говорить о глазах, зато... Это «зато» будет являться самым бесценным и совершенно неповторимым сочетанием качеств... }309

— Согласен. Можно сказать короче: женщины — в высшей степени патриотки самих себя.

— Из литературы известно, что проститутки чрезвычайно лояльны...

— Но ведь все люди так!.. — обиделся за женщин Готтих.

— В высшей степени благородно, молодой человек! — воскликнул Митишатьев. — За женщин!

Мы не знаем, в какой момент их стало пятеро, но когда их было семеро, они говорили вот о чем...

— Нет, нет, не говори... Наталья Николаевна была прежде всего Женщина. Зачем ей было понимать миссию мужа? Он сам ее понимал. Он не был настолько пошляк, чтобы нуждаться не в женщине, а в товарище по оружию... — Пожалуй, это были Левины слова.

— Да все эти поэтессы, о которых говорил сейчас фон Готтих, все они просто хотели бы спать с Пушкиным, вот и вся философия! Они не могут простить ей всего лишь, что опоздали родиться вовремя, чтобы исправить его ошибку в выборе. Уж они бы оценили его гений!.. На это они способны. Одного они не учитывают, что, может, не привлекли бы его как женщины... — Нет, это нам только послышался голос Митишатьева... Кто этот черненький, как бы изящный, ядовитый человек? Автор с ним не знаком, краем уха отмечает чей-то шепот: как? вы не читали его замечательную статью «Что вычеркивал Пушкин?» Нет, автор ее не читал.

— Да он, может, и ... их не захотел! — подхватил зять. — Ну, Александр Сергеевич не пропускал... — Общая ухмылка.

— «На днях с божьей помощью»... Александра Николаевна...

— Нет, батенька, это еще не до конца известно...

— Позвольте, как это еще может быть до конца известно?! Крестик в его постели нашли? Нашли. Конечно, он жил с ее сестрой. Даже смешно...

— О чем вы спорите! Вы забыли, о чем вы спорите! Надо установить А, а потом уже Б... (Ха-ха-ха! — рассмеялся сам.) Так вот А... Спала все-таки Наталья Николаевна с Дантесом или не спала?

— Спала.

— А я говорю: не спала!

— Да какая разница, господа...

— Просто дура, и все.

— Я целиком согласен. Вульф подтверждает, что она просто глупая, не очень даже красивая, неопрятная и безвкусная девочка. Его свидетельству можно верить.

— Она — прелесть!..

— Но как можно было жить рядом и настолько не понимать!..

— Да кто его понимал! кто его вообще понимал!.. что вы требуете от девочки?! — вспылил Лева. — Вяземский? Баратынский? Но они не только не были прелестными девочками, но и не понимали его тоже. Вам ли мне пересказывать эти азбучные истины... Вяземский, тот просто к ней приставал, писал ей даже после смерти... Все это грязный миф! Легенда и миф! И то, что нашли сейчас из ее писем, свидетельствует о том, что она вполне входила в заботы мужа, была толкова в денежных и хозяйственных делах. В конце концов, юна, чиста, красива...

— Невинна...

— Вот именно — невинна. Невинна и невиновна. Да что вы, в конце концов, она же не просыхала! Самый большой перерыв между детьми — полтора года.

— Пусть так. Но любила ли она его?

— «Нет, я не дорожу мятежным наслажденьем... — начал читать с выражением Готтих. — Куда милее мне...»

— Гениальные стихи! — прослезившись, перебили его. — Нет, господа! Да знаете ли вы хоть во всей мировой лирике что-нибудь подобное по обнаженности, по конкретности!.. Это же все здесь названо буквально, теми словами, никакого иносказания!

— Тут же ясно сформулирован секс и эрос!

— Вот именно! Но любила ли?..

— Если и не любила, то, во всяком случае, не знала этого. Любви не знала.

— Да нет же, любила. Была влюблена, как кошка. Ревновала...

— Ну, ревнуют и не любя.

— Это — точно.

— Ланского она любила.

— Между прочим, Пушкин был счастлив, когда получил от нее пощечину за Крюднершу. А Крюднерша — первая любовь Тютчева, вот гримаски судьбы!..

— И Николая — тоже.

— Как, и она?

— А потом Бенкендорфа.

— Обратите внимание на общность вкусов. Дочь Пушкина замужем за сыном Дубельта.

— Да Пушкину самому нравился Дантес! И царь ему нравился.

— Красивый, высокий, такой цар-р.... — передразнил Бланка Митишатьев.

— Наталья Николаевна была с ним сурова.

— Да, два года была сурова.

— Да бросьте, господа, как не стыдно! Посчитайте, сколько у нее, кроме мужей, мужчин. Может, один, может, два...

— А может, ни одного.

— По современным нормам она просто святая.

}311

— Святая и есть.

— Но как нужна была Пушкину поддержка в этот последний год! Она же совершенно не хотела понимать его мучений, его отчаяния...

— Вы пошляк, фон Готтих! Она его выносила и терпела — мало вам? Представьте себе только этого психа, этого желчного арапа, непотребного...

— Сейчас получишь в морду.

— Стойте, стойте, уймитесь, господа!

— Да, да! «Жалкий, грязный, но не такой, как вы, подлецы!»

— А вот другое письмо... «Законная... есть род теплой шапки с ушами...»

— Да... точно... и как все переменилось! Пушкин, всю жизнь издевавшийся над рогами, — и вдруг поборник женской чести и верности...

— Вы не читали «Амур и Гименей» Ходасевича?! Да что же вы читали??

— Все это так, но мы все время забываем, что тогда было все другое, другое все тогда было. Вы меряете на свой аршин.

— На свой сантиметр... ха-ха-ха!

— Слушайте, а сколько было у Пушкина?

— А у Петра было восемнадцать спичин... — (зять вахтерши?..)

— Вдоль или поперек?

— Ха-ха-ха-ха.

— Фу, фу, господа! Хватит, стыд, грех, позор! Что мы мелем. Да Наталья Николаевна прекрасна по одному тому, что Пушкин ее л ю б и л. Он же не любил Ахматову — он ЕЕ любил.

— Браво! Она была его жена.

— Единственная. Одна.

— Господа! В честь Натальи Николаевны! Все встали!.. Готтих, не падай. За самую прекрасную из женщин, господа!..

Леве вдруг не по себе. Он ловит себя на слове. Он увлекся и почти забыл, как ему на самом деле нехорошо. Безотчетный страх охватывает его, такой полный страх, что сочетание Митишатьев — Готтих — Бланк, так ему угрожавшее, уже не пугает его. Тошнотворное чувство овладевает им. Словно все произнесенные здесь хором слова никуда не делись, не оттрепетали в воздухе, а застряли в нем, запрудив

Раздел третий. БЕДНЫЙ ВСАДНИК

его душу, и томят, как грех. «Сколько слов поняли люди за последние несколько лет! — думает, вспоминая, Лева. — Еще недавно ни одного не знали... Как быстро они научились! И как страстно разменивают все новые и новые смыслы. Будто они что-то поняли — поняли, как понимать... Люди поняли и не посчитались с тем, что поняли. Будто понять одно, а жить другое. Поэтому все, что они поняли, стало говном, хотя говном и не было. Ничего они не поняли, а — научились... Вот за что и придет возмездие — так это за Слово! Вот грех...» И ему кажется, что предчувствия, томившие его в последнее время, так недаром! Они обязательно теперь сбудутся, отрепетированные, заслуженные... может, уже сбылись — то это теперь и не предчувствия. Он ощущает возмездие как некую слитную темную массу погибших слов, уплотнившуюся своими ядрами, тяжкую, как потухшая звезда; это мрачное тело, качающийся объем тошноты, равный массе произнесенных слов... По-губленных, за-губленных, при-губленных... Масса — критична... Что будет, что будет?!

— Господа! Молчание... — Лева встал, покачнувшись. — Я должен сказать...

}313

С гневом и болью произнес Лева эту речь о растраченном слове. Он говорил о неискупимом грехе перед ним, о неизбежном возмездии, о Вавилоне... Слову в нем было тошно, и оно вырывалось. Речь его была воспринята с восторгом. Готтих плакал. «Откуда ты такой?..» — восхищался вслух Митишатьев, как бы стоя у подножья. Насторожившийся было Бланк горячо сжал ему руку как истинно внуку великого деда... И, вдохновленные Левой, все заговорили еще свободней, наперебой, наперегонки.

«Их семеро, их семеро, их — сто!» — бормотал Лева и пьянел, как тонул.

. . . .

За всем не уследишь. В какой-то момент Лева обнаружил в комнате очень много людей. Тут был и Бланк, и Митишатьев, и снова нашелся Готтих. Были еще две девицы, происхождение которых трудно было бы отыскивать, разматывая время вспять. Был еще какой-то красавец, все время полузатененный, как шкаф в углу: нагло поблескивал оттуда золотым зубом — красавец устаревшего образца. Он вел себя молча, тяжелый и как бы неподвластный опьянению, — с таким ожидалась драка, и он это, по опыту, знал, почему и был, наверно, столь пассивен в своей убежденности: старайся не старайся... — все равно не избежать. С ним мелькнула тень, не вызвав даже Левиного подозрения, — так, просто образ, образ Фаины. Ее самой, однако, не было. Появлялась, вот только Лева не ручался, в какой момент, Любаша. Она терпеливо и равнодушно поприсутствовала на собрании и исчезла, так же ненавязчиво, как объявилась: возможно, что с этим золотозубым, — зуб в углу перестал блестеть, драки почему-то не случилось...

Так пульсировало время и дышало пространство, обозначаемое полустанками «маленьких». То вдвоем, то втроем, то вдесятером, то опять впятером отмечали они бутылочку, все одну и ту же, казалось. Самое неуловимое — последовательность — очень легко изменялась от каждой из этих противоречивых доз и — что предшествовало чему, а что за чем следовало? — наконец перестало маршировать, как на параде, в затылок друг другу, а приняло легкую и рассредоточенную форму, как будто само время собралось на милый вечерок встречи с самим собою, где настоящее ждало прихода прошлого, а будущее пришло раньше всех.

— Не скорость вызывает опьянение, а опьянение — есть скорость! — провозгласил Лева.

— Браво, браво! — И все выпили.

Лева помнил входы — и не помнил выходов... Что-то есть точное в Левином определении «опьянения», по крайней мере в отношении самого Левы: чем более отекал он в неподвижность и отсутствие тела, чем бездейственней было его вещество — тем стремительнее неслось его существо, с перестуком сердцебиения на стыках и стрелках; все сливалось вокруг от этой скорости, размытое и смазанное.

Все реже встречались полянки по сторонам движения, все разряженней становилось удаление, вдруг — стоп, остановка, крутая волна инерции и яркий свет, останавливалось и фокусировалось пятно освещенности, в него умещалась новая чья-то маска, скорее менее, чем более, удачная, мелькало название станции — что-нибудь подмосковное: Особая, Маленковская, — и состав трогался дальше, стремительно рвал с места, на секунду оставляя позади себя свое вещество; Лева бурел от перегрузки, потом скорость становилась привычной, и в две равномерных и неразличимых полосы сливались и зримость и освещенность.

Так мчал Лева, где время отмерялось не пройденным расстоянием, а количеством остановок. На некоторых он пробовал выйти, но как-то не успевал.

— Нет, не водку люди пьют! — восклицал он на следующей станции. — Люди пьют время!

— Гений! — уверенно восхищался Митишатьев.

— Слышите?.. пьют часы! — Слезы навернулись у Левы на глазах от слова «гений».

Так не помнил Лева самих перегонов; они были «состояние» — скорость, расстояние и время: их-то он и пропивал... Помнил он лишь станции и полустанки, но не помнил, которая после какого. Они перемешивались в его голове, как мелочь в кармане: в любом порядке, но каждая — отдельно, в силу приданной ей номинальной формы.

Озарения приходили к нему в голову, он растрогивался от их пронзительной силы, в голосе появлялась предательская дрожь, когда пытался высказать их вслух. Например, отделив в себе вещество от существа, понял он, что вещество — это растение, а существо — это животное... }315

— Курьерская жизнь животных и почтовая — растений... — сказал он, никто не понял, и Лева обиделся: так ведь сказал прекрасно! — но он и сам забыл контекст (долго расшифровывал я впоследствии эту фразу, нацарапанную Левой для памяти на папиросном коробке...).

Не мог он вспомнить, когда и при каких обстоятельствах испарился Бланк. Помнил, что на предыдущей станции он еще был, а на следующей — его уже не было. На предыдущей станции дали внезапный свет на потрясенного Бланка: бритые его, как молоко, щеки прыгали над фарфоровым воротничком, он их успокаивал, опирая на его твердость; в этом было продолжение той же линии, что образовывала его пухлая, белейшая рука на набалдашнике трости, — и то и другое «покоилось». Но покой этот был выражением глубочайшего возмущения и гнева, при котором над воротничком так и трепыхались и вились, как ленточки на ветру, слова, многочисленные и непроизнесенные. Был освещен, но не так ярко, и Митишатьев, подчеркнуто отчетливый и экономный в движениях, однако невообразимая суета видна за этой экономностью, будто под кожей что-то прыгало и бегало, небольшое, вроде мышки, хоть и невидимое: так выглядит всякий невоспитанный человек, отравленный представлениями о тоне и лоске. Изображение включалось для Левы, когда он опускал опустевший стакан, — и было непонятно, кто из них только что говорил, а кто собирался ответить, Бланк или Митишатьев; в углу, подчеркнув сдержанностью иронию, поблескивал золотым зубом шкаф (значит, тогда он еще не ушел...). И переждав, но так и не сказав Митишатьеву, Бланк обернулся к Леве, сменив гнев на растерянность.

— Лев Николаевич! что ж вы молчите? — детским от невообразимости происходящего голосом говорил Бланк; брови его дальнозорко всплывали, будто он отодвигал руку с Левиным изображением.

— Что? я не слышал... — говорил Лева с митишатьевской улыбочкой на лице. Она плавала в бесформенных уже чертах, как клецка в супе.

— Как? — Брови замелькали на лбу Бланка, как бегущее изображение в телевизоре: брови... уплыли... и снова — брови.

— Да вы не волнуйтесь, — встревал Митишатьев, — я ведь только что хотел сказать... Вот вы намекнули, что, в таком случае, я сам тоже могу оказаться еврей... Верно! могу. Я ведь не знаю своего отца. И мать, кажется, тоже, — тут он оскалился как бы ледяной усмешкой много видевшего и страдавшего человека. — В таком случае именно вы — можете оказаться моим папой. Как в классическом сегрегационном романе о капле крови... Ничего странного или удивительного — придется вам с этим считаться. Оригинальный вариант «Отцов и детей», написанный Виктором Гюго в соавторстве с Говардом Фастом...

И тут Левин «состав» так резко трогал с места и устремлялся вдаль, что Лева подавался всем телом назад, пережидая ускорение...

А на следующей остановке — Бланка уже не было. Какие бездны плещущего сознания переплыл в этой паузе Лева?

И так же не понимал он, что до чего было, и потом: искали они девушек при Бланке или после? На этой станции свет падал скорее на самого Леву, чем на окружающих, хо-

316{

Раздел третий. БЕДНЫЙ ВСАДНИК

тя и не мог же он сам себя видеть, — но стыд и детский позор внезапной всем понятности и видимости обрисовывал здесь ему прежде всего его собственную фигуру. Они все звонили по телефону, Митишатьев и Лева...

Раззадорили они друг друга каким-то предыдущим разговором: слушай, давай девочек позовем? — оживлялся Митишатьев. Ну конечно! что может быть проще... Но чем больше они крутили телефонный диск, тем яснее становилось для каждого, что каждый из них есть не только то, чем представляет его себе другой, но и сам по себе — что-то такое маленькое, беспомощное и домашнее. У каждого из них, казалось, записная книжка должна была быть набита девицами, для портативности и карманности выраженными в не очень сложных шестизначных числах... Но кому, скажем, мог позвонить Лева? Все той же Альбине. У Любаши ведь был только рабочий телефон... Не Фаине же звонить! Да и бесполезно... Вот когда поймал себя Лева, что набирает любые шесть цифр и спрашивает другую Любу, другую Лору и разную Розу, — и понял он цену многочисленных мужских побед. Но то, что Митишатьев оказался в том же положении, — было Леве удивительно. Не те же ли три номера набирал он?.. Лева заглянул через плечо — Митишатьев захлопнул. «Махнем не глядя?» — предложил он. «Нет», — сказал Лева. Так Митишатьев опять обыграл Леву в этот телефонный покер, но сам был сильно раздосадован. На какое-то время Митишатьев куда-то исчезал, и, униженный всеобщей мужской жалкостью, пытался Лева дозвониться Фаине — напрасно!

Пауза приплыла и уплыла — Митишатьев вваливается громкий, как с мороза, в каждой руке у него по девушке.

— Знакомься — Наташи! — провозгласил он, довольный и гордый: сумел-таки показать Леве, как это делается!..

— Князь Лев Одоевцев! С другой стороны!.. — провозгласил он. Девушки хихикнули над шуткой. — Ну как? — спросил он самодовольно. — Долго я отсутствовал?

Он отсутствовал действительно очень недолго. Это Лева долго отсутствовал — вздремнул. Вздремнул он как-то назад, оказался где-то во вчерашнем дне и теперь никак сразу не мог перебраться в «сейчас», к Митишатьеву с Наташами, через ворох сегодняшнего дня... Обвел взором, неровной линией...

Невидимые глазом бесы

— Хлеб... — сказал он. Он видел перед собой хлеб. Это был хлеб Бланка, большая сетка, набитая на большую семью, на большой обед. — А где Бланк?

— Какой Бланк? — сказал Митишатьев.

Лева помотал головой: значит, девушки появились все-таки после Бланка или до?..

Девушек было две Наташи. Одна Наташа, такая полная, несколько вся книзу, с примечательной башней на голове и газовой косынкой вокруг неподвижной шеи, с тупым выражением неприступности на лице, — ее Лева окрестил для себя Анной Карениной в роли Дорониной — стала как бы митишатьевской; другая, худенькая, проволочная, с мелким, как бы хорошеньким асимметричным лицом и пятнами острого румянца на узких щечках, все стрелявшая своими как бы большими, как бы живыми глазками, стала как бы Левиной, она так и осталась Наташей, но в роли Одри Хепбёрн. Каждому свое...

Новая маленькая пронеслась без остановки. Девушки отказывались. Они смущались. Лева решил для себя так, что смущались они оттого, что попали во дворец, в музей. Анна Каренина взглянула на лепной потолок и вздохнула, тщательно огладив юбку на коленях, похожих на дыни, и так замерла, руки на коленях... Одри, легонькая, проскакала по залу — первый бал! — на своих струнках в чуть свободных чулках, но, взглянув на подругу, спохватилась и села рядом, так же чинно, застыла. «Выпейте с нами, девочки! Ну чего вы стесняетесь?.. — говорил Митишатьев. — Может, тогда чаю хотите?»

— Хотим, — сказала Анна Каренина басом.

Каренина ушла с Митишатьевым помогать ему приготовить чай.

— В отличие от Виктора Набутова, дорогая, — между тем говорил Лева, — Владимир Набоков — писатель.

Лева рассказывал Наташе, как Толстому приснился женский локоть. Женское общество сделало его сентиментальным. «Надо же, — полагал он, — мы этим всем заняты — и никакого трепета, кроме скуки, в нас это не вызывает, а они...»

— Ты «Анну Каренину» читала? — спросил он.

— Угу, — сказала Наташа. — Картину смотрела.

318{

«...а они, может, и книги ни одной стоящей не прочли — откуда в них-то трепет и уважение? к одним лишь стенам? априорно?»

Наташа дунула ему в ухо.

— Ты что? — встрепенулся Лева.

— Ничего, — обиделась Наташа, — дунула тебе в ухо, и все.

— Зачем??

— Просто так. Я всегда дую мужчинам в уши...

«Господи! За что?» — взвился в себе Лева.

Появился Митишатьев с чайником и Каренина с еще более неприступным лицом.

— А ты все беседуешь?..

Лева вскинул взгляд на своего врага: издевается?.. — по лицу Митишатьева ему этого не удалось прочесть.

И они выдули еще маленькую. Девицы пили чай из блюдечек (для полноты картины...), потому что чашек не нашлось. Отставляли пальчик. Чинные... Леве казалось, что его увозят от них спиной. Он все смотрел на часики на руке Карениной. Поразили эти часики: золотые, крошечные, на широком и пухлом запястье, они утонули в складочках и улыбались там. Лева смеялся. Он смеялся, нарочито тряся плечами, как бы беззвучно рыдая от смеха, как бы до слез... }319

Митишатьев был мрачен. Он взвешивал в руке сетку Бланка. И так, с сеткой в руке, вдруг направился, решительный, к окну. Распахнул. Свежий ветерок прошелся по залу, встрепенул Леву. Митишатьев погрузил руку в сумку, достал каравай и, подкидывая, прикидывал его в руке, как бы взвешивая поточнее.

— Тяжелый хлеб... — сказал он раздумчиво и непонятно. — Тяжелый!

И выбросил его в окно.

— Тяжелый хлеб! Тяжелый... — взвешивал он теперь следующий.

— Ты что это? зачем? — поморщился Лева, перехватив взгляд Карениной.

— Ты в блокаду где был? — спросил Митишатьев.

— В эвакуации...

— А я здесь... у меня здесь мать умерла, — и Митишатьев выкинул хлеб в окно. — Тяжелый, тяжелый хлеб!

— Что ты! перестань... — испугался Лева. — Не надо!

— Я вру, — сказал Митишатьев. — Погаси-ка свет!

— Зачем — свет?.. — опешил Лева.

— Слушай, что я говорю! погаси...

Лева щелкнул выключателем. Вспухла темнота. Присмотрелись — легкий сумрак пополз по залу... Лева осмелился взять Наташу за руку. Ладонь ее была жесткой и неловкой. И вдруг свет взорвался в окне, выросла пальма холодного бенгальского огня и осыпалась... Окно еще секунду белело с черным Митишатьевым на фоне. И после света стало совсем невидимо темно.

— Салют! Ура! Салют!

Новый сноп созрел за окном — разноцветный. Осыпаясь, слабея и угасая, звездочки теряли окраску и совсем белели на уровне подоконника, обрезавшего свет в ночь. И снова.

Этот взлет и осыпание веером показались вдруг Леве смехом.

Беззвучный ослепительный хохот взлетал и взлетал за окном.

— На улицы!.. — кликнул Митишатьев. — На баррикады!

. . . .

МАСКАРАД

Я вижу, вы в пылу, готовы все спустить.
Что стоят ваши эполеты?

Лермонтов, 1836

Свежий и холодный воздух, первый глоток которого был воспринят Левой как счастье и освобождение, оказался, однако, как новая большая водка. Лева выбыл, хотя и следовал за Митишатьевым более или менее успешно, не отставая и не падая.

Изредка он приходил в себя. Тогда отмечал он над собой холодный укол звезды, мелькнувшей меж стремительных облак, подбитых лунным мехом. Лева терял тогда свою способность к движению и замирал, казался себе на дне каменного колодца; сознание его было безлюдно — его не толкали, ему не попадались навстречу. Ничто не попадало в его раздвоенный взор, и отчетливо он мог видеть лишь в самую далекую даль — все ту же звезду...

Выхожу один я на доро-гу-у... —

пел он. Навстречу ему шло массовое народное гулянье. «Кремнистый путь» — был асфальтом...

— Нет, ты заметь! — придержал Лева Митишатьева. — Какой упоительный пейзаж в этом стихотворении, а ведь ни одной детали! И все через этот «кремнистый блеск»! Из-за отсутствия деталей — возникает главное: осенняя пустота... А ты видел когда-нибудь кремнистый путь? Разве такой бывает? Между тем это точнейшая метеосводка: поздняя осень и заморозок, прихвативший еще бесснежную дорогу... Какая неумышленная, истинная точность! кремний — это песок, блестит — лед, и слово «тернистый», неупомянутое, по соседству... Надо проверить — это обязательно в ноябре написано, при позднем и пешем возвращении домой[1]. Пьяный он был, протрезвевший...

— Ну да, — сказал Митишатьев, — ты это не забудь. Куда ты Наташу-то упустил?

Лева крутанулся на ножке — и правда, не было Наташи.

— А ты свою куда дел? — спросил Лева, потому что второй Наташи тоже не было.

— Я-то свою от-пустил, а ты у-пустил.

— Я не хочу страдать и наслаждаться! — продекламировал Лева.

— И не надо, — охотно согласился Митишатьев.

...Следующую звезду Лева разглядел над Исаакиевским собором.

У Медного Всадника был водоворот народного гуляния.

Тут бы гоголевское восклицание о том, «знаете ли вы?» и что «нет, вы не знаете!», что такое массовое народное гуляние. То есть все, конечно, знают, и каждый. Сейчас все всё знают. Форма эта известна. Форм у нас не так много, и они все взаимоизвестны. Где был? на гулянии. Что делал? гулял. Форма — известная, содержания — нет.

Стихийное, или массовое, праздничное гуляние (потому что оно стихийное — это правда: его учитывают, а не организовывают) — есть потерявшаяся демонстрация. Не уверенные в его точности, мы этим соображением что-нибудь объясним... Нас несколько удручает это невеселое хождение. Мы рассматриваем толпу, заглядываем в лицо, ищем узнать — нет лица! Что за невеселье такое?.. То, что мы наблюдаем в толпе как «жизнь», — так это В толпе, а не толпа. Толпа — лишь среда живого. Живое шныряет в ней: ху-

---

[1] Не мог Лермонтов написать эти стихи осенью, потому что погиб летом, — не тот пейзаж... (*Примеч. автора.*)

Раздел третий. БЕДНЫЙ ВСАДНИК

лиганство, флирт, драка. Живое — это воровство у толпы. Воров бьют.

Утром, на свету, этого нет. Мы идем, нестройные, разбродные, но все в одном направлении, все стекаемся в общее тело дня и демонстрируем это тело. У нас пищалки и флажки, мы поем не очень уверенно, все несколько слишком озарено — денек с утра выдался, смущаемся про себя за себя — оглядываемся: так ли другие смущены? — а вроде и нет. И мы — перестаем. Все увереннее шагаем, кричим «ура» нерешительно. Площадь — вот куда мы шли! Но и ее мы проходим.

Вот тут недоумение: мы больше не обязаны... Мы — прошли.

Что с той стороны Площади? Площадь — это полдень. С той стороны — вечер. Растерянные, что больше никуда не идем, что некуда, а расшагались, мы выходим на улицы уже просто так, гуляние.

Это, так сказать, экзистенция. По ту сторону Площади мы должны интересовать уже сами себя, а мы привыкли, уже успели, к формальному обобщающему целеустремлению — по эту. Так резко... Вечером мы можем быть интересны только как правонарушители. Этого мы не рискуем и гуляем деть себя, просто так. }323

Гуляя, мы стечемся на ту же Площадь, куда нас вели, где нас покинули, — бродим бессмысленно по месту потери, ищем. Найдем — знакомство, собутыльника, драку, ничего не найдем, пойдем спать.

А нас еще упрекнут, что мы здесь разлили много водки... Зато — не крови! Водка — мироносица сюжета. И поступком становится не что, а где и с кем... Протрезвеем — обнаружим труп.

С Площади толпа перетекает, ничего там не найдя, распределяется по освещенным местам. Темнота набережной — серый мотыльковый лёт, Площадь — фонарь. Понравилось нам освещать свои декорации, как в театре... У нас, как что войдет в моду, уж не выйдет. Обнаружили мы в этом вкус, в пределах этого разовьемся до полноты... в любви делать то же самое. Освещено: купол Исаакия; Медный Всадник (подсветка снизу, обратные тени, громоздятся подковы и ноздри — ракурс Бенуа...); Адмиралтейская игла (чтобы была всегда «светла»...); желтая стена Адмиралтейства подсвечена желтым же снизу (софит? рампа?); напротив, через черный провал Невы, чуть подсветим университет (филфак); кораблик, корабль военный, осветит сам себя: обведет себя, по-детски, лампочками, а из носовой пушечки будет происходить бегущий пунктир лампочек же, — пробежится — погаснет, пробежится — погаснет, будто стреляет пушечка, сплевывая лампочки по одной в черное отсутствие окружающей воды... Так учили мы стихию вечернего, последемонстрационного гуляния и расставили ей, где ходить, что видеть: пушечка стреляет, статистов полная сцена, — как не почувствовать себя солистом, не выйти на середину и запеть! (Вот мы и уплатили дань всеобщей обязательной карнавализации повествования...)

Митишатьеву пришлось-таки повозиться с Левой... От проветривания Лева сделался совсем пьян, от толпы — буен. Буйство его было веселое, доброжелательное, приглашающее порадоваться на него — безобидно, — но поди разбери! Митишатьеву приходилось его удерживать.

Это нам так себе — Леве было весело. Он точно понял, что все это ему снится: эти обмылки лиц (смазанный фон статистов во сне); эти щели в декорациях (откуда дуло), этот картонный, нарочито вздыбленный конь (вблизи, на самой-то сцене находясь, — как видно, что нарисованный!); эти складочки, пузырящая тень на заднике Адмиралтейства; эта общая небрежность, даже халтурность сновидения... — как не воспользоваться безопасностью сна! — Леву очень радовало это соображение, что во сне все можно безнаказанно: он — прыгал. Переворачивался через ножку и — задом, задом! потом снова делал пируэт, чтобы побольше окинуть взором. Ему нравилось, что он догадался, что это сон, и теперь он радовался обманывать статистов — делать вид, что верит в их существование: извинялся подчеркнуто галантно, что задел, расшаркивался. Митишатьев подправлял его, поддерживал — снился ему Митишатьев. Лева ему подмигивал: мол, я догадался, что ты во сне... Паровая музыка играла «Дунайские волны» — хороший, детский, безопасный фон: легкие и далекие воспоминания во сне... Под эту музыку приснилась ему писательница-ветеранка. Отплясывала она в кружок под гармонь, гремя боевыми медалями на грудастой гимнастерке, — ах, огневая шаловница! — с вечной памятью своего полкового девичества в глазах, счастливая от ощущения, что она снова с народом. И когда Леву невзначай обсыпали халтурным, нарочным конфетти... он этот маскарад принял и опять обрадовался своей, хоть и во сне, а догадливости. Тень Митишатьева отбрасывала рожки — ага! учтем.

— Ты мой Вергилий! — сказал Лева, чтобы тот не догадался, что Лева з н а е т.

Митишатьев подкинул белый шарик и поймал на черный — раздался пистон. Запахло серой.

— Ой! — обрадовался Лева. — Покажи! Я таких с войны не видел! Помнишь, такие после войны были? — теребил Лева, как ребенок. — Где ты их достал??

— А я их хранил... — усмехнулся Митишатьев.

Он дал и Леве разок подкинуть — тот поймал черный на белый и засмеялся, счастливый. Но Митишатьев отнял: уронишь, расколешь...

Так они продвигались.

— Видишь ту маску? — прыгал Лева. — Хорошенькая... Мадам! — он галантно шаркал. — Какое прелестное домино! Домино... — Леве вдруг стало так смешно — все засверкало в слезах, в длинных острых усиках света... — Домино! ведь как все переигралось! Тогда бы не поняли, что значит это слово сейчас, а сейчас уже никогда не поймут, что оно значило раньше! Представляешь, она решила, что я предлагаю ей сыграть в домино! Ахматова, играющая в домино... — И Лева согнулся пополам от хохота. }325

Так они продвигались, придерживая эфесы своих шпаг, быстрым шагом сквозь толпу — их остановил спор... Лева ужасно разгорячился.

— Да нет же, я тебе говорю! Ты не на того льва думаешь!.. — Они как раз стояли подле адмиралтейских львов, играющих шарами. — Ни в коем случае не сидел Евгений на этом льве! «На звере мраморном!..» Пушкин всегда точен в таких вещах... Ну какой же это мраморный? когда он был мраморным? это же литье! Вот, смотри, позеленел совсем... Ну какой черный мрамор... — Лева махал рукой и приходил в отчаяние. — Ну как же может быть — поэтическая вольность!.. Не может быть.

Маскарад

И вдруг, в доказательство, с ловкостью необыкновенной уже сидел Лева верхом на льве и стучался в него...

— Слышишь, гулкий! какой же мрамор! да я тебе тех, сейчас пойдем, покажу... те совсем другие звери. Ну вот же, смотри! — Лева скоблил зверя монеткой, чтобы до метал-ла... — Да не дергай ты меня за ногу! ну, пусти, пусти же! — И он лягнул.

— Ай! что же это? — удивился Лева и, сообразив, расхо-хотался от души: — Смотрите! он в костюме милиционера! Ах-ха-ха-ха-ха! А маска где? ну да, в фуражке можно и без маски... Да пустите же! я ведь не на том льве сижу! . . . .
. . . .
. . . .
. . . . . .
. . .
,

ДУЭЛЬ

Стрелялись мы.

. . . .

Это было на рассвете. Я стоял на назначенном месте с моими тремя секундантами. С неизъяснимым нетерпением ожидал я моего противника. Весеннее солнце взошло, и жар уже наспевал. Я увидел его издали. Он шел пешком, с мундиром на сабле, сопровождаемый одним секундантом. Мы пошли к нему навстречу. Он приближился, держа фуражку, наполненную черешнями. Секунданты отмерили нам двенадцать шагов.

. . . .

— *Бросьте жеребий, доктор!* — *сказал капитан.*

Доктор вынул из кармана серебряную монету и поднял ее кверху.

— *Решетка!* — *закричал Грушницкий поспешно, как человек, которого вдруг разбудил дружеский толчок.*

— *Орел!* — *сказал я.*

Монета взвилась и упала звеня; все бросились к ней.

— *Вы счастливы,* — *сказал я Грушницкому,* — *вам стрелять первому! Но помните, что если вы меня не убьете, то я не промахнусь!* — *даю вам честное слово.*

. . . .

— *Я буду драться серьезно,* — *повторил Павел Петрович и отправился на свое место. Базаров, с своей стороны, отсчитал десять шагов от барьера и остановился.*

— *Вы готовы?* — *спросил Павел Петрович.*

— *Совершенно.*

— *Можем сходиться.*

Базаров тихонько двинулся вперед, и Павел Петрович пошел на него, заложив левую руку в карман и постепенно поднимая дуло пистолета... «Он мне прямо в нос целит, — подумал Базаров, — и как щурится старательно, разбойник! Однако это неприятное ощущение. Стану смотреть на цепочку его часов...» *Что-то резко зыкнуло около самого уха Базарова, и в то же мгновение раздался выстрел.*

. . . .

Кириллов тотчас же заявил, что дуэль, если противники не удовлетворены, продолжается.

— *Я заявляю,* — *прохрипел Гаганов (у него пересохло горло)...* — *что этот человек (он ткнул опять в сторону Ставрогина)*

выстрелил нарочно в воздух... умышленно... Это опять обида!
Он хочет сделать дуэль невозможною!
— Я имею право стрелять как хочу, лишь бы происходило
по правилам, — твердо заявил Николай Всеволодович.
— Нет, не имеет! Растолкуйте ему, растолкуйте! — кричал
Гаганов.

. . . .

Оказалось, что из всех присутствовавших ни один не был
на дуэли ни разу в жизни и никто не знал точно, как нужно
становиться и что должны говорить и делать секунданты...
— Господа, кто помнит, как описано у Лермонтова? — спросил
фон Корен смеясь. — У Тургенева также Базаров стрелялся
с кем-то там...

. . . .

— Плевать я на тебя хочу, — спокойно сказал Передонов.
— Не проплюнешь! — кричала Варвара.
— А вот и проплюну, — сказал Передонов.
— Свинья! — сказала Варвара довольно спокойно, словно
плевок освежил ее... — Право, свинья. Прямо в морду попал...
— Не ори, — сказал Передонов, — гости.

328{ . . . .

1828	1830	1839	1862	1871	1891	1902
Баратынский	Пушкин	Лермонтов	Тургенев	Достоевский	Чехов	Ф.Сологуб

...Едва дыша, они ворвались в свое учреждение. Они в него вбежали, влетели, ввалились, упали — рухнули. Все тело представляло собою один сплошной пульс. Но страх все еще нагонял... Лева внезапно нащупал ключи (они были в кармане! — он не сумел даже удивиться). Пополз запирать. Именно пополз — и потому, что ноги были как две воздушные колонны, вроде аэростатов, и не держали тела, и потому, что боялся показаться в застекленную часть двери. И вот так, движениями, преподанными ему кинематографом, подкрался он к двери, как партизан, закладывающий мину под поезд, и — сидя на корточках и боясь высунуться за край, за границу дерева и стекла, — стал, в позе столь неудобной, подкрадываться ключом к замоч-

Раздел третий. БЕДНЫЙ ВСАДНИК

ной скважине. Так неопытные воры взламывают, как он запирал. Он боялся лязгнуть, каждый звучок раздавался в мире небесным грохотом. Ключ то не лез, то проваливался, то влезал, а назад — никак: Лева не помнил ключа... Скучно описывать, как долго он не справлялся с задачей, отчаивался и умирал. Наконец настойчивость его увенчалась, и он отполз, радостно и поспешно.

Укрытый теперь внутренней темнотой помещения, за двойными дверьми, он рискнул немножко высунуться и выглянуть в стекло...

Там никого не было.

«Уф! — сказал он и вытер тыльной стороной руки лоб, как в кино. — Кажется, пронесло».

«Пронесло?..» — хихикнул наглый голос, и только тогда Лева вспомнил про Митишатьева.

В глубине вспыхнул огонек папироски.

Митишатьев курил, сидя на столе вахтера.

И тут наконец странное спокойствие овладело Левой. Он сидел на полу, привалившись к косяку, так полно и отрешенно вытянувшись. Безопасное его тело испытывало счастье отсутствия. Пот просыхал, натягивался лоб, впадали щеки — сосудистое торжество. Раскаленное безумным бегом тело сжималось, остывая, — прохлада ветерка...

}329

«Чего же я так боялся?! — удивлялся Лева с трезвой простотою. — Почему так бежал?.. От милиционера?.. Но ведь это именно нелепо — бежать от милиционера? Он же как раз ничего и не сделает! Не убьет. Не имеет права убить. Про него-то больше, чем про кого бы то ни было, известно, что он сделает и чего не сделает. Он не убьет. А что еще страшного? — Он вспомнил розовое, как земляничное мыло, детское, под деревенский пушок, лицо; синий розовощекий топот мундира — все-таки страшно. Но вовсе не потому. Страшно, что такое ребячье, мамкино лицо, это физическое неудобство солдатского тела, от сапог до воротничка, что убегающего — догнать, как в какие-нибудь горелки-жмурки, не подлежит обсуждению. А бежать вот так, обо всем забыв, разве само по себе не страшно? Перед собой-то, дойти до такого — должно быть очень страшно. Унизительно ведь так бежать! Какое тут достоинство или личность... Ничего не было. Было только одно — убежать. Такое обла-

Дуэль

ко, такое мыло, круглое, как страх. В нем, внутри, — Лева, как муха в янтаре. Он ведь не только сам бежал, не от страха убегал: куда же это он мог из страха-то выбежать? — он с ним, в нем бежал, мчался в нем под парусами ужаса, как темная в ночи лодка, гонимая ветром власти. Власть? этот цыпленок! смешно. Это замкнутое пространство страха, с пульсирующей границей за спиною, — нагоняет, отстает... с распахнутым, далеким объятием надежды на избавление впереди. Странное сооружение. Неба над головой не было, звезд. «Каким дробным ужасом оборачивается отсутствие страха божьего! — приоткрывая щелочку для духа, восклицал, избежав себя, Лева. — В страхе я находился — в страхе и нахожусь. Ведь страшно то, что я так страшился, и чего! Вместо Бога — милиционера бояться! Махнулись...»

Мысли эти поражали его своей заслуженной очевидностью...

«Чего я боюсь? Да всего я боюсь!»

«Ведь вот сам рассуди, — с детской дрожью голоса в мысли, с детским же ханжеством редко выпадающей роли старшего, играл он с собою в дочки-матери... — Что тебе угрожало? Спокойненько слезть, предъявить документ. Мы проводили научный эксперимент. Документ-эксперимент-экскремент. Больше научных слов. Его-то напугать легче, чем меня! Почему же я напугался с такой легкостью, с такой безусловностью, с такой мгновенностью — без всякого сопротивления? Ну побежал по ошибке... Остановись. Что будет с тобой? Максимум, дадут по шее. Разве это больно или обидно? По сравнению со страхом? Отведут в участок, сообщат на работу... Да ведь даже с работы-то вряд ли выгонят. Наоборот, поймут. Пожурят, полюбят, пойдут навстречу... Как же это так до сих пор не знать то, что знаешь уже так давно? Да и выгнали бы. Ведь благо! Сам рассуди... Ведь то, что можно потерять, ничто по сравнению с уже потерянным. Ведь любой вариант — самый худший — благо в сравнении с унижением и страхом. От чего я убегал? Выбирал между унижениями, боялся унижения большего. И выбрал самое большое. Если бы просто убегал, как он догонял: догоняют — беги, — то это правильно, по природе. А то ведь от страха бежал! Ах, какая ошибка! Господи! как я ненавижу все это!»

Он встал, хрустнул. Прямой, решительный, с блеском глаз.

Митишатьева миновал не глядя. Слишком было ясно, как тот сощурился папироской. Нашарил выключатель и включил безбоязненно. Но чувство все разрешающего света не было разрешено слабой дежурной лампочкой. Ничто так уж не озарилось, как представлялось. Он увидел зато тот замечательный синий ящик с несходящимися дверцами — символ артели. Там мог быть пожарный рукав или рубильник. Ящик был свежеокрашен к празднику — Лева измазал руку синим. Там был рубильник. Решительно преодолев робость перед электричеством, Лева его врубил. Порскнули три голубые искры, и лестница озарилась парадным светом. Лева вскинул голову — и впервые увидел всегда висевшую люстру. Сколько Лева помнил, на лестнице всегда был резной дубовый полумрак. Значит, никогда не зажигали, думал Лева, торжественно поднимаясь по лестнице, наступая на ступени, как на клавиши некоего органа, от которых приходила в пение люстра. «Надо же! так высоко и много!» — думал Лева, играла музыка, распахивались двери, вспыхивали залы. Он покачнулся в темном коридорчике, оперся рукой о случайную стенку — прямо попал в выключатель. Эта невольная, неожиданная удача подтвердила в нем всю эту решительную светомузыку, так что он, уже не оглядываясь и не расплескиваясь, прошел прямо в директорский кабинет, не глядя нажал во все кнопки, озарив его; руку — в свой портфель, на ощупь — сразу нужный лист и сразу, в продолжение, точно войдя в дыхание, быстро записал, записал... Он тем более чувствовал себя вправе наконец продолжить прерванное, что сам вот дожил до предвосхищенного им опыта, сам находился «в середине контраста». Ему казался отчетливым личный мотив, водивший когда-то рукою гения, — этот мотив совпадал, Лева ощутил большое и легкое пространство своего тела. Оно было сейчас — весь этот ДОМ. Озаренный, плыл он сейчас в ночи, как прекрасный корабль, прорезая общий бесшумный мрак.

И основной движущей силой его сюжета явился страх. «Выбор между унижениями, страх унижения большего... Страх во всем, страх в с е г о; всего своего и сейчас: движения, жеста, интонации, вкуса, погоды... что-то нам все время

Дуэль

напоминает что-то... А тут сказали чьим-то голосом слова другого, ты в этот момент подносил ко рту чашку жестом утонувшего в младенчестве брата, погода напомнила тебе вкусом папиросной затяжки другой возраст, другую местность, другое чувство, а сам ты обнаруживаешь, что эту-то вот мысль, о чашке и затяжке, у ж е думал когда-то — ужас!»

Это протрезвление фразы в конце уравновесило и то, что он не подносил сейчас никакой такой чашки и что брат его никогда не тонул, да и в младенчестве не был, потому что брата не было, и то, что страх Евгения не имел-таки отношения к уловленной Левой линии собственного страха... Но он уже проскочил позор и неловкость случайности разбега — прыгнул:

«Завершение ряда, срывание ягод — вдруг что-то выпадает на дно со стуком: брякает вниз чье-то случайное лицо... Оказывается, ты его уже отмечал не раз, не замечая, — набрался ряд. Мысль эту ты уже думал не ловя — тут вдруг, ветерком, поймал — никогда больше ее не п о д у м а т ь. Смена времен года — в который раз! сколько можно! надоел этот букварь.

332{

И перед ужасом заслуженного возмездия, — наконец писал Лева, — идиотская российская мысль о том, что счастье уже б ы л о, что именно то и было счастьем, что было. Мол, не пропущено... Смирение бунта...»

Как-то потемнело, что ли? Лева потерял нить. Не то чтобы потерял, но дальше напряжение становилось еще выше, еще невыносимей, там уже ледяной ветер позванивал в подвесках лестничной люстры. И Лева довольствовался фразой о возмездии — пропадал свет, таяло. Но и действительно, ничто не освещало более комнату, как настольная лампа. Лева сидел в мохнатом комке света, — а вокруг был мрак. Детский страх чьего-то еще присутствия совсем очистил душу — он встрепенулся, кашица ужаса во рту; осторожно, незаметно для т о г о, темного в углу, стал оглядываться. Над плечом, вытянув шею, заглядывая, не дыша, не касаясь, руки за спину, стоял Митишатьев.

«Ты?» — с ужасом спросил Лева. Голоса своего он не узнал, но голос происходил из него.

— Ты чего так испугался? — смутившись, сказал Митишатьев. — Всюду свет зажег...

Раздел третий. БЕДНЫЙ ВСАДНИК

«Ага, значит, это Митишатьев потушил...» — понял Лева про свет. Лева мог бы про себя отметить это редкое для Митишатьева качество смущения, но тут вспомнил, как шел торжественно и зажигал, а Митишатьев, стало быть, сзади крался и тушил... Погасил иллюминаторы — темный корабль шел на дно.

— Ты что, милиционера испугался? Ха-ха-ха. Решил, что Готтих уже донес?.. Так он и не стукач вовсе. Я это просто так, для тебя сказал.

— Ну и сволочь же ты все-таки, — с медленной и прохладной дрожью возвращающегося голоса сказал Лева.

Митишатьев выпрямился, избавился от позы подглядывания, головой ушел в темноту.

— Ты т а к думаешь? — тоже спокойно прозвучал его голос, уже без тени смущения.

— Я раньше думал, что ты все-таки порядочный человек, — дрожащим детским голосом говорил Лева, — а теперь понял, что нет.

— Почему же это ты думал? — вразрядку, ударяя и выделяя каждое слово, ядовито, мерно говорил Митишатьев, так что каждое из слов попадало в мнительную душу Левы и Лева постепенно обижался все сильнее. Особенно обидна была ирония насчет «ты — и думал...». Словно бы и не писал он только что конгениальных слов. Что касается наших умственных способностей — тут мы словно бы меньше всего уверены: так легко нас задеть.

— А вот думал! — вспылил Лева.

— Почему же ты раньше-то думал, что я порядочный? — ровно сказал Митишатьев, и в этом была убедительная логика.

По природе-то Лева был справедливый человек и поэтому не успевал, за соображениями выгоды, не согласиться с правотою. Поэтому он опешил и забыл про обиду.

— То есть как? А за кого ты себя выдавал?

— А ни за кого. Это ты меня принимал за кого-то. Нет, Лева, все-таки ты дурак. Все-то тебе кажется, что если человек дерьмо, то он таким только кажется, нарочно, из неких психологических причин, имеющих социально-историческую основу, — а он и есть дерьмо. Хочешь, Лева, я тебе, от всей души, совет дам? Так сказать, одно правило подскажу. «Правило правой руки Митишатьева»... «Если человек кажется дерьмом, — то он и есть дерьмо». Хочешь, я тебе — правда, сколько можно человека мучить! — хочешь, я тебе расскажу, как на самом деле? Ведь ты очень, всю жизнь, хотел бы узнать, как другие на самом деле, и не можешь? Ведь тебе кажется, что тобой особенно интересуются силы зла, ведь кажется? Я тебе скажу: действительно, интересно. Я ведь как на тебя напоролся? Смотрю: не сволочь... Ах ты, думаю, чем же он не сволочь?! Все как у сволочи, а не сволочь! Ну, стал испытывать. Испытывать, известно, наше, сил зла, дело. А ты не испытываешься. Из-под всего выкручиваешься. Все объяснишь по-своему и успокоишься. А если не успокоишься, — то так мучиться и страдать начнешь, таким мировым упреком, что, кажется, убил бы тебя собственными руками — так ненавижу тебя за то, что ты меня виноватым в своей жизни делаешь. Ведь не имеет к тебе жизнь-то отношения! Что ты принимаешь ее на свой счет?! Она сама по себе. Она к тебе не расположена. Тебе еще везет, ты не думай — тебя любят... А ведь есть еще люди, которых и не любят. Не любит никто! Ты об этом, об этих хоть раз задумывался? Каково им? Ты думаешь, что тебя предают, изменяют? Да чему же изменить, как не любви! Нелюбви нельзя изменить, ее можно лишь поменять на нелюбовь же. Ты думаешь, ты любишь?! Как же! Да ты за человека никого не считаешь. Ты ничего за другими признать не хочешь, кроме верности себе же. Тогда ты снисходителен. От неверности — страдаешь, чтобы допить человека до дна, высосать изменника, — поэтому неверности за ним не признаешь, признание заменяешь страданием. Да ты любой бунт задушишь! только задушенных ты тоже не любишь — как посинеет, так и разлюбишь, причем по справедливости, за дело, с полным правом. Господи, да совести-то как раз у тебя нет! Потому что остальные мелки, подлы, корыстны, расчетливы и знают об этом! У них — совесть! Ты — над этим. Да если б от ума... Я все разгадать хотел, не от ума ли? Уважать так хотел, в такое беззаветное ученичество вылиться, в служение и алтарь. Так нет, не заслужил ты своих черт, своей верховности, не умом взял — вот что возмутительно! — природа у тебя такая! Нечестно. Порода? Кровь? Что там, в крови-то, — от

334{

этого с ума сойти! Ни за что человеку такое... Вот если даже всю власть над людьми сосредоточить в моих руках, не дастся мне это превосходство — я всегда буду знать, кто они, потому что я из н и х. Пропасть у меня под ногами, я на краю, сколько ни выбирайся из нее. Я всегда выходец, тебе всегда принадлежит. Ведь почему мы евреев не любим? Потому что, при всех обстоятельствах, они — евреи. Вот, кажется, совсем уже не еврей, сживешься — и вдруг — да какой еще еврей! Мы п р и н а д л е ж н о с т ь в них не любим, потому что сами не принадлежим. Между прочим, задумывался, что в тебе евреи любят? Как раз принадлежность. Господи, да я об аристократизме в десять раз больше знаю, понимаю и вижу, чем ты, а тебе и знать не надо! Чем тут гордиться, раз это и так твое? В этом-то и есть все твое пресловутое хорошее отношение к людям — никакого отношения! Ты же за мной, например, даже подлости признать не хочешь. Так то, что есть для тебя, то — норма. За нормой — океан страданий. И все. Дудки, есть жизнь, другие люди; вряд ли кто-нибудь еще любит, страдает, ревнует. Сколько раз я осторожненько — и всегда смотрел, как ты ответишь, — говорил: «Ну, это и у всех так», — а ты всегда: «Ну да, у всех...» Как бы даже имея в виду — вот, почти подло! — что, в крайнем случае, и у тебя, то есть у меня тоже. В компанию приглашал... В компанию-то ты собеседника приглашаешь, чтобы было кому послушать. Слушайте, люди, что с ч е л о в е к о м происходит! Вникайте! Как ты оберегаешь свой ареал! Ты думаешь, у примитивных силен инстинкт — как раз у вас! Вы — высшая форма, вы — самые приспособленные! Вы всегда выживете! Все не свое отвергнете, все свое примете без благодарности, как должное! Не вы сознаете себя выше — мы знаем разницу! — в этом наша сила. Но д о с т и ч ь ничего нельзя — в этом наша обреченность. Бунт будет подавлен. Это его смысл. И вы осуществите этот смысл, не подозревая о нем. Вас, как и евреев, можно уничтожить только физически! Но я сегодня наконец полюбовался на свою работу. Уж я потешился...

— Послушай, послушай!.. — растроганно говорил Лева. — Ведь вот что удивительно! Удивительно, что ты мне говоришь! Какой же ты, Митишатьев, удивительный человек! И опять, и опять остаешься человеком... Откуда в тебе эта одновременная остервенелость и нежность?.. — Кто-то ему уже говорил это... Лева рылся в углу памяти, что-то отбрасывая, отводя паутину... Дед! Но дед совсем не то говорил. О готовности принять мир в свою схему... Об опережении неграмотностью жизни... Странно, то же и как раз наоборот! То, в чем Митишатьев обвиняет аристократизм, в этом дед обвинял время. Вот как раз когда совсем одно и то же, то и ясна разность. Нет, не то же. В одно и то же место уязвляет меня и Фаина, и дед, и Митишатьев, и время — в меня! Значит, есть я — существующая точка боли! Вот там я есть, куда попадает в меня все, а не я, где-то существующий, попадаю под удары, непредусмотренные удары случайного и чуждого мира! Это и есть доказательство моего действительного существования — приложимость в с е х сил ко мне. Но это не доказательство сил!

Так радостно объяснялся Лева...

— Ты вот сказал, Христос в пустыне... А меня обвинил. Не так! От искушения ведь и можно лишь выкрутиться, преодолевать — нельзя. Преодолевать — потерпеть поражение, потому что признать. Не признать искушение — вот победить его! И в Писании так! никогда не понимал... — восхищался Лева. — Нравилось, а не понимал. Мы чувство, вызываемое в нас, стали принимать за содержание того, что вызвало чувство, — вот наша неспособность любить другого. Как же иначе стали мы читать Евангелие — для удовольствия! А то бы поняли... «Искушение от диавола», — сказано в Писании, — ведь не диаволом же! И взалкал Иисус не от долготы сорока дней, а от окончательной готовности исторгнуть сюжет, уже не интересующий его. Ведь ни одного испытания не выдержал он, не хотел выдерживать — все отверг: и превращать камни, и прыгать на них, и владеть ими. Вот эта-то невнимательность к искушению, бережливость ненапрасных сил, нежелание демонстрировать силу — и была уже зрелость и сила Христа, чтобы можно было уже идти к людям, не желая с е б е. Нет другого способа преодолеть искушение — лишь не увидеть его! Господи, как ты прав, Митишатьев, как ты прав!

— А ты запиши это, запиши! — растерянно и зло говорил Митишатьев. — Это ведь поинтереснее страха, зачем ты про страх-то пишешь, раз ничего не боишься? значит,

336{

все-таки в и д и ш ь уже искушение? И Христос, по твоим же словам, с т а л Христосом, а ты всегда б ы л Левой. Ты обладал — но потеряешь, уже теряешь: рассуждаешь о страхе, — ведь я к тебе, за тобой шел, а ты сам обернулся и уже сделал шаг от себя ко мне... Ты вот про Христа запиши — это же так прекрасно, запиши — и пройдет, опять выкрутишься. По Слову-то ведь жить и поступать надо, а записанное — оно само поступок. Что же ты не пишешь? Неловко передо мной? Ведь пропадет же вдохновение твое на меня даром!

— Как тебе не стыдно, как тебе не стыдно! — оскорблялся Лева. — Неужели ты думаешь, что я коплю, что мне что-нибудь для самого письма надо! Я ведь и не пишу уже ничего. Ну — жизнь моя! ...неужели упрекать в ней человека можно! Я ведь все-таки живу, не понимаю и живу — мне же это важно! Что я могу, свидетель собственного опыта?.. Но ведь я его не избегаю...

— А я яму вижу! я всегда буду видеть яму перед собой! и всегда признавать твое первенство и ненавидеть тебя! а ты всегда не заметишь, что я есть! и так будет всегда! Ты будешь страдать и брезговать реальностью, а я мелко торжествовать над тобой и терпеть прирожденное поражение, слуга твоей реальности! Не хочу больше демонстрировать поучительные картинки твоей неисправимости, твоей принадлежности! Ты никогда не заговоришь по-нашему — до сих пор двух слогов не сложишь. Только будешь улыбаться своей дебильной растерянной улыбкой: мол, за что ж вы себе-то такие плохие, ведь вы же хорошие! — как бы нас жалея, собою за нас страдая... Да не хорошие мы! а нас больше! Когда ты это-то поймешь, усвоишь и нам полезен станешь? ведь чего мы от тебя хотим? чтобы ты д л я н а с был, раз уже мы тебя над собою признали. А ты путаешь, злишь нас, пытаешься нас для себя любить, а нас любить не надо — мы тебя любить будем сами. Никогда ты этого не поймешь, а мы тебя — всегда. И так будем. Сойдешь в могилу — зачем мы жили?

— Митишатьев, Митишатьев... ты не прав. Никогда я не думал, что я чем-то лучше или выше тебя, зачем ты так... Право, я не знал. Какой я, действительно, эгоист. Ведь наоборот, всегда восхищался тобой — ты сильнее, жизненней,

}337

Дуэль

самобытней. Вся твоя жизнь — ты сам, сам всего достиг, до всего додумался, ведь что может быть убедительней, когда человек сам!

— Говно — сам! Сам — ничто! Самородок — говно! Ведь нас много, и мы все поодиночке, прекрасно зная и понимая механизмы жизни, низость друг друга, — у нас нет сил, и каждого из нас — мало! А вас мало, но вы одно, и каждый из вас не один, а много и, не понимая, вы сильны! И что вам никогда не простится, что вы нам уступили, лишили нас права признавать вас. Ведь как вы себе изменили — вас правильно убить надо, ликвидировать; вы не оправдали, вы подло с нами поступили! Гуманитет вонючий... Зачем вам-то гуманитет, зачем вы-то рабски стали угадывать наши-то идеи и делать вид, что нам их приносите, зачем вы внушили нам, что мы люди, когда это практически невозможно быть человеком в вашем-то смысле, — перпетуум мобиле — и нас не научили, и сами разучились. Вот, правда, как я вас ненавижу за свою-то любовь, за вашу-то измену!

— Ты надо мною потешаешься... — обижался Лева. — Ты что же думаешь, я не понял? Ну почему ты не признаешь за мной... Ну да, я многого не понимаю — но не всего же! Видишь, я очень изменился за последнее время — вдруг обнаружил людей вокруг себя. И как раз вот в этот момент, даже странно, ты так нападаешь на меня... Как все, однако, вовремя: наверно, справедливость в этом. Только никакого зазора у времени нет — сразу. Вот только поймешь, — а уже не воспользуешься плодами, не разнежишься, не покайфуешь — возмездие за первую же секунду понимания, прожитую в инерции (ведь длинное же предшествовало — привык!) непонимания. Так сразу же, так жестоко, так справедливо, так сил нет, так жить надо, так не выдержать понимания! Грешен! Вот что — грешен! Прости меня, Митишатьев, прости...

Так они говорили, каждый о своем. И чем больше обнажались и приближались к правде, чем скорее возможно было понять, что же они хотят друг другу сказать, в чем же дело, чем более возрастала возможность понять наконец другого, тем меньше понимали они. И, сближаясь, разбегались они — Лева о с т а в а л с я Левой, Митишатьев б ы л Митишатьевым. Надо несколько раз повторить эту фразу, перемежая ударение со слова на слово. Тогда, может, по-

нятно… Лева оставался Одоевцевым, Митишатьев и есть Митишатьев.

Так ли они говорили? Мы еще однажды перепишем все
сначала, для скуки. Перемелем монологи и реплики, чтобы
один как бы больше отвечал другому, и — попроще, попроще! — слово зачеркнем — слово надпишем. Мог ли Лева
употребить слово «Писание» вместо «Евангелие», — помуч-
чимся — оставим так. Еще помучимся — и все оставим так,
как было. Где же еще другой случай представится быть тому, что уже было однажды. Оставим так. Проговорим восклицание и воскликнем шепотом: не так, не так, конечно,
они говорили, но именно это!..

— Но уж я потешился! — сказал Митишатьев.

Так они махали руками, две большие тени на стене, ибо
Митишатьев ведь выключил свет. Эта бесшумность и бес-
кровность — тень уговорит тень: биясь, тени обнаруживают
общность, так легко сливаясь.

— Как — потешился? — опешил и похолодел Лева. — Ты
опять про Готтиха?

— Ты уже забыл Бланка? — демонически спросил Митишатьев.

}339

Мука прошла по лицу Левы. Он все отчетливо помнил, —
но, в таком случае, жить он больше не мог. Ужас сковал его.

— Что ты ему сказал?!! — вскричал Лева, неловко вцепля-
ясь ему в грудки. Митишатьев нарочито не сопротивлялся,
остужая Леву прозрачным безразличным взором.

— Ничего я ему не сказал, чего ты всполошился?

Лева тут же успокоился.

— Прости, — сказал он, отпуская.

— Да ну, что ты… — ухмыльнулся Митишатьев — в руке
у него была маленькая.

— Откуда? — изумился Лева.

— А это уже и не так важно, — сухо сказал Митишатьев.

И пока они выпивали… и Лева умудрялся проглатывать
это голое ядро водки, что прыгало и топорщилось в нем,
как живое; пока Лева менял пространство, по-детски оце-
пенев перед самостоятельностью и независимостью приня-
той в себя посторонней жизни, и пространство, состоявшее
из мутной воронки завинчивающейся тошноты с перламу-
тровыми переливами по краям, стремившейся то погло-

тить, то центробежно выкинуть его в темную верхнюю пустоту, — наконец приостанавливалось и становилось подчеркнуто резким и прозрачным, с оптической гнутостью по краям, напоминавшей выпученный глаз глубоководной рыбы, и тогда становилось особенно звонко, напряженно тихо, как на дне, а потом этот оптический эффект растворялся и таял, уступая бархатной пыльной мягкости, отсутствию масштаба, где Лева теперь уютно устраивался в самой дали новой вытянутой перспективы, наслаждаясь неподвижностью, камерностью и равновесием маленькой теплоты в себе, — пока он вот так менял измерения и покидал пространства, то есть пока он имел дело с ее, проклятой, прелестным д е й с т в и е м, которое я сейчас описал чуть длиннее, чем принято, но зато слишком кратко по отношению к тому, чего это действие заслуживает, ибо, по-видимому, не так уж просто то, что ему столь подвержено само человечество, не достигая того же «действия» иными путями... Пока он, пьянея, трезвел и, трезвея, пьянел — гораздо более примитивная и суровая тошнота оценки происходящего, меняя ракурсы, простреливала его со всех сторон. Потому что что-то произошло, что-то произошло... А если что-то произошло, то чего-то не могло и не должно было уже никогда быть, с этих самых пор. Только — чего?

340{

Тут было так, что все сегодняшние события еще не были тем, что наконец произошло. Даже Бланк, этот воспаленный очаг Левиного предательства, очевидное событие, — еще не был тем, что произошло, ни тем более эти девушки, ни даже милиционер и погоня... а вот этот разговор с Митишатьевым. Разговора, впрочем, Лева тоже почти не помнил, словно где-то что-то когда-то читал такое — и все. Так вдруг испарился смысл... Смысл сопротивлялся воспоминанию упруго и решительно, Лева оставил его тошнотворное усилие — память привычно и легко выстроила из остатков слов и фактов о т н о ш е н и е, а отношения, как известно, вполне заменяют утраченный смысл. И — опять тот же Лева!

Вот он сидит, с водкою внутри, и думает — о чем? Он думает о том, что странно и не может быть, чтобы Митишатьев обнаружил «комплекс» (приходится применить-таки это не объясняющее ничего слово, потому что Лева этим словом думает...); что «комплекс» всегда был его, Левы, монополией, а оказалось, что наоборот, и «демон» Митишатьев — весь закомплексован; что комплекс нынче и есть демон, время такое... С другой стороны, Лева тут же начинает уценивать эту свою победную позицию; не слишком ли ему показалось? Может, Митишатьев просто потешался над ним, над его серьезностью? Тут все легко опрокинулось на свои места — и Митишатьев уже безусловно потешался и разыгрывал Леву, вовсе не раскрывшись в своих откровениях. И все-таки, что было у Митишатьева с Фаиной?.. — эта тень, лишь однажды мелькнув, навсегда делала бессмысленной саму возможность какого бы то ни было поражения Митишатьева. И все очевидные выводы, сделанные Левой из митишатьевских признаний, — об его комплексе неполноценности, об испепеляющей его всю жизнь зависти, даже о социальной природе его демонизма — все это прах, ибо Лева ревновал к нему. Даже проиграв, Митишатьев вышел победителем, потому что Лева тут же водрузил поверженного врага поверх себя. Как он это умудрялся делать каждый раз — оставаться всегда побежденным? — его загадка, его природа. Тут можно сделать лишь один бесспорный вывод, который в свое время, когда Лева еще не мог оценить этого по достоинству, так окончательно сформулировал дядя Диккенс: «Различие по говну является классовым», — сказалась его утонченная обостренность в восприятии запахов. Лева принюхивался и забывался...

}341

Митишатьев задумчиво парил. И упал камнем:

— Откуда такая убежденность, что все так, как ты думаешь?

Лева открывался легко, как спичечный коробок...

— Я как раз все время сомневаюсь... — тут же стал оправдываться он.

— Откуда такая убежденность, что все так, как ты сомневаешься?

Леве снова показалось-опрокинулось, что Митишатьев над ним потешается.

— В чем я сомневаюсь? — насторожился, сбившись с толку, Лева.

— Во всем: во мне, в себе, в Бланке!.. Ты вот даже успел устроиться: да был ли Бланк? — почти так уже думаешь. Был! Был здесь Бланк! И ты его выгнал!

Дуэль

— Как я?!

— Ты, а кто же? Ко мне бы он не пришел, да из-за меня бы и не ушел. А вот из-за тебя — ушел. Ты оказался на моей стороне — и он ушел.

— Постой, постой!.. — Озноб гулял по Левиной спине, и оптика алкогольного пространства показывала старый детский фокус — перевернутую трубу: где-то в очень узкой дали отчетливо ухмылялось личико Митишатьева, именно личико, величиной с детский немытый кулачок... — Постой! Ты мне можешь наговаривать что угодно, я мог вести себя как угодно не точно, не четко, даже трусливо... но я никогда, никогда не мог сказать ему что-либо из того, чего я просто не способен сказать! Я не способен оскорбить Бланка — может, он мог истолковать мое поведение, но — только...

— Почему же не способен! Мне ты способен сказать, а ему нет. Если бы был не способен, то никому бы не сказал, слов бы таких не имел, не мог бы мою тему слушать и поддерживать... Почему ж не способен? как раз способен! Мне-то ты говорил!..

— Что я тебе говорил? что я тебе мог сказать такого... Да и потом, разница: тебе я еще, может, что-то могу сказать, это не значит, что я и ему это скажу...

— Ага! попался... что «это»? Значит, есть «это»? А я что говорю? Почему же мне ты говоришь, а ему нет? Зачем старику заблуждаться на твой счет... Ты же его обманываешь — вот я ему об этом и сказал.

— Что-о? Что ты ему сказал! — Леве было теперь так страшно, что он не мог и не хотел стронуться в знание того, что было.

— Что, что!.. — передразнил Митишатьев. — Да вот то, о чем мы говорили, ему и пересказал. А ты молчал. Сначала еще дергался, а потом отключился и улыбался, улыбка у тебя была такая — как кашка... улыбался и кивал.

— Кивал?

— Да что ты все переспрашиваешь! — вскипел Митишатьев. — Нет, ты неисправим! Я тебе твою подлость демонстрирую, — а ты не видишь. Ты же ничем, ничем уже не лучше меня, даже хуже, потому что я такой и есть, а ты предал то, чем родился. А ты опять вывернуться хочешь! Опять делаешь вид. Опять — сравнялся, а опять — не хочешь отнестись ко мне как к равному, опять за человека меня не считаешь, даже подлости за мной признать не хочешь. Только на этот раз это уже не подлость, я долго ждал — это теперь справедливость. То, что я сказал Бланку от твоего имени, — справедливость. Должны же хоть однажды концы сойтись! Ты мастер, конечно, за все ниточки держаться... А только теперь ты одну упустил. Никогда, слышишь, никогда в жизни не удастся тебе убедить Бланка, что то, что сегодня произошло, было ошибкой. Ничего-то наконец не загладишь, не исправишь, не залижешь! Вот, отвечай, плати душой, как мы! Мы уже всю выплатили — там и было чуть. А ты все себе и позволить хочешь, и душой не поплатиться? Вот теперь ты в одной точке — пустяк, это тебе не попортит ни жизни, ни общего вида — в одной хоть точке ты окончателен. Бланк — пустое место, но он знает теперь тебя. Он тебя в и д е л! Вот как я тебя вижу — так он тебя видел!

— Господи! — взмолился Лева. — Это же невозможно видеть — ненависть! Ну что я тебе сделал? Я хочу понять, объясни...

— Ни-че-го. Ничего ты мне не сделал — за это! Только я тебя не ненавижу. Тут другое слово. Я бы сказал, что люблю, да пошло — литература уже съела такой поворот. Жить мы на одной площадке не можем — вот что! Может, это и есть классовое чутье? — Митишатьев захохотал. — Или нет, это, наверно, биология. Ты думаешь, я тебе не даю покоя? Нет, нет! ты! Я не могу, пока ты есть. А ты все есть да есть! Ты неистребим. Видишь, я постарел, облысел, обрюзг... — Митишатьев разошелся в роли и бесконтрольно бесчинствовал на этом любительском помосте, демонстрируя академическую школу: оттягивал жидкий волосок на голове, складочку на пузе, оттягивал под глазом и язык показывал. — Страшно?.. — Он хохотал, как Несчастливцев. — Прости, я все шучу... Пьяный я, пьяный, понимаешь? Ты не придавай этому... я тебя люблю... Ты один у меня. Что я без тебя? Фан-том! Атом и фонтан... фантик я!

— Я тебя сейчас ударю... — наконец-то сказал Лева.

— За что? — удивился Митишатьев так искренне. — Ведь я только хотел... Я ведь вот сейчас самую правду и сказал, не больше. Я хотел, чтобы ты больше не путался с ними — ты н а м нужен! Ты — князь! Ты — русский человек! А ты

}343

Дуэль

опутан ими с ног до головы! Ты заметь, ты самый неискрен-ний, самый лживый человек становишься, когда тебе надо им показаться... А чем показаться? Тем, чего они от тебя хотят! Вот ты и сидишь у них на крючке. Они видят твою неискренность — а она-то им и нужна! А потом они, когда заглотишь поглубже, однажды тебе объяснят — и ты ихний!

— Ты сумасшедший! — сказал Лева. — Я наконец понял. Ты сумасшедший, ты маньяк. Я тебя бить не буду. Ты ступай, ступай... — И он откинулся, прикрыв глаза. Тошнота слизнула его первой же волной прибоя и потащила, потащила внутрь, в темноту.

— Ах, князь! Все-таки ты — князь! Я это так чувствую, как ты себе и представить не можешь! Вот никакой разницы, — а князь. Наверное, наверно, я маньяк, аристократоман, так это называется?.. Люб-лю! Эх...

Отчаянным усилием Лева вернул голову, отпер глаза, остановил бешеный, воющий, как детская юла, волчок — вынырнул на поверхность, чтобы успеть увидеть, как со словечком «эх» смахнул Митишатьев глазом с рукава...

— Перестань! — он чувствовал омерзение и безволие, тот самый гипнотизм лести, который превышает басенную очевидность и происходит как кошмар сознания, как болезнь... Однако уже не пнешь ногой, когда облизан сапог...

— Перестань... ну, я погорячился, ты пьян, никем я не опутан, что ты, право?

— Опутан, опутан, — неожиданно трезвым, новым голосом сказал Митишатьев. — Даже все бабы твои — ихние...

Лева застонал. «Прав Митишатьев, тыщу раз прав! — в отчаянье воскликнул он, но — молча... — Гнать! в шею гнать — вот что я разучился...»

— Какие бабы! — обессиленно простонал он.

— Вот и жена у тебя еврейка! — ласково уговаривал Митишатьев.

— Какая жена, у меня нет жены! — взмолился Лева.

— Ага, видишь! — торжествовал Митишатьев. — Ведь не сказал же, что какая разница! чуешь, значит, разницу? А говоришь, нет жены... Ай-яй... А Фаина? — И Митишатьев хитренько выглянул из себя.

Лева ощутил широкую и длинную силу, она его обняла и приподняла — показалось даже: на некоторое время в воздух, откуда он, сверху, посмотрел на Митишатьева, — и так все было освещено ровным, сильным, матовым, хирургическим светом. С этим Лева еще не сталкивался в своей жизни: такая страсть, такая ярость, такой гнев — ослепительный! — что нельзя было уже и чувством назвать — это было неведомое состояние, показавшееся ему своего рода спокойствием.

Они долго, они обстоятельно и старательно дрались — некрасиво и неловко со стороны. Это была добросовестная, немного скучная, непривычная и равномерная работа — так казалось Леве, — он ничего не чувствовал, только легкий ком внутри, ком детского покоя после рыдания — этот невесомый шар катался в Левиной бесчувственной оболочке, состоявшей из тела и костюма, и в такую же бесчувственность опускал Лева свои пустые кулаки, в какую-то вату и тряпки, пока Митишатьев теребил и трепал тряпочку его лица... Никакой заботы не было теперь у Левы — это было почти освобождение, почти счастье. Во всяком случае, этого нельзя было прекратить — вот он бы так прожил до конца дней своих, в этой-то вот, внезапно возникшей — бог с ней, как она выглядит! — непрерывности своего существа. Так бы катался, и бил, и мял, не чувствуя ничего, кроме отсутствия, чтобы силы, которых уже не было, кончились полностью и вместе с ним, но...

Митишатьев укатился в уголок, всхлипывая, как баян. И Лева очутился с пустотой и недоумением в руках, поднялся и отряхнулся с чувством одной лишь досады: что Митишатьев его сейчас обманул своей покорностью, обокрал, ушел... Время, было исчезнувшее, снова предало его — оно продолжалось. Лева огляделся.

Они причинили ущерб. Перевернутый, валялся застекленный ящик, вверх ножками. Лева приподнял за край — увидел упавший ничком томик — опустил назад. Ничто не трогало его. Он был совершенно равнодушен. Когда вот только они спустились в музей? — это он не вполне помнил. Начинали-то они маленькую в кабинете директора — это точно. Лева еще прошелся внутри себя, как в футляре, как манекен — ничего не чувствовал — пожал плечами.

— Ну, ты что? — спросил он Митишатьева.

— Ты хоть знаешь, за что ты меня бил? — спросил Митишатьев.

Дуэль

}345

— Знаю, — сказал Лева. И правда, он — знал.

— За что?

— Не скажу. — И тут Лева был немножко доволен собой; тут он вспомнил еще одно, дополнительное, что было в нем, катаясь по полу, — и что он так и не выкрикнул — за что. Это он вспомнил, что очень заботлив был, когда дрался — не сказать. Ах, немножко обидно, но дело было проще простого — это не была борьба мировоззрений, нет. Вот уж чего бы Лева не позволил себе никогда, не позволил — не то слово, ему и позволять не надо бы было — мог бы: воспользоваться поводом для активного благородства, — от этого-то он страдал с Митишатьевым, что никак не мог воспользоваться все новыми и новыми поводами, раз не воспользовался когда-то самым первым — только когда тот, первый-то, был? — так давно... А получилось-то у него наконец, разрешилось и удалось — совсем по другому поводу. И тут-то он и смолчал. Фаина! — так просто. Так невыносима была мысль, что, если т о, ч т о т о г д а могло быть, б ы л о, то как же Митишатьев, сволочь, смеет сейчас... Вот что, молодец, промолчал сейчас Лева, довольный собой.

346{

— Не скажешь? — прозвучал Митишатьев, отдышался... — Так я тебе скажу, за что ты на меня набросился...

Темно, совсем темно стало в глазах Левы; его придало к земле кашеобразной мутной силой — ну ровно наоборот, чем перед дракой вознесло белым светом гнева.

— Убью, — сказал он глухо из своего нового подземелья. — Скажешь — убью.

Лева, что он спасал? Что он сейчас так уверенно, прочно и твердо спасал? Он — знал.

— Ладно, — сказал Митишатьев, поверив. — Не скажу.

Лева этим удовлетворился. «Вот это договоренность, это да! — подумал он без удивления перед жизнью. — Мне достаточно, чтобы он не произнес вслух. А мы знаем, и он, и я, что. Так вроде бы нельзя...»

Но так было можно.

Митишатьев выкатил из-за шкафа маленькую и так покатил ее, на четвереньках, носом. Лева смотрел на него спокойно: все-таки и этого немножко достаточно — победить в драке...

Митишатьев выкатил маленькую на коврик и сел рядом с ней, отдуваясь. Поднял глаза на Леву, улыбнулся ему готовно, открыто — больно было, — поморщился, облизал разбитую губу; оттянул ее, осмотрел комически, опять улыбнулся.

— Садись, дорогой! — щедро показал он рядом с собой, вернее, рядом с маленькой.

...Обаяние? — что-то новенькое...

— Ты мой кошмар, — сказал Лева смеясь. — Тебя нет.

И сел на коврик.

— Я тебя понимаю, — сказал Митишатьев, когда они по-братски, по очереди, отхлебнули, — я тебя понимаю... — Они сидели на этом дурацком коврике, как на плоту, и плыли в этой тесной праздничной ночи, просто так, раз уж оказались на нем, мимо остывших реликвий русского слова... Вот борода Толстого мелькнула из специального чехольчика, лязгнули садовые ножницы, которыми Чехов подстригал крыжовник Ионыча, застекленный, восстановленный Бунин, без вещей, был плоско размазан по стене...

— Не любишь? Я тебя понимаю, — сказал Митишатьев. — Я тебя очень понимаю, за что ты на меня накинулся!

В Леве все приподнялось навстречу счастью — скажи сейчас Митишатьев, что глупо, несправедливо, напрасно приревновал его Лева, — бросился бы, расцеловал, расплакался и — в любом случае! — поверил бы! Но не дано было Леве испытать этого счастья. Вот в чем разочаровал его Митишатьев.

— Ведь я что? Я ведь не причина, я просто под рукой оказался. Почему ты такой легкий предмет для борьбы-то избрал... Вот что ты ненавидишь, а не меня... — И Митишатьев произвел широкоплавный жест, приглашающий и эти стены, и эти экспонаты, и эту ночь, и этот город в стан Левиных врагов. — Почему ж ты несправедливо караешь? Их боишься, меня — нет?

Лева поморщился:

— Я не разночинец, мне эта логика тупа.

— Молодец! — обрадовался Митишатьев. — Слушай! вот мы плывем, представь себе... — Лева даже улыбнулся от удовольствия: все-таки что-то было в этом Митишатьеве! — Вот мы плывем на корабле, — продолжал Митишатьев. — Ну, и что там... Налетаем на айсберг. Видишь, опять! Опять они! — И Митишатьев посмеялся над собою, пригла-

}347

шая Леву. Лева все-таки улыбнулся. — Ну, и вот айсберг — мы тонем. Только ты поймал бревно, и я поймал бревно, представляешь? Ты погружаешься — я выныриваю, я тону — дышишь ты. По очереди. Друг друга не видим. Не знаем пока, стало быть, что у нас одно бревно. Ну, еще скажем, ночь, темно, как сейчас. На, — он протянул Леве маленькую, — твое... Так, стало быть, проходит наше плавание. Корабль, быть может, был большой, суперокеанский; мы, может, и не заметили еще друг друга, не успели, а тут, на бревне, — тоже не видим. Так бы мы и пошли ко дну, устав на этих качелях, — но выбрасывает нас на остров, естественно необитаемый. Ну, мы лежим, бездыханные, — восходит солнце. Освещает оно нас — ба! да мы же в одной школе учились! Вот так, представляешь. Только вдвоем и спаслись. Так живем — кокосы, пресная вода — это все есть.

— А как же айсберги? — Лева слушал с удовольствием. — Если кокосы?

— Представь себе, айсбергов на этом острове тоже нет. Только вдвоем. Национальное, абсолютно чистое большинство. Ты да я.

348{

— Ну, ты бы со мной затеял то же самое, ты бы уж доказал мне, что я на самом деле еврей, без этого не обошелся. Был бы у нас с тобой, Митишатьев, суэцкий инцидент.

— Да перестань ты, — отмахнулся Митишатьев. — Я не о том. Я ведь всерьез тебе сказку-то рассказываю. Нас двое, понимаешь, на острове — и день, и другой. Неделю, месяц, год. Никаких кораблей на горизонте. Постепенно понимаем, что мы тут навсегда. Ну, никаких извращений, естественно. Национальная вражда тоже отпадает. Конфликт будет? будет. Ты меня возненавидишь? возненавидишь. За что?? Вот я о чем! Вот что ты возненавидишь в первую очередь: корабль? айсберг? океан? остров? себя? причину путешествия? саму жизнь? судьбу? провидение? Нет! Ты возненавидишь меня! Понял? почему? потому что я рядом!

— Очень убедительно, — согласился Лева, — но убедительно все, что доказывается. Это вопрос времени — убедительность. Только если я тебя и возненавижу, то не за то, что ты рядом. А за то, что меня предашь.

— Ну кому, кому, сам рассуди, я тебя предам, на необитаемом-то острове?

Раздел третий. БЕДНЫЙ ВСАДНИК

— Я не уверен, что наш остров необитаем, — мрачно сказал Лева. — Там кто-то ходит. Я видел во сне. Я вспомнил, я догадался — и нас много. Я, в конце концов, не уверен, что остров обитаем, в такой же степени не уверен, как и в том, что мы-то вдвоем есть. Но ты все равно выкрутишься и предашь.

— Какой ты все-таки... Верткий князь. Ведь о чем я? Почему ты не ненавидишь то, что нас за одно бревно заставило ухватиться, то, что нас на один остров выкинуло, в один корабль посадило? ты м е н я за всех ненавидишь? Вот, вот! — Митишатьев вскочил. — Вот эти стены, эту пошлость, этих мертвецов! Которых мы, живые, сосем! Это время, заставляющее нас знать друг о друге все! Потому что мы же знаем все! Мы так страшно много знаем друг о друге, что не то что ненависть — почему не убили друг друга уже десять, пятнадцать, двадцать лет назад — непонятно! Ведь мы же друг на друге живем, в один сортир ходим, один труп русской литературы жрем, и одним комплексным обедом заедаем, и на едином месячном билете в одном автобусе в одну квартиру ездим, и один телевизор смотрим, одну водку пьем, и в одну газету единую селедку заворачиваем! Почему ты все это терпишь, а меня вот, бедненького, не терпишь?

}349

— Я не замечаю этого, — я даже не представлял, что это тебя-то так занимает. Своей у тебя жизни, что ли, нет, чтобы так-то вокруг смотреть! Мне своей жизни — во как хватает, — я всего этого не замечаю, на что твоя сила ушла...

— Не-ет! нет у меня своей жизни! — завопил Митишатьев и пнул ногой в шкаф — дощечка в дверце треснула и подломилась. Он лягнул вторично и промазал, пнул воздух. — И ты врешь, что у тебя есть! И у тебя нет! Если бы была, — ты бы так не ненавидел меня...

— Да с чего ты взял, что я тебя ненавижу?

— Ты трус! в этом все дело! Вот слабо ведь согласиться, что не делом во всю жизнь занят, что пристроен по стопам отца, что дедушку вы вдвоем подъедаете, что — есть же у тебя талант! — своего уже давно не пишешь, — я жду — не пишешь! знаю! Ты не можешь восстать, ты стал таким же рабом, как я, только образцовым, рабом-позитивистом, уж ты работаешь на хозяина не за страх, а на месте совести! Я-то всегда был рабом, я родился рабом и вижу. А ты еще привыкаешь, тебе в новинку, радуешься: получается... — вот трусость законную ненавижу! Сам трус, знаю. Ведь в тюрьму лучше сесть, чем то, что мы делаем, делать, а! Ну, слабо, давай! Я же прав, а? А-а-а...

Как это случилось? — тут неуловимый переход. Ах, самые сильные чувства пробуждаются в нас, когда нам говорят в лицо то, что мы сами-то прекрасно знаем. Да и Леву провоцировать — за такую работу гроша платить не надо. Как это, однако, переросло? — не заметил, не уследил, простите. Скучно было. Отвернулся в окно — там нагнеталась, тихо набухала погода. Бенуа еще на закате какую-то леночку оставил: красивый город! — стесненный вздох...

И тут, на тебе! — Лева рванул дверцы шкафов и стал швырять вниз пухлые и пыльные папки; Митишатьев радостно принимал и швырял их в воздух; залежавшиеся диссертации разлетались по залу по листикам, вольными птицами. И стекло хрустело под ногами.

— Слабо, говоришь? слабо! — восклицал Лева, подтаскивая стремянку, чтобы дотянуться до средних полок. — А вот на тебе, не слабо! Вот тебе «Некоторые вопросы», а вот тебе «Связь башкирской и албанской литератур»! Вот тебе, вот тебе!..

К счастью, стремяночка зашаталась. Лева так стоял на одной ноге, в невесомости, вращал руками... — Митишатьев прыгал по листам диссертаций, надоело ему швырять их в воздух — пыли-то! — чихнул, новую игрушку обнаружил: прыгал теперь Митишатьев с посмертной маской Пушкина в руке.

Она была мала.

— Не лезет... — удивлялся Митишатьев. — Смотри ты — не лезет! Акцелерация! — кричал он. — Акцелерация!

И тут Лева спрыгнул на него, как ястреб.

— Отдай, сволочь! — закричал он. — Хам! Быдло! Положь, су-ука!

— Ты что? — отпрыгивал задом Митишатьев. — Ты что? Как зайчик. С посмертной маской Пушкина в руке.

Опять небольшая схватка. Лева отбирает, Митишатьев не отдает. Не потому не отдает Митишатьев, что не хочет отдать или уступить натиску, а просто так, не понял, опешил — и не отдает. Поборолись чуть — Митишатьев оступился. Лева подзадел — махнул рукой Митишатьев...

Стояли они теперь молча над битыми белыми черепками.

Казалось, и Митишатьев что-то понял. Безумно и бледно горело длинное Левино лицо.

— Ну, все.

Он не видел Митишатьева. То, что перед ним, — было зло, геометрический его объем.

Испугаться — можно было. Митишатьев испугался.

Чернильницу Григоровича незаметно опустил в карман и там держал наготове. Лева совершенно не заметил этой его уловки. Он был безумен — это то слово. Широко расставились его глаза и плыли по бокам лица, как две холодные рыбы. Щетина проросла на его посмертной маске. Волос вдруг стало много — спутанные кудри. Шея стала худой, свободно торчала из воротничка. Был он совершенно спокоен. Руки его так висели, ни к чему.

— ЕГО я тебе не прощу, — ровно сказал Лева.

— Дуэль? — опасно хихикнул Митишатьев. Он испугался Левы.

— Дуэль, — согласился Лева.

— На пушкинских пистолетах?

— На любых. — Лева все бледнел.

— Мне льстит дуэль с тобою, — усмехнулся Митишатьев. — Ты меня возвышаешь до своего класса.

— Мы из одного класса, — сказал Лева без выражения. — Из пятого «а» или из седьмого «б», точно не помню.

— Ха-ха! — сказал Митишатьев. — Браво! Какой юмор накануне дуэли! Удивительное самообладание.

— Покончим с этим делом скорее, — брезгливо поморщился Лева.

Митишатьев взглянул на него с удивлением.

— Не может быть... — сказал он потрясенно. — Ты это всерьез?..

— Вполне. — Лева стоял все на том же месте, губы его с трудом произвели это «вп» — он чуть качнулся.

Митишатьев усмехнулся и потупил взор.

— Хорошо, князь. Но ты должен помнить, что дуэль подразумевает равного соперника. Дуэль со мной тебя обесчестит.

— Дуэль подразумевает только одно, — ровно пробубнил Лева, так же не видя перед собой этими своими широкими рыбами. — Она подразумевает полную невозможность нахождения каких-либо двух людей на одной земле.

— Слава богу! дожили, — обрадовался Митишатьев. — Но это, князь, не дуэль, это как раз то, о чем я тебе давеча изволил докладывать, а именно, что мы живем друг на друге. У нас не может быть дуэли. Мы можем лишь убить друг друга.

— Мне безразлична классификация, — твердо сказал Лева. — Главное, что одного из нас не станет.

— Однако логику ты не утратил. Даже... я бы сказал, приобрел... Хорошо. Идет. — И Митишатьев направился в уголок смерти Пушкина и вернулся с пистолетами. — Вот что я отметил, любопытно, что когда ты тем или иным способом, когда писал или вот как сегодня, оказываешься в своем, совсем своем мире, которого, кстати сказать, нигде, кроме как в тебе, не наблюдается, то ты становишься как раз тот, тот самый... Я сегодня целый день к тебе приглядывался: дурак, думал, или не дурак, все-таки дурак! За что только тебя твоя Фаина так любит! — никак не мог понять...

От слова «Фаина» Лева пошатнулся.

— Слушай, на тебе лица нет! — воскликнул Митишатьев.

Лева провел по лицу, проверил.

— Есть. Дай пистолет.

Митишатьев все удивленнее взглядывал на Леву, лицо его странно светлело. «Однозначен... — непонятно пробормотал себе в ответ. — Однозначен!»

— Слушай, Лева, прости меня! — сказал он искренне.

— Дай пистолет.

— Да ну тебя! — Митишатьев передернулся, изъязвился. — На. Держи дуру.

Он, однако, успел выбрать себе поновее и с усмешкой подал ему ржавый, двуствольный.

— А как стреляться? Барьер? Сходиться? Ты знаешь, что это, как?

— По жребию, — сказал Лева. — Кстати, надо тебе объяснить насчет классов. Я понял. — Он говорил с медленным прозрачным усилием. — Разные классы — это отсутствие отношений между ними. В том смысле, в котором мы сейчас все в отношениях. Сейчас всё — отношения. Допустить отношения с другим классом — недопустимо. Если они допущены, то мы уже равны, мы одного класса. Дуэль — это отказ от отношений, это прекращение самой их возможности. Поэтому мы равны, и дуэль у нас может состояться по всем правилам. Это справедливо, и справедливость установлена. Все.

— Ты прекрасен, — сказал Митишатьев. — Я сдаюсь.

— Нет. — Лева был тверд.

— Я был уверен, князь, что вы не примете моих извинений. Я думаю, вам стоит отойти и прислониться к тому шкафу, чтобы вы не упали в случае легкого ранения. Я же отойду к тому.

Лева протащил свое достоинство к шкафу с усилиями командора.

— Ну-с, орел или решка?

— Орел, — сказал Лева.

— Рубль, юбилейный! — усмехнулся Митишатьев. — Итак, бросаю. — Тускло звякнув, но сверкнув по всем правилам, рубль был ловко пойман тем же Митишатьевым. }353 Разжимал он кулак с той значительной медлительностью, как игрок приоткрывает прикупленную карту при игре в «очко», — те же пригородные ужимки. — Однако решка! Веришь?

— Верю, — глухо откликнулся Лева.

— Итак, князь, как же будут разрешены наши классовые противоречия? А если я вас сейчас застрелю?

— Это безразлично, — холодно сказал Лева. — Они будут разрешены.

— Это ваши предсмертные слова, князь! — скривился Митишатьев, медленно опуская пистолет и старательно целясь. — Раз, два...

Лева стоял мертвый, прикрыв глаза. Двуствольное чудище висело в его руке. Костяшки пальцев окостенели и побелели в судороге.

— ...три! — Лева вздрогнул... В третий раз автор не вынес халтуры жизни и отвернулся в окно. Раздался хлопушечный выстрел. Легко запахло серой. Митишатьев, что ли, подкинул и поймал свой шарик?..

Дуэль

Раздался стон, скрип, авторский скрежет... Пространство скособочилось за плечами автора. Потеряло равновесие, пошатнулось. Автор бросился подхватить — поздно — посыпался звон стекла. Шкаф еще фанерно подпрыгнул, треснул и поскрипел, для окончательности. Лева же лежал неподвижно, ничком, как упал.

Митишатьев был несколько озадачен произведенным эффектом. Растерянный, подошел он. Осмотрел шкаф — он был безногий, вот в чем дело! Он сполз с кирпича...

— Лева! Лева! — Но Лева молчал.

Потряс его за плечо. Лева не шевелился. Потряс сильнее. Поднял голову. Лицо было зеленым и прозрачным. С ужасом смотрел Митишатьев на свою ладонь — она была в крови.

— Лева! Лева!

Митишатьев судорожно глотнул и попробовал выдернуть из-под Левы подломившуюся при падении левую руку — оставил это. Попробовал вытащить из правой руки пистолет — он был зажат как в тисках. Митишатьев судорожно искал пульс — это было достаточно странное зрелище: как он искал пульс на руке с пистолетом... Все с большим испугом искал он этот пульс, не вполне уверенный в том, что делает это как надо. Лицо его отражало то отчаяние, то надежду, то страх.

— А! — сказал он и зло встал. Закурил свой «Север». Несколько раз судорожно затянувшись, он что-то подумал в окно.

Рассеянно взял со стола толстую папку и сунул ее Леве под голову. Махнул рукой. И еще раз жадно и глубоко затянувшись, наклонился и засунул окурок в ствол Левиного пистолета.

— Дурак! — сказал он уверенно, но без особого чувства — как факт.

Из ствола пистолета плыл дымок. Митишатьев усмехнулся.

Дальнейшие действия его были быстры и окончательны: он погасил свет, обнаружил в кармане чернильницу, глянул на нее с отвращением и запустил в окно. Посыпалось стекло. И похлопав себя в последний раз по карманам, Митишатьев выскользнул из залы — в темноте еще красненько дотлевал окурок.

Раздел третий. БЕДНЫЙ ВСАДНИК

Митишатьев, уже в пальто, сбежал вниз, в подвал. Там нашел подходящее окно и выскользнул на газончик перед институтом. Тщательно прикрыл окно за собой, ущемив себе при этом палец и матюгнувшись. Вышел к решеточке, огляделся — никого не было в этой черной, вздувшейся, как вена, невской ночи. Перемахнул решеточку и пошел не оглядываясь, руки в карманы, стремительно и бегливо. Полы его пальто раздувались.

«Ах, черт! — вдруг приостановился он. — Ах, черт! — хлопнул он себя для убедительности по лбу. — Забыл!»

Он подумал на секунду, что это улика. Лицо его выразило привычку к страданию и было почти благородно в эту секунду.

Вот что удивительно.

ВЫСТРЕЛ

(Эпилог)

Таким образом узнал я конец повести, коей начало некогда так поразило меня.

Пушкин, 1830

356{ Мы уже пытались описать то чистое окно, тот ледяно-небесный взор, что смотрел в упор и не мигая седьмого ноября на вышедшие на улицы толпы... Уже тогда казалось, что эта ясность недаром, что она чуть ли не вынуждена специальными самолетами, и еще в том смысле недаром, что за нее вскоре придется поплатиться.

И действительно, утро восьмого ноября 196... года более чем подтверждало такие предчувствия. Оно размывалось над вымершим городом и аморфно оплывало тяжкими языками старых петербургских домов, словно дома эти были написаны разбавленными чернилами, бледнеющими по мере рассвета. И пока утро дописывало это письмо, адресованное когда-то Петром «назло надменному соседу», а теперь никому уже не адресованное и никого ни в чем не упрекающее, ничего не просящее, — на город упал ветер. Он упал так плоско и сверху, словно скатившись по некой плавной небесной кривизне, разогнавшись необыкновенно и легко и пришедшись к земле в касание. Он упал, как тот самолет, налетавшись... Словно самолет тот разросся, разбух, вчера летая, пожрал всех птиц, впитал в себя все про-

Раздел третий. БЕДНЫЙ ВСАДНИК

чие эскадрильи и, ожирев металлом и цветом неба, рухнул в касание. На город спланировал плоский ветер, цвета самолета. Детское слово «Гастелло» — имя ветра.

Он коснулся улиц города, как посадочной полосы, еще подпрыгнул при столкновении где-то на Стрелке Васильевского острова и дальше понесся сильно и бесшумно меж отсыревших домов, ровно по маршруту вчерашней демонстрации. Проверив таким образом безлюдье и пустоту, он вкатился на парадную площадь и, подхватив на лету мелкую и широкую лужу, с разбегу шлепнул ею в игрушечную стенку вчерашних трибун, и, довольный получившимся звуком, влетел в революционную подворотню, и, снова оторвавшись от земли, взмыл широко и круто вверх, вверх... И если бы это было кино, то по пустой площади, одной из крупнейших в Европе, еще догонял бы его вчерашний потерянный детский «раскидайчик» и рассыпался бы, окончательно просырев, лопнул бы, обнаружив как бы изнанку жизни: тайное и жалостное свое строение из опилок... А ветер расправился, взмывая и торжествуя, высоко над городом повернул назад и стремительно помчался по свободе, чтобы снова спланировать на город где-то на Стрелке, описав таким образом нестеровскую петлю...

}357

Так он утюжил город, а следом за ним, по лужам, мчался тяжелый курьерский дождь, по столь известным проспектам и набережным, по взбухшей студенистой Неве со встречными рябеющими пятнами противотечений и разрозненными мостами; потом мы имеем в виду, как он раскачивал у берегов мертвые баржи и некий плот с копром... Плот терся о недобитые сваи, мочаля сырую древесину; напротив же стоял интересующий нас дом, небольшой дворец — ныне научное учреждение; в том доме, на третьем этаже, хлопало распахнутое и разбитое окно, и туда легко залетал и дождь и ветер...

Он влетал в большую залу и гонял по полу рассыпанные повсюду рукописные и машинописные страницы — несколько страниц прилипло к луже под окном... Да и весь вид этого (судя по застекленным фотографиям и текстам, развешанным по стенам, и по застекленным же столам с развернутыми в них книгами) музейного экспозиционного зала являл собою картину непонятного разгрома. Столы были сдвинуты со своих, геометрией подсказанных, правильных мест и стояли то там, то сям, вкривь и вкось, один был даже опрокинут ножками вверх, в россыпи битого стекла; ничком лежал шкаф, раскинув дверцы, а рядом с ним, на рассыпанных страницах, безжизненно подломив под себя левую руку, лежал человек. Тело.

На вид ему было лет тридцать, если только можно сказать «на вид», потому что вид его был ужасен. Бледный, как существо из-под камня, — белая трава... в спутанных серых волосах и на виске запеклась кровь, в углу рта заплесневело. В правой руке был зажат старинный пистолет, какой сейчас можно увидеть лишь в музее, другой пистолет, двуствольный, с одним спущенным и другим взведенным курком, валялся поодаль, метрах в двух, причем в ствол, из которого стреляли, был вставлен окурок папиросы «Север».

Не могу сказать, почему эта смерть вызывает во мне смех... Что делать? Куда заявить?..

Новый порыв ветра захлопнул с силой окно, острый осколок стекла оторвался и воткнулся в подоконник, осыпавшись мелочью в подоконную лужу. Сделав это, ветер умчался по набережной. Для него это не было ни серьезным, ни даже заметным поступком. Он мчался дальше трепать полотнища и флаги, раскачивать пристани речных трамваев, баржи, рестораны-поплавки и те суетливые буксирчики, которые в это измочаленное и мертвое утро одни суетились у легендарного крейсера, тихо вздыхавшего на своем приколе.

Ветер мчался дальше, как вор, и плащ его развевался.

Ветер умчался, но мы вернемся в нашу залу...

От звона разбитого стекла по безжизненному телу пробежала конвульсия и дрожь; раздался звук, напоминавший мычание. Тело выпустило из рук пистолет, с трудом высвободило из-под себя вторую руку и, упершись обеими в пол, попробовало приподняться. Но — рухнуло, со стоном.

Так еще в бессилии полежав, оно ощутило наконец холод и неудобство и более решительно приподнялось на руках. Покрутило головой, помычало и еще лишенным сознания взором уперлось перед собою в пол. Перед глазами оказалась толстая папка, служившая в эту ночь изголовьем. Человек (назовем теперь так наше «тело») долго и тупо смотрел на эту папку. На ней был наклеен белый квадратик с четкой надписью: М.М.МИТИШАТЬЕВ. ДЕТЕКТИВНЫЙ ЭЛЕ-МЕНТ В РУССКОЙ РОМАНИСТИКЕ 60-х ГОДОВ (ТУРГЕНЕВ, ЧЕРНЫШЕВСКИЙ, ДОСТОЕВСКИЙ), диссертация на соискание ученой степени кандидата фило-логических наук...

Человек, будто что-то наконец сообразив, будто что-то пролетело в его сознании и связало его жизнь с сегодняш-ним утром, будто испугавшись и все еще не веря... вдруг резко перевернулся и сел.

Раз уж он повернулся к нам лицом, мы не можем больше продолжать делать вид, что это мог быть кто-нибудь еще, кроме Левы. Это был Лева. Хотя, может, и не было преуве-личением, что мы его не сразу узнали, — мы его никогда еще таким не видели...

Он стремительно приходил в сознание (почему-то при-нято в таких случаях писать «постепенно» или даже «мед-ленно»). Не дай бог вам когда-нибудь проделывать это с той же скоростью. Он приходил в сознание — сознание приходило к нему. Они сближались, как в дуэли. До «барь-ера» было уже недалеко. (Это, однако, странный каламбур: неприятно приближаться к барьеру сознания о т т у д а, с той его стороны.)

}359

Он обвел взглядом залу: рассыпанные рукописи, лужи, растоптанный гипс, битое стекло, — классический ужас вы-разил его взгляд, лицо, и без того бледное, побледнело так, что мы перепугались, не потеряет ли он сознание.

Лева вскочил и со стоном ухватился за голову. Это была спасительная боль: она отвлекла его. Он стоял, пощупывая голову, там была здоровая шишка, причиненная вчера шка-фом. Впрочем, ничего серьезного: он жив, наш герой... Он взглянул в окно — окно взглянуло на него.

Он подходит к окну, из которого ужасно дует. Он еще не вполне он: он подходит для себя еще в третьем лице... Вы-глядывает. Нет, сегодня там уже не идет Фаина... Холод-ный ветер еще проясняет нам Леву. Мы на него дышим и протираем тряпочкой. Он — отчетлив. Бедная погода за окном совсем осатанела.

Сознание выстрелило. Дым рассеялся. И мы видим Леву...

Лева поворачивается к нам. И это уже он, он — сам. Смертельная ровность на его челе. Кажется, он все вспом-

Выстрел (Эпилог)

нил. Он смотрит перед собой невидящим, широкоразверстым взглядом в той неподвижности и видимом спокойствии, которое являет нам лишь потрясенное сознание. Ему холодно, но он не замечает этого. Однако его бьет жестокий озноб.

«Что делать! — думает, пожалуй, он... — Что делать?»

А что делать?..

«Это — конец», — думает Лева, не веря в это.

(Курсив мой. — А.Б.)

И впрямь, это конец. Автор не шутил, пытаясь убить героя. Лев Одоевцев, которого я создал, — так и остался лежать бездыханным в зале. Лев Одоевцев, который очнулся, так же не знает, что ему делать, как и его автор не знает, что дальше, что с ним — завтра. Детство, отрочество, юность... а вот — и ВЧЕРА прошло. Наступило утро — его и мое — мы протрезвели. Как быстро мы прожили всю свою жизнь — как пьяные! Не похмелье ли сейчас?..

360{

Настоящее время губительно для героя. И в жизни герои населяют лишь прошлое, литературные же герои живут лишь в уже написанных книгах. Жалкое современное, трамвайное зрелище бывшего аса не докажет нам, что герой — жив. Не так же ли убога попытка написания второго тома (хромое слово «дилогия»...), как жизнь после подвига?

Собственно, уже задолго до окончательной гибели нашего героя реальность его литературного существования начала истощаться, вытесняясь необобщенной, бесформенной реальностью жизни — приближением настоящего времени. Как только мы наконец покончили с предысторией и приступили к собственно сюжету (анекдоту) третьей части, то и вышел анекдот: «Приходит Бланк к князю Одоевцеву, а там Митишатьев»... Тут и произошел окончательный обрыв Левиной тающей реальности. И лишь их чудовищные организмы, выдержавшие такую пьянку, то есть та нереальность, к которой они сами прибегли (опьянение), позволила автору дотянуть до конца. Я хочу сказать, что то, чего мы сейчас достигли, началось уже давно, так давно, как

Раздел третий. БЕДНЫЙ ВСАДНИК

только мы в силах помнить. Пользуясь языком наших растениеводов литературы, в романе «зрели ростки будущего, уходящего корнями в прошлое». И вот нам не откусить от этой будущей смоквы. И с запальчивостью того, кто не нам чета, и мы говорим: «Засохни!»

Да и по законам построения литературного произведения он действительно окончен, наш роман. Мы достигли «пролога», то есть уже не обманываем читателя ложным обещанием продолжения. Мы вправе отложить перо — еще более вправе читатель отложить роман. Он его уже прочел. Пусть остановит именно здесь свое впечатление от целого и ограничится им. А если он такой уж мой друг, что последует за мною дальше, пусть отобьет в своем сознании эту границу и сделает все свои выводы прежде, чем продолжит. Ибо погиб или воскрес наш герой в последней строке — ничто, кроме личного вкуса, уже не руководит дальнейшим повествованием — логика развития исчерпана, вся вышла. Собственно, и вся наша негодная попытка продолжения — как раз и есть попытка доказать самому себе, что продолжение невозможно, попытка скорее литературоведческая, чем литературная: герой кончился, но мы-то прижились }361 под академическим сводом и еще некоторое время потопчемся и помедлим из-под него выйти. Все, что я написал до сих пор, я написал для него, Воображаемого, пусть даже он меня извинит или идет к черту — я хочу немножко и для себя, невообразимого, для своего уяснения, для своей чистой совести: я хочу изгнать запах писательского пота, того усилия, с каким заставлял Воображаемого со-переживать романные события как действительные. В этом для меня, видите ли, честность: образ и должен быть образ: он может быть вызван, но не должен существовать, облепив действительность, на правах реальности. Хотя бы потому не должен, что реальность — есть и меняется каждую, даже самую крохотную, секунду, а однажды вызванный образ застыл если и не навек, то на бумаге, то есть на ее век. Я, видите ли, не претендую на власть, которой уже добился. И если кто-нибудь решит, что он, как я, я, я его предупредил. Пусть не сердится, если окажется, что он — не я.

Итак, Лева-человек — очнулся, Лева-литературный герой — погиб. Дальнейшее — есть реальное существование

Левы и загробное — героя. Здесь другая логика, за гробом, вернее — никакой. Действие законов завершено неизбежностью исполнения последнего — смерти. Что там, дальше, никто не знает, и никто из большинства не поделился с нами, с живущим меньшинством. Мы шествуем в небольшой процессии за останками моего героя — существование его чрезвычайно предположительно. Здесь, за этой границей, за которой никто еще из нас не побывал, как в будущем, — все приблизительно, зыбко, необязательно, случайно, потому что здесь не действуют законы, по которым мы жили, пишем и читаем, а действуют законы, которых мы не знаем и по которым живем. Я не хочу никого задеть, но здесь очевидно проступает (на опыте моего героя), что живая жизнь куда менее реальна, чем жизнь литературного героя, куда менее закономерна, осмысленна и полна. Вот мы и вступаем в полосу жизни Льва Одоевцева, когда он перестал быть созданием разума, а сам его приобрел и не знает, к чему приложить, то есть стал почти так живым, как мы с вами. И это весьма бредовая наша рабочая гипотеза для дальнейшего повествования, что наша жизнь — есть теневая, загробная жизнь литературных героев, когда закрыта книга. Впрочем, такая гипотеза отчасти подтверждается самим читателем. Потому что если увлеченный читатель сопереживает написанное в прошлом о прошлом как реальность, то есть как настоящее (причем почти как свое, личное), то нельзя ли софистически предположить, что настоящее героя он воспринимает как свое будущее?..

Настоящее — неделимо. Оно — все. Мы можем взглядывать на его пульсирующую плоть и видеть, что оно — живо. Эта его жизнь помимо нас — окончательная измена, ибо настоящее — не имеет к нам отношения, а мы приучили себя к принадлежности, препарируя прошлое. Слитно, цельно, неделимо — попытка отражения бедна во всем: в каждой нашей попытке уже не мы что-то доказываем, а наша попытка — доказывает нам. Ибо нет большего доказательства тому, что есть, чем его собственное существование.

После вступления героя в настоящее время, совпадающее с авторским, можно вяло следовать за героем, тупо соглядатайствовать (что, кстати, и осуществлять-то практически невозможно) и описывать последовательность его

362{

движений, которые неизвестно куда ведут, кроме как в следующее мгновение настоящего, — описывать со скоростью самой жизни. Это было бы еще как-то возможно, если бы автор сам был героем своего произведения и вел своего рода дневник. Но автор желает жить своей жизнью, и ему не очень ловко столь назойливо преследовать героев. И потом, это бесконечное ожидание, пока герой проживет столько, что, обратившись в прошлое, отрезок этот можно будет изложить со скоростью связного повествования... Нет, такая перспектива не увлекает автора, решили тогда мы. Роман окончен.

Но нет! — Пока пишется предложение, в прошлое уходит мгновение, свет которого меняет все прошлое, все повествование. Хотя бы последняя фраза романа является весьма существенной: герой закрыл глаза или герой открыл глаза, проснулся или уснул, поднялся или упал со стуком, заговорил или замолчал, вспомнил или забыл, задумался или махнул рукой, вышло солнце или пошел дождь, вдохнул и выдохнул, — любое из этих действий последней фразы есть оценка всего в целом, а так всегда хочется поставить точку именно на вдохе и при хорошей погоде!

Роман окончен — жизнь продолжается...

ВЕРСИЯ И ВАРИАНТ

(Эпилог)

Чего, однако, мы добились, слив время автора и героя?

Продолжать оконченный роман — такая же невозможная задача, как Леве выходить из своего окончательного положения. И нам ничего не оставалось, как попросить в редакции отсрочку с тем, чтобы Лева все успел...

Так что, слив время автора и героя в одно, настоящее время, мы добились некой идентичности отчаяния: Левы — перед создавшимся положением, автора — перед чистой страницей. В результате автор может лучше, так сказать, изнутри почти, как сам Лева, оценить затруднительность его ситуации и свою невозможность или неспособность помочь ему.

Что мы ему можем предложить?

Тут, как нигде в романе, оправдано рождение «версии и варианта», то есть предположения в чистом виде.

Без всяких предположений мы можем утверждать, что Лева проснулся в состоянии ужасном. Он не все помнил. Он помнил только восемь маленьких. Он практически ничего не помнил от появления Бланка до появления девиц — так, фрагменты. Содрогнулся, вспомнив Готтиха, а вернее, так и не вспомнив, в чем так страстно убеждал его... Он совсем не помнил прогулки, а лишь фейерверк в окне — и потом его стягивают за ногу с псевдомраморного зверя. Драку с Митишатьевым он хорошо помнил, из-за Фаины. Последние его воспоминания были достаточно странны: будто они с Митишатьевым сидят на коврике на берегу океана, остров — необитаем, и они засовывают в горлышко маленькой записку с мольбой о снятии с коврика... Дальше он ничего не помнил. Лева ломал голову над загадкой двуствольного пистолета: в ней таился намек на будущее. Спасибо Митишатьеву за окурок «Севера»! Леве стало не так одиноко в неведомом ему конце вчерашнего дня... Значит, сегодняшнее утро, по-видимому, было сотворено вчера в равноправном соавторстве, только слава вот доставалась одному. Злость на Митишатьева — уже не одиночество.

Голова... Что сказать вам о голове? Когда люди говорят «болит голова» — что они имеют в виду? Неужели это?! Нет, нам кажется, что все они жалуются на боль лишь из зависти, что другие жалуются, — милый инфантилизм! — чем я хуже? Ни у кого она никогда не болела, кроме как у Левы восьмого ноября тысяча девятьсот шестьдесят какого-то года!

Голова была положена на дрожащую, тающую из тела подставку, довольно небрежно. Когда Лева делает шаг, ему кажется, что он выходит из-под нее, а она остается на месте, немножко сзади, и некоторое время они находятся в разных пространствах, голова и тело.

Поэтому Лева старается не делать лишних движений; он замирает, дожидается головы и соображает:

<blockquote>
вчера было седьмое
завтра — девятое
значит, сегодня — восьмое...
</blockquote>

Это хорошо, это хорошо. Впереди почти сутки. Почти сутки, прежде чем появятся люди и все это увидят. Пока что — никто ничего не знает. Кроме Митишатьева. Но тот, пожалуй, даже Леве не сознается, что был тут. За него можно быть спокойным. Ну конечно, а что за него беспокоиться? — ухмыльнулся Лева. — Он, как всегда, ускользнул. Но — хорошо, — постановляет себе Лева с ложной четкостью, — давай думать последовательно, — приглашает он себя. — Значит, никто ничего... Не стоило так решительно кивать себе головой и потирать руки — нет, не стоило! Лева застонал и подержал голову в руках.

Замерев, Лева дожидается, когда боль немножко забежит вперед, и провожает ее взглядом. Тогда он возвращается к своим соображениям и составляет мысленный реестрик:

> окно — одно (но стекла — два)
> шкаф — один (стекольщик и столяр)
> витрина — одна (стекольщик)

всего три — еще не так много... думает Лева. К витрине, которую он помнит, у него даже какое-то родственное чувство. Лева смотрит на штукатурку на полу, осторожно поднимает голову — потолок цел. Поднимает осколок и вертит в недоумении — бакенбард!

Свинцовый страх расплавляется в нем, ровно поднимается по рукам, по ногам, окружает сердце. Сердце чирикает в маленькой оставшейся полости. Лева паралитически нагибается и поднимает с полу листок. «*После погребения Патрокла Ахилл ежедневно привязывает тело Гектора к своей колеснице и волочит его вокруг могилы своего убитого друга. Но как-то ночью к нему приходит Приам и умоляет принять выкуп за тело Гектора. Приам падает в ноги Ахиллу, но тот берет его за руку, и они вместе начинают плакать о горестях человеческого существования.*

Дальнейший ход событий, как и их начало, в поэме затрагивается мало, т.к. автор предполагает, что все это слушателю известно. Итак, разгромом Трои заканчивается повествование поэмы "Илиада".

Не меньший интерес представляет для нас и другая поэма Гомера "Одиссея"...»

Что это? Боже! И тут ему становится все понятно: гдé, комý и чтó он наделал и чтó за это онѝ тут ему причинят... Страх застывает в готовой форме внешнего спокойствия и равнодушия к происходящему.

Раздел третий. БЕДНЫЙ ВСАДНИК

Срочно требуются:
стекольщик
столяр
поломойка
полотер
скульптор
анальгин

Работа — аккордная.

Оплата труда — по соглашению (двойная, тройная, деся-
терная...).

...Тут мы Леву выпускаем наконец в народ, посмотреть,
как люди живут. Он имеет об этом небольшое и очень отдаленное представление. Отдаленное, прежде всего, во времени — первые послевоенные годы. Тогда еще городской народ жил «на глазах», был виден во дворах и подвалах... Леву тянуло к ним, как барчука в людскую. Был у него друг
Миша (тезка Митишатьева), дворницкий сын, положитель-
ный, отстающий ученик. Лева ему по урокам помогал и любил есть у них суп. Отличался этот суп! В Левиной «отдельной» квартире, где сколько чего было, столько было
всегда и оставалось на месте; где слова «пододеяльник»
или «жених» были если и не неприличными, то не произносились никогда; где такие вещи, как подушки, простыни,
вилки-ложки, тарелки никогда не прибавлялись, не поку-
пались (уже взрослым человеком, когда однокурсники-
молодожены затащили его в магазин и он чуть поприсут-
ствовал при «обзаведении», Лева очень удивился, что этих
вещей у кого-то нет и что они продаются и покупают-
ся...), — так вот, в Левиной квартире те же супы не имели
ни запаха, ни вкуса. Лева прожил в этом залатанном, за-
стиранном, щербатом мире всю свою жизнь, — а память
о д р у г о м супе осталась в нем навсегда. Он бы не мог определить точно, в чем этот привкус, но он состоял из всего:
из тех слов, которые в его семье не произносились, из «се-
лянок» и «жаренок», из бурной, чувственной жизни с вещами обихода: перебирания подушек, проветривания мат-
рацев, выбивания половиков... И вот с таким запасом,
с воспоминанием о вкусе супа (и то бессознательным —
для неопрустовских вылазок у него сейчас не тот строй!) —
и выходит Лева на улицу, в эту ужасную погоду...

Версия и вариант (Эпилог)

И все-таки — на погоде легче! Леву продуло и протрепало на мосту, промыло и простудило, и, заходясь крупной дрожью, чувствовал он свое пальто великоватым, болтающимся, и это было почти приятное чувство. Он чувствовал, как его утренняя оладья обращается под хлыстом дождя и ветра в л и ц о. Лицо свое он чувствовал со стороны — настрадавшимся: увеличивались глаза, тонко прилипали щеки. Леве все легче становилось представлять себе, как он дельно все сейчас организует.

Не будем описывать всех его плутаний — это «Одиссея». Увидим его сразу, через шесть часов — уже на Охте. Потому что, что же обнаружил Лева?.. Что «народу» — не стало. Означает ли Левина неосведомленность отрыв от народа или отставание от детства, когда мы неизбежно были именно в э т о время и в э т о м мире, — означает точно.

Не было никакого такого теперь «народу», как представлял себе Лева!

Народ этот перебирался в новые районы, в отдельные квартиры, и работать не хотел. При одном взгляде на Леву сомнений не оставалось, что с него можно спустить все шкуры, — но это ни в ком не пробудило алчности. Народа не было ни за какие деньги. «Да ты с ума сошел, — сказали ему, — какое сегодня число? Кто же сегодня работать будет! Где ты стекло достанешь?.. Какие двадцать пять рублей, дорогой, что ты говоришь...» Так говорили ему в коротеньком коридорчике, стесненном наполовину безобразной вешалкой с дохлыми ватниками и брюками и стоявшими без ног сапогами, освещенном голой лампочкой в двадцать ватт и запахом т о г о супа минус двадцать лет. Лева стоял на площадке последнего, пятого этажа, пробравшись между детской коляской и мотороллером; наверх вела железная лесенка в черный чердачный люк — туда уводило, в мечтах, отчаяние... и Лева спускался безнадежно, на дно погоды, становившейся все более ужасной. Не дождь, не снег — какая-то рваная небесная плоть слетала теперь с вспухшего, висящего тяжелым венозным пузом ленинградского потолка и в одно мгновение облепливала путника, придушивая его стылой и тошнотворной маской обморока. После такого наркоза с ним можно было делать что угодно.

Дыхнув друг на друга роднящим классы запахом перегара...

— А я тебя вчера видел, — сказал мужичок.

— Не может быть, — напрасно возражал Лева. — Вы не могли меня видеть.

— Как — не видел!.. Кого же я тогда видел? — мужичок чуть приострял взгляд подозрением: не морочат ли его, — но Левин мятый вид и родственный запах заставляли верить.

— Ты нашего маляра знаешь?

— Нет, не знаю.

Мужичок с досады даже крякнул — экий дурак непонятливый!

Подводила Леву его интеллигентность — это же надо, настолько не понимать условности жизни!! Ведь как это может выглядеть на людях? Только как глупость. Но раз на вид нормальный парень — значит, хитрость, тайный умысел. Невольной, инстинктивной хитростью это, может, и было — найти человека и нагрузить его своею беспомощностью... То, что называется: простота хуже воровства.

— Как же это ты не знаешь... — сокрушался мужичок чуть сердито. — А он, хоть и маляр, но и стекла вставлять может. — Он еще раз взглянул на Леву с сомнением. — Ну ладно, что с тобой делать? Давай свой четвертак, пойду его уговаривать... Я в двадцать пятой квартире буду, если что... }369

Лева радостно отдал деньги и долго, терпеливо ждал. На плечи ему легли толстые сырые лепешки, как эполеты, — был он произведен в великие страстотерпцы, но причисления к лику святых все-таки не дождался... «Может, наконец наступило это "если что"...» — подумал он, с усмешкою жалкою и кривою. Что любопытно, что ни одной здоровой подозрительной мысли так и не допустил он в себя до этого момента, оберегаясь последовательной окончательности жизни.

Приговоренный, исполняющий лишь последние формальные обязанности, вроде подстригания ногтей или смены рубашки, — вышел Лева из-под накопившегося на нем сугроба и постучал в № 25.

Вот уж в чем он был теперь уверен, так это, что в ней никакой маляр жить не может. И опять ошибся.

— Они, — сказала ему его жена буднично, — вместе ушли. Теперь их не жди.

Версия и вариант (Эпилог)

Бестелесный, почти восхищенный, спустился Лева на следующий дантов круг... «Это же надо, не соврал! Не соврал ведь!..» — восклицал он в такт своему полету. Потому что он именно летел, подхваченный ветром и наводнением, на гладком, раковисто-стеклянном буруне цвета обсидиана.

Это было на Охте.

Нева выходила из берегов. Она уже затопила романтические ступени, на которых сидят в белые ночи, обнимая девушку за свой пиджак. Нева мерно и уверенно билась в парапет, и хлынуть через край ее удерживало, казалось, лишь известное из школьной физики поверхностное натяжение жидкости — она вздулась противоестественным пузырем, как линза. Этот бугор Невы почти уже соприкасался с висящим страшным брюхом неба, и слиться им мешала лишь ледяная похоть воображения. Леве хотелось быть пониже ростом, чтобы не чиркнуть невзначай головой по этому набрякшему пологу, к которому стоило лишь прикоснуться...

Стоит ли сейчас вкладывать в больную голову героя его окончательные мысли?.. Он ни о чем не думал.

У нас припасены ему еще закономерные приключения в области межклассовых контактов — например, одалживание денег... Но — хватит! Он еще может это вынести — у него нет другого выхода; мы — уже нет.

Мы видим этого победителя трудностей на знаменитом мосту. Мост положен прямо на подушку Невы. Город вымер, транспорт не ходит, фонари не горят. Лева на мосту один, на самой его горбушке, на полпути, в середине контраста «земля — небо», «герой — автор», «левый — правый берега»... Леве нужно на т о т берег. У него на это столько же шансов, сколько у мухи, попавшей в клейстер. Именно что-то такой же вязкости и однородности представляет собою погода на мосту — петровское варево.

Лева несет стекло — три больших листа, ему едва хватает рук. Его крутит под этими чудовищными острыми парусами. На шее у него, на веревочке, — пакет с замазкой, что придает ему окончательный вид самоубийцы. И правда, на его месте мы бы уж лучше — в воду, благо она так подступила совсем рядом, и камень на шее уже есть... Но мужество человеческое безгранично, как отчаяние, и равно ему.

370{

Оно равно и этой погоде, этому ветру, и за пределами этого равенства ничего нет. Лева не может стронуться с места. Его крутит, он не чует рук, они приросли к стеклу — их можно оторвать только от Левы, но не от стекла. Стекла чуть попискивают в небольшом, но тесном и мокром трении. По стеклу текут крупные капли. Мы видим Леву сквозь это стекло. Последнее, прекрасно его лицо! «Дивная, нечеловеческая музыка!», Бетховен.

Никого нет в этом мире, кроме застекленного, прозрачного Левы. Только, совсем на краю невской линзы, шарит прожектор и гудит сирена. Три отчаянных черных буксирчика суетятся вокруг легендарного, льдистого в серебре непогоды и свете прожекторов крейсера. Он — всплыл. Он всплыл впервые за долгие годы, оторвавшись от насеста. Глухо и ватно выпалила пушка — нет, это не на корабле! — Петропавловской крепости. От такого пустого, вакуумного звука — вполне понятно, как в старину, может всплыть утопленник...

Оптимистическая воля автора переводит Леву на берег его учреждения, она же не позволяет ему разбить стекла в конце героического пути, что он, без нас, наверняка бы проделал. От невыносимости продолжать автор схалтурит сейчас для Левушки у д а ч у. }371

Никто нам не поможет! Ибо к тем, кто всегда поможет нам, обращаться уже нет никакой совести... Мама!

Кто же любит нас??

Мы можем обрадовать читателя — дядя Диккенс еще жив! По крайней мере, для романа он оживет еще раз и еще раз умрет. Он нам сейчас нужен — его никто не заменит. (Мы оправданы хотя бы тем, что известие об его смерти входило, в свое время, в главу под тем же расхристанным названием «Версия и вариант». Может, кто-нибудь предпочитает, чтобы Бланк «благородно» ничего не заметил и вернулся за хлебом... и они, растроганные, пожали друг другу так крепко, что рукопожатие это теперь не распадется вовек?..)

Нет, прозрачный образ Диккенса помогает нам достать стекольщика и стекло, осуществляет надзор. Он ведь умеет с н и м и разговаривать!.. Именно он проследил за тем, чтобы в этом наводнившем город похмелье, похмельный же стекольщик не изрезал все стекла до размеров форточных в старательно-колебательной пристрелке и примерке. Дядя Митя всегда убережет от перекоса.

Он производит приемку и оценку разгрома.

— Ах, болван... ну и болван! Не ожидал от тебя... Не ожидал! — говорит он и сердечно жмет Леве руку, довольный...

...Альбина тем временем моет полы.

И пока она моет полы, Лева складывает, листок к листику, диссертационные страницы — башкирскую литературу с албанской — познает всю горечь подавленного восстания.

И вот все преобразилось! Сияют цельные стекла. Лева — сама аккуратность — приклеивает последнюю щепочку к шкафу специальным клеем БФ-2, в точном соответствии с инструкцией, которая мешает ему в руке... чтобы поймать вдруг взгляд Альбины, удивляющейся собственной любви, — когда она выжимает тряпку, поправляет локтем прядь — близорукое мытье полов... С какой легкостью позволяем мы себе заметность!.. — пренебрегаем достоинством ради почти удовольствия гарантированно не посчитаться с любящим нас — что же еще эксплуатировать, как не посторонний механизм к нам любви, как не механизм нашей, в ответ, нелюбви, окрашивающей нас в коричневое право принадлежать самим себе?..

Вы спросите: а маска? Ее принес Митишатьев — пусть это будет его благородный поступок, с похмелья. Потом, ему надо же было забрать диссертацию... Митишатьев, наверно, опять нужен Леве, чтобы вспомнить, что же было. Тут у Митишатьева опять появляются возможности власти — и Лева, в свою очередь, становится нужен Митишатьеву, чтобы в этих возможностях удостовериться... Да нет, конечно, маска была не настоящая! Копия.

А чернильница Григоровича? «И на́ тебе эту еврейскую пепельницу», — мрачно сказал Митишатьев. Он нашел ее в газончике под окном. Нет, она не разбилась. Такое, значит, было тогда стекло. Григорович не пострадал.

Однако предполагать примирение Левы с Митишатьевым так трудно, так не хорошо, что лучше пусть маску принесет та же Альбина. И в том и в другом случае маска, самая непоправимая деталь, наиболее пугавшая Леву, окажется как раз наиболее всего поправимой... Альбина, легкая, счастливая от Левиной зависимости, бессмысленно нелюбимая Альбина скажет: «Левушка, пустяки! У нас их много...» И спустится в кладовую, где они лежат стопками, одна в одной. Альбина — опытная кастелянша. Лева об этом и понятия не имел.

Предположить, что он из всего выкрутится, — было так же невозможно, как создать ВАРИАНТ настоящего или ВЕРСИЮ реальности...

Однако он выкрутился. Не верите? Я тоже не верил...

Но это же на самом деле я, я вставил ему стекла! Ночью, как фея, выткал волшебное полотно...

Он выкрутился, и глава написана.

УТРО РАЗОБЛАЧЕНИЯ,
ИЛИ МЕДНЫЕ ЛЮДИ

(Эпилог)

*Евгений вздрогнул. Прояснились
В нем страшно мысли.*

Медный всадник, 1833

...Некий загород, обжитый в снах. Такой, вполне возможно, бывал и наяву и существует где-нибудь, но ни одного точного намека для узнавания в нем нет. Еловый загород (в этом ли странность? — что-то не припомнить деревни в еловом лесу...), и они тут впятером, друзья-приятели, снимают дом. Лица друзей, как и местность, и очень знакомы, и неизвестно чьи. В 5.30 утра, все вместе, должны выехать в Ташкент. Для этого надо выйти из дому в 4.30. Уже поздно, ночь, но все так боятся проспать, что никто не ложится. Без толку толкаются по избе. К трем часам ночи сон окончательно сморил всех, но страх проспать почему-то проходит, и все решают прилечь на часок, надеясь на «внутренний» будильник, да и не могут же они все впятером проспать — кто-нибудь да проснется...

Лева взглянул на лежащих поверх смятых постелей друзей, и ему вдруг расхотелось дремать с ними вместе. Он поднялся с кровати и вышел на улицу. Звезды. Перешел дорогу и устроился в избе напротив — там никого не было. Лева быстро уснул.

Проснулся он резко, и в нем сразу возникло подозрение, что он проспал. Однако это не был страх, что его забыли

Раздел третий. БЕДНЫЙ ВСАДНИК

и оставили, — он испугался, что проспали остальные. Но часы показывали 4.15, и надо было лишь чуть поторопиться — и они прекрасно успевали. Лева выбежал из избы, чтобы увидеть, как стало светло, что напротив выгоняют корову, и не на шутку встревожился... Он судорожно поднес часы к уху — они исправно тикали. Успокоился. Спросил у пастуха, который час. Последовал ужасный ответ: 6.30. От страха Лева не поверил — бросился к дому, где спали друзья... Соседняя бабка выгоняла со двора хворостинкой свое милое стадо: петуха и собачонку. Петух с собачонкой очень дружили... На них с лаем бросилась корова, приседая, как собака. Однако петух с собачкой не испугались, не разбежались, а нежно положили головы на шею друг другу, как лошади. Лева и у бабки спросил, который час. Она посмотрела на крохотные игрушечные часики с нарисованными стрелками — опять 6.30! Лева ворвался к друзьям — они уже проснулись и тоже всполошились. Сверили часы — у всех одинаково 4.15, у всех тикают.

Хозяин, суетливый мужичок в татарской камилавочке, тоже очень расстроился, что они проспали. Он сказал: «Это вам за то, что вы тогда польта в лесу побросали». (??) Невероятно, но факт — проспали! придется теперь ехать в Ленинград, сдавать билеты. 30 процентов стоимости они, конечно, потеряли... $30 \times 5 = $ ... Впрочем, самому ему, как Лева тут же рассудил, это только на руку: ведь, так и так, он не мог бы поехать, потому что должна быть защита, а деньги ему как раз очень пригодятся, чтобы сходить с Фаиной в ресторан...

С этим бледнеющим, как ранний рассвет, трезвеющим соображением Лева выкарабкался из сна и проснулся.

Взглянул на часы — они стояли. С вечера Лева все твердил себе задание: не проспать. Ему надо было хорошенько все еще раз обдумать, собраться и подготовиться к началу рабочего дня — наступал самый ответственный момент: выплывет или не выплывет то, что здесь произошло позавчера... К чему бы этот сон? Лева был, в принципе, суеверным человеком, но он был настолько непросвещен в суевериях, что только и знал, что сны могут быть истолкованы, — но как именно, понятия не имел.

«Вообще-то это забавный сюжет: коллективно-неверное время...» — усмехнулся Лева. Сон напоминал школьную задачку. Однако как это могло практически произойти, что все часы шли неправильно? Лева старался тщательнее припомнить сон, приблизить его и рассмотреть памятью поподробнее. Это было неприятное, головокружительное и не очень успешное усилие.

«Давай рассуждать логически... — сказал себе Лева, потягиваясь на директорском диване. — Допустим, у одного из нас остановились часы... он это заметил и стал заводить, намереваясь спросить у кого-нибудь время, но шел какой-то разговор, и он завести-то завел, а переставить забыл. И тут — такое совпадение! — что часы стояли и у другого, он взглянул ненароком на часы первого и поставил свои по ним, не спрашивая. Третий же спросил время у второго и переставил время по нему. Тут первый вспомнил, что ему надо перевести часы, и спросил у третьего, который час, — и очень удивился, что время совпало. Значит, подумал он, я завел их ровно тогда, когда они стали, и они не успели отстать (так ведь редко, но бывает — у каждого из нас есть и этот немой опыт...). Или могло быть иначе, — размышлял Лева, — так будет даже короче и смешнее: первый ставит часы по остановившимся несколько позже часам другого, а тот, в свою очередь, через некоторое время замечает, что часы остановились, и переставляет их по ушедшим вперед часам первого...»

Лева рассмеялся, вспомнив, как строго и серьезно, ответственно, нахмурясь, как в кино перед боевой операцией, было сказано во сне перед тем, как прилечь на часок: «Сверим часы». И у всех оказалось точное время. А у всех было у ж е неправильное время. Они у ж е опаздывали, когда еще только собирались вздремнуть.

И все-таки сон не удавалось истолковать. «Коллективно-неверное время» — это, конечно, была формулировка, но она ничего не говорила о сегодняшнем дне: что будет?.. Лева похолодел: ах ты, господи! он тут рассуждает о времени, а ведь часы стоят! ведь он же н а я в у не знает, который час!

Лева спрыгнул с дивана...

Мы тоже не можем усмотреть в этом сне никакой проекции, ничего провидческого, никакой даже притчи... Я долго прожил под занесенным топором времени. И это суета. Не есть ли время, как ужас, лишь наше отношение к нему?

Ах, что удивляться одинаково неправильным часам, когда нам уже сны о б щ и е снятся!

Тщательнейше, как Бланк, выбритый, с безукоризненным пробором, в холодящем фарфоровом воротничке, с чрезвычайно, раз семь, перемытыми руками, готовый к казни, как к бенефису, и к бенефису, как к казни, бледный, длиннолицый — выглядывал на Леву большими настрадавшимися глазами неизвестный человек, в котором Лева признавал себя лишь по аккуратненькому, чистенькому крестику на лбу — из пластыря: его приклеила нежнейшими пальцами Альбина...

Однако он сумел обрадоваться своему несходству, рассудил: раз меня не узнать, то и ничего будет не узнать... Имея в виду, что все сделал тот, а не этот, непохожий, и к этому Леве, отраженному в сегодняшнем дне, претензий быть, следовательно, не может, раз виновник исчез... Мысли его стройно путались.

Эта его чрезвычайная заметность, зримость, видимость всем — пугала и смущала. Он ощущал свою неустранимость так же остро, как, наверно, случайный убийца может ощущать неистребимость тела жертвы: как невозможно, как некуда деть эти несколько килограммов мяса! И он будет сидеть перед ними до утра, качаясь как от зубной боли, перед кучей плоти, из которой так легко ушла жизнь и которую так некуда, так невозможно куда-нибудь деть. Так он будет сидеть, потрясенный материальностью мира, впервые столкнувшись с непреодолимостью воплощенных категорий. Агностики ничего не совершали — им легко. Попробовали бы они поступить в снящейся им реальности?.. Преступник — обязательно материалист: он совершал поступок, он видел причину и следствие, вот так, «как я тебя вижу». Причина лежала ничком — следствие шло. Материалист — это идеалист, совершивший преступление.

Человек давно уже не живет в материальном мире. В материальном мире жив только зверь. В материальном мире так страшно, так правильно, так неизбежно! Лева понимал страх.

Лева шел из парикмахерской — все люди видели его. По тому, как они все, спешившие по мелкой своей насущности, все знали о нем, понимали с полувзгляда, видели насквозь, прятали ухмылки в уме, — Лева мог догадаться, что за эту ночь стал совершенно знаменит.

Он разминался с прохожими, как бы непрестанно сморкаясь: без конца отворачивался и прикрывался носовым платком.

Лица людей пугали его своею обнаженностью, голостью и откровенностью — неприличностью. «Почему, интересно, они прикрыли все самое обыкновенное, нормальное: руки, ноги, задницу, — а обнажили самое откровенное и непристойное — лицо! Все — наоборот...» — так думал Лева. И правда, не мог он перенести это лукавство узнавания, легкое ехидство и любопытство, которое различал в каждом взгляде, — он еще не привык к славе, скромность его страдала. Они все, все видели его вчера, когда он — н е п о м н и л! Ужас прерванного существования владел Левой. Вот для чего нам нужно помнить все, каждый шаг. Чтобы про нас не знали. Чтобы мы всегда могли оставаться единственными творцами собственной версии, единственными свидетелями и толкователями себя. Чтобы мы были н е в и д и м ы. Раз забывшись — достанешься людям навсегда. Преступник и грешник — уже не раб божий, а людской. Невидимость — вот мечта, вот принцип! Лева вдруг легко объяснил себе, исходя из одного лишь опыта детских мстительных представлений, все человечество: оно живет прячась. Как в джунглях, под цвет листвы, под фактуру коры, как в пустыне, под цвет песка, в воде — подражая прозрачности, — единственное, что вынесли и развили — мимикрию под благополучие, под здоровье, под благоденствие, под нормальность, под спокойствие, под уверенность. Самое неприличное, самое гибельное и безнадежное — стать видимым, дать возможность истолкования, открыться... Тут ты обнаружишь, что давно, не замечая этого, живешь в культуре каннибализма: человек зримый в несчастье, в поражении, в болезни, в беспамятстве, в преступлении, то есть о к о н ч а т е л ь н ы й человек, человек открытый, — есть добыча мира, его хлеб. Он будет растворен, рассосан толпою в одно мгновение, и каждый побежит в свое продолжение, зажав в кулачок ниточку, имея во рту тающий вкус, клочочек, капельку жизненной силы, ухваченной на бегу с п о р а ж е н н о г о. На панели будет тряпочка лежать...

Только не обнаружить себя, свое — вот принцип выживания... так думал Лева. Невидимость!..

А уж как Лева стал виден! Так, что не увидеть его стало невозможно... Еще вчера лежал он в острых осколках на полу, его взгляд пробил дыры в окнах, на полу валялись тыщи страниц, которые он зря и пошло всю жизнь писал, от него отвалился белоснежный бакенбард — он был самым видным человеком на Земле! Его гнев, его страсть, его восстание и свобода...

А сейчас он был виден в лишней натертости пола, в более чистых и более целых, чем прежде, стеклах, в свежей, цыплячьей замазке окон. Вчера он был виден в своем поступке — сегодня стал виден в поведении.

Страх заметности поражал Леву — открытое пространство пугало. Он вспомнил кино: человек бежал по безбрежному капустному полю, а поле простреливалось со всех сторон, взрывались под ногами кочаны, — так бежал он во все стороны, нелепо вздергивая ноги, спотыкаясь и падая: и бежать невозможно, и падать неудобно... Эти кочаны, как грехи, ровные, гладкие, однозначные — во все стороны, до горизонта. Плоды.

И кадры другого фильма — из собственной жизни — с периодичностью вспыхивали в нем, и чем темнее и глубже были провалы забытых эпизодов, тем ярче запомнившийся между ними кадр. Вот он разговаривает с вахтершей (она вернулась в учреждение раньше всех, ничего не заметила, первая репетиция прошла, стало быть, успешно, но второй страх оказался больше первого, и то, что хоть что-то прошло, еще усугубило ожидание того, что предстоит... сейчас она дремала, устав от дома)... Вот он доказывает Готтиху, что Россия, вне классов, никогда не существовала... «Гений!..» — восхищается Митишатьев. Вот Бланк: «Что же вы молчите, Лев Николаевич!» (Но тут другой позор, смешанный с позорным же успокоением: Бланк не донесет никогда...) А вот Лева что-то страстно доказывает асимметричной девочке со вставными глазками — про локон Анны Карениной!.. Леве было трудно подавить в себе вой — он даже прислушивался: не вырывается ли наружу.

Учреждение оживало потихоньку; приходили, пожимали, сочувствовали потерянному Левой празднику: впрочем, что ты потерял? опять то же, выпили-разошлись, куда только дни делись? — ничего не потерял. Кто-то сказал, что он прекрасно выглядит, Лева, и что воздержание на пользу не одному Толстому.

Лева бродил по коридорам, был остроумен, элегантен — тени коридоров, тени людей, сон. Гораздо ярче была реальность вспыхивающих, обрамленных чернотой беспамятства картин. Он там продолжал жить, а сегодняшний день вяло снился ему.

Никто ничего не замечал!

Что-то едва ли не похожее на разочарование шевельнулось в нем: он преувеличил свою славу... «Господи, до чего же не наблюдательны люди! — мысленно восклицал он. — А им и не нужно, зачем? Меня травила небрежность моей тайны, вопиющая демонстративность улик... Вот же, вот же, вот! Почему вы не замечаете? Вот вы подошли к окну: отчего замазкой все измазано? — свежая, видите? не закрашенная!.. Нет, никому никакого дела. Дела нет. Я страдал от халтуры своих поправок, от того, что не достигнута возможная, та тщательность подделки, при которой, еще может быть, все как-нибудь, если повезет, то и сойдет... Так нет же! Я — перестарался...»

Эта пренебрежительность вернувшейся на свое место жизни к Левиным недочетам и небрежностям — очень задела его. Меньше всего ожидал он такого оборота. Сама жизнь была столь небрежна, что Левины заусенчики оказались в этом слитном море общей небрежности — излишней старательностью.

Однако этот вялый сон оборачивался кошмаром! Тем более что, в легком смещении своей бесплотности, оказывался этот сон неуловим, недоказуем. Не разбудить, не проснуться... Сам воздух, сам серый свет содержал в себе этот легкий жест недоуменного и холодного пожатия плеч и возвращения к прерванному разговору с полноправными гражданами этого сна, не отвлекаясь на пришлых, которым этот сон снится... сам сон пожимал плечами схалтуренного кое-как пространства: о чем это вы? не понимаю... что это вы, право?

Лева метался, скользил по натертому полу, подводил всех по очереди к уликам, намекал, выспрашивал, хихикал — никакого эффекта! Лишь ласковая улыбка неловкости, на всякий случай вежливая ироничность взгляда воспитанного и не прерывающего разговор собеседника: чтобы не обидеть чудака, он у нас такой... — и отойти потом к с в о и м. Леве казалось: он сходит с ума.

И вот наконец итог, пик, крещендо-мещендо, апогей, кульминация, развязка, что еще? — НИ-ЧЕ-ГО; вот наконец то критическое НИ-ЧЕ-ГО, божок, символ: небольшое, гладенькое, темновато-лоснящееся, продолговатенькое, умещающееся в ладонь... — ! и нет его; вот оно!.. — наш поэт предстает пред очами (или пред оком, что мы не выяснили: вставной ли второй глаз? или первый, почему второй?..), нашему поэту предстояло, и он предстал, очно, пред единственным трезвым и недреманным оком этого академического сна — заместителем директора по административно-хозяйственной части, он же... (зам по АХЧ). Видит ли своим вставным глазом зам?

И вот Леве кажется, что он в и д и т. Он словно бы потрогал щепочку, приклеенную к шкафу: хорошо, молодец; тщательно; сокрушился по поводу замазки — ах, как народ испортился, совсем работать не хотят! еще, наверно, и кучу денег содрал за такую работу — посочувствовал; зато стекло, из двух половинок состоявшее, — давно собирался заменить, и все никак руки... сами знаете... спасибо; неужели вы про маски не знали? этого добра у нас полно — не стоило так переживать... С чернильницей смешно... Нет, нет, Готтих мне ничего не говорил... Какой Готтих?

Зам и вида не показал, может быть, лишь чуть намекнул, а то и нет, — пожал руку, поблагодарил, извинился, что вот так пришлось, сами знаете... спасибо. Теперь у вас, Лев Николаевич, заслуженный отгул — гуляйте, веселитесь законно. Хвалю, ценю, похвала обжалованию не подлежит и приведена в исполнение.

Только вот... Одну минуточку, Лев Николаевич!.. Ах, как в Леве все пошло стремительно на дно, но в то же время и ожило, как последняя надежда... Сколько достоинства сумел вложить Лева в это «слушаю вас», вернее, сколько послушности вложил он в свое достоинство!

Тут у нас один иностранец — сами знаете этих иностранцев! — приехал... интересуется... сами понимаете... Пушкиным Александром Сергеевичем (вставной глаз, фрикативное «г»...), А.С., так сказать... Не могли бы вы, я вам настоятельно рекомендую, вот вы в прошлом году в Париже не побывали, но ведь еще будете, будете!.. И вам приятно, и нам полезно. Известный, между прочим, иностранец, американский...

Это ножницами, ножницами! кто-то стриг и клеил, стриг и клеил все более фантастический коллаж: сочинял из обрезков и обрывков, подхихикивая, — а вот сюда я еще цифирку наклею, 88 и хвостик, и — готово! бездна юмора и вкуса... довольно потер ручки, поерзал... ах, хорошо! можно сказать, завершено. Каким же чувством чувствуем мы, что что-то еще надо было доделать, чего-то не хватало, а вот сейчас уже совсем готово — не прибавишь, не убавишь: швейная машина в пенсне, бюстгальтер в пустыне, кольт в манной каше и семь одинаковых бюстиков на рояле... И Лева на фоне, с едва заметной булавочкой в груди.

Так, так! все в порядке!.. — восхитился Лева художественной точности жизни. НИ-ЧЕ-ГО — и заграница как награда! — Непреходящесть и вневременность любимой родины обрадовали его.

Лева уже мысленно замечательную статью писал... Факты, положим, всем известные, но угол... ракурс... какой пронзительный свет! «Путешествие из России» — так назову. (От Польши до Китая) — в скобочках. Так сухо, строго, академично. Эпиграф: «...*и никогда еще не вырывался из пределов необъятной России. Я весело въехал в заветную реку, и добрый конь вынес меня на турецкий берег. Но этот берег был уже завоеван: я все еще находился в России*». Почему про это — все знают, а никто не обобщил? — «Пушкин и заграница» — Лева не припоминал такой статьи...

...Это был тот самый американский писатель, который написал впоследствии знаменитый фельетон «Как я был Хемингуэем» (но не тот, которому у нас этот фельетон приписали). Лева читал, в свое время, его рассказы и не уценил их до сих пор. Удивление, столь наивное, перед человеком, который написал то, что ты читал с восхищением в детстве, превышало Левину профессиональную опытность, и то, что хорошую литературу создают не только мертвые, а вот, в частности, и этот человек, поражало его...

Он вглядывался в его черты и не видел никакого сходства. Он бы спросил себя: в чем он ожидает увидеть это сходство? — и не мог бы ответить. А главное, где скрывался этот пыльный южный юмор?.. Равнодушное, застывшее, бугристое и красное забулдыжное лицо ничего не выражало. Кто за него расточал весь тот блеск, отражение которого неизбежно ожидал Лева некими отблесками на лице? Странный тип.

Они катили в просторном черном ЗИМе, откуда Леве так хорошо, так ново и полно (из-за рядом иностранца) был виден Петербург. Господи, господи! что за город!.. какая холодная блестящая шутка! Непереносимо! но я ему принадлежу... весь. Он никому уже не принадлежит, да и принадлежал ли?.. Сколько людей — и какие это были люди! — пытались приобщить его к себе, себя к нему — и лишь раздвигали пропасть между градом и Евгением, к нему не приближаясь, лишь от себя удаляясь, разлучаясь с самим собой... Вот этот золотистый холод побежал по спине — таков Петербург. Бледное серебряное небо, осеннее золото шпилей, червленая, старинная вода — тяжесть, которой придавлен за уголок, чтобы не улетел, легкий вымпел грубого Петра. С детства... да, именно так представлял Петра! — как тяжелую темноту воды под мостом. — Золотой Петербург! именно золотой — не серый, не голубой, не черный и не серебряный — зо-ло-той!.. — шептал Лева, разглядывая свою родину глазами, которыми зря награждал иностранца.

Американец вообще не смотрел по сторонам — он смотрел ровно перед собой, и его укороченный взгляд ничего не отражал. Это было невозможно: абсолютный рекорд неподвижности было его лицо! Чуть живее становилось лишь от его жены: юная и хорошенькая, этакая живоглазенькая мартышечка, она все куталась в невиданное манто из выведенного в Сибири валютного зверя и дышала в мех. У нее, однако, сын заканчивал курс в Оксфорде.

Что еще? Литой, изваянный из мяса затылок шофера и кудрявый человек, похожий на молодого Бондарчука, рядом с шофером. Он, по-видимому, недавно научился улы-

}383

баться, что и проверял, время от времени оборачиваясь. Лева, если пробовал рассказывать что-то, всякий раз сбивался от его улыбки, и тогда тот поощрительно кивал. «Ну, в общем, это...» — говорил тогда Лева и приглашал в окно, отворачивался сам — в славное, не слепящее, не червонное золото Петербурга.

Всюду был вторник. В музеях вторник был выходной день. (Служители приобщили его к праздникам — им повезло.) Такая неосведомленность «Интуриста» удивила Леву, — но девиз сегодняшней реальности был «небрежность», и Лева присовокупил. И пока они вот так, от одной музей-квартиры к другой, мотались по городу — целенаправленно, с плавным бесшумным шорохом, от памятника к памятнику, — памятников вдруг стало много, от скорости они выстраивались почти что в ряд, плечом, что ли, к плечу; город был светел, бесшумен за окном, пространен и прозрачен — покинут... И эти сомкнувшиеся памятники — неожиданно много, целое население, медное население города — поводыри ослепшего времени, приведшие Леву за ручку в сегодняшний день...

384{ Музеи были закрыты, Лева волновался и суетился от этой неловкости, от своей неспособности обнаружить причастность к своему кумиру, от невозможности причастить... Американца, впрочем, это никак не трогало. То ли удивился он уже чему-то навсегда, то ли постановил не удивляться, — Леву это отсутствие реакции бесило... Американец выходил из машины, читал табличку, долго и тупо осматривал замок. Во дворике был памятник: крохотный Пушкин стоял... Американец обошел его неторопливо кругом, осмотрев, как замок. Маленький вредный мальчик с пластмассовым автоматом носился вокруг памятника — тат-та-та-та-та! тат-та-та-та-та! — расстрелял иностранца; но и его американец осмотрел, как вещь, — хоть бы согрелся его взор, хоть бы фальшиво!..

И еще выдался символ на этот день: они не могли отыскать место дуэли Пушкина (для Левы замкнулось кольцо — тот морозный визит к деду)... Лева выскакивал из машины и спрашивал — не знали, посылали подальше, послали не туда. Может, и нашли бы, — но Лева тут и сам не захотел разрушать символ: ну и пусть, правильно, пусть не видят это святое место, политое е г о кровью, кто его не видит. Ему помстилось: это место, видимое лишь посвященному, лишь достойному, а для остальных — нет его: стоит газетный ларек, закрытый на обед, и все. Леве так понравилось, он не стал проявлять настойчивость — миссия его закончилась, они возвращались в «Асторию».

Солнце склонялось, и Петербург все золотел. Как он мал-невелик!.. Как быстро, как осень, пролетел он за окном: только что Острова — и уже Исаакий...

— А это, — скучно и неубежденно сказал Лева, — знаменитый Медный Всадник, послуживший прообразом... — Лева тут мучительно покраснел, потом кровь стремительно отбежала со словами: — Господи! что я говорю...

Нева отчалила и уплыла. В кунсткамеру, мой друг...

Отчизне посвятим... пора, мой друг, пора!.. Мой страх переживет...

Лева открыл глаза — вокруг, неузнаваемо оживленный и преображенный, суетился американец. «Кудрявый» ласково улыбался и кивал одобрительно. Шофер был столь же неправдоподобен и неподвижен, как муляж. Американка давала Леве нюхать какую-то чрезвычайно изящную неземную вещь, волшебная грань посверкивала в ее ручке, выглянувшей из пышного меха, как некое юное, недавно проснувшееся существо... Лева вдруг почувствовал постыдную неотмытость, которой не помогла утренняя тщательность его туалета — да и никакая бы не помогла: неотмытость в принципе.

— Извините, простите, я... выйду... пройдусь... вы, пожалуйста... — бормотал Лева, поспешно и неловко перелезая через американца. — Я потом... простите...

— Шай!.. Соу шай... — восхищенно говорил американец.

...Мы оставим Леву подчеркнуто глубоко вдыхающим невский нефтяной воздух. Лева облокотился о парапет и следит за своим плевком, поглощаемым маленьким водоворотиком. Леве кажется, что ему хорошо, что он наконец вырвался. Он смотрит в грязную воду, в радужные завитки и всякий небольшой мусор, который ему уничижительно кажется подходящим для его взгляда. Он долго не подымает глаз на столь любезный ему, золотистый и пыльный, вытершийся от времени, с торчащими проволочками поломавшихся тускло-золотистых ниток гобелен, что кажется подвешенным на том берегу для просушки. И пока на том

}385

Утро разоблачения, или Медные люди (Эпилог)

берегу проветривается золото петербургского пейзажа, Лева думает, что — подними он взор — вполне может оказаться, что кто-то шустро потянет за веревочку вверх и свернет пейзаж в трубочку. Что же окажется за ним?

Вот какие мысли он уже передумал: что недаром его не разоблачили сегодня; что именно такой, нашкодивший и добросовестно из-под себя все подъевший и вылизавший, он им и нужен; что тут ничего удивительного, что они его даже поощрили снисходительно; что именно такому можно было доверить... что раб, своими силами подавляющий собственное восстание, не только выгодная, но и лестная рабовладельцу категория раба; что именно так признается власть и именно так она держится. «Что я не ИХ — это они знают, а вот то, что я — для НИХ, — это я и доказал сегодня. А если и не ИХ, а для НИХ — то какое еще удовлетворение могут ОНИ пожелать?» Это все он уже передумал.

А вот что он думает, пока мы отплываем от него как бы на речном трамвайчике, и Лева начинает плавно качаться у нас перед глазами на фоне выцветшего золота с силуэтом Медного Всадника, будто Лева, как Евгений, станцует нам сейчас свое па-де-де, пластически выражающее тоску по Параше (Фаине)... Вот что он думает, пока мы отплываем и пока не вздернули наверх его заплечный фон: он чувствует (это чувство и есть его мысль), что он в е р н у л с я. Только откуда и куда? Ему хочется догадаться. Но убежденность, что в этой вот точке жизни он уже был, уже стоял, и тогда — где же он прошлялся долгие годы, описав эту мертвую петлю опыта, захватив этим длинным и тяжелым неводом, которым, казалось, можно выловить океан, лишь очень много пустой воды?.. С этим горбом, с этим рюкзаком опыта за плечами вернулся он на прежнее место, ссутулившись и постарев, ослабев. И что делать с этим глубоким барахлом, которое он протаскал за собою во все свои странствия и войны? Устал. Помнится, хотел он установить однажды точку, с которой все началось, точку, в которой все прервалось, — думал он уже такое соображение... — и не находил.

Вот он и стоит в этой точке, покачивается, уменьшаясь на фоне, а мы на своем трамвайчике... качаемся в его глазах.

Конец третьей части

АХИЛЛЕС И ЧЕРЕПАХА

(Отношения автора и героя)

Так мучился он, трепеща пред неизбежностью замысла и от
своей нерешительности.

Бесы, 1871

...Действительность не содержала в себе места для романа. Прошло время, прежде чем я понял двойственную природу окружившей меня действительности: она монолитна и дырява. Прошло время, прежде чем я понял, что дыры — заделываются прочнее всего, прежде чем мне надоело расшибать лоб об дыру, зашитую перед моим приходом, — я попер на стену и беспрепятственно прошел насквозь. Ах, как быстро бы я справился с романом, если бы знал об этом! Теперь я кутаюсь от сквозняков, объявившихся (всегда бывших!) вокруг возможностей, и по привычке обхожу тело, казавшееся мне сплошным. Этот странный танец — вокруг следующего романа. «Азарт», роман-эпилог... нет, не продолжение, а такой роман... как бы выразить?.. в котором не было бы прошлого — одно настоящее... как до рождения, как за гробом...

Помнится, автор посмеивался над простаками, желающими узнать, что стало с полюбившимися героями, — посмеивался над незнанием законов построения литературного произведения, непониманием меры условности, отсутствием художественного вкуса и т.д. — ибо какое может быть продолжение вслед за точно обозначенным концом? Здание достроено, подведено под крышу, в нем живут...

Теперь, в предчувствии романа-эпилога, автора тоже стало занимать, куда же деваются герои... Как, например, преображается Раскольников после того, как его великий летописец вынул из него всю его жизнь и потратил ее за короткий отрезок времени так, что жизнь и невозможна дальше при таком-то выводе и приговоре? Приговор приведен в исполнение — какие щепочки и крошки сметает автор со своего стола в Эпилоге? Прочтите любой эпилог: вам почудится циничная усмешка создателя: счастливая ли то семейная жизнь, свершение ли духа... — там может быть что угодно. Там неподвластное, настоящее время, и не потому автор прекращает писать, что все сказал, а потому, что дальше у него не хватает сил, что дальше он н е м о ж е т. Мы уже рассуждали, что настоящее время — обязательно смерть героя, поэтому так уместны трагические концы. В наше ненастоящее время трагические концы неуместны. Что же ожидает героя вслед за его не признанной за смерть смертью? Даже мертв ли он, мы не знаем, потому что числим себя живыми.

Так что теперь это наивное желание продолжения кажется нам имеющим более глубокую, более подводную основу. Впрочем, маловероятно, что кто-нибудь захочет мучиться вместе с Левой и дальше. Тяжело и надежд мало. И вот тут мы испытываем определенную вину перед героем, заставляющую нас откладывать и откладывать роман (эпилоги — первый, второй, третий...), чтобы наспевал новый и новый, опять не удовлетворяющий нас конец. И мы снова и снова пойманы в тоску летописца, который, лишь ради того, что никто за него этого не сделает, воспроизводит то, в чем он окончательно не уверен, единственным способом — исключения собственной жизни.

Право, стоит ли? Единственное счастье пишущего, ради которого, мы полагали, все и пишется: с о в е р ш е н н о с о в п а с т ь с настоящим временем героя, чтобы исчезло докучное и неудавшееся, с в о е, — так и оно недоступно. Ахиллес никогда не догонит черепаху... нам не удержаться — мы прилагаем лемму.

Раздел третий. БЕДНЫЙ ВСАДНИК

Мы бредем в настоящем времени, где каждый следующий шаг является исчезновением предыдущего и каждый, в этом смысле, является финалом всего пути. Поэтому настоящее время романа есть цепи финалов, линия, по которой отрывается прошлое от несуществующего будущего, трассирующая дискретность реальности, которой мы изрешечены насквозь. Любая точка настоящего является концом прошлого, но и концом настоящего, потому что жить дальше нет никакой возможности, а мы живем. Собственно, «любой» точки у настоящего и быть не может, настоящее — само есть точка, точка в математическом смысле, которую можно уподобить лишь остренькому уколу, и то нельзя.

И вот на острие этого укола и помещается та нравственная проблема, и если не проблема, то особый случай, касающийся взаимоотношений автора и героя. Нам скажут, что герой нематериален, фантом, плод сознания и воображения и поэтому автор не несет перед ним той же ответственности, как перед живым, из плоти и крови, человеком. Как раз наоборот! Живой человек может воспротивиться, ответить тем же, сам причинить нам... в конце концов, на его стороне закон — и я очень несвободен в обращении с инотелесным, чем я, человеком. Герой же безответен, он более чем раб, и отношение к нему — дело авторской с о в е с т и в гораздо большей степени, чем отношения с живыми людьми. Проблему эту можно если и не уподобить, то сравнить с проблемой вивисекции, искони считавшейся проблемой нравственной. Ибо если так остро стоит вопрос отношений с нашими застрявшими на служебной лестнице эволюции меньшими братьями, как то: кролики, мыши, — то почему же не ставить его в отношении собственных подобий? Внешний рисунок проблем чрезвычайно схож. Как существует принципиальная качественная граница между мертвым и живым и то, что можно делать с материалом мертвым (все), нельзя делать с живым, так же качественна граница прошлого и настоящего, и с героем, вступившим, в результате повествования, в настоящее, свое время, нельзя поступать в той же мере беспощадно и жестоко, как с героем, только что существовавшим в прошлом. В какой-нибудь прекрасной стране, еще более пре-

}389

красной, чем Англия, вполне могло бы возникнуть Общество охраны литературных героев от их авторов. И впрямь, эта немая череда страдальцев, навечно заточенных в тесные томики, эти бледные, изможденные от бестелесности, навсегда потрясенные своими преступлениями перед идеалами и категориями невинные узники вызывают искреннее сострадание. Они тем более вызывают сочувствие, что муки их лишь отчасти их собственные муки, а в значительно большей степени это муки другого человека, жестокого и несправедливого, к тому же услаждающего себя реальностью и материальностью собственной жизни на стороне, — автора. Отзывчивость героя к мукам их творца, их терпение и терпимость являются беспримерными и абсолютными, наихристианнейшими. Герои вызывают сострадание, но не получают его. И они безропотно несут на себе весь груз чужих моральных, нравственных, этических, гражданских, социальных и каких там еще проблем, которые перекладывают на их бесплотные плечи писатели, как, в свою очередь, перекладывает эти же проблемы человечество на плечи писателей. И что бесспорно, что с героев своих автор требует больше, чем с себя в снисходительной практике жизни. По отношению к ним законы возмездия и рока действуют со значительно большей отчетливостью и эффективностью, чем в жизни. Ибо жизнь — это все, а литература все-таки — кое-что.

Только прошлое могло быть прожито тем единственным способом, который оказался, и в отношении прошлого мы снимаем с себя ответственность перед героем. Настоящее же неизвестно и неделимо, и то авторское коварство, при котором мы знаем, что б у д е т с нашим героем, никак не может ужиться с чувством справедливости, ибо он этого не знает. Впрочем, иногда, к концу произведения, герой начинает догадываться, что некие прикосновенные к нему силы зла и чьей-то авторской воли подобрали ему художественные детали неизбежности жизни, герой начинает несколько роптать, сопротивляться, иногда даже (счастливый, вдохновенный случай!) ему удается навязать что-нибудь автору, небольшое, как каприз... но — сойти с ума, если узнать, что осуществление этой верховной воли находится не у Бога, а в частных руках некоего конкретного автора, который к тому же вполне может быть дрянной человек; сойти с ума — узнать, что какой-то конкретный человек вершит с нами, в совершенно неподходящей и не соответствующей воспроизводимым событиям обстановке, своею рукой нарушает свою и разрушает нашу жизнь; сойти с ума, что кто-то по отношению к нам присвоил себе и рок и судьбу и захватил власть Господа. А это самое страшное бесправие, какое только можно себе вообразить, — отсутствие права на Бога.

Невыносимо допустить версию настоящего как вариант будущего — вся авторская развязность летит к чертям... Лева встал. Лева сел, снял шляпу и зажмурился — было солнце. Лежал окурок. Лева сидел в ожидании времени, которое все не шло. У него были: дыхание, сердцебиение... — все это инерция, ибо и мышь без воздуха имеет инерцию, чтобы сняли (успели) колпак. Один лишь герой — живет без времени, тратя всю свою жизнь на готовность к реанимации: умереть ровно тогда, когда к тебе поспеют с помощью...

Мы воспитались в этом романе — мы усвоили, что лично для нас самое большое зло — это жить в готовом и объясненном мире. Это не я, ты, он — жили. Это жить рядом, мимо, еще раз, в энный раз, но не своей жизнью. И здесь мы соприкасаемся с еще одной темной проблемой психологии творчества — с проблемой власти. Мы, конечно, не имеем в виду поверхностный, первый, лежащий в другой плоскости пласт государственной власти и взаимоотношения с ним автора в процессе письма. Тут и говорить нечего — он есть, этот пласт, есть и его давление на процесс. Мы опускаем рассмотрение и другого существенного аспекта проблемы — стремления пишущего к власти (почет, влияние, деньги...). Опустим и еще один, более тонкий и сильнее нас занимающий аспект — интереса к власти, некоторого противоречивого тяготения к ней как раз свободного художника: это уже творческая проблематика, это уже — т е м а слишком большая, чтобы здесь... посвятим ей грядущий роман. Здесь мы коснулись лишь самой частной стороны этой проблемы: власти над собственными героями. Мера этой власти, правомерность и справедливость ее, чувство этой меры в процессе — в этом как раз и состояли наши затруднения к концу третьей части... Мы могли высветить умирание героя, его агонию юпитерами нравственных законов: что, мол, Лева после истории с Бланком? — после нее он уже необратим, на этот раз наконец — погиб, ибо кто в нем может продолжать жить снаружи души?.. Но все-то вокруг живут: автор, читатель и тот, кто никогда этого не прочтет. Неужели один лишь Лева необратим? В нас закрадывалось подозрение, что остальным-то несколько комфортабельнее в темном зале, чем ему, залитому на своей площадочке светом совести у всех на виду. Поэтому мы перестали жать на эту педаль. Гибель героя интересует нас теперь лишь теоретически: сколько можно жертвовать в жизни и — на бумаге? Не напрасно ли убиен очередной герой на алтаре художественной литературы? Не откуп ли это?

В том-то и дело, что если рассказать с некоторой правдивостью любую жизнь со стороны и хотя бы отчасти изнутри, то картинка наша будет такова, что этот человек дальше жить не имеет ни малейшей возможности. Мыслимое ли дело — продолжение! — а ты живешь. Хоть в литературе-то все сбудется: конец так конец. Литература компенсирует беспринципность и халтурность жизни своей порядочностью.

Что станет с литературой, если автор будет в ней поступать, как в жизни, — уже известно: не станет литературы. Она сольется с жизнью, от которой призвана отделиться. И в этом, так сказать, этическом рассуждении мы оказались в той же точке вывода: продолжение невозможно.

Однако проверим и это. Поступим в литературе халтурно, как в жизни, окончательно разрушив дистанцию герой — автор. Допустим очную ставку с героем и распробуем эту беспринципную со стороны автора встречу — на литературный вкус...

...Мы вспоминаем тот растерянно-подозрительный взгляд, взгляд ревнивца, боящегося оскорбить предмет своей ревности еще недоказанным подозрением, взгляд точного чувства, лишенного, однако, права голоса, — взгляд страдания, брошенный на нас Левой в тот растленный (правда, единственный) раз, когда мы не удержались и полюбопытствовали взглянуть на него. Этот детский взгляд было невозможно вынести, и автор смутился и потупил взор. И в дальнейшем разговоре глазки у автора бегали, и дано ему было тогда понять и присовокупить к художественному опыту, что чувствует человек, у которого глазки бегают... (Усвоивший лопату причинно-следственной связи и довольствующийся этим своим навыком сказал бы, что взгляд оттого был подозрительным, что глазки автора бегали, и я не соглашусь с ним.) Правда, несколько оправдывает нас то обстоятельство, что надо же было хоть раз посмотреть на обстановку, в которой происходило действие романа... Наглость, конечно, описывать учреждение[1], в котором побывал всего только раз, но еще большая наглость описывать его, не побывав там ни разу... Ну, почему же сразу — наглость?

Все, однако, пока совпадало с моими описаниями... Я ткнулся в три двери, прежде чем отворил одну, на которой было ясно написано: «Вход». Дальше шла парадная, широкая и короткая лесенка на бельэтаж; вот и стол вахтера; вот и сама вахтерша, несколько другая, чем я описал, с налетом академизма, как капельдинерша из филармонии. Но стол — тот самый и на том самом месте: на нем сидел и курил Митишатьев, когда Лева возился с ключами, спасшись от погони... Лестница не была освещена, резной дубовый полумрак — это было верно. А есть ли наверху парадная люстра, я так же забыл посмотреть, как не замечал ее Лева. На вахтершу я не произвел впечатления, а Левина фамилия — произвела. Вахтерша встряхнула седой завивкой, привстала, сообщила мне добавочный, для точности проверила его,

}393

---

[1] Роман несколько раз переменил название, последовательно отражая степень авторских посягательств. A la recherche du destin perdu или Hooligan's Wake («В поисках утраченного назначения» или «Поминки по хулигану»)... Наконец пришло последнее — ПУШКИНСКИЙ ДОМ. Оно, бесспорно, вызовет нарекания, но оно — окончательное. Я никогда не бывал в «Пушкинском Доме»-учреждении, и поэтому (хотя бы) все, что здесь написано, — не о нем. Но от имени, от символа я не мог отказаться. Я виноват в этой, как теперь модно говорить, «аллюзии» и бессилен против нее. Могу лишь ее расширить: и русская литература, и Петербург (Ленинград), и Россия, — все это, так или иначе, ПУШКИНСКИЙ ДОМ без его курчавого постояльца: «Il faut que j'arrange ma maison» («Мне надо привести в порядок мой дом»), — сказал умирающий Пушкин... Академическое же учреждение, носящее это имя, — позднейшее в таком ряду.

Приложение к третьей части. Ахиллес и черепаха

отыскав по таблице под стеклом, подвинула телефон... И пока меня соединяли, я разглядывал ну в точности такой ящик, как описал, — дверцы его не сходились — только в нем был не рубильник, а пожарный рукав. Я мог бы отрекомендоваться Леве от кого угодно — от Фаины, от Митишатьева... — но предпочел от Альбины, чтобы не ввести Леву в соображения по поводу моей информированности, не создавать, так сказать, метеопомех в нашей беседе. Я знал, что при упоминании Альбины Левин голос поскучнеет и готовно обнаружит свою от нее свободу и независимость, — так и было. Лева не заставил меня ждать, он сбежал по лестнице легко и небрежно и был, пожалуй, почти такой, как я его себе представлял, только значительно выше ростом и блондинистей, что меня поразило.

С особым чувством вглядывался я в его черты... это чувство мне не с чем сравнить. Разве однажды, во сне, увидел я самого себя (не в третьем лице, как бывает, не в роли героя сна — я уже был во сне, а я-он вошел...) — это было достаточно страшно, вернее, должно было быть страшно, потому что страх был подавлен другим, одновременно возникшим, но гораздо более сильным в этот момент чувством — любопытством. Это было горячее, сладострастное любопытство, и я его тотчас, во сне, определил как ж е н с к о е (вообще в этом сне я как-то очень быстро соображал, то есть спал с включенным сознанием, что само по себе тоже нечасто). Я быстро оценил чрезвычайную редкость и возможную неповторимость ситуации, я никогда не видел с е б я до этого, если не считать зеркальных отражений, а их, как я тут же понял, можно не считать, то есть я видел себя в п е р в ы е. Помню, что я прекрасно сознавал, что все это происходит во сне, подумал и о том, нет ли тут зачаточного симптома раздвоения личности, но еще яснее помню я абсолютную свою убежденность в подлинности двойника, что я могу совершенно доверять этому зрению и что все, что я сейчас успею пронаблюдать, потому что чего я не знал, так это продолжительности аудиенции (то есть не проснусь ли я внезапно), — я должен вобрать и впитать в себя как губка. Именно такое пористое, засушливое любопытство настолько владело мной, что я даже не тратил силы, чтобы скрыть его для приличия (помню, это парадоксальное соображение мелькнуло во сне; что себя-то как раз и можно стыдиться и пытаться вести себя перед собой скрытно). «Так вот я какой? именно таким меня видят другие?» — я ревниво взглядывал на себя, как на соперницу. Первое впечатление удовлетворило меня: я выглядел лучше, чем привык думать о себе, некоторая высокомерность (я знал, что она не зависит в данном случае от самомнения) удивила меня, но не задела, — я испытывал даже некое странное уважение к «нему-себе», может, потому, что «он-я» вовсе не проявлял такого жгучего интереса ко «мне-мне»: он меня как бы уже знал, а лишь я его — нет. Теперь я страстно хотел, чтобы он заговорил, мне надо было услышать его. «Он-я» прошелся по комнате, как бы ему был нужен кто-то другой, чем я, и, лишь убедившись, что никого тут не было, оборотился ко мне. «Ну?» — сказал он с усмешкой. «Ты извини, что я на тебя так смотрю, но это ведь понятно», — сказал я. «Пожалуй», — сказал он. «В таких впечатлениях надо быть откровенным — знаешь первое, что я подумал?» — «Что?» — спросил он из вежливости, явно зная что. «Можно ли меня любить? То есть полюбил ли бы я тебя на месте женщины?» — «Удостоверился?» — «В общем, да». — «О чем ты еще хочешь меня спросить?» — «Даже и не знаю... что бы поглавнее выбрать... — странное уважение испытывал я к нему! — Ну скажи, что мне делать? ты знаешь, о чем я спрашиваю». — «О чем?» — сказал он, опять зная о чем. «Да вот, как жить дальше?» — «А так же», — гениально ответил он. И тут он исчезает — то ли из сна, то ли я просыпаюсь, — но впечатление действительного и важного события, происшедшего со мной, долго не покидает меня наяву...

}395

Я отступил больше чем на шаг, потому что такого рода признания требуют невыдуманности, а невыдуманность — длинна. Именно так вглядывался я в первые Левины черты и могу теперь не тратиться на описание своих чувств. Он посмотрел на меня чуть длинно большими, несколько выпуклыми серыми глазами, и я потупился. Черты лица его были лишены индивидуальности, хотя лицо его и было единственным в своем роде и под какой-либо привычный тип не подходило, но — как бы сказать? — оно и одно было типично и не принадлежало в полной мере самому себе.

Приложение к третьей части. Ахиллес и черепаха

Черты эти можно было «экспертизно» описать как правильные и крупные, чуть ли не «сильные», но что-то так безнадежно и слабо вдруг шло вниз в этом вылепленном рте и крутом подбородке, что выдавало в славянине арийца с его безвольным мужеством и тайной бесхарактерностью, — скорее я бы себе так представил как раз Митишатьева, а не Леву. Может, подозрительный его взгляд придал ему столь неожиданное сходство с антиподом, и тогда это моя вина, потому что он был прав, подозревая меня... Когда я, нарушив правила литературного тона, сам оказался в повествовании в качестве героя, то впервые как бы поколебалась социальная структура Левы, он оказался социально нарушен и взглянул на меня взглядом Митишатьева, каким тот смотрел на Леву. А Лева не мог подозревать кого бы то ни было в чем бы то ни было (социальная опытность — не в его социальной природе) — тем более незнакомого человека... и тем более мучительно было его подозрение, что, неоправданное и неподтвержденное, оно ему самому казалось мнительностью, а он — подозревал себя в мнительности. Так бы он и меня заподозрил в связи с Фаиной, как на меня взглянул... Да, он безукоризненно почувствовал и заподозрил что-то не то. Еще бы! Между нами произошел вот какой разговор:

АВТОР (*какое коварство! — он же знает ответы на свои вопросы...*): Вот еще я хотел вас попросить... Я очень наслышан о вашей работе «Три пророка». Не могли бы вы познакомить меня с рукописью?

ЛЕВА: Но эта статья наивна, устарела, детская моя статья... Я стал другой — зачем же вы будете судить по ней обо мне? В других работах, как, например, «Середина контраста», «Опоздавшие гении» или «"Я" Пушкина», — все значительно зрелее и сильнее...

АВТОР (*подлец!*): Где можно прочитать эти работы?

ЛЕВА (*сардонически*): Нигде. Они не опубликованы.

АВТОР: Тогда, может, вы мне дадите их почитать в рукописи?

ЛЕВА (*смущаясь*): Видите ли, они даже не перепечатаны, как бы не вполне завершены, — вряд ли вы разберетесь в рукописи...

(*Уверенно*): Перепечатаю и дам.

Раздел третий. БЕДНЫЙ ВСАДНИК

АВТОР: Но дайте все-таки «Три пророка». Ведь если бы статья была в свое время опубликована, то не в вашей власти было бы ограждать читателя от знакомства с ней, даже если она юношеская и незрелая...

ЛЕВА *(почти невежливо)*: Если бы она была опубликована, то были бы опубликованы и другие. Вы могли бы судить, сравнивать...

АВТОР *(откровенно провокационно)*: Но работа над другими не завершена. Как бы вы их у ж е опубликовали?..

ЛЕВА *(зло)*: Если бы да кабы... Т о г д а бы они были завершены!

Если прибавить к такому диалогу мои бегающие глаза и справедливое предчувствие Левы, что я — не к добру, то я должен был произвести на Леву довольно-таки неблагоприятное впечатление. Вряд ли бы он, кабы знал, доверил мне свое жизнеописание.

Тем временем мы прошли в музей, который, как явствовало из записки Альбины, мне тоже следовало показать (еще бы! его-то я очень хотел проверить!). Ну а музей, если не считать легкой путаницы в расположении стен и окон, был в точь такой, как мною описан. В нем не было ни души.

Тень, вроде привычной и тупой боли, пробежала по Левиному лицу, когда он окинул зал...

— Ну, в общем, вот это... — сказал он кисло, неопределенно обводя рукою. — Вам ведь не нужно пояснять, как экскурсии?

— Нет, конечно, нет, — поспешил заверить его я. Какая-то совесть во мне все-таки была...

— Я сам тут давно не был, — с облегчением, доброжелательно сказал Лева, тут же раскаявшись в «неоправданной» нелюбезности со мною. — Я вас ненадолго покину, вы сами все посмотрите: что вас особенно заинтересует — я могу потом пояснить. И не забудьте, пожалуйста, записаться в книгу: у нас почти не бывает посетителей, и велено всех фиксировать.

И только я отпустил Леву, только я встал в середину первого зала, мысленно сличая его с романом и ставя птички неточностей на полях... как в зале стало твориться нечто такое, что можно было бы отнести за счет переутомленной под утро авторской фантазии, если бы это не был (как и пе-

}397

рассказанный выше сон) единственный документальный факт этого романа.

...В зал, во всех доспехах, в сверкающей серебряной каске, вошел пожарник. За ним суетливо вбежала вахтерша-капельдинер. «Вот, пожалуйста, одну минуточку, сейчас я позову...» — говорила она и, поволновавшись, рассыпалась. Пожарник выглянул за ней следом: «Обылись — мыжите зыхадить!» — зычно сказал он, и в зал, по одному, смущаясь, деревенея и топорщась, как крабы, стали проходить пожарники, волоча на сапогах музейные трупы тапок. Зал набился. Так они стояли, кто как встал, посматривая каждый на то, что прямо перед ним находилось, и на потолок. «Щас, щас, рыбята», — сказал серебряный, он от всех тут отличался изяществом формы, бог пожара («Брандмайор», — вспомнил я подходящее слово), у него у одного была такая каска — у остальных были одинаковые серо-зеленые, из какого-то тухлого металла... И вошла стройная, чрезвычайно интеллигентная, с мудрым и насмешливым лицом женщина-экскурсовод. Ах, как хорошо, что Лева вышел, — это была Альбина! Я бы попал в неловкое положение.

398{

По ее лицу было видно, до чего же это все радостно и редко — народ в музее, да еще такой занимательный. Она охотно, чувствуя на себе взгляды и подставляясь им, как греясь от этого простого и ровного тепла, вышла в центр и похлопала себя указкой по стройному голенищу модного сапога, как амазонка или, скорее, укротительница (или это был ее первый экспонат? — пожарники все посмотрели ей на ногу). «Ну, что вас интересует?» — спросила она, сразу оториентировавшись и выбрав серебряную каску. «Всо», — сказал он. Она мило улыбнулась, кивнула с иронической готовностью... как странно, однако, подумал я, что именно она — Альбина, а Лева — роковой любовник... кому чего надо?.. — все невпопад. «Ну хорошо, — сказала она. — Мы находимся...» Она немного рассказала про что тут было раньше, в этом здании. «Это надо запомнить», — подумал я и не запомнил; потом сказала, что первый зал является как бы обобщающим, но что уже тут появляются и некоторые реликвии, относящиеся в первую очередь к графу Льву Николаевичу Толстому (она так сказала — «графу» — ах, смелая женщина!..), а вот картина Пастернака, отца поэта, писанная им в Ясной Поляне. Она на секунду приостановилась, обдумывая, по-видимому, свой контакт с аудиторией, и тут бог пожара, резко вскинув головой и ослепительно сверкнув каской, сказал: «Ну, теперь вы поняли, какие здесь все ценности и что водой тут действовать нельзя?» Пожарники дружно оживились и удовлетворенно загудели. «Вот апогей бережного отношения к культуре! — подумал я. — Но чем же тушить пожар?..» — я посмотрел на Альбину и понял, что не понимаю Леву и влюбляюсь — такой свет, такое обещание!.. так пробивался смех сквозь милое лошадиное лицо... И справившись, она спросила: «А какова, собственно, цель нашей экскурсии?» Брандбог покраснел и сказал: «У нас сегодня учебные занятия, и выбор пал на ваш абъехт». Альбина мило распрощалась с ними, и, хорошо запомнив лица пожарных и не очень хорошо экспонаты, я вскоре последовал за ней.

Я поблагодарил Леву и повеселил рассказом об этом торжестве. Он пришел в благорасположение духа. Видно, состояния настороженности и подозрительности в последнее время донимали его — он с радостью освобождался от них, тут же полагая себя несправедливым, а мнительность именно своею дурной чертою (муштра Фаины, она неплохой агент...). Но только облако окончательно соскользнуло с его лица и оно осветилось простым доверчивым светом собирающегося разговориться человека — как я начал откланиваться и уходить с видимою решительностью. Что ж, я сделал свое дело, свой 101 процент, вступать в короткие отношения с героем в мои намерения не входило (тут был и своего рода авторский страх за проделанную работу...).

— Я вас задерживаю... — Это простое наблюдение было для него пронзительною догадкой, и по мере того как мысль его начинала жить сама, лицо его бледнело и таяло, растрачивая плоть. — Заходите еще, — суетливо добавлял он, — я, право, отдам наконец статьи машинистке... Для начала «Середину контраста». Она почти готова. Через неделю?..

Я поспешно пообещал — он мне не поверил.

— Вы так торопитесь? — поразился он. — Подождите хоть секунду... Я сейчас.

}399

Он убежал, не дожидаясь моего согласия. Я хотел было уйти, неловкость становилась несносной... но он тотчас и вернулся, запыхавшись.

— Вот эти три странички... — Я взглянул на него, не скрыв удивления. — Нет, это не мое, — усмехнулся он. — Но вы же интересовались наследием моего деда, я знаю... Зайдете через неделю — вернете...

Я несколько замялся.

— Не зайдете? — догадался Лева. — Впрочем, что это я?.. — Он махнул рукой или почти махнул: — Все равно берите. Можете не возвращать. Это копия.

Я поблагодарил и окончательно заспешил, буркнув под мышку, что, конечно, зайду, мол, до свидания...

— Прощайте, — усмехнулся Лева, и мне почудилась в этой усмешке доля презрения.

...Так мы живем, преувеличивая чужие чувства к себе и недооценивая свои, и время подступает к нам вплотную. Мы стоим супротив и отделываемся тем, что не видим на близкие расстояния. В будущем мы близоруки, в прошлом — дальнозорки. Ах, выпишите мне очки для зрения с е й ч а с! Таких нет.

И теперь, противоестественно навязав герою очную ставку с автором, нам уже некуда отступать: время наше окончательно совпадает, мы живем с ним, с этого мгновения, в одном и том же времени, каждый своей жизнью, и в нашем, бытовом, пространстве параллельные — никогда не пересекутся. Так что это краткое свидание — разрыв. Собственно, всякое свидание, как это ни грустно...

Он давно наметился, он давно произошел... Когда симметрия была достроена и прошлое в зеркале настоящего увидело отражение будущего; когда начало повторило конец и сомкнулось, как скорпион, в кольцо и угроза сбылась в надежде; когда кончился роман и начался авторский произвол над распростертым, бездыханным телом: оставить его погибшим от нелепого несчастного случая (от шкафа...) или воскресить, по традициям трезвости и оптимизма (реализма...), наказав законами похмелья (возмездия...), — уже тогда... и с тех пор (воскресив-таки...), тяготясь случайностью и беспринципностью, воровал автор у собственной жизни каждую последующую главу и писал ее исключительно за счет тех событий, что успевали произойти за время написания предыдущей. Расстояние сокращалось, и короткость собственных движений становилась юмористической. Ахиллес наступил на черепаху, раздался хруст в настоящем, и с этого момента... хоть не живи — так тяжело, ах, соскучав, так толсто навалилась на автора его собственная жизнь! Взгляд заслоняют итальянские виды. А, что говорить!..

Мы снесем сейчас эту страничку машинистке, и это — все.

Мы тихо посидим, пока она печатает; этот ее пулеметный треск — последняя наша тишина. Встрепенемся, выглянем в окно...

...В последний раз увидим мы Леву выходящим из подъезда напротив: ага, значит, вот где провел он эту ночь! Он имеет невыспавшийся вид. Он остановился и как-то растерянно дрожит, словно не узнает, где он и в какую сторону идти. Смотрит в небо. В небе видит голубую дырочку... Чему ты улыбаешься, сентиментальный дурак?.. Я не знаю. Похлопал себя по карманам, зябко ссутулился. Что может быть еще? Ну, прикурил. Пустил дымок. Еще потоптался. И — пошел!

}401

Привет! пока! — мы можем еще высунуться и окликнуть:
— Эй, эй! постой! заходи... Заходи сам!

Как хотел же, в свое время, он сам окликнуть Фаину... И мы не окликнем его. Не можем, не имеем... Мы ему причинили.

Куда это он зашагал все более прочь?

Мы совпадаем с ним во времени — и не ведаем о нем больше

НИ-ЧЕ-ГО.
27 октября 1971 — (1964 ноябрь)

————————————

Но что это? Что это шуршит в кармане? Я забыл в нем те листки, что сунул мне Лева на ступенях Пушкинского Дома.

СФИНКС[1]

...говорил и не слышал своих слов. Даже не сразу понял, что уже молчу, что ВСЕ сказал. И все молчали. Ах, как долго и стремительно шел я к выходу в этом молчании!

Вышел на набережную — какой вздох!.. у меня уже не осталось ненависти — свобода! Ну, теперь-то, кажется, все. Больше они не станут со мной цацкаться. «Утек, подлец! Ужо, постой, расправлюсь завтра я с тобой!» Еще бы... Испуганно озираясь, за мной вышмыгнул доцент И-лев. Он упрекал и журил. «Вам и не надо было ни от чего отрекаться... Вы же знали, что на заседании Комиссии будет сам З.!.. Сказали бы, что это прежде всего великий памятник литературы, что Екклесиаст — первый в мире материалист и диалектик, — они бы и успокоились. Они совершенно не хотели растоптать вас до конца, Модест Платонович. Вы сами...» Я утешил эту заячью душу как мог. Мы дошли до Академии художеств и простились. Он побежал «дозаседать».

Я спустился у сфинксов к воде. Было странно тихо, плыла Нева, а по небу неслись, как именно в сером Петербурге бывает, цветные, острые облака. Неслось — над, неслось — под, а я замер между сфинксами в безветрии и тишине — какое-то прощальное чувство... как в детстве, когда не знаешь, какой из поездов тронулся, твой или напротив. Или, может, Васильевский остров оторвался и уплыл?.. Раз уж сфинксы в Петербурге, чему удивляться? Им было это одинаково все равно: тем же взглядом смотрят они — как в пустыню... И впрямь: не росли ли до них в пустыне леса, не было ли под Петербургом болота?.. Странный Петербург — как сон... Будто его уже нет. Декорация... Нет, это напротив — это мой поезд отходит.

Я, видите ли, для И-лева загадка... Что я, если и в этих сфинксах нет ничего загадочного! И в Петербурге — тоже нет! И в Петре, и в Пушкине, и в России... Все это загадочно лишь в силу утраты назначения. Связи прерваны, секрет

---

[1] Из главы «Бог есть». Последнее возвращение М.П.Одоевцева к «запискам». Можно датировать по стихотворению Блока не ранее 1921 г. — *Л.О.* (Примечание Левы. — *А.Б.*)

навсегда утерян... тайна рождена! Культура остается только в виде памятников, контурами которых служит разрушение. Памятнику суждена вечная жизнь, он бессмертен лишь потому, что погибло все, что его окружало. В этом смысле я спокоен за нашу культуру — она уже б ы л а. Ее — нет. Как бессмысленная, она еще долго просуществует без меня. Ее будут охранять. То ли чтобы ничего после нее не было, то ли на необъяснимый «всякий» случай. И-лев будет охранять, И-лев — вот загадка!

Либеральный безумец! Ты сокрушаешься, что культуру вокруг недостаточно понимают, являясь главным разносчиком непонимания. Непонимание — и есть единственная твоя культурная роль. Целую тебя за это в твой высокий лобик! Господи, слава Богу! Ведь это единственное условие ее существования — быть непонятой. Ты думаешь, цель — признание, а признание — подтверждение того, что тебя поняли?.. Болван. Цель жизни — выполнить назначение. Быть непонятой или понятой не в том смысле, то есть именно быть непризнанной — только и убережет культуру от прямого разрушения и убийства. То, что погибло при жизни, — погибло навсегда. А храм — стоит! Он все еще годен под картошку — вот благословение! Великая хитрость живого.

}403

Ты твердишь о гибели русской культуры. Наоборот! Она только что возникла. Революция не разрушит прошлое, она остановит его за своими плечами. Все погибло — именно сейчас родилась великая русская культура, теперь уже навсегда, потому что не разовьется в свое продолжение. Каким мычанием разразится следующий гений? А ведь еще вчера казалось, что она только-только начинается... Теперь она камнем летит в прошлое. Пройдет небольшое время, и она приобретет легендарный вкус, как какой-нибудь желток в фреске, свинец в кирпиче, серебро в стекле, душа раба в бальзаме — секрет! Русская культура будет тем же сфинксом для потомков, как Пушкин был сфинксом русской культуры. Гибель — есть слава живого! Она есть граница между культурой и жизнью. Она есть гений-смотритель истории человека. Народный художник Дантес отлил Пушкина из своей пули. И вот, когда уже не в кого стрелять, — мы отливаем последнюю пулю в виде памятника.

Его будут разгадывать мильон академиков — и не разгадают. Пушкин! как ты всех надул! После тебя все думали, что — возможно, раз ты мог... А это был один только ты.

Что — Пушкина... Блока не понимают! Тот же И-лев с восторгом, подмигивая и пенясь, совал мне его последние стихи.

> Пушкин! *Тайную* свободу
> Пели мы вослед тебе!
> Дай нам руку в непогоду,
> Помоги в немой борьбе!

И-лев способен понять лишь намек — так уж тонок; слов он — не понимает. Он воспаляется от звуков «тайная свобода-непогода-немая борьба», понимая их как запрещенные и произнесенные вслух. А тут еще «пели мы» — значит, и он... Он, видите ли, не Пушкин лишь потому, что ему рот заткнули... Во-первых, никто не затыкал, а во-вторых, вынь ему кляп изо рта — окажется пустая дырка. Господи! прости мне этот жалкий гнев. Значит, это все-таки стихи, раз их можно настолько не понимать, как И-лев. Значит, эти стихи еще будут жить в списках И-левых.

То и вселяет, и именно нынче (Блок все-таки царь, назвав это лишь «непогодой»), что связь обрублена навсегда. Если бы последняя ниточка — какое отчаяние! — пуля в лоб. А тут: сзади — пропасть, впереди — небытие, слева-справа — под локотки ведут... зато небо над головой — свободно! О н и в него не посмотрят, они живут на поверхности и вряд ли на ней что упустят, все щелки кровью зальют... Зато я, может, в иных условиях, головы бы не поднял и не узнал, что с в о б о д е н. Я бы рыскал во все свободные стороны по Площади имени Свободы в свободно мечущейся толпе...

> Ты царь: живи один. Дорогою свободной
> Иди, куда влечет тебя свободный ум...

Ведь не «дорога свободы», а дорога — свободна!.. Дорогою свободной — иди! Иди — один! Иди той дорогой, которая всегда свободна, — иди свободной дорогой. Я так понимаю, и Блок то же имел в виду, и Пушкин... Куда больше. Понять — можно. Немота нам обеспечена. Она именно затем, чтоб было время — понять. Молчание — это тоже слово... Пора и помолчать.

Нереальность — условие жизни. Все сдвинуто и существует рядом, по иному поводу, чем названо. На уровне реальности жив только Бог. Он и есть реальность. Все остальное делится, множится, сокращается, кратное — аннигилируется. Существование на честности подлинных причин непосильно теперь человеку. Оно отменяет его жизнь, поскольку жизнь его существует лишь по заблуждению.

Уровень судит об уровне. Люди рядят о Боге, пушкиноведы о Пушкине. Популярные неспециалисты ни в чем — п о н и м а ю т жизнь... Какая каша! Какая удача, что все это так мимо!..

Объясняться не надо — не с кем. Слова тоже утратили назначение. И пророчить не стоит — сбудется... И последние слова онемеют от того, что сумели назвать собою, что — накликали. Они могут снова что-то значить, лишь когда канет то, с чем они полностью совпали. Кто скажет, достаточно ли они хороши, чтобы пережить свое значение? А тем более — признание. Признание — возмездие либо за нечестность, либо за неточность. Вот «немая борьба». Какое же должно быть Слово, чтобы не истереть свое звучание в неправом употреблении? чтобы все снаряды ложных значений ложились рядом с заколдованным истинным смыслом!.. Но даже если слово точно произнесено и может пережить собственную немоту вплоть до возрождения феникса-смысла, то значит ли это, что его отыщут в бумажной пыли, что его вообще станут искать в его прежнем, хотя бы и истинном, значении, а не просто произнесут заново?..

КОММЕНТАРИИ

По инерции пера, исходя из выявившихся к концу романа «Пушкинский дом» отношений с героем, автор тут же приступил к комментарию, писанному якобы в 1999 году якобы героем, уже академиком Львом Николаевичем Одоевцевым, к юбилейному изданию романа. Тут он давал возможность бедному герою поквитаться с автором: соблюдая академическое достоинство, тот аргументированно выводил автора на чистую воду, то есть попросту изобличал в невежестве. Автор, как мог, защищался, пытаясь выдать комментарий за пародию, но герой стал превосходить автора квалификацией...

И автору вдруг, как говорили в старину, наскучило. И замысел протянуть диалог автора и героя до конца века не состоялся. Автор не заметил, как увлёкся совсем иным комментарием, построенным по принципу диаметрально неакадемическому... Он стал комментировать не специальные вещи, а общеизвестные (ко времени окончания романа, то есть к 1971 году) [1].

---

[1] Возвращения к комментарию растянулись, однако, до 1978 года. К ним даже пришлось вернуться и в 2006—2007-м в связи с повторным перевыводом «Пушкинского дома» на немецкий язык.

Автора вдруг осенило, что в последующее небытие канут как раз общеизвестные вещи, о которых современный писатель не считал необходимым распространяться: цены, чемпионы, популярные песни... И с этой точки зрения в комментарии 1999 года Льву Николаевичу как раз логично было бы рассказать именно о них. «Боюсь, однако, что он сочтет это недостойным науки (или забудет...)», — подумал автор. Между тем предметы эти могут уже сейчас показаться совершенно неведомыми иноязычному читателю. С национальной точки зрения, восприятие в переводе есть уже восприятие в будущем времени. Сегодня интересно и то, как стремительно устаревает (и в чем...) текст, именно нацеленный в будущее. Как проваливается все! Близкое ретро, ближайшее... а вот уже и вчерашнее, даже вот сегодняшнее. Время — выскальзывает, как мыло... Ошибка лезет на ошибку. Неточность на неправду. Не только развитие моды — судорожная попытка хоть что-то удержать в памяти на опыте недавнего, вчерашнего забвения.

Странный опыт! Сколь произвольно выбирает последовательный текст свои реалии... Комментируя то то, то это, автор мог только удивляться такой разрозненности и неглавности жизни. Когда же наконец перечитал подряд — получилась картина, вышло повествование, неожиданно логичное. Автору даже не хотелось бы, чтобы читатель прерывал чтение романа заглядыванием. Комментарий этот — род чтения самостоятельного для тех, кто романа не читал; род перечитывания — для тех, кто его читал когда-то.

СТР. 6. *...Оглавление...*
Автор считает, что одного взгляда на оглавление достаточно, чтобы не заподозрить его в так называемой элитарности, упреки в которой запестрели в наших литературных журналах и газетах (чуть ли не единственная у нас беда...). Вовсе не обязательно хорошо знать литературу, чтобы приступать к чтению данного романа, — запаса средней школы (а среднее образование в нашей стране обязательное) более чем достаточно. Автор сознательно не выходит за пределы школьной программы (то же в отношении и других упоминаний... см. комм. к стр. 151).

СТР. 9. *...эта ясность... чуть ли не вынуждена специальными самолетами...*
7 ноября (25 октября ст. ст.), как правило, бывает отвратительная погода. Таково время года. Мокрый снег, летящий

в лицо, не способствует праздничному настроению тысяч демонстрантов, намокают флаги и лозунги. Однако в последние годы бывает, что на время демонстрации устанавливается достаточно ясная, хотя и пронзительная погода. Подобное обстоятельство всегда отмечается в праздничных газетах, ему придается значение. По непроверенным данным, погода и впрямь у с т а н а в л и в а е т с я, причем — сверху, получившими праздничное спецзадание боевыми самолетами (см. комм. о погоде к стр. 11).

СТР. 10. ...*Детское слово «Гастелло» — имя ветра...*
Иностранная красота этой фамилии способствовала славе подвига и в конечном счете ее затмила: все знают фамилию героя, но не все — что он сделал. Известно, что — летчик. Имя Гастелло, как и имя не читанного еще Монте-Кристо, осело на чистых стенках памяти детей моего поколения первым романтическим слоем. Г а с т е л л о Николай Францевич (1908—1941) — Герой Советского Союза, модифицировал подвиг Нестерова (см. комм. ниже), на пятый день войны погиб как камикадзе: направил свой подбитый горящий самолет на колонну немецкой военной техники и взорвался вместе с нею.

/409

«Раскидайчик» — дешевая базарная игрушка, продается на улицах во время демонстраций 1 Мая и 7 Ноября, обычно цыганами. Представляет собой мячик из бумаги, набитый опилками, стянутый меридианами ниток, на длинной тонкой резинке; брошенный, он возвращается назад, к владельцу. Раньше репертуар подобных игрушек был значительно богаче: и «уйди-уйди», и «американский житель», и «тещин язык», и леденцовые петушки, и много других соблазнительных штук. Теперь ассортимент сведен к красным флажкам и воздушным шарам (нелетающим); еще встречается раскидайчик, но с каждым годом все реже. Думаю, тут действуют свои экономические причины, диктующие частному рынку, но пока они диктуют, их просто разучились делать, эти игрушки.

Нестеровская петля. — Нестеров Петр Николаевич (1887—1914) — великий русский летчик, выполнивший в 1913 году так называемую мертвую петлю. Погиб, впервые применив в воздушном бою таранный удар.

Комментарии

СТР. 11. *«Север»* — сорт дешевых, «работяжьих» папирос (раньше еще была «Красная звезда», но она снята с производства); курение «Севера» является некоторой социальной характеристикой; дешевизна, возможность не вынимать изо рта, когда заняты или испачканы руки, необходимость часто прикуривать, потому что папироса легко гаснет, наконец, принадлежность определенному поколению, начавшему курить в военные и предвоенные годы и не изменившему своему вкусу, делают производство их все еще рентабельным. Но и в этих папиросах есть что-то от раскидайчика — однажды они, как и он, исчезнут, вытесненные жвачкой, «Мальборо» и пепси-колой.

...погода же нам особенно важна и сыграет еще свою роль...
До сих пор ленинградцы любят попрекнуть Петра за то, что он заложил свой город в болоте. По их убеждению, кроме плохой погоды в воздухе присутствуют некие «миазмы», способствующие простуде (раньше говорили: лихорадке — но выразительное это слово уже там, куда отлетает раскидайчик...), и это так: хронические заболевания уха, горла, носа чрезвычайно распространены в Ленинграде. Не могу удержаться, чтобы не привести здесь один образчик стиля, тем более что он относится к пушкинской эпохе.

«Климат С.-Петербурга, несмотря на главный свой характер — непостоянство, должен быть отнесен к **последовательным**.

Весна начинается довольно поздно. В начале мая нередко случается видеть падающий снег. В 1834 году снег шел 18 мая!

Лето весьма кратковременно. Хорошего, теплого времени редко бывает более шести недель; прочие, так называемые летние, дни во всем уподобляются дням поздней осени.

Осень, нередко весьма продолжительная, есть самое неприятное в Петербурге время, коего главные принадлежности: туман, дождь, ветер, а иногда снег, скоро исчезающий при температуре между −2 и −6 Реом. Чрезвычайная краткость дней дает повод сказать, что в течение октября, ноября и декабря Петербург покрыт мраком, особенно для жителей высшего класса, которые, просыпаясь поздно, едва успевают узреть дневной свет, скрывающийся в ноябре и декабре около трех часов пополудни» («Статистические сведения о Санкт-Петербурге», 1836, изданы при Министерстве внутренних дел).

В 1819 году К.И.Росси приступил к завершению ансамбля площади перед Зимним дворцом. Мастерство его с особым блеском сказалось в проектировании арки, соединяющей здания министерств с Главным штабом. Она была переброшена над Луговой Миллионной (ныне ул. Герцена[1]), раньше подходившей к площади по касательной. Решительно повернув последний отрезок улицы, Росси вывел ее на площадь точно напротив центра фасада Зимнего, зафиксировав таким образом положение оси симметрии всего ансамбля.

Росси навел дуло на Растрелли сильно заранее, и хотя и впрямь вовсе не бежали перепоясанные пулеметными лентами революционные матросы на Дворцовую площадь сквозь арку Главного штаба, а просто эйзенштейновским кадрам был впоследствии придан характер фотодокументов; хотя и не был отбит угол Зимнего, который до сих пор демонстрируют экскурсоводы, выстрелом с «Авроры»; хотя никакого боя за Зимний не было и охраняли его не кадеты, а женский батальон; хотя введение нового стиля смазало не только факт, но и дату, так что революция Октябрьская, а праздники Ноябрьские... хотя ни штурма, ни залпа, ни ноября... автор не разделяет этого мелколиберального торжества: мол, ничего не было. Как же не было!.. А это все — что такое?

Взятие Зимнего — триумф Росси.

Дюма Александр (отец) (1802—1870) — национальный гений Франции, популярный в России. В 1858 году Дюма совершил путешествие в Россию и описал его своим скоростным пером «Из Парижа в Астрахань». В.В.Розанов в статье «Вокруг русской идеи» писал, что гению достаточно любых крох опыта, чтобы суметь воссоздать точную картину. Он имел в виду Гоголя, проехавшего разок в кибитке и сочинившего «Похождения Чичикова», и Бисмарка, подцепившего в России не что-нибудь, а сразу главное слово «ничего» («ницшево»). Александра Дюма можно вставить в этот ряд, ибо это именно он подарил России «развесистую клюкву».

/411

[1] Ныне Большая Морская ул. *(Ред.)*

СТР. 13. *...попытаемся писать так, чтобы и клочок газеты...*
мог быть вставлен в любую точку романа...

Автора уже спрашивали, и, опережая подобные вопросы, отвечаю: никакой пародии здесь нет, клочок подлинный, и я не потратил много времени, отыскивая курьез в ворохе подшивок. Я нашел его там, где их можно найти (в поселке Рыбачий Калининградской области, бывшем Росситтене в бывшей Восточной Пруссии (бывший Бисмарк...) в августе 1970 года), и не употребил по назначению. Самый большой упрек, который можно было бы вчинить автору, это что он отщипнул доставшийся ему обрывок в двух местах исключительно ради графической выразительности. Можно предположить, что это из «Литературной газеты» (одним из основоположников которой был тот же Пушкин).

СТР. 17. *...Лева был зачат в «роковом» году...*

Что могут значить подобные кавычки? Какой смутный яд изволил капнуть здесь автор?.. Автор просит учесть, что, хотя и бегло, хоть и формально, он начал свое повествование не с зачатия героя, а на двадцать лет раньше, прогнав относительно вечный в ноябре ветер по маршрутам 1917 года.

412/

...«во глубину сибирских руд...»

Это стихотворение мы заучивали наизусть в 1949 году. Сейчас мне особенно приятно представить себя в том классе, с чувством произносящим строки:

Россия вспрянет ото сна!

Там, в 6 «А» классе 213-й мужской средней школы, была заложена основополагающая брешь между эмоцией и сознанием. Эмоция абстрагировалась как реакция на пафос. Впрочем, на перемене мы по-своему боролись с этим растлением, повторяя строки иначе:

Во глубине сибирских руд
Сидят два мужика и ...

Но и в такой редакции мы понимали лишь последнее слово (которое и теперь — точки)... Мы не понимали, что это не вообще крестьяне, а нечто более определенное: мужик — это зек (не блатной). Лагерный фольклор был значительно более распространен, чем сведения о лагерях. Мы знали наизусть много таких лагерных переделок из знаменитых басен, песен и стихотворений, не ведая об их происхождении. Впрочем, пионерлагерь — тоже лагерь. Тема обретает развитие и в наше время:

> Храните гордое терпенье...

СТР. 19. *...не читал... никаких ни Павок, ни Павликов...*
Морозов Павлик (1918—1932) — пионер-герой, по-своему отомстивший Тарасу Бульбе, которого проходили в классе: донес властям на собственного отца. За это был убит кулаками. Шекспир здесь заключается в том, что кулаками его убил родной дед (отец отца), не дав посрамить Тараса... Тема обретает развитие и в наше время:

> На стене висит топор
> И простынка розовая...
> Мы с папашею играли
> В Павлика Морозова.

Павка... То, что у нас всегда чрезвычайно ценились герои, /413
преодолевающие свои увечья: писатели без глаз или рук, летчики без ног... — особая тема.

СТР. 22. *...широченные чесучовые брюки... отца...*
Перед смертью И.В.Сталина ширина брюк доходила до 40—45 сантиметров, уже 35 сантиметров пошив брюк был запрещен. Вскоре после его смерти в мастерских стали шить и 30 сантиметров, но за 22 сантиметра еще выгоняли из вуза.

«Здоровье» — один из популярнейших советских журналов (основан в 1955 году), образчик подлинного китча. Свидетельство того же «освобождения»: стало м о ж н о. Стало можно прочесть, что бывает аборт, онанизм и даже — оргазм! Почему Лева, основанный в том же году (окончание школы, первая любовь), мог небрежно заглядывать в журнальчик.

СТР. 24. *...с есенинской чистотой и обреченностью в глазах...*
Есенин в описываемом году был запрещен, лагерно популярен. Лишь в 60-е годы популярность Сергея Есенина официально

и окончательно возродилась и достигла популярности Хемингуэя. Это первые два писателя, чьи портреты стали продаваться в киосках «Союзпечати». Хемингуэй улыбается глазами, загримированный под популярного артиста Ефима Копеляна[1]; Есенин же — в шляпе, с трубкой и тростью (Америка!..), с ангельским выражением глаз и губ.

СТР. 26. *...можно было бы воссоздать некую атмосферу детского восприятия народной драмы...*

Поколение писателей, к которому принадлежит и автор, очень уж эксплуатировало свое так называемое военное детство. Объясняется это не только тем, что первыми воспоминаниями человека стали ужасные события, но и тем, что это последнее поколение, которому удалось вскочить на подножку великого исторического события, закрыть ряд. Революция, Гражданская, «военный коммунизм», нэп, коллективизация, индустриализация, Отечественная... — к этому прибавляется разве что восстановление, но и оно закрывается смертью вождя; мир, труд, будни последующих лет уже лишены окраски героической принадлежности; жила военного времени истощена непосредственными участниками, но продолжает эксплуатироваться ввиду развития самой отрасли. Все труднее становится найти узнаваемые ростки прошлого в настоящем: стареющие героини романов и пьес вызывают недоверие тем, насколько хорошо сохранились и молодо выглядят; все труднее встретить девушку, с которой развела война, и полюбить ее вновь; адюльтеры свеженьких бабушек пользуются успехом лишь у самих исполнительниц, продляющих амплуа юности вплоть до Дома ветеранов, потому что и артисты эти того же поколения. Агония темы затянулась, отодвигая надежду, что кто-нибудь наконец-то возьмется за настоящее время жизни.

СТР. 27. *«Москвошвей», «Ленодежда»* — крупнейшие предприятия готовой одежды (теперь переименованы в фирмы).

У Мандельштама:

> Я человек эпохи Москвошвея —
> Смотрите, как на мне топорщится пиджак!
> Как я ступать и говорить умею...

[1] Дядя Эдика Копеляна.

...проливали кровь за советскую водку для финнов и финский терилен для Советов...

С финнами у нас открытая граница. В одну сторону. Они едут к нам без визы, предъявляя свой паспорт. Мы же оформляем заграничный паспорт в капстрану. В субботу и воскресенье Ленинград наводняется пьяными финнами, приехавшими на автобусах и собственных автомобилях. То ли пейзаж близок глазу, как родной, то ли хочется после этого еще больше напиться, то ли Ленинград и впрямь очень красивый город, какого у них нет. Существуют три версии, почему они пьют именно у нас: одна — что у них вообще сухой закон, другая — что водка у них по карточкам и мало, третья — что просто у нас дешевле. Ленинград, соответственно, не то чтобы наводнен, но все-таки финский ширпотреб встречается в нем чаще, чем в других городах. Еще лет пятнадцать назад нейлон, орлон, терилен казались нам верхом роскоши и изящества. За гнусную нейлоновую кофточку финн мог не просыхать с утра до вечера. Автор лично не может с тех пор сносить один костюм и один плащ финского производства: они — вечные. Свобода их к нам приезда куплена одним, четко ими выполняемым условием: они не принимают наших беженцев. Существуют две-три ходячие ленинградские легенды о трагических дураках, которые каким-то образом умудрились этого не знать. Одна из них почти гуманна: финский полицейский сопровождает попросившего политического убежища в наше родное посольство для сдачи, почему-то пешком, так патриархально доходят они до парома на шведский берег, и здесь полицейский просит беглеца подождать его, пока он купит сигарет, полицейский заходит за угол и там ждет и десять, и пятнадцать минут — выглядывает, а тот стоит, смотрит тоскливо в сторону Швеции и ждет полицейского. «Ну, пошли...» — со вздохом говорит полицейский через полчаса.

/415

...«прошвырнулось» прошлое...

Из сленга 50-х годов. «Прошвырнуться по Невскому, по Броду». Прошвырнуться — пройтись, прогуляться; по Броду — по Бродвею. Брод был во всех более или менее городах. Русское значение слова «брод» подкрепляло жизненность идиомы: прошвыривались медленно, не отрывая толстенных подошв от асфальта, и впрямь будто что-то преодолевая более вязкое, чем воздух, будто вброд. Естественно, в Ленинграде Бродом был Невский, но не весь, определенный его отрезок по левой стороне, от Садовой до Литейного. И назад. Насыщенное было время!

СТР. 28. *Борис Вяткин* — родился в 1913 году, знаменитый ленинградский коверный клоун конца 40-х — начала 50-х годов. Нашел свою маску, пародируя сначала шпану, а затем стиляг (номера «Мама вундеркинда», «Тарзан»). Выходил почти без грима, в щегольском костюме, в сопровождении партнерши Манюни — дрессированной собачки.

СТР. 29. *Магазин «Советское шампанское»* — на Невском проспекте, между Садовой и Малой Садовой. Знаменитая «культурная забегаловка», где можно было выпить «бурого медведя» (коньяк с шампанским 100х100). К сожалению, закрыта в 1970 году в очередную антиалкогольную кампанию.

«Волга» — марка советского легкового автомобиля Горьковского автозавода (б. им. Молотова), с каждой новой моделью продвигающегося к «мерседесу».

416/ *«Юность»* — литературный журнал, созданный в 1955 году (первый редактор — В.Катаев), дитя оттепели, так до конца и не отогревшееся. В журнале зародилась так называемая молодежная и исповедальная проза, подкупавшая искренней несложностью и пользовавшаяся необыкновенной популярностью (на инерции живой репутации журнал и сейчас имеет тираж более двух миллионов): А.Кузнецов (остался в Англии в 1969 году), А.Гладилин (уехал на Запад в 1977 году), В.Аксенов (обязан журналу своей славой, оправдав ее последующей работой)...

СТР. 30. *...творец космогонической теории... играет в теннис...*
Сталин, как и Гитлер, имел свою космогонию, место Гербиргера и еще кого-то в которой занимали Шмидт и Фесенков. В теннис, однако, играл академик Опарин, основоположник другой тотальной теории — происхождения жизни.

...«Журчат ручьи, летят грачи...»
Популярная песенка из к/ф «Моя любовь» или «Сердца четырех»[1] в исполнении Целиковской или Серовой (перед войной).

---

[1] Неточно. Из фильма «Весна» с Орловой. *(Примеч. ред.)*

Фильмы любопытны теперь лишь разительным сходством с нацистскими фильмами.

СТР. 33. ...*был... царский офицер... стал красный...*
Автор выслушал упрек одного советского писателя, достаточно известного, совмещавшего в своем творчестве линии «Нового мира» и «Октября», в том, что подобный переход неизбежно свидетельствует о шкурности и продажности моего героя; автор выслушал и позволил себе не согласиться. Во-первых, царский — это еще не белый, а во-вторых, в ту пору люди еще не были вооружены современными оценками, что небесполезно знать всем вершащим суд (мог — не мог, понимал — не понимал, раскололся — не раскололся...) над людьми, безответно затерянными в Истории, из исторически более выигрышного и безопасного положения. Это я к тому, чтобы упрекнувший меня автор, находясь нынче на том же Западе, не упрекал меня в недостаточно смелом использовании свободы слова, находясь в более выигрышном положении (насчет не получить ответа).

...*вывез из Германии...*
Нехорошо, конечно, со стороны дяди Диккенса, но три «мебели» — не так уж и много по сравнению с тем, что вывозилось чинами повыше.

СТР. 34. ...*бритва «Жиллетт»...*
Этот станок для безопасной бритвы был в моем детстве своеобразным памятником исчезнувшей цивилизации. Отец им бреется до сих пор. При этом он показывает, какую именно часть своей конструкции запатентовал г-н Жиллетт так, что уже полвека, если не больше, никто не может ее усовершенствовать, а он гребет миллионы. Действительно, мое детство характеризовалось отсутствием импорта. Все, что когда-то было, куда-то еще до меня делось. Оставалась вот эта бритва, хранимая отцом, как хранят разве боевое оружие. Впервые побрился я именно его бритвой. Когда я узнал, что мой будущий тесть тоже всю жизнь бреется «Жиллеттом», невеста стала мне как бы еще роднее. Этот ритуал развинчивания, установки лезвия («визитная карточка марсианина», по определению Мандельштама), затем протирания и продувания трубочек делал меня

/417

Комментарии

мужчиной. А теперь... И качество щеки не сравнить, и обрядности никакой.

...вензель «Н» с палочкой внизу...
Получается, что графин принадлежал Николаю I (1825—1855), но автор в этом не совсем уверен. Слишком часто он встречал в разных домах такой графин. И хотя после революции проводился демонстративный аукцион дворцовой утвари, так что многие вещи могли попасть к самым неожиданным владельцам, все-таки их не могло быть столько, чтобы в каждом доме оказалась вилка, или чашка, или стул (чаще скатерть...). Автор не знаток, и проконсультироваться в данный момент ему не с кем, но он бы не удивился, если бы такие графины водились до революции в каждом трактире, а вензель бы символизировал государственную монополию, или правление императора, или трехсотлетие дома Романовых, или принадлежность поставщику двора... Во всяком случае, трудно поверить, что у царя было столько одинаковых вещей, чтобы каждому хватило. Просто не только царской утвари, но и дореволюционного ширпотреба осталось так мало, что они обрели индивидуальность, превратились из старых в старинные, в антиквариат.

СТР. 36. *...Ну какое мне дело до Менделя и Моргана?!*
Из кампаний 1949 года. Не так давно пошла по рукам анонимная повесть «Николай Николаевич». Это даже не «самиздат», а фольклор. Уникальная в своем роде проза. Так вот в ней все про морганизм-менделизм и сказано.

СТР. 37. **Чифирь, чифирок** — у Л.Толстого в «Казаках» чихирь — казацкая самогонка. В наше время чифирь — это чай чрезвычайной концентрации, популярнейший лагерный напиток. Способов заварки существует бессчетное множество. Напиток приготовляется по секрету изготовителя. Каждый колдует как хочет. Чай не за-варивается, а вы-варивается. Получается густо-коричневый, непрозрачный настой, сверху плавает радужно-ржавая пленка. Чтобы кайф не пропадал, чай вываривается второй и третий раз, конечно, это не сравнить с первачком. Пьют мелкими глоточками, передавая по кругу (компания 3 — 4 человека) и старательно куря после каждого глоточка. Учащается пульс, расширяются зрачки, поднимается давление, проходит сонливость и усталость — чифирист начинает торчать. Торчат до утра, сначала за разговором, а потом уже отрешенно и тупо. Чифирят обычно ночью в компании с дневальным или в сушилке (у кого печка). Прекрасна эта тишина и темнота с красноватыми отблесками на лицах... Есть рецепты усиленного, смертельного чифиря — на махорке, на спирту, водке, одеколоне, но на практике они употребляются редко, потому что курево и спиртное достать бывает труднее чая и их предпочитают потреблять в чистом виде.

СТР. 38. *«Буржуйка»* — маленькая кустарная печка, которую можно быстро истопить всяким мусором и дрянью — согреться и вскипятить чайник. Бывают круглые, бывают квадратненькие, из железа, чугуна, из листов для пирогов — формы разнообразны, зависят от навыков кустаря и доступного ему материала. Труба выводится прямо в форточку. И печка и слово возникли во время топливного (и прочего) голода в 1918 году. Топили мебелью и книгами — отсюда и деклассированность нового слова. Уцелевшими буржуйками спасались и во время Второй мировой войны, так продлилась жизнь этого лихого слова.

СТР. 39. *Зяблик...* — по-латыни fringilla. Это самая дальняя граница эрудиции автора.

СТР. 40. *Гостиница «Европейская»* — наряду с «Асторией» самая фешенебельная из старых гостиниц (1874) в Ленинграде. Расположена на бывшей Михайловской улице, в 1940 году переименованной в улицу И. Бродского, не иначе как в честь рождения поэта. После закрытия ресторана «Восточный», обжитого ленинградской фарцой и богемой, многие осиротевшие завсегдатаи перебрались по соседству на «Крышу» — ресторан на верхнем этаже гостиницы, примечательный тем, что расположен под фонарем (стеклянной крышей), а обычных окон в этом заведении нет. Крыша тоже уже портится, но туда все еще можно сходить пообедать, если, конечно, все столы не зарезервированы под иностранцев. Но если вы финн или имеете подход к метрессе, то пообедаете.

Комментарии

СТР. 41. ...*«Афродита», «Атлантида», «Зеленая шляпа»*...

Это только мне, на фоне бритвы «Жиллетт» (см. комм. к стр. 34), эти романы могли казаться «модерными». Как современник Лота и Бенуа, их читала еще моя бабушка, молоденькая и хорошенькая, не дожидаясь перевода. Майкл Арлен же — посовременнее, родился и умер год в год с дядей Диккенсом (1895—1956). Любопытно, что он — армянин (Тигран Куюмджян). См. комм. к стр. 132.

...*попурри из грибоедовских вальсов*...

Грибоедов Александр Сергеевич (1796—1829) — окончил университет шестнадцати лет, знал дюжину языков, профессионально увлекался дипломатией и поэзией, женился на грузинской княжне Нине Чавчавадзе, был зарезан в Турции, гроб с его телом встретил, путешествуя в Арзрум, Пушкин, о нем написан один из лучших романов — «Смерть Вазир-Мухтара»... К тому же прекрасно музицировал, автор нескольких вальсов, исполнявшихся профессионалами (автор их не слышал, но расспрашивал музыковедов, которые отзывались благосклонно). Такое многообразие интересов и короткая жизнь не позволяли ему посвятить себя как следует литературе. Он автор только «Горя от ума».

420/

СТР. 47. ...*Было много наивного и трогательного в этих старых предателях*...

Здесь и далее автор недоговаривает о разоблачениях сексотов, доносчиков, анонимщиков, о пафосе выведения на чистую воду, особенно сильном после 1956 года, когда Хрущева поняли так, что теперь м о ж н о. Эти тенденции не особенно развились и мало к чему привели. Впрочем, немало и то, что про многих непокаранных стало *известно*, в чем они замешаны. Автор судит лишь о том, что знает. Вот две судьбы, сложившихся противоположным образом, несмотря на общий характер заслуг...
М.М., полковник, если не генерал, государственной безопасности, замешанный во всё, в чем можно быть замешанным, служивший, по легенде, в охране Вождя (пробовавший, не отравлен ли суп); кинодраматург, соавтор множества сценариев (по одному был снят лучший детектив послевоенных лет); сел в 1952 году по доносу своего соавтора (бывшего в 1937 году следователем по особо важным делам), вышел досрочно

в 1954-м, но уже как жертва; первое, что он сделал, — пошел к своему соавтору, но не бить морду, а предложить работать вместе над новым сценарием. Был директором Высших кинокурсов (замечательных!), я у него учился смотреть кино и многим ему обязан. Я.Э., литературовед, человек богатой и темной биографии; сидел сразу после революции, написал там книгу, похваленную нашим выдающимся наркомом просвещения, с начала нэпа забросил литературу и подался в предприниматели, разбогател, возил любовницам тюльпаны из Голландии самолетом (легенда); после его смерти мой знакомый У. нашел у него в архиве (необычайно бедном, много раз разобранном и сокращенном самим Э.) фотографию 30-х годов: Э. с какими-то типичными лицами в США (сам Э. никогда не поминал об этом); в 1949 году оказался советником по вопросам культуры чуть ли не у самого Берии, получил соответственно за какую-то книжечку Сталинскую премию — всем известно, что это за советы, которые дает такой советник; в 1957 году его исключили из Союза писателей за доносы в 1949-м (единственный случай!..); на показательном собрании его защитная речь оказалась кратка: «А сколько писателей сотрудничало с вами в эти годы?» — спросил он сидевших в президиуме, сел и больше ничего не добавил. Всеобщее молчание оправдало его — вскоре его восстановили в Союзе, и он доживает свой век старшим научным сотрудником, не теряя интереса к литературе и жизни. Я ему обязан критической поддержкой. В именах, которые он хвалит, виден не утраченный в доносах литературный вкус. Хвалит он с тем же деловым цинизмом, с каким, по-видимому, когда-то ругал.

В Институте, в котором он трудится, имеются еще две биографии, аналогичные разобранным: директор и его первый зам. Их я знал значительно меньше. У обоих была нелегкая репутация. Репутация и есть репутация — она живет сама, независимо от носителя. Я любитель задать вопрос носителю прогрессивной оценки: а что сделал такой-то, про которого вы?.. — и получить в ответ округлившиеся от ужасного многозначения глаза, переход на шепот, палец к губам, но так и не получить информации. Директор был мне симпатичен, вальяжен, глаза его с м о т р е л и, советская вельможность была в нем сдобрена и более принадлежным барством; он был упоенный собою карьерист: полагал, что добивается положения, сообразного своим качествам, знаниям и талантам. Он был ребячлив: полагал, что все склонны оценить его вместе с ним самим. Он взлетал и тут бывал пойман на отсутствии дистанции и — гремел. Он сел в 1947 году, уже вхожий на самый верх. По выходе (жертва) получил пропущенные посты и звания, но опять стал метить в министры, и тут опять обнаружилось, что он не *свой*. Его путь наверх был заморожен. Знал ли он за собой грехи, страдал совестью?.. У него была тяжело больная жена, он был приятнейший мужчина, но возился с нею неотступно, трогательно и благородно. У него была тайная программа — издать в России насильно пропущенную классику XX века: Кафку, Пруста, Джойса, — и он ее осуществил, он их издал, снабдив рафинированно-кривозеркальными отражениями собственных предисловий. И умер ни с того ни с сего, так и не поняв, так и не разочаровавшись, что дорога в сверкающий верх была ему заказана. Именно потому. Говорю, что он был ребячлив.

Его зам не был столь внешне симпатичен, репутация его упрочилась в кампаниях 1949 года. Ни от кого не слышал я доброго слова. Как же я был удивлен, услышав дифирамбы ему от вдовы самого пострадавшего, на мой взгляд, писателя — Зощенко. Оказалось... Симметрично директору, он оказался главным ходатаем (причем реальным, деятельным) по собраниям сочинений Зощенко, Платонова, Булгакова. Он пользовался своей «заслуженной» репутацией как рычагом: его нельзя было заподозрить сверху; и он ушел в глухую «несознанку» перед мнением снизу, по опыту зная, откуда подносят спичку. Но люди, умеющие не проболтаться, затеяв розыгрыш, могущие не оправдываться, когда есть чем и от чего, — всегда мне казались чем-то. Тут я, конечно, не объективен. Когда, через пятнадцать лет бесполезных редакционных усилий, наконец вышел Мандельштам, — он был снабжен заведомой статьей этого зама, причем статья эта шла вместо статьи замечательной. Все это так бросалось в глаза, будто написано специально для невооруженного взгляда либерала. Однако Мандельштам наконец вышел; хоть и малым тиражом, хоть и на валюту; с хорошей статьей он бы не вышел... Здесь видна логика ходатая по чужим наследствам. Он умирает следом за своим директором, но не исполнив, в отличие от того, свою триаду, так и ограничившись попорченным Мандельштамом. По-видимому,

422/

Промыслу было очевидно, что добрые дела творятся все-таки не любыми руками.

Итак, здесь схема для быстрого обобщения...

Директор и директор. Оба красивы, представительны, вельможны. Оба вовремя «пострадали», успев стать жертвами уходящей эпохи. Оба дальше не пошли по карьере. Оба соблюдали свою грозную репутацию гонителей и душителей перед теми, кому по-своему благодетельствовали. Оба любили свои заведения.

Зам и зам. Оба некрасивы (Бог шельму метит). Оба запятнаны окончательно и бесповоротно. Оба пытались делать добрые дела не просто неотмытыми, а теми же руками и способами. Оба не рассчитывали на большее, чем имели.

У всех четверых признаки жизни и своего рода «масштабности». Все четверо — скорее жертвы реабилитации, чем культа. Все четверо благодетели, меценаты: двое — живым, двое — мертвым. Все обобщаются демагогией «реальных», т.е. состоявшихся, добрых дел. Думаю, что такого рода «замаливание» было интуитивным, грехи — не впущенными в сознание, быстро заслоненными добрыми намерениями и достаточно трезвой оценкой: а судьи кто? Слишком много развелось ни в чем не замешанных (ни в зле, ни в добре), потому что с самого начала — ничтожных. Все четверо знали пропасти, заглядывали туда, и им нетрудно было себе представить морскую болезнь «незапятнанных» либералов, имей те хоть долю их опыта. Вот, в огрублении, их логика, даже пафос: позвольте, а чего стоили сами-то пострадавшие? да если б они хоть хорошо писали!.. а то ведь — ужас, ужасно плохо... никакой литературы не было, а та, что была... так кто же, как не мы, единственные, *реально* помогли их воскресенью? кто поддержал на нашей убогой современной поверхности единственные три всплывшие, полуживые головы (чтобы не захлебнулись, да, если хотите, в том самом, в нем...)?? Я, я. Я, я. Одна логика, все тот же отечественный (по слабости демократии) и уже не отечественный (по бессовестности и бесчеловечности) расчет.

СТР. 50. ...*что-то по системе Станиславского*...

Как никто толком не мог сказать, что такое социалистический реализм, а только он и был вместо литературы, так никто не знал системы Станиславского, хотя она и была вместо театра.

Комментарии

Вершине полагалось быть одной, и вершина эта вздымалась всегда над нашей территорией. Поэтому когда одного нашего видного футбольного тренера спросили, по какой системе намерена играть его команда в некоем ответственном матче, он не без блеска ответил интервьюеру: «По системе Станиславского».

...любил повосхищаться краткостью, «толковостью» толкований «этого шведа»...

Автор «Толкового словаря» был по происхождению датчанином. Дядя Митя знал это не хуже современных эрудитов, склонных его поправить.

«Толковым не оттого назван словарь, что мог получиться и бестолковым, а оттого, что он слова растолковывает» (В.И.Даль).

СТР. 51. *...некую Софью Владимировну...*

В одном из чеховских писем была упомянута некая Жозефина Павловна. Мол, здоровье его ничего, но холодно, и Жозефина Павловна мерзнет. В комментариях пояснено: «Ж.П. — неизвестная знакомая Чехова».

С.В. — неизвестная знакомая дяди Диккенса.

СТР. 53. *...Отец, папа, культ — какие еще есть синонимы...*

См. комм. к стр. 17, 19, 22, 47, 58, 64, 99, 127, 150, 151, 154, 160, 281, 294, 316, 318, 329, 353, 372, 386.

СТР. 56. *Фондовый зал* — особый зал в крупных библиотеках, куда вхож далеко не каждый любопытный человек. Нужен д о-п у с к. Допуск выдается по х о д а т а й с т в у учреждения, в котором вы работаете. Или не выдается. Есть допуски различных степеней, по которым могут выдаваться материалы с тем или иным г р и ф о м секретности. Есть материалы, за которые расписывается в особой книге каждый, имевший к ним д о с т у п. Здесь, наверное, много интересного в тонкостях, но автор не только не вхож, но и не посвящен. Распределяется все. В том числе и информация, и знания, и правда. Действительно, у нас нет общества потребления — у нас общество распределения. По меткому замечанию, кажется К.Чуковского, самым редким материалом является вчерашняя газета. Зачем доходить до орвелловских ухищрений с искажением информации в прошлом году, когда можно просто не выдавать прошлогоднюю газету. Чтобы невзначай не заметить то, что всем известно: какой друг стал врагом и какой враг — другом.

СТР. 58. *...рукоплещут из лож...*

В конце 40-х — начале 50-х годов косяком пошли биографические фильмы о великих русских, с ласковым прищуром смотрящих в светлое будущее сегодняшнего дня, с тенью печали, что им не доведется его увидеть, что им не довелось родиться в истинно своем, нашем времени, и с тем большей истовостью совершающих свои подвиги на благо его, приближая его приближение. Павлов, Мусоргский, Пржевальский, Глинка... Попов... Это было, кстати, в связи с борьбой с космополитизмом и утверждением русского приоритета во всех областях. Люди эти, принадлежавшие разным эпохам и сферам деятельности, были родственно похожи, сыгранные одним и тем же актером (Борисовым или Черкасовым), родственно же и связаны с народом и между собою. Вот в карете Пушкин и Гоголь наблюдают строительные работы, народ поет «Дубинушку». «Красив русский народ в труде!» — восклицает Пушкин. «Но забит, загнан в невежество и нищету...» — с видимыми миру слезами, сквозь невидимый смех вторит Гоголь. «Михаил Иванович!» — восклицают оба, увидев тут же прислушивающегося к народным напевам, припавшего к истоку своему великого Глинку. «А я вас ищу! — говорит Глинка, — сегодня премьера "Руслана и Людмилы"», — и вот Глинка дирижирует, а в ложе, с трудом подавляя восторг, сидят Пушкин, Гоголь и примкнувший к ним Грибоедов — для него не нашлось реплики: просто сидит, кивает в очках, «горе, — говорит, — уму»... Роднили их и биографии, вот обязательные моменты: а) советуются с простым народом: мудрый просветленный старик говорит им сказку, поет старинную песню, дает дельный инженерный совет; б) признание Запада: Глинку не соблазняет карьера великого итальянского композитора, Лист с восхищением исполняет «Марш Черномора»; Павлову, ежащемуся у буржуйки, предлагают институт в Калифорнии; Попову подсовывает миллион Маркони, тот выгоняет его, произнося гневную речь обступившим его студентам; английский полковник предлагает Пржевальскому открывать Индию. «Нет! — говорит тот. — Китай наш брат, у него великое будущее!» Гладит по голове смышленого китайчонка, уже постигшего компас — китайцы тоже кое-что открыли первыми — и сейсмограф; в) мучительный творческий процесс в конфликте с великим князем или княгиней, обычно в этот момент кредиторы выносят рояль, собаку с фистулой, подающий первые признаки жизни первоаппарат; г) шествие по длинной ковровой дорожке, в седой гриве и окружении верных, так и не обретших самостоятельности учеников, бурные аплодисменты, переходящие в о... отворачивается великий князь, и рукоплещут, вываливаясь с галерки, студенты.

В армии со мной служил некий Марьямов, приблатненный, полуцвет, с примечательно торчавшими в стороны ушами, он был признанным комиком нашего барака. У него было два коронных номера: чтение раннего Маяковского («Вошел в парикмахерскую, сказал спокойно: "Будьте добры, причешите мне уши"») и Стасов в роли Черкасова (великолепно гнусаво-громоподобно: «Господа! мне стыдно за вас!»). И теперь, когда вспоминаю эти фильмы, то непременно в исполнении Марьямова, перенесшего их в подлинное место действия: барак, нары, серое х/б.

СТР. 64. ...*образ Жажды*...

В 1965-м или 1966 году я зашел в ЦДЛ к самому открытию — не было ни одного человека, и пока я пил свой кофе, появился один, приковавший мое внимание. Он был в пиджаке на голое тело и в ботинках на босу ногу, долговяз и необыкновенно лохмат. Буфетчица, однако, приняла его предупредительно, как своего. Выдала ему большой бокал чего-то красного — то ли крюшон, то ли вино, то ли компот... Он взгромоздился на табурет к самой стойке, взял обеими руками бокал и приник... точно так, как описано в романе.

В 1965 году вышел роман Юрия Домбровского «Хранитель древностей», я прочитал его несколько позже, года через три, и стал восторженным его почитателем; в 1970 году окончательно написал своего деда, а в 1973-м поселился в голицынской богадельне и там познакомился с другим ее постоянным обитателем — Домбровским, и тогда, кроме чести стать собутыльником любимого писателя, был счастливо поражен: как раз с него я писал первый портрет деда. То, что Домбровский великий человек, что биография его включает те же испытания (с 1932-го по 1956-й, о чем я понятия не имел), что т о т — это он, — все это польстило мне.

Жить в России и не иметь лагерного опыта невозможно. Если вы не сидели, то имели прикосновения и проекции; сами были близки к этому или за вас отволокли близкие и дальние родственники или ваши будущие друзья и знакомые. Лагерный же быт растворен повсюду: в армии и колхозах, на вокзалах и в банях, в школах и пионерлагерях, вузах и студенческих стройотрядах. Он настолько присущ, что не узнавать его в лицо можно, лишь не побывав в настоящем лагере.

Многие мои друзья сидели, по-маленькому и по-большому, от трех до пяти лет, но деда среди них не было. (Они были почти моего поколения, на восемь — десять лет старше.) Своего деда я сочинил из очень слабых реальных посылок.

Поводом для его «предположения» послужило начало возрождения репутации М.М.Бахтина и первые сведения о нем, полученные от В.В.Кожинова: что Бахтин пострадал не в 1937-м, а в 1928 году, что его по-своему спасло; что он без ноги; что появившиеся нежданно деньги (от переиздания книги) он прячет в самоваре; что боится переезжать из своего Саранска... Затем вот этот образ жаждущего... И еще одна судьба, почти никому не известная до сих пор, о которой я узнал летом 1964 года вскоре после смерти ее обладателя. Я передаю ее из чужих уст.

Игорь Афанасьевич Стин, граф, репрессированный, но так и не реабилитированный, скончался в поселке Сыр-Яга Коми АССР в возрасте семидесяти (приблизительно) лет, где работал геологом в разведочной партии. Моя добрая приятельница Наташа Ш. работала с ним. Я встретил ее вскоре после похорон, потрясенную смертью, она могла говорить только о Стине. Она привезла с собой небольшое наследство: маленькую любительскую фотокарточку и четыре бобины с магнитофонной записью новелл Стина в авторском исполнении. С фотографии смотрел седой, юношески стройный, с красивым, породистым лицом человек. Рассказы он исполнял в застолье, и между новеллами был слышен пьяный полуодобрительный гул, как между песнями. Я слушал пленку лишь один раз, новеллы хотя и прозвучали для меня несколько чересчур значительно и патетично (возможно, за счет нетрезвого исполнения — но голос был приятный, хрипло-молодой и низкий), были они хорошего литературного уровня, а две-три новеллы были совершенно превосходны и произвели на меня сильное впечатление. По материалу их можно разделить на лагерные и барские (воспоминания о поместном детстве). Проза не терпит пересказа, тем более миниатюра требует передачи слово в слово, но я лишен какой бы то ни было возможности воскресить текст (Наташа Ш. тоже умерла), и я вынужден... Вот лагерная миниатюра. Старый зэк целую неделю готовится к свиданию со старухой: бреется, моется, штопается и стирается — волнуется, как молодой. Его товарищи сопереживают, но, как потом становится ясно, предвкушают спектакль (свидание не первое). Наконец наступает день, старик с утра не находит себе места, залезает на столб и высматривает оттуда старуху. Весь лагерь (воскресенье) напряженно ждет. И вот наконец она вываливается из-за бугорка. Кажется, даже раньше становится слышна ее ругань. Старик ей начинает вторить. И так они начинают сближаться, как в дуэли, все удлиняя периоды мата, все витиеватее, пока, поравнявшись, не достигают виртуозности. У старухи тяжелая корзина со снедью, с еще теплыми пирожками, у обоих ручьем текут слезы, и матерят друг друга они все неистовей. Им восторженно внимают самые искушенные знатоки и слушатели. Все, что я пересказал, скрыто в минимальных размерах, а весь текст — дословное воспроизведение их «дуэли». Слушая новеллу, вы неизбежно заплачете слезами стариков. (Подобный сюжет, правда, встречается у Зощенко.) А вот — «поместная»... Старый Стин был суров и чрезвычайно сух с сыном. Маленький Стин его боялся и в то же время по-детски тосковал по его любви (кажется, рос без матери, не помню...). Однажды мальчик («я» в новелле) пробрался в отсутствие отца в строго-настрого запрещенную для него библиотеку и, достав первую попавшуюся книгу (а это оказалась энциклопедия на «П»), стал разглядывать и увлекся. Он не заметил, как за спиной его оказался отец. А мальчик как раз разглядывал разворот с картинками, где прекрасно-ярко были нарисованы разнообразные попугаи. Особенно один нравился ему, большой и неправдоподобно разноцветный. «Ну, и какой тебе нравится больше всех?» — услышал мальчик из-за плеча. Мальчик перепугался: никогда еще отец не задавал ему никаких вопросов, тем более так добродушно, не наказав за самовольство... У мальчика возникло чувство, что от его ответа зависят все дальнейшие отношения с отцом, что с этого момента, может быть... Но он такой человек, думал мальчик, ему же не может понравиться то же самое, что мне, мальчишке... надо угадать... Но попугаев было так много! Они все перепутались в его бедной голове от напряжения... «Ну же?» — уже строже сказал отец. «Вот этот», — готовый расплакаться, сказал мальчик, ткнув в первого попавшегося, серенького и невзрачного. «Странно, — хмыкнул отец. — А мне вот этот». И указал на того самого, большого и разноцветного, которым и любовался мальчик. И, резко повернувшись, вышел из библиотеки. Кажется, больше ни разу не выпадало мальчику такой же возможности сблизиться с отцом. (Рассказ чем-то напоминает бунинского «Ворона», но Стин мог не знать о нем, поскольку он относится к эмигрантскому периоду творчества писателя.)

Эти три впечатления и легли в основу, позволили «предположить» Модеста Одоевцева. Позднее автор познакомился с некоторыми похожими людьми-судьбами. (Например, с тем же Домбровским, с О.В.Волковым... и много прочитал не читанной им до того лагерной литературы.) Много теперь он мог бы уточнить и добавить, но вряд ли мог бы н а п и с а т ь.

СТР. 67. ...*хороший человек: меня дважды не убил...*
Мой друг по институту, потомственный рабочий, так однажды положительно охарактеризовал своего соседа: «Хороший человек... Меня дважды чуть на работу не устроил». Сказано так было с основанием, искренне. Заслуга Коптелова, в таком измерении добра, неизмеримо больше.

СТР. 68. ...*расплывчатый и невидимый, как японская ниндзя...*
В советских научно-популярных журналах в свое время появилось много статей (перепечаток с зарубежных изданий) об этой фантастической средневековой секте «невидимок» — шпионов и наемных убийц. Искусство их было непревзойденным: они умели освобождаться от оков, расчленяя собственные суставы, исчезать из закрытых помещений, подслушивать с помощью каких-то гибких трубок на немыслимом расстоянии и растворяться в воздухе, скрываясь от преследования. Носили специальную бесформенную незаметную одежду, способствовавшую подобному растворению в тени или в сумерках. Реальность существования невидимок производила большое впечатление на незрелое сознание автора (и, по-видимому, самих издателей популярных журналов).

CTP. 83. ...*Вы будете читать «Улисса» в 1980 году...*

Не знаю, можно ли сейчас, через пятнадцать лет после пророчеств Модеста Платоновича, в 1971 году, утверждать с тою же уверенностью. Поговаривают, что, может быть, и даже вскоре, мы увидим «Портрет художника в юности». Но мало ли что поговаривают!.. Говорят даже, что не эта и не следующая, а после следующей — в Москве обязательно состоится Олимпиада, то есть именно в 1980-м...

CTP. 97. ...*На темной и пустой улице шофер надавал Леве по шее...*
См. комм. к стр. 41: ...«Афродита», «Атлантида»...

CTP. 99, 100. ...*Сыр-Яга (она же Вой-Вож и Княж-Погост)...*
Поселки в Коми АССР (см. также комм. к стр. 64 — И.А.Стин). Имена их стали известны главным образом по расположению в них в годы репрессий гигантских лагерей. Автору довелось проделать своеобразную «экскурсию», насмешливый смысл которой дошел до него много позднее, — тогда он просто служил в СА (армии) в ВСО (военно-строительных отрядах), прежде носивших привычное название стройбат (строительный батальон). Как очкарика, не имеющего годной специальности, к тому же с полувысшим образованием (тогда еще в армии и человек со средним образованием встречался редко), что смущало начальство, автора через месяц-полтора перекидывали из отряда в отряд с группой таких же негодных, блатных, недоразвитых, больных; таким образом, я объехал многие «бывшие» места в Карелии, Архангельской области и Коми, еще толком не понимая, чему обязан их запустением. Работали мы на лесоповале, жили в бараках в зоне со снятыми часовыми (один раз даже с неснятыми — под «попками»), за проволокой: вновь организованный отряд был гостеприимно принят на свою территорию дисбатом (дисциплинарным батальоном), ходили в лагерном х/б (зелененькую беспогонную форму ввели только в 1958 году). Правда, голосовали в Советы. Лишь много лет спустя я догадался, в какие скобки истории был заключен: 1957—1958... К концу шел процесс реабилитации, освободилась масса лагерей, кому-то, однако, надо было продолжать внезапно прерванную работу... Знаменитое сокращение вооруженных сил было отчасти попыткой заткнуть эту дыру: дело в том, что стройбаты в численность вооруженных сил не входили — распогоненные солдаты были сброшены десантами на территорию бывших

лагерей. И хотя никто из солдат не признавал себя за зэка, форма обидела многих (ее поспешили сменить), а лагерный воздух подсознательно входил в души вместе с дыханием: пьянство, саботаж, выродившаяся уголовщина, проигранное обмундирование, чифирь и наколки — все это расцвело пышным цветом, и даже угроза трибунала мало чему помогала (выездная сессия не прекращала свою работу в течение двух месяцев).

Совершив эту «экскурсию», эту легкую пародию на лагерь, я читал впоследствии книги о лагерях не только с чувством узнавания, но и с прямым узнаванием.

СТР. 99. ...*слесарь Пушкин*...
Многие отмечали парадоксальные генетические рифмы в русских фамилиях. Например, прокурор Казнин, чемпион мира по сабле Кровопусков, балерина Семеняка, борец Медведь и т.п. Инструктора комсомола по идеологии, с которыми я столкнулся в молодости, Чурбанов, Тупикин и Плешкина, сидели чуть ли не в одной комнате, и пусть они были по-своему неглупые люди... Или вот, открываю газету «Ленинградская правда» — информация о заседании обкома: присутствовали секретари обкома Посибеев, Бобовиков, Неопиханов, секретари райкомов Комендантов, Чернухин, Бугаенко.

Не могу удержаться, чтобы не привести здесь один документ, списанный мною со стенки солидного учреждения (ИМЛИ — род Пушкинского Дома), как стихотворение:

ПРИКАЗ
Утвердить новый состав пожарной комиссии:

Зайцев

Немец

Пожидаев

Погорелов

Белина

Пилищук

Гресс

Гридчина-Рудь

Гончарок

Резникова

Затирка

Все это не преувеличение, а подлинник.

СТР. 105. *...явления, лишь сейчас единичные, но которым суждено будущее (Рахметов)...*

Николай Рахметов, один из героев романа Н.Г.Чернышевского «Что делать?», — революционер, «человек будущего». Когда его проходили в школе, наибольшее впечатление в романе производил на ребят именно он. Во-первых, потому, что воспитал в себе ту самую «силу воли», которую все хотели иметь, во-вторых, потому, что мечтательное воображение Николая Гавриловича наделило его невероятной физической силой (как и Базаров, выкинул кого-то в пруд, но к тому же гнул пятаки и побарывал быка за рога), в-третьих, спал на гвоздях, на что никто из нас не был способен, даже самый волевой (о факирах и йогах тогда еще мало знали, поскольку йога была «реакционное, буржуазное, религиозное учение»). Именно Рахметов давал повод литературоведам толковать «Что делать?» как первое произведение социалистического реализма по постановке проблемы типического, всегда бывшей краеугольным камнем реализма (критического). Рассуждения о природе типического были точь-в-точь такие, как и в нашем романе.

432/

СТР. 109. *...автор не уважает аристократию всей сутью своего плебейства... которому не досталось...*

Чтобы окончательно отбросить все возможные подозрения в аристократическом происхождении, автор пользуется случаем заявить, что по социальному своему происхождению он мещанин. Происхождение его точь-в-точь как у Мишеля Синягина из одноименной повести Мих. Зощенко: «Он был сыном дворянки и почетного гражданина». Автор поеживаясь, но легко способен себе представить рецензию или фельетон, посвященный этому роману, — «Мишель Синягин наших дней» (варианты — «70-х годов», «пятилетки качества» и т.п.).

СТР. 115. *...дед тоскует по месту последней ссылки (где-то, кажется, в Хакасии)...*

Автор побывал в Хакасии в 1964 году. В краеведческом музее в Абакане он повстречал энтузиаста-археолога, явного бывшего зэка. Крепкий старик достал из часового кармашка галифе маленького черного божка плодородия, подарившего ему в его годы дочь. Этот замечательный старик и послужил толчком для деда другого образца (варианта).

CTP. 118. *Дежурный.*

Не знаю, «из какого сора растут стихи» (Ахматова), но знаю, в какой сор превращается во времени любая злободневность (чему и посвящены эти комментарии). Мой переводчик затруднился с этим словом, а я затруднился с ответом. On duty — первое, что пришло мне в голову, но это не по-русски. Вахтер — оказалось, по-немецки слишком грубо. Не считать же это предварительным арестом за еще не совершенное мелкое хулиганство... Дежурный водится и в школьном классе, и в воинской части, и в бараке, и в гостинице (дежурная по этажу), и каждый раз это не одно и то же. Суть, быть может, в том, что дежурный не столько наводит порядок, сколько о т в е ч а е т за него. Он обязан с и г н а л и з и р о в а т ь. Вроде он на мостике корабля высматривает айсберг. Ответственность его растет. Как долго нам еще отдуваться за советский смысл русских слов?! Пока не вымрем. А кто тогда живым пояснит? А и не поймут (как мой переводчик).

CTP. 119. *...тот самый кадр, который надлежит выстричь...*

Любопытный эпизод есть в советской экранизации «Отелло» (1956). Уже задушив Дездемону, Бондарчук выходит на берег моря и там, сидя на камне, имеет длинный-длинный план — смотрит в морскую даль и плачет; ему хватает метража сыграть всю ту неопределенно-сильную гамму чувств, положенную большому актеру; слезы прочертили в гриме две дорожки, а в чистом медитаранско-ялтинском небе, куда он смотрит с такой выразительностью, как раз летит самолет, прочерчивая свою белую нить. Удивлению старого мавра нет предела. /433

CTP. 127. *...будто ему надо сдавать нормы ГТО...*

Комплекс спортивных норм ГТО («Готов к труду и обороне СССР») введен Высшим советом физической культуры в 1931 году. Под лозунгом массового движения его обязаны были с энтузиазмом сдавать старики и дети. Сдача этих норм обязательна для школьника и студента. Во многом это выродилось в формальность, но если не строго обязательно выполнение нормативов, то необходимо уважительное п о с е щ е н и е. Иначе преподаватель может не поставить зачет, а это ставит под угрозу всю учебу студента независимо от успехов по основным дисциплинам. На практике, однако, не без волокиты и унижений все выходят из положения: как-то эти нормы сдаются, как-то все выполняют нормативы (например, по плаванию — не умеющие плавать...) — студенты выполняют нормы, а преподаватели план.

СТР. 130. ...*на ДНК проступил общий знак качества.*

Знак качества введен в 196? году. Представляет собой небольшой пятигранник, внутри которого написано «СССР». Ставится на продукцию, достигшую по качеству мировых стандартов. Одним из первых таких продуктов им была отмечена водка. Но после общественного обсуждения в печати было решено не ставить высокий знак на вредных продуктах: алкогольных напитках и сигаретах. Необходимость поставить на чем-нибудь знак качества ставит некоторые предприятия в тупик, и тогда он появляется на очень неожиданных изделиях (вспомните сами... Вот видите! Уже уходит, уже забывается!).

СТР. 132. ...*«В эту тихую, лунную ночь де Сент-Ави убил Моранжа...»*
См. для сравнения на стр. 97: *«На темной и пустой улице шофер надавал Леве по шее...»* Конструкция и музыка фразы общая. Единственный писатель, оказавший на автора прямое влияние, был Пьер Бенуа (1886—1962). Другие непосредственные влияния автор отрицает. Он исключительно щепетилен и тупо честен в этом вопросе: во всем, в чем можно признаться, он признается. Подробнее по вопросу о влияниях см. комм. к стр. 41.

СТР. 143. ...*для Человека с большой буквы (или дороги...)...*
Поскольку тексты Модеста Одоевцева датируются не ранее 1913 года, следует отметить, что популярность Максима Горького («буревестника революции») достигла к тому времени апогея (как в России, так и за границей), что могло и раздражать иных молодых представителей небосяцкого класса.
«Человек с большой буквы» — слова Горького, возможно, из того же «На дне», ставшие особенно крылатыми при Советах (т.е. сильно после 1913-го). Вообще следует отметить, что Горький, хоть и был объявлен основоположником социалистического реализма, никогда им не был с точки зрения художественного метода. Стилистически в лучших образцах социалистического реализма доминирует ранний романтический Гоголь и тяжело закрученные словесные периоды из Льва Толстого (вплоть до А.И.Солженицына). Горький же тут худо-

жественно не виноват; виноват он лишь тем набором, как теперь говорят, слоганов, которые охотно были понадерганы из его речей и т.н. публицистики: «Если враг не сдается, его уничтожают», «Рожденный ползать летать не может», «Человек — это звучит гордо», «Любите книгу, источник знаний» и т.п. (не могу всего вспомнить), в том числе — и «Человек с большой буквы». Следует отметить, что, ставя в тот же ряд Чехова, Модест Платонович особенно несправедлив, что характеризует его как современника Чехова в большей степени, чем современника Горького, ибо именно современники, особенно того класса, к которому по рождению принадлежал М.П.Одоевцев, настолько его не понимали (как впоследствии их потомки не понимали Мих. Зощенко). Если Горького они н е п р и н и м а л и, то Чехова н е п о н и м а л и.

Хотя и из Чехова (о чем М.П.Одоевцев еще не мог знать) Советы умудрились выпытать пару «слоганов», например, «В человеке все должно быть прекрасно...». Меня всегда занимало, где бы оказался 47-летний Чехов в 1917 году.

Ч е л о в е к с б о л ь ш о й д о р о г и — идиоматический синоним к слову «разбойник». Выражение, возникшее задолго до Горького.

СТР. 150. ...*присвоил Печорину звание Героя Нашего Времени*...
Звание Герой Советского Союза введено постановлением ЦИК в 1934 году. С вручением высшей награды Родины — ордена Ленина и медали «Золотая Звезда» (1939). Оно именно п р и с в а и в а е т с я: «Присвоить имяреку звание...». По-видимому, разрушение чувства собственности привело к изменению грамматики: стало возможно присвоить не себе, а кому-то. В небезызвестной песне Алешковского есть строки:

> А главное, за что звезду героя?..
> Ему б вообще не надо бы давать...

Поначалу это звание было окутано густым романтическим ореолом. Героев было еще мало, и звание было нелегко заработать. После войны, после смерти Сталина, его стали давать куда щедрее. В народе были недовольны такой девальвацией, особое осуждение вызвало присуждение этого звания Насеру. Впрочем, в этом осуждении большую роль играло не унижение звания, а распространенное в народе убеждение, что мы всех кормим, самим ... прикрыть нечем, а они потом нас же... Народный опыт во внешней политике.

...имел в виду арию «Иль на щите, иль со щитом...»...
Из знаменитой оперы знаменитого химика и композитора Бородина (1833—1887) «Князь Игорь». До сих пор по всему миру звучат пресловутые «Половецкие пляски» из той же оперы.

СТР. 151. *...И когда мы встретим в газете заголовок «Время — жить!», можно сказать с уверенностью, что автор заметки намекал на Ремарка, а не на Ветхий Завет.*
Смерть Сталина проделала первую дырочку в занавесе. Оттуда посочилось, а у нас всех было ощущение, что хлынуло. Мы смотрели первые французские, итальянские, польские фильмы, мы читали первые американские, немецкие, исландские книги (так, первый современный роман был «Атомная станция» Х.Лакснесса в 1954 году). Не важно, если эти книги писались и издавались двадцать, тридцать лет назад, — они воспринимались сейчас. «Три товарища» Ремарка были явлением 1956 года, а не 1937-го. «Потерянное поколение», разразившееся романами в 1929 году, были мы (словно не было перерыва между мировыми войнами). Как в школе всем преподавалась одна и та же литература, так и выйдя из нее, мы все продолжали «проходить» одни и те же книги, одновременно читая Ремарка, Фейхтвангера, Хемингуэя. Вы читали? вы читали? — был основной метод знакомства и сближения (несложно было обнаружить общие вкусы). Анекдот о милиционерах, думающих, что подарить на день рождения своему другу («Бритву?» — «Бритва у него уже есть». — «Часы?» — «Часы у него уже есть». — «Фотоаппарат?» — и т.д., все у него уже есть. Видят плакат «Книга — лучший подарок!». «Подарим книгу!» — радуется первый. «Книга у него уже есть», — безнадежно отвечает второй...), так вот этот анекдот оборачивается другим смыслом, не милицейским: книга — это Кафка, Ремарк, Хемингуэй, Пастернак — то, за чем гоняются, чего не достать; «книга у него уже есть» — это значит он достал последний (единый для всех) дефицит. Когда в Истории намечается движение жизни, все люди, им настигнутые, становятся как бы одного поколения (военного, хрущевского...), все читают одну книгу

и волнуются ею. Но хоть читают! Когда История снова замирает, так и не хлынув, люди утомленно разбираются на вкусы
и поколения и уже ничего не читают, благоустраиваясь в нише
остановки. Хлебный голод сменяется на книжный: достать
книгу, чтобы она «уже была»; вкусы, с упоением разработан-
ные интеллектуалами ушедшей эпохи, спущены вниз на правах
товара; даже наш неподвижный рынок уже приспособился вы-
пускать в фешенебельных корках, под «фирму», мертвейшие
нечитаемые книги — и иностранные, и классические, и памятники, — все это уже мебель, а не дух. Ничего к нам не хлынуло
в дырочку, никто на нас оттуда не заглядывает — это мы хлыну-
ли и застряли, это мы из зала рассматриваем сцену через слабо
проковырянную актерами дырочку...

...Мы недавно посмотрели фильм...
См. комм. к стр. 238.

СТР. 152. ...*«Христос, Магомет, Наполеон»*...
Слова Сатина из пьесы «На дне» — Лева проходил ее в школе
как раз в то время, с которого начинается *следующая глава.*

/437

СТР. 154. ...*5 марта 1953 года умер известно кто...*
Сталин. Дата спорная, официальная. Но всем было куда важнее, чтобы он умер официально, а не фактически. Тридцать
лет — не шутки! Я родился, была война, я учился, я влюбился — это все при нем... А сколько людей при нем умерло! и никогда не узнает, что он — тоже. Однако мы знаем о нем теперь
много больше, чем тогда. Что знали мы, школьники его школы? Что он не спит ночами, работает: горит его окно. Что он
прочитывает в день пятьсот страниц (великий читатель!), а мы
вот урока, трех страничек, не осилили. Что у Ленина были
(хоть и мало) ошибки (какие неизвестно), а он не ошибся ни
разу. Что он участвовал в создании автомобиля «ЗИС-110»,
но из скромности не назвал свою фамилию (за автомобиль дали Сталинскую премию — не мог же он сам себе ее вручить!..).
Были и вопросы, так и не разрешенные (в обоих смыслах): был
ли он на фронте? знал ли иностранные языки?.. Конечно, был,
только секретно; конечно, знал, но не любил говорить, только
читал (те самые пятьсот страниц). А он уже не стригся, не фо-
тографировался, не говорил речи... Когда в 1952 году его нако-

нец увидели в кинохронике (на XIX съезде), то пожалели: старичок... Мой однокашник, мальчик с нежным лицом, занимавшийся в балетном кружке и делавший пируэты на перемене, сказал мне доверительно жарким шепотом: «А Маяковский — враг». (Мы проходили поэму «Владимир Ильич Ленин»...) «Что ты!» — испугался я. «А как же! Довольно валяться на перине клоповой, товарищ секретарь, на тебе, вот! Просим приписать к ячейке эркаповой сразу коллективно весь завод!» (До сих пор не знаю, как поставить ударение: мой однокашник сказал «клоповой»...) «Ну и что?» — не понял я. «А то, — неслышно сказал бдительный мальчик, — что секретарем тогда был КТО?..»

СТР. 159—160. *...кольцо («желтого металла», как выразился бы следователь)...*

Протокольная точность. Ведь, не послав на специальный анализ, следователь не может с законной уверенностью утверждать, какое кольцо — золотое или медное. Никак нельзя, заводя дело, начинать со следственной ошибки... «У задержанного (потому что еще не проверено, что я Битов А.Г., это пока что всего лишь мои слова) изъяты: ремень брючный — 1 шт., очки, часы круглые желтого металла («А если потом скажу, что золотые?» — «Я тебе покажу смефуёчки!»)... желтого металла, денег 006 коп.». — «Распишитесь! Да не в том, с чем вы не согласны! а в том, что у вас изъяли...» Копию своей подписи я прочитал на следующий день под протоколом.

СТР. 160. *...«Краткий курс»...*

«Краткий курс истории ВКП(б)» — наряду с книгой «И.В.Сталин (краткая биография)» — был обязательным для всех обучающихся. Говорили с полной убежденностью (если бы это была ошибка, то простительная...), что их написал сам Сталин. Почему не подписал?.. Из той же скромности. Автора ведь на обложке нет? Неужели он сам свою биографию писал?.. Ну, во всяком случае редактировал. И впрямь, обложка выглядела странно: сначала крупно СТАЛИН как название книги, а помельче, как подзаголовок, «краткая биография», — почему бы не так: Сталин — автор, а под ним — название книги.

СТР. 170. *Они продолжали «встречаться»...*

После исчезновения обращения друг к другу все, кто моложе пятидесяти, превратились в «девушек» и «молодых человеков». Так же, как и обращение, исчезло сколько-нибудь внятное обозначение для внебрачных отношений: «дружить», «встречаться»...

«Раньше они дружили, а потом начали встречаться», — рассказывала мне одна девушка про свою подругу. Я попросил разъяснить мне разницу. «Сам понимаешь», — покраснела девушка.

СТР. 175. *...взгляд упал на сундук.*

Где, по-видимому, прятался автор... См. стр. 68 и комм. к стр. 68.

СТР. 187. *...до реформы...*

Реформа 1961 года повысила курс рубля в десять раз. «Помяните мое слово, — говорили маловеры, — пучок травы, который стоил 10 копеек, и будет стоить десять». (Сейчас пятнадцать — двадцать.) Все продолжали думать старыми деньгами, рассчитывались новыми. Путались. Моя теща постоянно ошибалась, но уже не в десять, а в сто раз: опять меня обсчитали, взяли рубль вместо десяти копеек, а это десять рублей по-новому... в таком роде. Единственный человек, мне известный, который разбогател на этой реформе, был мой однокурсник по институту З., очень интеллигентный и бедный юноша: он копил медные копейки (после войны был долгий и упорный слух, что за сорок рублей копейками можно получить патефон, только никто толком не знал где... хорошо, что не срок за задержку разменной монеты, — есть такая статья...). К реформе он накопил четыре мешка, которые и выросли в одночасье в десять раз (копейки не обменивались). Теперь З. в Канаде.

/439

Кажется, автор совершил ту же ошибку (в сто раз), но не в силах был пересчитать.

СТР. 204. *...Ростов (на Дону)...*

Есть еще и другой Ростов (Великий), старинный русский городок. Почему-то все знают, что Ростова — два, хотя в Ростов Великий реже кого занесет. Во всяком случае, при затяжной игре в города, когда все запасы знаний исчерпаны, а победитель все еще не выявлен, как правило, возникает ситуация на букву Р: «РОСТОВ!» — «Уже был». — «Так я про другой Ростов...»

По существу этого разговора автор может показать следующее: такой разговор, без сомнения, был. Подозреваю даже, что он не слишком оригинален.

Зимой 1964 года, под новый 1965 год, автор был в Москве и читал у друзей главы из своего романа, в частности эту. Всем понравилось. Среди слушателей оказался и еврейский поэт Овсей Дриз, которому тоже понравилось. Красивый был человек! Седой, беззубый, молодой... Мы с ним подружились с того дня и достаточно часто встречались, и вот через несколько лет он как-то склонился ко мне доверительно (мы выпивали) и сказал: «Сделай, что попрошу!..» — «Для тебя, Овсей, все!» — «Вычеркни!» — «Что вычеркнуть?» — опешил я. «Ну тот разговор...» — «Какой разговор?» (Я никак не мог ни предположить, ни вспомнить.) — «Ну тот, который ты читал». — «Когда?» — «Тогда, помнишь...» — «А-а... вот ты о чем, но почему же? Ведь я...» — «Ты мне обещал». — «Когда?» — «Сейчас». — «Но почему я должен вычеркивать, что написал?! — возмутился я. — Ведь я не в том смысле... я как раз в обратном...» — «Все равно вычеркни!» — непреклонно твердил он. «Но я же...» — «Я тебя когда-нибудь о чем-нибудь просил? Я тебе когда-нибудь что-нибудь не так сказал?.. Вычеркни». — «Но я...» — «Я же тебя люблю и тебе верю, — говорил он, — и это не для меня прошу, а для тебя». Долго мы пререкались, и я обижался на него. Он был неумолим; я обещал подумать, расстроив его своей несговорчивостью. Больше мы не виделись, он вскоре умер. Это было его завещание, которое я не выполнил. Он мне сказал тогда: «Пойми! Это та-а-кая кров'! та-а-кая кров'! — Он так замечательно красиво картаво и беззубо говорил... — Тебе не следует к ней прикасаться... Никому не следует. Это так страшно! — добавил он. — Ты не представляешь, лучше тебе не знать...» Я сказал, что знаю про погромы, Майданек и т.д. Он отмахнулся, он не то имел в виду. «Эт-то та-ак ст'а-ашно...» — нараспев повторял он. Что-то приблизилось ко мне, непонятное, неизвестное, черное, как ночь, и я испугался и рассмеялся с дрожью. Я не знал, о чем он говорит. «Может, обойдется, а может, нет... — сказал он, словно выдавая тайну, словно рискуя (перед смертью, как оказалось) и все еще недоговаривая. — Это такая бездонная кро-ов'... бездна... И тебя нет. И ты ничего никогда не объяснишь, никогда не поправишь...» Я не понял его до конца, отогнал смутную, непросвещенную догадку — но я ему поверил. «Подумаю», — сказал я, расстроив его уклончивостью.

Мне уже не нравится этот разговор (как написан...) Может, я еще его и вы...

СТР. 229. ...*Христос — Магомет — Наполеон*...
Не надо забывать, что Митишатьев — однокашник Левы (см. комм. к стр. 151).

СТР. 233. ...*Писарев в руке Митишатьева*...
Может быть, это был и не Писарев...

СТР. 238. ...*показ редкостного фильма не то Хичкока, не то Феллини.*
Либеральная веточка, хрущевский побег... Никто сразу не отметал высшей формы недемократичности, выразившейся в новом влекущем понятии «просмотр». На него надо п о п а с т ь. К этому надо приложить старание и даже страсть. Изначальная потребность в приобщении к современной культуре стремительно выродилась в чистую форму престижности: я это видел, я там была... Именно там, на первых еще просмотрах, на людях появились джинсы, замшевые пиджаки и дубленки — будто сами выросли. На лицах обладателей стало вырабатываться особое выражение подавленной гордости, понимаемое изнутри как свобода и естественность. Вопрос, откуда это на вас, не был бы никак удовлетворен, он был бы неэтичен, шокинг. Усилия попадания на просмотр, доставания джинсов и т.д. выносились за скобки подсознания, унижение с лихвой покрывалось процентами с престижа. Просмотровый зал в этом смысле явился не столько очагом и рассадником вкуса, не столько первой ласточкой предстоящего расширения перспективы, сколько лабораторией дефицита — понятия, совершенно поглотившего к сегодняшнему дню все былые либеральные устремления. Именно эти люди, первыми прорвавшиеся на просмотр, стали писать книги о режиссерах и фильмах, никогда не показанных народу, защищать диссертации о ни разу не переведенных философах и т.д. Образовав круг, они же его и замкнули, охотно не допуская других к своим возможностям. Тенденция обратилась в привилегию, устроив и тех и других. Затяжка гаек шла всем впрок. И немудрено, что теперь книга потеряла читателя, а театр зри-

теля. Книга у того, кто может ее достать, а в театре сидят люди, которые сумели в него попасть. «Просмотреть» фильм, если верить русскому языку, — значит его не увидеть. Пропасть, естественно отделившая художника от народа, стала окончательной, образовалась почти естественно, а главное — бескровно. О, как бескровно! Теперь уже можно было бы обойтись и без допусков, пропусков и запретов: ничто ни до кого не дойдет и никто никуда не попадет. Но это столь удачно сложившееся соотношение надо сторожить, чтобы никогда не пропадала тень запрета, проекция репрессии, чтобы на горизонте всегда стояла идеологическая туча. Иначе зал опустеет и его заполнят новые люди, а книга попадет в руки читателя. Ах, как все сложилось! Само ведь собой. И это не они — вы, вы! Я.

СТР. 243. *ФАЛ, ЛФМ, — бессмысленно думал Лева.*
Фал — конец (морск.). Отсюда — фалить, фаловать.

СТР. 250. *...Что-то кудрявые и не встречаются нынче?..*
С кудрявыми плохо... Мой отец никогда не был кудрявым, но мать рассказывает, что в медовый месяц он вдруг закурчавел. Для того чтобы определить, естественно ли вьется волос или это завивка, судебная экспертиза применяет простой прием — бросает волос в воду: естественный распрямляется, искусственно завитой — нет. Это авторское предположение, но, возможно, не кудрявых, а счастливых стало меньше.

СТР. 254—279. *...Приложение ко второй части...*
Глава «Профессия героя» требует слишком большого количества примечаний специального свойства, которые имеются в «Комментарии к «Трем пророкам»» (см. наст. изд., стр. 475—486).

СТР. 255—256. *...многочисленные на Западе исследователи Пруста...*
На соображения, связанные с сопоставлением Л.Толстого и Пруста, автора навела в разговоре Л.Я.Гинзбург.

СТР. 259. *...но он нашел третьего, и они у него охотно «скинулись»...*
Скинуться на троих — выражение, родившееся сразу после хрущевского подорожания водки. В той же песне (см. комм. к стр. 150) дальше поется:

442/

Он нашу водку сделал дорогою
И на троих заставил распивать.

Раньше ее пили на двоих, скидывались по рублю, а копейки как-нибудь наскребали. Теперь стало не хватать копеек, и стали скидываться втроем по рублю. Пить оттого, что та же бутылка приходится теперь на троих, какая раньше приходилась на двоих, меньше не стали, потому что стали скидываться дважды. В зарубежной прессе известен рассказ американского классика (то ли Стейнбека, то ли Колдуэлла) «Как я был Хемингуэем», подробно описывающий этот новый русский обычай.

При публикации в «Вопросах литературы» выражение это, отнесенное к классикам, было сочтено непочтительным, и слово «скинулись» было заменено на «сошлись».

СТР. 281. *Бедный всадник (Поэма о мелком хулиганстве)*.
Автор не собирается отстаивать качество этого каламбура. Само название третьей части является своего рода мелким хулиганством, совмещая в себе названия великих произведений русской литературы: «Бедных людей» Достоевского и «Медного всадника» Пушкина (внутри части та же хулиганская фамильярность эхом отзывается в названии главы «Медные люди»). Автор не смог найти в Интернете точную дату указа Советского правительства о введении в законодательство Статьи о мелком хулиганстве, но бесспорно, что введение столь мягких мер пресечения (штраф или 15 суток тюремного заключения) связано с эпохой хрущевской оттепели: в период реабилитаций неловко стало сажать людей по малейшему поводу.

Так, за нецензурные выражения, приставание к женщинам, а особенно непочтение к милиции можно стало ограничиться столь мягким наказанием, чтобы было кому улицы подметать. Правда, о факте сообщалось на работу и это влияло на карьеру: лица, уронившие столь низко свой моральный облик, могли лишиться повышения или премии, возможности выехать за границу (так автор не поехал в Японию в 1966 году). Строго говоря, и Евгений, герой «Медного всадника», совершает акт мелкого хулиганства, угрожая памятнику Петру Великому: «Ужо тебе!» Сам он всего лишь сошел с ума, его никто не видел и не задержал — задержали саму поэму: император Николай, личный цензор Пушкина, оставил на ней столько помет, что Пушкин отказался править ее по его указке, сделав в дневнике гордую запись: «Это делает мне большую разницу!» Вмешиваться в поэзию Пушкина было уже крупным хулиганством, но царь у нас вне закона. Поэма была опубликована лишь после гибели поэта, когда эту правку выполнил его старший коллега Василий Жуковский.

Идеология никогда нас не покидала. Очень выпукло это отражает и история изданий Достоевского при советской власти. Последнее довоенное его издание наблюдалось в 193? году. Потом он совершенно не издавался как крайне реакционный, буржуазный, не понявший, оклеветавший и т.д. Наконец все после той же смерти (как много она разрешила? — вся страна р а з - р е ш и л а с ь этой смертью, которую вынашивала, как рождение, тридцать лет...) в 1954 году (сдано в набор 29/X-53) впервые после перерыва вышли именно «Бедные люди», с которых Достоевский начал свою карьеру. «Униженные и оскорбленные» — в 1955-м... И далее издания выходили в хронологической последовательности, будто Достоевский писал их заново. И наконец к 1965 году набежала возможность выпустить собрание, куда вошли даже «Бесы». Академическое издание, начатое в ознаменование стопятидесятилетия писателя, довольно быстро повторило пройденное и снова замерло над «Дневником писателя», как над пропастью.

Автор не библиофил, но в его разрозненной библиотеке имеется бесценный экземпляр — «Бедные люди» 1954 года с надписью на развороте:

«П-ч Тане, чемпиону лагеря во всех трех сменах по прыжкам, метанию гранаты и бегу.

Нач. лагеря: ...

Ст. п/вожатая: ...

Профсоюз работников культуры. П/лаг. № 17».

СТР. 284. ...*как сказал про меня поэт*...
Четверостишие из Глеба Горбовского.

Осенью 1968 года я подписал в издательстве договор на этот роман. (Правда, в договоре был опущен эпитет «Пушкинский», как нецензурный, и оставлен только «Дом».) Это означало аванс (1125 руб.). Страшно счастливый, я пришел домой. Буквально следом появился Глеб, настроенный мрачно и требовательно. Он мне почитает стихи, а я сбегаю за бутылкой. К моему удивлению и восторгу, он начал читать именно с этого четверостишия. И хотя стихотворение было пронизано каким-то антипрозаическим пафосом и таило выпад, я был потрясен совпадением, граничащим с прозрением. Роман!.. Причем именно «Дом». Я допросил его с пристрастием — о моем «Доме» он впервые от меня слышал. Я принял все за чистую монету, то есть целиком на свой счет.

СТР. 284–285. ...*Варшава... Япония...*
Первая страна, в которую автор не поехал, была Япония в 1966-м... (вторая — Польша в сентябре 1970-го, третья — Италия в октябре 1971-го).

СТР. 293. ...*для сдачи норм ГТО.*
См. комм. к стр. 127.

СТР. 294. ...*достал из кармана маленькую.*
Маленькая — бутылка водки емкостью 250 мл. Не думаю, что это обозначение когда-нибудь исчезнет из нашей речи. Впрочем, как сказал мне один специалист в винном отделе: «Запомни, бывает только пол-литра: маленькая пол-литра, нормальная и большая!» Он имел в виду емкости 250, 500 и 750 мл. Так что понятие «пол-литра» может оказаться наиболее жизнестойким.

... — Он... — и выразительно постучал по перилам...
Раньше, когда это и впрямь грозило жизни, стукачей угадывали безошибочным чутьем, по запаху, и обходили стороной, а если было не обойти, замыкались. Интуиция выработалась потрясающая: кому, что и когда можно говорить. Человек переключался в ту же секунду, не замечая, почти не испытывая неудобства. Область этой подвижной корреляции языка не изучена, не описана как феномен. Этот рефлекс, работавший с безошибочностью инстинкта, во многом атрофировался, как только отпала непосредственная угроза жизни. Стук теперь угрожает разве карьере: человек может не поехать за границу, остановиться на служебной лестнице, в крайнем случае слететь с нее на пролет ниже. Но на уровне меркантилизма инстинкт не работает, точно угаданное знание отсутствует, а воображе-

/445

ние их не заменит. Теперь подозревать за собою стук — почти повышение, этим можно похвастаться громким шепотом. Наличие стукача подразумевается на каждом шагу: накрывается подушкой телефон, включается изысканная музыка... Успех ближнего подозрителен: почему его выпустили, почему напечатали, почему выставили?.. И впрямь — не почему. Каждый, в меру своей образованности и привычки логически мыслить, стал думать за власть, забыв, что она не думает, а — есть. Подозревать стало либо некого, либо всех. А будет надо — возьмут. По дороге вы вспомните, что забыли вытащить карандаш из телефонного диска.

СТР. 296—297. ...*отчего это так приятно произносить: к-н-я-зь...* (и далее).

Суть Митишатьевым схвачена грубо, но верно. У нас уже уважают за титул, в основном каким-то детским, из Дюма вычитанным уважением. Девочки без подсказки играют в принцесс и королев — врожденный роялизм. Все это соскучившееся детство неожиданно выперло в кинематограф — в потоке заведомых фильмов актеры с чувством и вкусом начали играть отрицательных персонажей: белых, дворян, офицеров, князей... комиссары стали получаться все дежурней и проще. В среднеазиатском кино эта тенденция так заголилась, что поток юбилейных картин типа «остерн» был метко кем-то назван «Басмачфильм».

СТР. 299. ...*Это был старый Бланк.*

Аллюзию (см. комм. к стр. 393) «Бланк — Ленин» автор решительно отвергает. Она бессмысленна. Я о ней не знал, когда писал, никакого Бланка не знаю... (но — и не вычеркнул, когда узнал).

СТР. 300 ...*сыграл «на зубариках» «Марш Черномора».*

«Марш Черномора» из оперы Мих. Глинки (1804—1857) «Руслан и Людмила» по одноименной поэме А.С.Пушкина. Каждый наш зуб (пока они свои) при щелчке по нему (скажем, ногтем) способен издать свою ноту своей тональности. Люди с хорошим слухом способны даже подобрать нехитрую мелодию. Мастера такого рода встречались в моем послевоенном детстве. Последним известным мне исполнителем оказался Рид Грачев, питомец детдома военного времени, талантливейший прозаик, к прискорбию, рано покинувший литературу.

СТР. 306. *...об «Октябре» и «Новом мире»...*

Резкость их контраста была главным культурным завоеванием так называемой либеральной эпохи. Если при основании журналов названия их были синонимами, то теперь в передовых умах они стали антонимами: «Октябрь» был отвергнутым прошлым, а «Новый мир» невнятным, но «к лучшему» будущим. Наличие их обоих означало время. Что оно течет. Что оно — есть. Диалектическая разность наконец восторжествовала и дала плод — нового двуглавого орла. Чем ярче разгоралась рознь журналов, тем более становились они необходимы друг другу и в каком-то, пусть неосознанном и нециничном, смысле начинали работать на пару, на шулерский слам. Но, по остроумному выражению одного биолога, «никакого симбиоза нет — существует взаимное паразитирование». Разницу подменили рознью, и практически неизвестно, кто умер первым, но тогда умер и второй. Да, сначала был разбит «Новый мир», но и торжество «Октября» оказалось не менее скоропостижным: без «Нового мира» оно уже ничего не значило. Борьба с «Новым миром» была для «Октября» /447 самоубийством. Возможно даже, что самоубийство Кочетова это доказывает. Но факт, что потребность в контрасте была истрачена, Истории больше не требовалась, — и горький факт, что именно «либералы», а не «октябристы», имеют особые заслуги в развитии этой энтропии. Я хорошо помню фразу, уже означавшую агонию: «Он печатается и там и там». Она говорилась не про левых и правых, а про — н а с т о я щ и х писателей. Теперь имена этих журналов — снова синонимы.

Вот слезы одного крокодила по этому поводу:

> Помню, два редактора, бывало,
> лихо враждовали меж собой.
> На полях читаемых журналов
> благородно шел
> 　　　　　достойный бой.
>
> Средь стального грома
> 　　　　　без опаски
> продвигались лошади рысцой...

Был один

                    прямой по-пролетарски,
а другой —

                        с крестьянской хитрецой.

Рядышком их ранние могилы.
Поправляю розы на снегу.
С тем, что личность —

                        не такая сила,
снова согласиться не могу.

Вижу строки —

                        и мороз по коже,
помню взгляды —

                        и душа в тепле.
Жили два писателя хороших,
интересно было на земле.

...о валюте... о сертификатах...
Надеюсь, это понятие исчезнет раньше всех... Тут им было что
обсуждать. Сталин, после Победы, готовя денежную реформу
и обмен денег 1947 года, запросил исчислить ему рубль по меж-
дународному курсу. Экономисты старались, как могли, чтобы
курс был повыше, но слишком врать **ему** тоже боялись. Сталин
рассердился на предоставленную цифру: «Надо, чтобы рубль
был выше доллара!» — «Сделаем-с» — сделали. Так появилось
понятие о ф и ц и а л ь н о г о курса рубля (неофициальный
курс объявлен не был): он был несколько выше доллара.

Тут, думаю, и появился искус сыграть на разнице официального и неофициального... При Сталине все еще было прочно:
рубль **стоял** внутри страны. После его смерти началась неиз-
бежная вялотекущая либерализация (длящаяся по сей день),
что коснулось и рубля: трещина в его курсе стала расти: рубль
внутри страны стал занимать с в о е место. Тем временем
больше людей стало ездить за границу и работать там, больше
стало и приезжать... В страну, понемногу, потекла свободная валюта, которой никто не был вправе пользоваться. Спекуляция
валютой стала расти, и разница официального и неофициального курсов рубля стала более чем материальной. Недаром
именно в наиболее либеральные, оттепельные, времена з а
м а х и н а ц и и с в а л ю т о й была введена даже расстрель-

ная статья. Носить в кармане с в о б о д н у ю валюту советский человек имел право еще меньшее, чем оружие или наркотики.

Чтобы легализовать тех, кто получал валюту о ф и ц и а л ь - н о, и были введены с е р т и ф и к а т ы и расширена сеть магазинов «Березка», где проживающие по работе в России и заезжие иностранцы обеспечивают себя привычными для них на Западе товарами непосредственно за валюту. Теперь и советский человек может получить во Внешторгбанке ч е к и (сертификат на покупку товаров) взамен валюты, законно ему причитающейся. Может с ними и «Березку» посетить.

И тут сразу возникли трудности: «Березки» стали подразделяться на более и менее элитные. Стали спрашивать и паспорт... (И недаром — чеками тоже стали спекулировать; особенно когда на них стало можно купить автомобиль без очереди и в «экспортном» исполнении: для невыездного советского человека чеки вдруг стали дороже опасного доллара.)

Таким образом, в СССР имеют реальное хождение три валюты: свободная, сертификаты и рубли. Между ними существует пляска черных курсов, на которой наживаются сообразительные и отчаянные люди, получая то большие барыши, то большие сроки.

Меня утешает литературная мысль, что в России и всегда было так. Читая в классике про дореволюционную жизнь, я недоумевал по поводу разницы расплат рублями: золотом, серебром или ассигнациями?.. Пиша этот комментарий, вдруг догадался, что это в переводе на советский язык: золото — валюта, сертификат — серебро, ассигнации — рубль. Думаю, тем не менее, что разница этих трех внутренних курсов до революции была минимальная и стабильная.

/449

Сейчас (лето 1978) курс доллара на черном рынке 4,5 рубля. Никогда еще мне не было так ясно мое финансовое положение: все, что мне нужно, стоит доллар. Килограмм кофе = полный бензиновый бак = пол-литра водки = 4,5 рубля = 1 доллар. Мне как невыездному полное удовлетворение: дешевле нигде не будет. Спасибо товарищу... страна стабильна. Я бы именно сейчас ввел в СССР твердую валюту!

Митишатьев дуплился, мечтая сделать «рыбу»; Лева ехал «мимо».
Жаргон игрока в домино. Д у п л и т ь с я — игрок имеет право выставить две карты за один ход, если у него на руках два под-

ходящих дубля. С д е л а т ь « р ы б у » — после такого хода ни один из игроков не может продолжать игру, все, что осталось у них на руках, записывается в минус. Е х а т ь « м и м о » — вынужденно пропускать ход.

СТР. 311. *И царь ему* (Пушкину. — *А.Б.) нравился.*

В Висбадене в 1966 году родился мальчик Александр фон Ринтелен — прапраправнук А.С.Пушкина и князя Долгоруко-ва (Рюрикович?), праправнук Александра II (Романова) и принца Николая — Вильгельма Нассауского, правнук графа Георгия Николаевича Меренберга[1] и фон Кевер де Лергос Сент-Миклес...

И там же, в ФРГ, проживает его тетушка Анни Бессель, пра-правнучка Пушкина и шефа жандармов Дубельта, о которой мальчик из Висбадена, возможно, не имеет ни малейшего пред-ставления, поскольку она значительно более низкого проис-хождения, хотя в тетушке вдвое больше пушкинской крови, а в нем всего 1,55125%, но это единственная кровь, которая их роднит, не считая, правда, такого же % от Натальи Николаевны.

Вот таких смелых рифм в области генеалогии наделала одна только младшая дочь Александра Сергеевича, Наташа! Ибо первым мужем у нее был сын Дубельта (и это была скорее мстительная тяга к жандармскому мундиру, чем пренебреже-ние к отцу, поскольку хотела-то она по глубокой любви выйти за кн. Орлова, но его отец, шеф жандармов после Дубельта, не разрешил мезальянса с дочкой Пушкина), а вторым — принц Нассауский, одну дочку от которого она выдала за вели-кого князя Мих. Мих. Романова (отчего пришел в ярость Алек-сандр III), а младшего сына женила на Юрьевской, урожден-ной Долгорукой, дочери Александра II (от морганатического брака). Сильна была ее первая страсть и обида! Ее браки, бра-ки ее детей и даже внуков восходят к этому первому отказу, пе-рекликаясь с комплексами отца и их преувеличивая, — пород-нив Пушкина с двумя[2] царскими домами и продолжив тради-цию связывать кровью поэтов, царей и полицию.

---

[1] Георгий Николаевич, будучи внуком Пушкина и зятем Александра II, ни слова не говорил по-русски и умер в 1948 году.

[2] Даже с тремя, поскольку ее внучка, происходя уже из двух царственных, хотя и морганатических линий, стала законной супругой принца Маунт-беттена.

СТР. 313. ...*«Их семеро, их семеро, их — сто!»*...
Из стихотворения Велимира Хлебникова (1885—1922). Первого Председателя Земного Шара (1916—1922).

СТР. 316. ...*в классическом сегрегационном романе о капле крови*...
Мой близкий друг Яков Аронович Виньковецкий (1937—1984), геолог, художник, поэт, философ, однокашник по Ленинградскому Горному институту, полвека назад подвигнувший меня на занятие литературой, просвещал меня, как мог, принося мне то ту, то другую полуразрешенную г е н и а л ь н у ю книгу. Однажды он принес американский роман, соответственно, п р о г р е с с и в н ы й, т.е. критикующий ихнюю действительность: о молодом человеке, скрывавшем свою негритянскую кровь в третьем поколении. Он был белый красавец с элитным университетом за плечами, с прекрасной карьерой и невестой, и вот все рушилось из-за того, что некий ревнивец и завистник раскопал его происхождение. В ту пору, после сталинской школы, меня категорически не интересовало так называемое и д е й н о е содержание вне его художественных достоинств. Я так и сказал Яше, что роман — дерьмо. Он откровенно обиделся: «Как ты не понимаешь! Это же великая драма! А если бы в тебе оказалась капля еврейской крови?» «Этого не может быть», — твердо отвечал я, и он обиделся еще больше. Так я впервые попал в положение антисемита, и вынужденность этой позиции возмутила меня. Может, именно эта черная к а п л я (клякса) и переполнила чашу, и я вышел на **тему**, без какого бы то ни было права или основания: я честно не различал людей ни по расовому, ни по национальному признаку — только по качеству. Проглядывая роман в новых условиях гласности, я обнаруживаю, сколько в нем так называемой в н у т р е н н е й цензуры, в том числе по так называемому в о п р о с у, хотя, пиша **роман**, именно словом г л а с н о с т ь обозначил я для себя в 1970 году право на в н у т р е н н ю ю свободу. (См. комм. к стр. 221—224, 316.)

/451

...*в соавторстве с Говардом Фастом*...
Этим писателем была заполнена единственная лицензия на современную американскую литературу в СССР в конце 40-х — начале 50-х годов. В США о нем никто не слышал. Там в это время вовсю писали писатели, о существовании которых мы не

слышали, в том числе и тот, портрет которого («в трусах, на рыбной ловле...») запроектирован в каждом доме (см. комм. к стр. 24).

СТР. 318. *...В отличие от Виктора Набутова, дорогая... Владимир Набоков — писатель.*

В те времена, когда у нас всего было по одному, в том числе и футбольный комментатор был один. Тогда голос Набутова был известен каждому из двухсот миллионов граждан и зэков. Голос его соперничал с голосом самого Синявского (не путать с писателем...), как, в свою очередь, голос Синявского уже забивал (по случаю мирного времени) голос Левитана, которого уже никто не путал с художником.

...Лева рассказывал Наташе, как Толстому приснился женский локоть...

Знаменитая история, связанная с замыслом «Анны Карениной». Почему-то это именно она, наряду с прискоком Пушкина («Ай да Татьяна! Какую штуку выкинула!..») и симптомами отравления у Флобера, входит в расхожую триаду массовой эрудиции по теме «психология творчества».

Локон (а не локоть!) принадлежал М.А.Гартунг, старшей дочери Пушкина.

СТР. 322. *Тут бы гоголевское восклицание...*

Любопытно, что основоположник соцреализма М.Горький в художественном отношении, кроме романа «Мать», ничего для нового направления не дал. Он дал ему ряд лозунгов, собственную фигуру и ряд образчиков нового писательского поведения, не больше. За художественными открытиями молодая литература «сходила» прежде всего к Л.Толстому и, как ни странно, к Гоголю, писателям, мягко говоря, очень далекой идеологии. Начиная с Шолохова и Фадеева, все писатели «полотен» не могли не прибегнуть к той или иной толстовской интонации. И современная наша классика, включая К.Симонова, и даже не упоминаемый всуе изгнанник (в той своей ипостаси, в какой он как художник бывает соцреалистичен)... катятся на паровой его тяге. В самое же залакированное время и эта эпическая интонация стала слишком объективна, тогда-то и прибегли иные к интонации гоголевской, но именно и исключительно романтической его интонации. Откройте антикварную книгу «Кавалер Золотой Звезды», и вас закачает на днепровской волне: «Чуден Днепр...» Пафос! Большой пафос! Еще больше... «Ты думаешь, я не знаю, за что мне платят? За пафос!.. — с горечью признался мне в ЦДЛ ныне крупный деятель третьей волны. — И те, — добавил он, — и эти».

СТР. 324. ...*Паровая музыка играла «Дунайские волны»...*
Автор испытывает слабость к этой музыке. Она ему нравится прежде, чем он понимает, что она ему нравится, и во всяком случае не потому, что д о л ж н а нравиться. Услышанная внезапно на вольном воздухе, она попадает сразу в кровь, минуя вкус и голову. Но марши — еще безусловней, еще точней. После них вальсы — уже рафинад и упадок. Марши — это первомузыка вне обсуждений. Однако снобизм меломанов дошел до того, что была записана пластинка старинных маршей и вальсов для слушания в совершенно неподходящих интерьерах. В прекрасном исполнении сводного военного оркестра под управлением генерал-майора и с главным дирижером — полковником. На одной стороне — марши, на другой — вальсы. И вот что любопытно: маршами дирижирует полковник, а вальсами — генерал. (Так секретари Союза кинематографистов, ратуя за современную тематику, предоставляют ее режиссерам, еще добивающимся того же, что и они, положения, а сами экранизируют русскую классику...)

СТР. 325. ...*подкинул белый шарик и поймал на черный*...
См. комм. к стр. 10 — *Раскидайчик*.
Не знаю, как сумел Митишатьев сохранять их так долго! Забава эта после войны так же внезапно появилась, как и исчезла. Шарики были тяжеленькие, не совсем ровные, как скатанные меж ладоней из глины, потом обожженной; покрыты они были составом вроде как со спичек или даже — тонко — порохом. Во всяком случае, звук был как от выстрела из игрушечного пистолета, заряженного пистонами, а запах — как от неразгоревшейся спички.

СТР. 329. ...*синий... топот мундира*...
Старая милицейская форма (сочетание синего с красным — еще дореволюционного происхождения). В 1970 году (сначала

в столице) начался переход на новую благородно-дипломатическую форму цвета маренго. Вообще за последние годы большой прогресс наблюдается в области вторичных милицейских признаков: спецмашины заграничных марок, рации, краги, шлемы, звезды на погонах... — все это стало красивее, и всего этого стало больше.

СТР. 330. *...Документ-эксперимент-экскремент...*
Автору засела в незрелый мозг история, рассказанная старшим братом, студентом Ленинградского университета, в самом начале 50-х годов. Она характерна и эпохально бездарна. Ректор университета, сорокалетний академик-математик, лауреат Сталинской премии, мастер спорта по альпинизму, горнолыжник, романтически поразил голодное воображение студентов тех лет, кроме своих титулов, еще и следующей легендой: якобы он ехал на колбасе (буфер трамвая), милиционер засвистел и снял его с колбасы, потребовал документы, тот достал книжку члена (Академии наук), мол, провожу научный эксперимент, милиционер взял под козырек: «Продолжайте, товарищ академик!»

454/   Нет, я все-таки слишком давно живу!

СТР. 334. *«Правило правой руки Митишатьева»... «Если человек кажется дерьмом, — то он и есть дерьмо».*
Мука с этими мнемоническими правилами!.. Автор никогда не мог справиться ни с правой, ни с левой рукой, ни тем более с буравчиком. Либо он понимал законы, либо запоминал правило. Автор и теперь не помнит эту мнемонику, а только муку, с ней связанную. Вот мука-то и пригодилась.

СТР. 348. *Представь себе, айсбергов на этом острове тоже нет.*
Шутка эта не принадлежит автору (он так не шутит), не принадлежит она даже и Митишатьеву, который в данном случае переиначивает шутку не то Ильфа, не то Петрова.

СТР. 350, 354. *...Как это случилось? — тут неуловимый переход...* (и до конца абзаца); *...Раздался стон, скрип, авторский скрежет...* (и до конца абзаца).
Авторский эвфемизм. Автор убежден, что любой сюжет основан на ложном допущении, иначе он не будет замкнут и раство-

рится в той самой жизни, у которой нет ни линии, ни темы, ни судьбы — ничего от структуры. Скажем, такой человек, как Раскольников, не мог убить процентщицу (он мог убить Лизавету, вторая жертва, естественно, после первой, но — первая невозможна). Перед Достоевским стоял выбор: преступление или наказание? — пойти за сюжетом или за героем. Либо взять героя, который мог убить процентщицу (он бы и не убил Лизавету), но это был бы не Раскольников, а роман — это Раскольников, это — наказание. Достоевский предпочел героя правде сюжета; но без сюжета, пусть основанного на ложном жизненном допущении, герой бы не вступил в реакцию той силы, какая была необходима Достоевскому. Достоевский соврал в сюжете и выиграл роман.

Можно найти и другие примеры. Язвы сюжетных допущений всегда на виду, на них коростой нарастают скороговорка, пропуск, прием. Но без них произведение не наберет силы, не выскочит на энергетический уровень великого произведения. Меня всегда смущала эта маленькая неправда больших вещей, и, восхищаясь достижениями, полученными с ее помощью, я никогда не мог на нее решиться для себя. С огорчением я понимаю и принимаю это в себе как недостаток силы. Но не могу преодолеть.

Как ни ослаблен сюжетно этот роман, но и он был замешан на метафорическом допущении, не выдержавшем проверку правдой: герой должен был быть убит на дуэли (смягченно: пьяной) из старинного дуэльного пистолета. Все шло хорошо, пока это ожидалось (но только потому, что это ожидалось), и все стало решительно невозможно, когда подошло вплотную. Литературный суп — обязательно из топора (в «Преступлении и наказании» это буквально так), но приходит мгновение облизывать его на правах мозговой кости. А невкусно. Тут и сыплется последняя специя, колониальный товар: прием, фокус, ужимка, авторский голосок... Как раз то, ради чего все — всегда тяп-ляп (когда уже есть кораб...).

СТР. 353. ...«очко» — те же пригородные ужимки...

Очко (двадцать одно) — игра умная, психологическая, на нервах (на нарах). В нее проигрываются и последний рубль, и последние штаны, и жена, и жизнь. Поэтому прикупивший карту ничем не должен выдать ее достоинства. Задача не обрадоваться и не огорчиться слишком трудна для охваченного азартом человека. Поэтому карта открывается для себя медленно, чуть-чуть, как бы тайком даже от себя, не только чтобы не подсмотрели, но чтобы удержать маску. Так играют на нарах, такую же манеру можно увидеть в пригородных электричках: то ли народ, который в них ездит, отчасти деклассирован и успел всякого повидать, то ли лавки в вагоне напоминают отчасти нары...

СТР. 360. *...хромое слово «дилогия»...*
В эпоху все более широкого развертывания «полотен» в нашей литературе все стали стремиться к написанию не просто большого эпического романа, но непременно трилогии. Скажем, «Заря» — «В бурю» — «Покой нам только снится» или «Шторм» — «Рассвет» — «Смерти не будет» (третий роман обычно дописывался уже в либеральное время, когда в моде были длинные названия). Писатели, позже включившиеся в это ковроткачество, не успевшие дойти до третьего или начавшие со второго, родили это новое в литературе жанровое обозначение неоконченной трилогии — дилогия. За нее уже пора получать премию. Постепенно стало ясно, что третий и необязателен. Понятие «дилогия» оказалось утвержденным как новый, секретарский жанр.

СТР. 366. *...поднимает с полу листок... Не меньший интерес представляет для нас и другая поэма Гомера — «Одиссея»...*
Листок подлинный (см. примеч. на стр. 99). Найден в том же месте, что и клочок газеты (см. комм. к стр. 13), но по другому адресу (Москва, ул. Руставели, 9/11 — общежитие Литературного института им. Горького).

СТР. 367. *Работа — аккордная.*
При отсутствии конкуренции и безработицы существуют три основных вида зарплаты: повременная, сдельная и аккордная. Последний вид идеологически не поощряется как ведущий к штурмовщине, рвачеству, нарушениям требований охраны труда, таящий в себе зернышки капиталистического предпринимательства. К аккордной оплате прибегают в крайних случаях (когда надо сделать быстро и хорошо). Это заранее назначенная сумма за определенный объем работы, без учета времени и числа работающих (см. примеч. на стр. 393).

Не было никакого такого теперь «народу»...

Пока ничего не происходит — все становится другим. О колоссальных изменениях, происшедших после войны в структуре города, интеллигенция узнала по невозможности нанять какую бы то ни было прислугу. И только интеллигенция несколько окрепла материально, как окрепли и те, кого можно было нанять: переселились, обзавелись и «унижаться» не хотели. Плодом революционных преобразований явилось то, что никто не захотел служить другому, а общество, кажется, на этом основано. Не захотели «унижаться», то есть окончательно расхотели работать. Процесс этот длительный и сложный: отрыв от земли, бегство из деревни, обретение городского статуса, — произошел скрыто от глаз коренного горожанина. И он жеманно обнаружил, что «прислуги не достать».

СТР. 371. *«Дивная, нечеловеческая музыка!»...*
Восклицание В.И.Ленина о Бетховене из очерка А.М.Горького. После чего что «Лунная», что «Аппассионата» стали исполняться наравне с гимном.

...может всплыть утопленник...
/457
По реке плыл пароходик и стрелял иногда из пушечки... Описание подобной ловли можно найти у М.Твена в «Гекльберри Финне».

СТР. 372. *...специальный клей БФ-2...*
Рождение нового наименования во времена культа было явлением. Оно происходило раз в год, а то и реже. «Клюква в сахаре», «Рябина на коньяке», велосипед «Турист», холодильник «ЗИС» или вот клей БФ-2... Это были не предметы, а понятия, всеми отмечаемое движение жизни. Этим клеем клеили все; было склеено все, когда-либо разбитое; я боролся с искушением что-нибудь разбить, чтобы склеить. За клей была присуждена Сталинская премия, и все восприняли факт этот с большим удовлетворением. Уже немного оставалось... Нет, Сталин был обречен. Появление того же БФ-2 было одним из звонков. Стиляги ведь тоже... Здесь в романе описано уже их д в и ж е - н и е. А п е р в ы е появились еще до смерти — ласточки. Что-то стало появляться — вот в чем приговор. Кто-то сообщил мне историческую примету, что Россия стерпит все от своего пра-

вителя до поры, пока он не посягнет на две вещи: русский язык и евреев («Марксизм и вопросы языкознания» и «дело врачей»). В некоторых случаях примета подходит... Но, по-моему, и БФ-2 — признак.

...коричневое право принадлежать самим себе...
Автору трудно вразумительно объяснить эту окраску. Во всяком случае, на нацизм он не намекает. Но и нельзя сказать, что это только цвет кала.

«И на́ тебе эту еврейскую пепельницу»...
Любопытная сторона антисемитизма, перерастающего в манию преследования: перестают узнавать русских! И в лицо, и по фамилии. Надо быть белобрысым, курносым, корявым и хамом с непременной фамилией на «ов» и несомненным отчеством, чтобы в тебе не усомнились. Забыли, что у русских длинный нос, — гоняются за вырождением как национальной чертой. И Григорович ни при каких обстоятельствах не еврей.

458/ СТР. 374. *Медные люди.*
Опять, не вдаваясь в обсуждение качества каламбура, отсылаю к комм. к стр. 281.

СТР. 381. *Видит ли своим вставным глазом зам?*
Автор проживал некоторое время в общежитии Литинститута (см. комм. к стр. 366). Так вот директором этого общежития (комендантом) был бывший комендант Бутырской тюрьмы, прозванный Циклопом за одноглазость. Теперь он зам. директора того же института (по АХЧ). Это не означает, что автор писал с натуры, — обычное совпадение, подтверждающее правило.

...Нет, нет, Готтих мне ничего не говорил... Какой Готтих?
Если Готтих и впрямь стукач, то стучал бы он, скорее всего, именно этому заму.

СТР. 382. *...Это был тот самый американский писатель...*
См. комм. к стр. 259.

СТР. 386. *...па-де-де, пластически выражающее тоску по Параше...*
Это не пресловутая чечетка нетерпения (Параша — с большой буквы). Параша (Прасковья, по-видимому) — героиня все той же поэмы «Медный всадник». На нее написан балет Р.М.Глиэром, того же рода, что и клей БФ-2 (см. комм. к стр. 372). Полагаю, что в нем должно быть па-де-де.

См. также комм. к стр. 119.

. . . .
. . . .
. . . .

СТР. 387. Эпиграф из «Бесов» Ф.М.Достоевского.
Учитывая все растущую тенденцию отмечать любые юбилеи и даты, автор подумывал посвятить свой роман столетию выхода «Бесов». Не только скромность остановила его, но и то, что у него неокончательное, двойственное отношение к великому роману. Ставить свой роман в хвост «Бесам», как бы подхватывая традицию и продолжая линию, было бы не только опасно по сравнению, но и не точно (последнее — важнее). Дело в том, что в некоторых вопросах все-таки остается неясно, что впереди чего: явление или отражение его, закон или его формулировка, поступок или мысль, дело или слово. Да, Достоевский с исключительной силой гения «просветил» насквозь, как рентген, явление, еле зачавшееся, еще ничтожное. Но ничтожное — и есть ничтожное. Не просветил ли он его и во втором смысле? Не сформулировал ли зло, настолько недееспособное, что никогда не смогло осознать себя? Было ничто, а стало явление! Описанное гением! Это ли не лестно?! Значит, мы есть, раз про нас пишут! И кто пишет! и как!.. Факт тот, что бесы вошли в силу, когда о к а з а л и с ь, после романа. Естествен (и принят) такой взгляд, что гений прозревает будущее, и бесы развернулись бы и без романа, а Достоевский предостерег. Но никто еще не внимал художественным предостережениям. Литература вообще не для «пользования». Она не лекарство и не все остальное, что не литература. Пользоваться ею умеют только сами бесы. Им все в лыко, все в строку. Несозидательные силы всегда разрушительны, даже если пассивны. Каким образом может быть активным то, что не способно ничего создать? Только обратив на себя чужую созидательную энергию, хотя бы в виде внимания. Что может привлечь большее внима-

ние, чем великий роман?.. У бесов — ни гордости, ни уважения, ни паче... Они есть только в сознании других, иначе их нет. Не считать, что они есть, — это подвергнуть их самоаннигиляции. Не вдохнул ли в них Федор Михайлович?.. Не вдыхаем ли мы теперь?

Так что автор передумал посвящать роман. Он о другом. Он — о плодах отношения, а не о силах. Копаться в силах — это вызывать их к действию. Куда!.. Автор не посвятил, а принял обязательство закончить роман к знаменательной дате — к столетию со дня рождения бесов.

СТР. 388. *...мы прилагаем лемму.*

Ахиллес и Черепаха... Мне казалось, я тут же эту лемму найду, когда меня спросят... Оказалось, нет. Я пока не нашел такой леммы. Зато я нашел, что такое лемма: доказываемая истина, имеющая значение только для другой, более значительной истины — теоремы.

СТР. 390. *...Общество охраны литературных героев от их авторов.* Вряд ли такое общество было бы намного менее дееспособно, чем прочие общества охраны (природы, памятников). Литературный герой — тоже явление природы и памятник. Во всяком случае, возможности симпозиумов и конгрессов имеются, а что еще может поделать общество охраны, как не развлечься на благородном и почтенном основании?

Мой просвещенный друг рассказал мне о существовании значительной книги Даниила Андреева (сына писателя) «Роза мира». Это большое системное сооружение духа, здание Бытия. Написано в лагере. Любопытны даты написания: 1949—1958. То есть пока был еще культ, а потом разоблачение его, пока сходились и расходились две эпохи, этот человек спокойно сидел между, не в историческом, а в Богом ему отпущенном времени, и ДЕЛАЛ СВОЕ ДЕЛО. Так вот у него (по пересказу) мир многослоен и в каждом слое реален, и один из этих слоев населен (!) литературными героями. (К вопросу о силе допущения... Н.Федорову, чтобы построить великое здание Общего Дела, потребовалось императивное воскрешение всех мертвых.) Не знаю, что в целом выстроил Даниил Андреев, но даже на периферии своей постройки он допустил жизнь литературных героев не в каком-нибудь переносном, как у меня, а в буквальном и подлинном смысле. Из здравого смысла ничего не создать. Он — паразит. (См. также комм. к стр. 350, 354).

СТР. 393. ...*Я виноват в этой, как теперь модно говорить, «аллюзии»*... Это и впрямь стало редакционным словом. Я его часто слышу. Означает оно (как я его понимаю по употреблению — толкового, словарного смысла я так и не узнал) различное восприятие одного и того же. Скажем, вы хотели сказать и думаете, что сказали, одно, а вас поняли (или можно понять) иначе, может, даже в противоположном смысле, во всяком случае не так, как вы бы хотели, и т.д. Вы не намекали, а получился у вас намек, вы и не думали сказать что-нибудь против, а вот получилось... Думаю, что новая жизнь этого слова обеспечена не столько возможным многосмыслием сказанного, сколько его двусмыслием и тем, что: «Есть мнение!..» — и безмолвный палец в потолок, и поскольку у нас сейчас очень вежливое мнение, то, чтобы не оскорбить честного человека неоправданным подозрением, а тем более не обвинить, и родилась эта удобная редакционная форма — словечко «аллюзия». Вместо недавнего прямодушного: ну это, батенька, не пойдет, это вы загнули, да понимаете ли вы, где вы собираетесь печататься?.. — через промежуточно-грозное: понимаете ли вы, что вы написали?! — к мягкой форме: вы не то написали... вы, конечно, этого не имели в виду, я-то понимаю, что вы хотели сказать, но вот ведь вас легко можно понять и вот так... но вы ведь так не хотели, не хотите?.. давайте снимем, заменим, изменим... При этом чаще всего и автор хотел сказать то, что сказал, и редактор его прекрасно понял, и именно в том, в его смысле.

/461

Чтобы не быть голословным, приведу два-три («двойку-тройку», как говорят в отчетных докладах) примера «чистых» аллюзий из собственной практики, когда я впрямь не предполагал, что написал что-то, «чего нельзя», а оказалось... Например, в «Путешествии к другу детства» (1965) я лечу на Камчатку и подолгу торчу в промежуточных аэропортах из-за нелетной погоды. Этот прием мне был необходим, чтобы успеть все рассказать за время вынужденных остановок. Редактор был напуган: «Это что же получается? "Над всей страной кромешная нелетная погода"... У вас так и написано! Это как же вас можно понять, что...» И дальше началась такая политика, о которой я и впрямь не подозревал и сам испугался. «Но я имел в виду лишь метеорологические условия, никаких других! Явление природы...» — «Я вам верю», — сказал редактор. Фразу эту мы сняли.

Вообще про погоду — опасно... Мне не дали назвать книгу «Жизнь в ветреную погоду» (1967): какой климат? где погода? откуда ветер дует?.. В повести «Колесо» (1971) у меня был пассаж о реальном месте спортивных страстей в окружающем мире. Для масштаба я взял газету и обнаружил в ней три, и то перевранные, строки о заполнившем все мои мысли и чувства событии. После возмущения по этому поводу я пошел вбок: а если бы я знал, какие действительные страсти, какие судьбы стоят за другими мимолетными сообщениями, например, назначение и отзыв посла?.. А погода, далее восклицал я, вообще явление космическое, а о ней как меленько?.. В общем, крайне спокойный и умиротворенный вывод. А в конце пассажа следовал парадоксальный как бы вопрос: «Знаете ли вы, что самые быстрые мотоциклы производят сейчас в Японии и что, пока мы все пугаемся Китая, эти японцы куда-то вежливо и бесшумно торопятся?..» Что этот дурацкий вопрос мог вызвать аллюзию, я предполагал и был готов снять про Китай, ибо у нас его не положено поминать всуе, но я никак никогда не мог предположить, как все обернется... «Здорово это ты... Лихо... метко...» — «О чем ты?» — спросил я, предполагая Китай. «Про посла ты едко... Сводишь счеты?» — «Помилуй, с кем?..» — недоумевал я. «С кем, с кем... Ишь, делает вид... С Толстиковым!» — «С каким еще Толстиковым?..» Вот что оказалось. Как раз в день работы с редактором было опубликовано, что Толстиков, бывший первый секретарь Ленинградского обкома, назначается послом в Китай. Тогда и впрямь было много разговоров о том, что он каким-то образом проштрафился, прогневил и его снимут. Никто, конечно, не ожидал, что в Китай... И вот сняли, и надо же, ни днем позже, чем в день редактирования «Колеса». Его сняли, но сняли и мой абзац про посла (и про Китай, конечно). Я предлагал только про Китай, мол, тогда не будет мостика, не станет и намека. Я говорил, что написал этот абзац больше года назад, когда Толстиков прочнейше сидел на месте, что, когда это будет напечатано (ведь не завтра же!), все о нем и думать забудут и он сам будет далеко... Бесполезно! Характерно для аллюзии, что она действует именно в момент редактирования, отдаленный как минимум на полгода от аллюзий, связанных со временем опубликования, которых никто предположить не может.

Названия вещей поражаются аллюзией в первую очередь. Вот пример, связанный уже с «Пушкинским домом». Опубликовав в розницу за пять лет усилий пять глав, в основном из второй части романа, я решил их объединить в книге под заглавием «Герой нашего времени». И весь цикл и каждая глава сопровождались эпиграфами из Лермонтова, что делало ясным прием. Категорически нет! Что, что же можно подумать, что именно такой герой нашего времени, как ваш Одоевцев? Споры были бесполезны. Цикл был назван «Молодой Одоевцев», и даже под эпиграфами стояли то «Бэла», то «Дневник Печорина» — названия глав, но ни в коем случае не того романа, из которого они взяты. Под запрет попал Лермонтов, а не Битов. Пример чистой аллюзии дан в комм. к стр. 299 и (отчасти) 221—224.

...«*A la recherche du destin perdu*» или «*Hooligan's Wake*»...
По-французски автор не знает, а «Поминки по Финнегану» не читал и не видел (не один он...). Здесь я воспользуюсь случаем объясниться по скользкому вопросу литературных влияний, по которому никогда не следует объясняться самому, чтобы не оказаться неизбежно заподозренным именно в том, от чего открещиваешься.

Конечно, я прекрасно сознаю, что вторичность — не простое повторение, что быть вторичным можно и не ведая, что повторяешь, что влияние можно уловить и из воздуха, а не только из прочитанной книги, что изобрести по невежеству еще раз интегральное исчисление все равно легче и для этого не требуется гений Ньютона, что первооткрыватель — это качество, а не регистрационный номер. Слышать звон бывает более чем достаточно, не обязательно знать, откуда он. Упоминания имени, названия книги бывает достаточно, чтобы опалиться зноем открытия. Зная, что кто-то взял высоту, не будешь надеяться перепрыгнуть чемпиона, ставя планку пониже. Достаточно знать, что кто-то рискнул, пошел на подвиг, чтобы твое самостоятельное намерение совершить то же самое стало вторичным. Литература, слава богу, не спорт и не наука — свершения в ней не принимают вид формул и рекордов, в ней могут иметь цену одни и те же сюжеты, поднятые разными индивидуальностями, в ней могут одновременно и разновременно самостоятельно зарождаться близкие формы — они будут ценны. Но и в ней первое, как правило, сильнее независимо от него рожденного второго. С рождением и повторением новых форм обстоит сложнее: гении, как правило, не изобретали новых, а синтезировали накопленное до них. У Марлинского и Одоевского изобретений в слове больше, чем у Пушкина, Лермонтова и Гоголя, их изобретениями воспользовавшихся. У Ф.Сологуба мы найдем стихи, написанные «раньше» Блока. Но «Процесс» все-таки мощнее «Приглашения на казнь»; но как жаль было бы, если бы Набоков «вовремя прочитал» Кафку и не стал бы браться за «Приглашение»...

Все это автор как бы понимает... От влияний было бы глупо отказываться. Но мне все-таки хочется отвести некоторые упреки в прямых подражаниях, которые автор уже слышал и надеется еще услышать.

Наиболее существенны три: Достоевский, Пруст и Набоков.

Пруста мне легче всего отвести — он не русский, этот упрек меня не волнует. Не исключено, что я попал под его влияние, когда начал роман, когда писал «Фаину» и «Альбину». За год до этого как раз впервые его читал, читал «Любовь Свана», и она мне многое напомнила в самом себе, была узнана, произвела впечатление и т.д. Но еще перед этим чтением я закончил повесть «Сад» (1963), и мне кажется, что в «Фаине» гораздо больше именно этого автовлияния, я все еще не отошел от «Сада». В общем, Пруста я не отрицаю, это меня не волнует.

Сложнее с Достоевским, влияние которого вообще невозможно отрицать. Но тут есть два оттенка. Первый — что он один из самых «незапоминаемых» писателей и поэтому ему трудно было бы непосредственно подражать без перечитывания накануне. Я к тому времени давно его не перечитывал. И второй — что влияние Достоевского — вовсе не обязательно литературное влияние. Он еще не изжит, он встречается в самой жизни, тем более в российской, и лишь для человека, узнающего жизнь преимущественно по литературе (каковы критики), тавро Достоевского поразит и существующую действительность. Описанность явления еще не означает его исчезновения из жизни (хотя должна бы... об этом в другой раз...). В Достоевского легко «попасть», именно забыв о нем и выйдя из-под его влияния, попасть по жизни, по личному опыту. У нас в России все еще так думают, так чувствуют, как у Достоевского, может, даже в большей степени, чем в его время. Тут сказалась та же пронзительность просвечивания, что и в социальных пророчествах «Бесов» (см. комм. к стр. 387). Так что в «подражание» Достоевскому может столкнуть сама действительность, описанная, но не отмененная (а даже утвержденная) им, не он сам. Вот характерный эпизод из личного опыта... В 1965 году я попал на поминки Е. (без всякого правильного смысла; я с ним не был даже знаком, не был и на похоронах... — по-достоевски, по-русски...). Это был человек рекордно страшной репутации, бандит и убийца, главарь 1949 года. Но что-то и в нем было не просто так (черной краски не хватило, так он должен был бы быть черен...). По рассказам, под конец жизни он не мог читать ни одной строчки выпестованной им литературы, ушел в затвор, читал только Чехова и Достоевского, жена его истово вдарилась в религию, ходила в черном, как монашка, общался он только с ней (ее еще видели на людях, а его годами никто). Такой, значит, поворот. Умер. Я застал поминки в разгаре. Общество, кроме одного человека, сошлось несколько разнообразное и своеобразное: они были пародийно похожи на героев Достоевского. Были тут и Свидригайлов, и Шатов, и шарж на Ставрогина, и копия Верховенского, и два-три Лебядкиных (это я сейчас так /465 пишу — тогда мне эти аналогии почему-то не пришли в голову, может, как раз из-за очевидного сходства; к тому же с тех пор я многих из них узнал поближе и по отдельности удостоверился в каждом случае, а соединил сцену еще позже...). Пили. Верховенский не пил, остальные — много. Говорили речи. О покойниках плохо не говорят, и все начинали хорошо, отмечали размах и талант (к тому же и в ораторах было мало чего кристального), но потом как-то вдруг скатывались в глубокое, но и выкарабкиваясь из него, кончали прямым поношением. И так было с каждым. Народу было много, большинство просто пило, чокалось, ржало, гуляло по буфету, откровенно забыв о покойном, а те, кто пытался вправить (из лучших побуждений: как-никак смерть...) застолье в должное русло, исправно покойного поносили. Но — пили и ели. В жизни не представлял себе таких поминок! Зрелище затягивало своею отвратительностью и как-то вязко не отпускало от себя, будто все это должно было еще, сверх всего, чем-то таким кончиться, что лучше бы и уйти вовремя, да никак невозможно. И — разрядилось. И как раз тогда, когда я не выдержал и собрался уходить, а за мною еще трое...

Комментарии

И тут Верховенский обнаружил пропажу тридцати рублей. Все только этого и ждали — что началось! какая изысканность предложений и предположений... Никому не выходить, всех по очереди обыскать... Все-таки такое оказалось невозможно. Единогласно нашли жертву — ею оказалась самая молоденькая и смазливая (и бедная!) девушка, которую привел Шатов[1] под неизвестной фамилией. Она — отрицать и в слезы. Они (актив, мигом сложившаяся звездочка[1], пятерка...) — шмонать. Обсудили технику. Удалились, волоча ее за собой. (Сам Шатов с выражением непреклонной образцовости подталкивал ее в спину, назидательно увещевая.) Верховенский в радостном комсомольском возбуждении был впереди и всюду вокруг (он был похож и на более современного вожака — Олега Кошевого[1]). В общем, ее раздели в специально отведенной комнате — меня там не было, — ничего не нашли. Снова было предложено всех шмонать. Не помню, как я вырвался, унося эту сцену в зубах, трепеща от этого подарочка *по линии опыта*: уж куда-нибудь у меня эта сценочка войдет, не денется!.. И придумывать ничего не надо... Так целиком и плюхнется в роман, как в болото, разбрызгивая главы... Несколько лет держал я эту главу в запасе, да вот все романа подходящего не писалось... И — не пришлось. Перечитал-таки «Преступление и наказание», дошел до поминок Мармеладова, и глаза на лоб полезли: один к одному! Тоже своего

466/

---

[1] Шатов... звездочка... Олег Кошевой... — Перед пионерами (10—14 лет) были еще октябрята (как комсомольцы — после пионеров, но до членов партии), кажется, только в яслях еще ничего такого не было. Октябрята носили звездочку с портретом маленького Ленина, и минимальная их группа (из пяти человек) называлась з в е з д о ч к а. (Пионеры носили уже красный галстук и значок-костер, и их минимальная группа называлась уже з в е н о, от семи до десяти человек. Комсомольцы носили значок-флажок и группировались в я ч е й к и, как будущие коммунисты. Коммунисты носили уже только партийный билет в кармане. Партийная ячейка, в зависимости от числа членов, могла перерасти в партийную организацию. Но тут уже автор мало сведущ, поскольку ни в чем никогда н е с о с т о я л.

Олег Кошевой (1926—1943) был комсоргом Краснодонской подпольной комсомольской организации «Молодая гвардия», над которой фашистами была учинена жестокая расправа. Об этом написан роман А.Фадеева, входивший в обязательную школьную программу, впоследствии экранизированный.

Любопытно, что основных героев там было тоже пять — как в звездочках у октябрят и у террористов в «Бесах». В масштабах красного террора, следует ли считать героев Достоевского октябрятами или его — пророком?

Комментарии

рода аллюзия. Вот и я, описывая наспех этот эпизод, забыл о главном, о виновнике, о смерти, о самом покойнике, как забыли в момент шмона все участники. Это ли не возмездие — такие поминки! И отсюда единственный возможный тост в его пользу: значит, страдал, значит, недаром затвор, значит, светилась в этой черной дыре точечка совести, раз Господь успел покарать при жизни страданием и глумлением на похоронах, пока душа еще видела... Ведь кто ушел, избежав расплаты, на том окончательный крест, у того уже не было души, чтобы карать, того уже просто не бывало на этой земле. А этот Е., может, уже по облачку под ручку с Антон Палычем беседует, а Антон Палыч, так, журит его слегка... Нет, от влияния Достоевского тоже никак не отказаться.

А от Набокова мне и не хочется отказываться. Но, с учетом всего выше и ниже сказанного, как раз и придется: имя я услышал впервые году в 1960-м, а прочитал — в декабре 1970-го. Как я изворачивался десять лет, чтобы не прочесть его, не знаю — судьба. Плохо ли это, хорошо ли бы было, но «Пушкинского дома» не было бы, прочти я Набокова раньше, а что было бы вместо — ума не приложу. К моменту, когда раскрыл «Дар», роман у меня был дописан на три четверти, а остальное, до конца, — в клочках и набросках. Я прочитал подряд «Дар» и «Приглашение на казнь» — и заткнулся, и еще прошло полгода, прежде чем я оправился, не скажу от впечатления — от удара, и приступил к отделке финала. С этого момента я уже не вправе отрицать не только воздушное влияние, но и прямое, хотя и стремился попасть в колею написанного до обезоружившего меня чтения. Всякую фразу, которая сворачивала к Набокову, я старательно изгонял, кроме двух, которые я оставил специально для упреков, потому что они были уже написаны на тех забежавших вперед клочках... Вот что написал по такому же поводу сам Набоков 25 июня 1959 года в предисловии к английскому переводу «Приглашения на казнь» (1934), вспоминая обстоятельства выхода этой книги по-русски:

«Эмигрантские критики, которых эта вещь весьма озадачила, хоть и понравилась, думали, что различили в ней "кафкианскую" нить, не зная, что я не владел немецким, и был полностью несведущ в современной немецкой литературе, и еще не читал ни одного французского или английского перевода сочинений

Кафки. Нет сомнения, существуют определенные стилистические связи между этой книгой и, скажем, моими более ранними рассказами (или более поздними...): но их нет между нею и "Замком" или "Процессом". В моей концепции литературного критицизма нет места категории "духовной близости", но если бы мне пришлось подыскивать себе родственную душу, то я выбрал бы, конечно, этого великого художника, а не Дж.Орвелла или иного популярного поставщика иллюстрированных идей и публицистической беллетристики. Между прочим, я никогда не мог уразуметь, почему любая моя, без различия, книга пускала критиков в суетливые бега на поиски более или менее прославленных имен для необузданных сравнений. За последние три десятилетия они навешали на меня...»

И далее следует список из двух десятков взаимоисключающих имен, охватывающих пять веков и столько же литератур, включая Чарли Чаплина и героя одного из романов Набокова, писателя по профессии...

Подражая ему (на этот раз в твердой памяти), отношу читателя к комм. к стр. 132, 97, 41.

И еще вот что. Литература есть непрерывный (и не прерванный) процесс. И если какое-то звено скрыто, опущено, как бы выпало, это не значит, что его нет, что цепь прервана, — ибо без него не может быть продолжения. Значит, там мы и стоим, где нам недостает звена. Значит, здесь конец, а не обрыв. Чтобы нанизать на цепь следующее (новое) звено, придется то, упущенное, открыть заново, восстановить, придумать, реконструировать по косточке, как Кювье. Тут повторения и открытие пороха не так страшны, как неизбежны. Набокова не может не быть в русской литературе потому хотя бы, что он — есть. От этого уже не денешься. Его не вычесть, даже если не знать о его существовании. Другое дело, что такого рода палеонтология неизбежно слабее неизвестного оригинала. Набоков есть непрерванная русская литература, как будто ничего не произошло с ней после его отъезда: судьбе пришлось уникально извернуться, чтобы организовать персонально для него феномен внеисторичности. Набоков мог продолжать ту литературу. Такой бы она была, такой бы она стала. Он ее продлил, он ее закрыл. Ту. Но как бы ни была прекрасна та, проза еще будет писаться. Писали же после Золотого века Пушкина, Лермонтова и Гоголя, хуже, но — писали. Отошел и серебряный, и бронзовый век.

Но есть еще медный, оловянный, деревянный, картофельный, глиняный, наконец, г......, и все это еще будет литература, прежде чем окончательно наступит век синтетический, бесконечный, как вечность.

Как видите, автор относится к собственной работе всерьез. Он полон веры. Ему все еще есть ЧТО ДЕЛАТЬ[1].

ОБРЕЗКИ
(Приложение к комментарию)

«Есть ЧТО ДЕЛАТЬ...» Легко было сказать. В 78-м автор был моложе, по крайней мере, на двенадцать лет. Теперь уже можно то, что тогда было нельзя. Но автор подавляет в себе счастливый вздох освобождения в столь долгожданной им перспективе. Ему как раз и не хочется делать то, что он делал раньше.

Например, продолжать этот роман.

И вдруг именно эта ему предлагается возможность. Отсутствие бумаги, типографические сложности, охрана труда наборщиков — все эти проблемы подступили к автору вплотную. Освобожденный от цензуры текст попадает в технологическую зависимость. Текста нужно то ли кило двести, то ли метр шестьдесят, чтобы ровно уложиться в знаки и листы. То отрежь пять сантиметров, то прибавь пятьдесят граммов. И непременно в конце, где, казалось автору, каждое слово уже набежало, окончательное и одно.

И все-таки (автор — блокадник) лучше добавить, чем убавить.

/469

[1] Например... стр. 399... свой 101%.

101% есть то минимальное перевыполнение плана, которое уже влечет за собой определенные прибавки к заработной плате. Цифра эта — 101 — так часто мелькает в отчетах, что не может не вызвать подозрений. Один мой приятель слегка погорел на этом деле. В очерке о китобоях (бывших в то, докосмонавтское, время в особой моде) он отразил именно этот процент перевыполнения ими плана. Сколько это означало: сто и одного кита или пятьдесят и половину — не знаю, но очерк со скандалом был снят в цензуре, потому что план по китам оказалось возможным лишь выполнить, но никак не перевыполнить, ибо право на это убийство регламентируется неким международным соглашением и никак не может быть перевыполнено. «Им это непонятно — 101%...»

Таковы и эти последние комментарии. Их теперь 101%.

Вот обрезки 1971 года...

Как бы ни злил этот медлительный роман своею торопливостью, благодаря низкому труду и высокой лени — он трижды начат и один раз кончен. Три раза подкинули, два раза поймали. Упал, упал!

Он написан наспех — за три месяца и семь лет. Три месяца мы писали его, семь лет ждали этих трех месяцев, отыскивали щель в реальности, чтобы материализовать умысел. Это было невозможно. Думаем, что нам это не удалось. Мы развелись с романом — в этом смысле наши отношения с ним закончены.

Остается его назвать.

Сначала мы не собирались писать этот роман, а хотели написать большой рассказ под названием «Аут». Он не был, однако, из спортивной жизни: действие его теперь соответствует третьей части романа. Семь лет назад нам нравились очень короткие названия, на три буквы. Такие слова сразу наводили нас на мысль о романе, например: «Тир» (роман) и «Дом» (роман)...

Значит, сначала это был еще не роман, а «Аут».

Потом все поехало в сторону и стало сложнее и классичнее: «Поступок Левы Одоевцева».

«Репутация и поступок Левы Одоевцева».

«Жизнь и репутация Левы Одоевцева».

Наконец, пришло — ПУШКИНСКИЙ ДОМ.

ПУШКИНСКИЙ ДОМ вообще...

Названия со словом «дом» — все страшные:

ЗАКОЛОЧЕННЫЙ ДОМ

ХОЛОДНЫЙ ДОМ

ЛЕДЯНОЙ ДОМ

БЕЛЫЙ ДОМ

БОЛЬШОЙ ДОМ

ЖЕЛТЫЙ ДОМ

ПУШКИНСКИЙ ДОМ...

Название установилось, зато какое же раздолье открылось в изобретении подзаголовков, определяющих, так сказать, жанр! Жанр-то ведь у меня такой: как назову — такой и будет, жанр... или, как пишет моя пишущая машинка: жарн...

	роман-протокол
	роман-протокол
соотв.:	протокол романа
соотв.:	конспект романа
соотв.:	набросок романа.

Все это уже облегчало задачу: мол, романа нет, а черты его налицо, а мы, мол, сразу так задачу и понимали, сразу так ее себе и определили... Потом: роман-показание

соотв.:	роман-наказание
соотв.:	роман-упрек
соотв.:	роман-упырь
соотв.:	роман-пузырь
	роман-с
Далее:	филологический роман
	роман-музей, роман-газета
	роман-кунсткамера-мой-друг
	роман-попурри (на классические темы)
	роман-признание в романе
	роман-модель, роман-остов
Географич.:	Ленинградский роман
	Петербургский роман
Ориг.:	Воспоминания о герое
	Две версии
	История с неверным ходом
	Исследование одного характера
	История с топтаниями и прорывами
	История с возвратами и прозрениями
	История с уходами и возвращениями
Наконец:	Роман о бесконечном унижении
	Роман о мелком хулиганстве

На выбор... И поскольку я вместил здесь такое разнообразие «жанров», то даже если все это окажется не роман, — такое разнообразие внутренних тем, на которое как раз и намекается столькими подзаголовками, разве не достаточно для произведения такого объема?

Мы хотели сильно отступить и во всем признаться и объясниться. Нам хотелось сделать виртуозный вид: что мы так и собирались, так и хотели... Мы хотели оправдаться преднамеренностью и сознательностью произведенных нарушений, придумали достаточно образных терминов для пояснения формы этого произведения. Например, горящая и оплывающая свеча — объясняла бы «натёчную форму» романа. Или телескоп — телескопичность, выдвижение форм друг из друга, грубее говоря, «высовывание», — но мы не знали, каким концом в данном случае подносим мы сей телескоп к глазу и к чьему, авторскому или читательскому: образ не работал... Или мы хотели с апломбом пройтись по архитектуре, поговорить о современных фактурах, когда строитель сознательно не заделывает, например, куски какой-нибудь там опалубки, оставляет торчать арматуру — мол, материал говорит за себя...

Но не за меня! Это все чушь. Роман написан в единственной форме и единственным методом: как я мог, так и написал. Думаю, что иначе и не бывает. Вся проза — это необходимость вылезти из случайно написавшейся фразы; весь стиль — попытка выбраться из покосившегося и заваливающегося периода и не увязнуть в нем; весь роман — это попытка выйти из положения, в которое попал, принявшись за него. Было немало случаев, когда автор носился с гениальными идеями романов, которые помещались у него потом в одной случайно оброненной строчке. Но однажды случайно написанная первая строчка, о которой автор никогда и понятия не имел, так долго дописывалась и уточнялась, что оказалась романом.

Ну, что? В чем еще признаться?

Однажды, в очень плохую минуту, этот роман был записан стихами (к счастью, более коротко)...

«ДВЕНАДЦАТЬ»
(Конспект романа «Пушкинский дом»)

> *Добро, строитель Петрограда!..*
> *Ужо тебе!..*
>
> Пушкин

> *Утек, подлец! Ужо, постой,*
> *Расправлюсь завтра я с тобой!*
>
> Блок

Конь — на скале, царь — на коне —
на месте кажутся оне...
  (Стоит, назначив рандеву
  с Европой,
            сторожит Неву
и, дальновидно, пенку ждет —
но молоко — у н а с уйдет!)
Под ними — змей! над ними — гений! —
мычит ужаленный Евгений:

Комментарии

бедняга напугал коня —
конь топчет змея и — меня.
Прошелся ветер в пиджачке,
проехал дождь в броневичке —
пока вскипало молоко,
мы оказались далеко:
«Подъявши лапу, как живые,
Стоят два льва сторожевые»,
на льве — герой мой (Лев на льве)
рисует «си» и «дубль-ве».

   Итак, процессия Петра,
   которой в гроб давно пора.
   «Сии птенцы гнезда Петрова»
   порхают.
Жизнь идет херово.
За внучком — дед, за бабкой — репка, —
и вождь вцепился в кепку крепко —
«Двенадцать»! Ровно.
              (Блок считал —
   я пересчитывать не стал.)
Им разрешается по блату
прикладом бить по циферблату.
Часы отсчитывает — с л о в о!
Что ново нам, то вам — не ново,
   читатель моего романа...
Однако — рано, рано, рано! —
бежит мой Лев в черновике,
за ним — наряд в грузовике:
   «Для правды красного словца
   поймаем зверя на ловца!» —
но убежать герой мой должен! —
и мы процессию продолжим...
Идее предпочтя природу,
сочтем существенной — породу
   (Петропольской погоды вред
   нам оправдает этот бред),
и басню о Петре и змее
мы перепишем подобрее:
дождь, ветер и хлад,
        и Годовщина —

Комментарии

достаточная суть причина
концу романа.

        Эти метры
пройдем пешком, с дождем и ветром:
он рвет полотнище кривое,
фальшиво и простудно воет,
и,

    погоняемые флагом,
уйдем и мы нетрезвым шагом,
вслед за собою

          цель маня...
Кто
в прошлом
вцепится
в меня?

. . . .

Двенадцать — ровное число,
и стрелки

       временем снесло.

1971

Если бы мы, заканчивая роман, могли заглянуть в будущее, то обнаружили бы растущее влияние героя на его автора. К сожалению, это не только доказательство творческой силы, вызывающей бытие образа почти материальное, но и разной силы возмездие. Поскольку влияние автора на героя вполне кончилось, обратное влияние становится сколь угодно большим (деление любой величины на 0 дает бесконечность). Аспект этот, безусловно относящийся к проблеме «герой — автор», выходит, однако, за рамки опыта, приобретенного в процессе романа. Так, ровно через год после завершения романа автор оказался приговоренным к трем годам сидения в Левиной шкуре (будем надеяться, что одно и то же преступление не карается дважды...) ровно в таком учреждении, какое пытался воплотить одной лишь силой воображения.

Бывший горный инженер, а ныне автор романа «Пушкинский дом» (не опубликованного еще ни в одной своей букве), застигает себя весной 1973 года на ленинском субботнике в особняке Рябушинского в качестве аспиранта Института мировой литературы им. Горького, пылесосящим ковер, подаренный Лениным Горькому... «Нет сказок лучше тех, что придумала сама жизнь!» — восхищается автор.

И позднее автор застает себя время от времени за дописыванием статей, не дописанных Левой, как то: «Середина контраста» (см. «Предположение жить» в сб.: «Статьи из романа». М., 1986) или «Пушкин за границей» («Синтаксис». Париж, 1989), или мысль уносит его в далекое будущее (2099 год), где бедные потомки авторского воображения (правнук Левы) вынуждены выходить из созданного нами для них будущего (см.: «Вычитание зайца». М., 1992).

КОММЕНТАРИЙ К «ТРЕМ ПРОРОКАМ»[1]

Может показаться странным, что при таком отношении к статье Л.Одоевцева «Дуэль Тютчева» автор счел возможным и необходимым познакомить квалифицированного читателя с этим юношеским опытом. Но подобный упрек автору означал бы принципиальное непонимание задачи этой работы в целом. Здесь исследовался не Тютчев, не Пушкин, а их молодой исследователь. Однако автор хотел (и старался) не лишить и исследование своего героя некоторого, более точного, чем авторская фантазия, интереса.

Формальным условием для автора было, чтобы Л.Одоевцев до всего додумался сам, чтобы в доморощенной душе его действительно трепетало «открытие», чтобы он испытывал подъем и вдохновение, раздвигающее и выявляющее эту душу, — автор имел и такую неявную цель, как отображение логики очередного открытия интегрального исчисления чукотским счетоводом. То есть автора интересовала и та тонкая разница между «первым» и «вторым», когда «второй», для себя, существует с бескорыстием, безоглядностью и страстью «первого». Именно поэтому автор не познакомил героя с главным его предшественником — Ю.Н.Тыняновым (см. сноску на с. 272). Так что до всего, до чего додумался Л.Одоевцев, мог бы додуматься и другой внимательный читатель: его заключения построены на самом

/475

---

[1] Примечания писаны в 1973 году и вызваны неожиданным аспирантским положением автора для фальсификации научного статуса в связи с публикацией в «Вопросах литературы».

доступном материале. Он бы не мог додуматься до подстановки фамилии «Тютчев» в пушкинское «Собрание насекомых»... так он и не додумался.

Но из-за того, что Л.Одоевцев даже статью Ю.Н.Тынянова не знал, он воспользовался свободой первооткрывателя и, повторяясь во многих деталях, до некоторой степени перевернул вопрос: вместо тыняновского «Пушкин и Тютчев» возник «Тютчев и Пушкин».

Не то чтобы вопрос так никогда не ставился... Но приходится признать, что более освещался вопрос отношения Пушкина к Тютчеву, а после статьи Тынянова, по инерции обширных опровержений, все сконцентрировалось почти на одной лишь истории публикации в «Современнике». Отношение же Тютчева к Пушкину почти выпало как само собой подразумевающееся. Между тем личного отношения к Пушкину всегда было больше, чем пушкинского к кому-либо (ему хватало любви). Со смерти Пушкина это стало даже своего рода российской традицией — односторонние личные отношения с Пушкиным... От Гоголя к Достоевскому и далее, вплоть до М.Цветаевой, откровенно признавшейся — «Мой Пушкин», и А.Ахматовой, оспаривающей его донжуанский список... (У Пушкина род таких же отношений устанавливался разве что с Петром...) Корень этих отношений — прижизненный, современный Пушкину, скорее даже уценивающий его, но уже несколько ревностный, личностный: Пушкина не удавалось разглядеть, приблизившись вплотную, — современникам не хватало их хрусталика, требовалась дистанция смерти. Искажение прижизненного пушкинского образа носит как бы оптический характер (вплоть до классического удивления Баратынского). Был ли «задет» Тютчев Пушкиным, как на том настаивает Л.Одоевцев, неизвестно, но факт развитых, односторонних, в чем-то личностных (пусть только как к поэту) отношений его к Пушкину, по-видимому, неоспорим.

Признание как таковое всегда устанавливает неравенство отношений. Позднейшие исследователи до буковки рассматривают отношения большого к малому, считая исподволь отношение к большому всеобщим. (Даже в том случае, когда предметом изучения является малое, они ищут поддержки этому предмету со стороны, тем отчасти уклоняясь от его изучения. И если современники слишком близко видят, то исследователи слишком близко подносят лупу к глазу.) Думается, в этом нет драмы и даже имеется свой ограждающий смысл: отношение малого к большому отдано художественной литературе, — но поскольку отношение к Пушкину выросло у нас в большую культурную традицию, стало как бы национальной нашей чертой, то и установление тютчевской линии этих отношений становится несколько даже более важным, чем само по себе отношение Тютчева к Пушкину.

Л.Одоевцев не только *обратил* (подчеркиваем возвратный смысл этого глагола) внимание от Пушкина к Тютчеву, но и перенес отношение к поэзии (отношение если и не изученное, то изучавшееся) на отношения поэтов, так сказать, «перешел на личности», что, хотя и подрывает чистоту его научной линии, свидетельствует о том, что вопрос этих отношений для исследователя современен, злободневен и обнажает тенденцию.

Исходя из качества самой его работы, мы приводим оптимально снисходительный комментарий, в данном случае, в силу бедности «аппарата» Л.Одоевцева, неизбежно краткий.

СТР. 259. *...и это бы была не новость...*   /477
В 1873 году Достоевский в разговоре сопоставлял «Пророков» Пушкина и Лермонтова, но с иным оттенком смысла, чем Л.Одоевцев, как раз ставя в заслугу Лермонтову — желчь. Об этом вспоминает В.В.Тимофеева (О.Починковская) (Ф.М.Достоевский в воспоминаниях современников. М., 1964. Т. 2. С. 174).

СТР. 264. *Пушкин «Пророк» — Тютчев «Безумие».*
Нам пока не удалось обнаружить сопоставления этих стихотворений в предшествующей литературе. Действительно, эти параллельные все время пересекаются... Сам факт этого сопоставления, независимо от его трактовки, является наиболее ценным в работе Л.Одоевцева. Мы отчасти поторопились с этой публикацией, чтобы сохранить за Л.Одоевцевым хотя бы эту часть его стремительно тающего приоритета.

СТР. 266. *...и все это он как-то показывает...*
Фактов недостаточно, чтобы доказать гипотезу Л.Одоевцева, но некоторая осторожность Тютчева по отношению к «Безумию» не исключается...

Тютчев выехал из Мюнхена в Россию в мае 1830 года и по дороге написал «Здесь, где так вяло свод небесный...». («Небесный свод» фигурирует и в «Безумии», правда не «вялый».) На одном листе с этим стихотворением и еще двумя, датируемыми «июнь — сентябрь», впервые записано и «Безумие», что и позволяет предполагать, что стихотворение могло быть написано в Петербурге в июле — августе, в те три недели, когда там был Пушкин.

Из восьми стихотворений, датируемых этим петербургским периодом (включая «дорожные»), плюс четырех, предположительно датируемых этим пребыванием (в том числе «Безумие»), то есть из двенадцати стихов — три (возможно, просто менее интересных) вообще не печатались при жизни, семь печатались в «Современнике» (из них четыре в «пушкинских» номерах), два — в «Деннице» 1831 и 1834 годов. Из этих девяти печатавшихся — восемь включались потом в оба прижизненных тютчевских собрания, и лишь одно — «Безумие» — так и осталось в «Деннице» 1834 года, затерялось. И зять Тютчева Ив.Аксаков «публикует» его лишь в 1879 году как новонайденное.

Читал ли Пушкин «Безумие», заметил ли?.. Этот вопрос, волнующий Л.Одоевцева, по-видимому, несуществен для его же построений. Все «антитютчевские» выпады были Пушкиным уже сделаны, «Безумие» 1834 года не могло для него стать «Безумием» 1830-го, никак не могло повлиять на то его отношение к Тютчеву, что было сформулировано в 1829—1830 годах. Однако саму «Денницу» 1834 года читать он, конечно, мог (в связи с повестью С.Т.Аксакова «Буран»), работая в это время над «Капитанской дочкой».

СТР. 267. *...оно переписывается и переадресовывается Фету...*
Послание к Фету от 14 апреля 1862 года написано безусловно «на мотив» забытого Тютчевым «Безумия». В своем роде это более краткая, более усталая сумма «Безумия» и «Странника» (когда-то записанных на одном листе...) — итог. Его уже Тютчев включает в собрание 1868 года, не забывает. Тема его «забывчивости», небрежности к собственным стихам — особая тема, опасная для построений Л.Одоевцева. Рассказав два-три анекдота о «милой» забывчивости Тютчева, оппонент может в прах развеять тему злой памятливости поэта, наращиваемую Л.Одоевцевым.

Однако можно было бы поставить послание Фету в некоторую связь с его статьей «О стихотворениях Ф.Тютчева» 1859 года. «В этом стихотворении чувство на *заднем* (выделено мною. — *А.Б.*) плане, хотя и не на такой глубине, на какой мысль в стихотворении Пушкина», — писал, в частности, Фет, сопоставляя (метод так не нов! — в отношении Тютчева к Пушкину он *просится*...) две «Бессонницы» (Русские писатели XIX века о Пушкине. Л., 1938. С. 248). Хотя Фет выступает апологетом Тютчева, но строит свою статью *от* Пушкина. Тогда послание Тютчева Фету вполне могло бы быть истолковано если и не как полемика, то как ответ, и в случае допущения гипотезы Л.Одоевцева «мост» этого стихотворения к «Безумию» стал бы понятен.

СТР. 267–268. *Что же касается этих «водоискателей» (на которых ссылаются все исследователи)...*

«В обоих случаях («Безумие» и «Послание к Фету». — *А.Б.*) поэт имеет в виду так называемых «водоискателей» («Sourciers»), людей, умевших распознавать в безводных местах наличие ключевой воды», — пишет в своих комментариях К.В.Пигарев (*Тютчев Ф.И.* Лирика. М., 1966. Т. 1. С. 348).

/479

Следует отметить, что без подобного комментария широкой публике мог быть неясен пафос обличения в этом прекрасном стихотворении. Не исключено, что именно эта невнятность адреса, на самом деле столь конкретного, послужила для Тютчева поводом не включать «Безумие» в основные собрания. С другой стороны, «темнóты» в поэзии не смущали Тютчева, были даже осознанной чертой его поэтики.

СТР. 269. *...отказывает в нем Тютчеву!*

Факт, особенно подчеркивавшийся Ю.Н.Тыняновым. Собственно, единственный совершенно точный факт «антитютчевского» поведения Пушкина. Правда, и здесь бесталанность Тютчева названа не впрямую, а в обидно-косвенной форме вычитания. Следует подчеркнуть, что статья шла без подписи, что она прошла в начале февраля, более чем за три месяца до приезда Тютчева в Петербург. До установления авторства Пушкина читателю того времени следовало либо дойти умом, либо по подсказке. Можно было бы обидеться и на то, что Пушкин был и редактором этого номера (№ 8), но это тоже можно было знать лишь частно. Мог, конечно, подсказать тот же Киреевский, когда они виделись в Германии, — слабое предположение. Авторство Пушкина устанавливается по свидетельству Вяземского (более позднему) несомненно, но это все-таки вряд ли означает, что Тютчев об этом авторстве «вовремя» знал и мог бы обидеться специально для поддержания версии Л.Одоевцева. И т. д. и т.п. — все это опять же лучше известно историкам, чем участникам.

Очень разумный довод, разжижающий сгущенные краски Ю.Н.Тынянова, выдвинула Н.В.Королева — «незнакомство поэтов». Шевырев и Хомяков в эти годы — близкие (Н.В.Королева употребляет эпитет «ближайшие») сотрудники Пушкина, а Тютчев — неизвестно кто, неизвестно даже где, раз не в России... (как нельзя не учесть этот довод в силу давнего знакомства с Н.В.Королевой).

СТР. 270. ...*«к стыду своему, признаюсь, что мне весело»*...
«К стыду своему, признаюсь, что мне весело в Петербурге, и я совершенно не знаю, как и когда вернусь...» — из приписки Пушкина к письму П.А.Вяземского В.Ф.Вяземской от 4 августа 1830 года. В письмах невесте — постоянные дежурные жалобы на скуку (*Пушкин А.С.* Полн. собр. соч.: В 10 т. М.; Л., 1949. Т. 10. С. 300).

...может, нагло, может, как гаер...
Любопытно сравнить это предположительное описание с другим, писанным по памяти И.С.Тургеневым, видевшим Пушкина «...на утреннем концерте в зале Энгельгардт. Он стоял у двери, опираясь на косяк, и, скрестив руки на широкой груди, с недовольным видом посматривал кругом. Помню его смуглое небольшое лицо, его африканские губы, оскал белых крупных зубов, висячие бакенбарды, темные желчные глаза под высоким лбом почти без бровей — и кудрявые волосы... Он и на меня бросил беглый взор; бесцеремонное внимание, с которым я уставился на него, произвело, должно быть, на него впечатление неприятное: он словно с досадой повел плечом — вообще он казался не в духе — и отошел в сторону» (*Тургенев И.С.* Полн. собр. соч. и писем: В 15 т. М.; Л., 1967. Т. 14. С. 13). Тургенев славится точностью своих портретов, и если Л.Одоевцев не был знаком с этими мемуарами, то надо отдать должное его пластическому чутью.

СТР. 271. *...должен был уже ходить в этом стихотворении... как в пиджаке!*

Где и когда читал Тютчев пушкинского «Пророка» — в «Московском вестнике» ли 1828 года (тот же Киреевский мог быть посредником) или в четырехтомнике (первые два тома вышли в 1829 году)?.. Не исключается и необходимая Л.Одоевцеву возможность, что Тютчев впервые читает «Пророка» в Петербурге.

...какие-то предположения предположил Лева, кое-как их обосновывая.

Обо всем этом комплексе предположений Л.Одоевцева: о возможной встрече поэтов, об определенной задетости Тютчева, об утаивании антагонизма и т.д., можно сказать в целом следующее.

Действительно, о пребывании Тютчева в Петербурге в 1830 году сохранились очень скудные сведения. Письма Тютчева до 1836 года совсем не сохранились. Вообще следов отношения к Пушкину Тютчев почти не оставил. Единственный комплимент (достаточно в то же время косвенный) содержится в письме И.С.Гагарину (7 июля 1836 года), являющемся ответом на известие о восторженном приеме, оказанном стихам Тютчева Жуковским и Вяземским, и «благосклонном» отношении Пушкина. Это письмо и не могло быть написано без той или иной оглядки, и, начав с комплимента уровню, достигнутому отечественной литературой (на примере прозы), русскому уму, «чуждающемуся риторики», Тютчев заключает: «Вот отчего Пушкин так высоко стоит над всеми французскими поэтами» (*Тютчев Ф.И.* Стихотворения. Письма. М., 1957. С. 376).

«...есть вещи прекрасные и грустные», — пишет Тютчев Вяземскому 11 июня 1837 года о посмертных публикациях Пушкина, но в связи с просьбой устроить ему подписку на «Современник» (Там же. С. 378). Слова «Пушкин» нет и в этой записке, но более это слово не встречается у Тютчева никогда.

Кроме стихотворения на смерть поэта существует еще одно немаловажное свидетельство — главным образом давности внимания Тютчева — «К Оде Пушкина на Вольность», 1820 год. Здесь оценка щедрее:

/481

Комментарии

Счастлив, кто гласом твердым, смелым...
Вещать тиранам закоснелым
Святые истины рожден!
И ты великим сим уделом,
О муз питомец, награжден!

Но и семнадцатилетний Тютчев — уже Тютчев. Если не как поэт, то как личность. Ибо заключает:

Но граждан не смущай покою
И блеска не мрачи венца,
Певец! Под царскою парчою
Своей волшебною струною
Смягчай, а не тревожь сердца!

Возраст поэтов, по времени написания «Оды» и ответа на нее, опять соотносится — 17. Тогда же, по свидетельству М.П.Погодина, юный Тютчев живо обсуждал с ним слух о том, что Пушкин бежал в Грецию.

И хотя Л.Одоевцев не приводит в своей работе этих свидетельств отношения Тютчева к Пушкину, но, и прибавив их, следует признать, что главным свидетельством такого рода отношений может служить лишь сам характер поэзии Тютчева.

Таким образом, отсутствие точных, не столь косвенных материалов, с одной стороны, делает работу Л.Одоевцева недостаточно доказательной, но, с другой, это же обстоятельство поддерживает его версию тем, что не опрокидывает ее.

...и нечего спрашивать с них по-русски...

То, что Пушкин не только напечатал, не только отстаивал тексты у цензора, но и сам дал название тютчевскому циклу, почему-то особенно убеждало оппонентов Ю.Н.Тынянова в его неправоте. Название цикла истолковывалось как проявление даже своего рода почтения к философской направленности лирики Тютчева (Г.Чулков, К.В.Пигарев). Однако и трактовка Л.Одоевцева не менее доказательна или столь же недоказательна. Для беспристрастного, право, нет ни особой почтительности, которую обнаруживает К.В.Пигарев, ни того пренебрежения, которое пытался вычитать Л.Одоевцев в столь обыкновенной фразе, как «Стихотворения, присланные из

Германии». Ну и что ж, что из Германии... Хотя, конечно, просто так Пушкин слова не ставил, и что-то в этой формуле есть. Но, думается, более тонкий и двусмысленный оттенок, чем почтительность или оголенное русофильство. Пушкин еще и тем замечателен, что никогда не впадал...

СТР. 272. *...с этим трудно не согласиться...*
С такого же рода рассуждения начинает статью Ю.Н.Тынянов.

...что Раич был учителем Тютчева...
Эта гипотеза Ю.Н.Тынянова не столько опровергалась, сколько отвергалась его оппонентами. Не склоняясь ни в ту, ни в другую сторону, здесь хочется еще раз подчеркнуть, что вокруг «Собрания насекомых» действительно было как-то неоправданно много шуму. И Пушкин был преувеличенно настойчив в отстаивании этого пустяка. С одной стороны, его реакция понятна нам как еще одно свидетельство непереносимой атмосферы, сгустившейся в это время вокруг великого поэта, с другой (что и отмечает Л.Одоевцев) — и сам Пушкин мог быть в это время особенно несносен, непереносим. Ряд, на который опирается Л.Одоевцев, живописуя возможную встречу Тютчева с Пушкиным, вполне убедителен: в январе Пушкин просится в Китай; в марте Булгарин открывает кампанию против Пушкина пасквилем в «Северной пчеле» (отметим, что пчела — насекомое); в апреле Пушкин просится поближе, в Полтаву, но и Полтава для него недоступна, как Париж, зато Гончаровы дают согласие, а он печатает в альманахе «Подснежник» пресловутое «Собрание насекомых», написанное по крайней мере за год до этого, но именно в апреле 1830 года, — печатает... а в июле — перепечатывает его же в «Литературной газете», да еще и с издевательским примечанием, — и вот так, на этом выпаде, и въезжает в Петербург посреди июля, где уже обжился за два месяца Тютчев. Разговор о Пушкине, по-видимому, подхватывался с полуслова как готовый — у приличных людей была уже выработана матрица осуждения. Человек, задетый и осуждающий Пушкина, не был бы одинок — он попал бы в *общество.* Для enfant terrible Пушкин стал уже несколько стар; он был признан слишком рано и все еще продолжал *быть,* истощал терпение; он становился раздражающе прижизненно велик, то есть ему *не прощали.* И даже если Пушкин не имел

в виду ни Тютчева, ни Раича и «букашкой» или «мурашкой» был не Тютчев, то, наверное, общество судачило, предполагало на точках, под что, собственно, и подставлялся не без злорадности Пушкин, прислушиваясь к жужжанию. Предположение, что именно Тютчев — «мурашка», вполне могло не принадлежать Пушкину — обидным оно бы было. Да что говорить, мнительный человек и сам мог заподозрить себя на месте точек — такое тоже не прощается. Исследователи озабочены установлением факта пушкинской оценки, но если Пушкин и окажется окончательно реабилитированным в отношении к Тютчеву, то Тютчев-то об этом не узнает. Если кто-нибудь заочно говорит обо мне плохо и я об этом узнаю через подставных лиц, то заочно же, с легкостью, автоматически, свертывается во мне представление о *нем*. И если у меня не было мнения, то с этого момента оно будет. Не отпадает, правда, и вариант заинтригованности, когда я заочно относился к негодяю с симпатией. Может возникнуть опасное желание проверить... И обо всем этом можно судить, лишь если я лично засвидетельствую, а если не засвидетельствую, промолчу?.. а если совру?.. Современник и его историк движутся в темноте навстречу друг другу, но это странная одновременность, ибо современника уже нет, а историка еще нет. Для историка слишком отчетливы те немногие вещи, на которые он оглянулся, для современника они — поглощены жизнью. С чего бы, казалось, если исследователю удается что-либо установить в точности, то в прошлом это становится как бы более очевидным и известным? Исследователь чаще, чем драматург, впадает в заблуждение, что «каждое ружье стреляет». Узнав что-нибудь «новенькое» из ушедшей от нас эпохи, перекувырнувшись от радости, он совершает и некое логическое сальто: начинает не задумываясь считать, что то, что он установил с такой убедительностью, с тою же неумолимостью становится фактом, знанием, переживанием участников изучаемого им отрезка процесса. И жившему в своей эпохе человеку начинает приписываться знание окружающей жизни столь подробное, такой причинный интерес к деталям, что, опутанные грандиозной литературоведческой сплетней, эти милые прошлые люди начинают, признаться, выглядеть довольно несимпатично. Дискуссия заведет еще дальше, сосредоточившись в конце концов на каком-нибудь одном факте бесспорной спорности. Он-то и станет главным камнем

Комментарии

преткновения, от него-то и начнет как бы зависеть то или иное разрешение всей проблемы. И здесь дела никогда не закрываются за недостатком улик... А ведь с равным успехом, если быть немнительным или невнимательным человеком, можно и не заподозрить, что у статьи без подписи — автор Пушкин, что если он редактировал номер, то был согласен с его материалами, как и необязательно подставлять свое имя на цезуре. Хотя и тут столько же оснований подозревать, сколько быть заподозренным. Киреевский мог подсказать, даже показать, а мог и ничего не сказать. Про воспитание, про правила и нормы, про — что говорилось, а что не говорилось вслух, что за спиной, а что в лицо, что было обидным, а что оскорбительным, что не прощали, а что могли вовсе не заметить, — нам трудно сейчас судить достоверно, трудно не переносить свой опыт и автоматизм на подобного рода анализ, и хотя природа человека в принципе... вот тут и следует остерегаться: не слишком ли мы на себя похожи? Но как же мы бываем пойманы именно фактом несомненной достоверности! Едва ли не больше, чем двоящимся предположением.

СТР. 273. ...*что «вражду» еще «рассудить» надо...*   /485
Неожиданную поддержку в этой ультратрактовке Л.Одоевцев получил недавно в статье Г.Красухина «Великий спор». «Показательно, что Тютчев отказывается дать оценку пушкинскому поступку...» — говорит Красухин, ссылаясь ровно на те же тютчевские строки (Вопросы литературы. 1972. № 11. С. 106). Он трактует это стихотворение мягче, академичней, но совершенно в том же значении, что и Л.Одоевцев. Тут следует в последний раз подчеркнуть, сколь полезно было бы Л.Одоевцеву прочесть своевременно статью Ю.Н.Тынянова. Ибо хотя наш герой и может гордиться, что домыслил кое-что на десять лет раньше Г.Красухина, зато мог бы не открывать кое-что из того, что было изобретено лет за сорок до Л.Одоевцева.

Не раздались ли выстрелы почти одновременно?
Л.Одоевцев подразумевает сонет «Поэту», напечатанный в «Северных цветах» на 1831 год. В рукописи помечено — 7 июля (Пушкин выезжает в Петербург 16 июля). Стихотворение отчасти вызвано нападками критика в «Северной пчеле» и «Московском телеграфе».

СТР. 275. *...Лева набрел на идею такой параллели в процессе работы...*

При всей занятности сопоставления этих двух стихотворений нам не остается ничего, как пожать плечами. Все-таки наука на то и наука, что ограничена. Она имеет дело с тем, что может доказать, а не с тем, что почувствовать (здесь и граница). Мы можем только сказать, что несложно принять тему лирики за линию спора, тем более время — одно, а люди в нем — разные. Эти невольные переклички и совпадения мог бы исследовать специалист, хорошо знакомый с поэтикой того времени. Уместно привести слова того же Тютчева: «Стихи никогда не доказывали ничего, кроме большего или меньшего таланта их сочинителя. Впрочем, это начинает быть верным и относительно прозы» (Из письма П.А.Вяземскому от 13 сентября 1846 года: *Чулков Г.* Летопись жизни и творчества Тютчева. М.; Л.: Academia, 1933. С. 69—70).

1973

Э. Хаппененн

РОМАН-ПРИЗРАК

1964—1977

Опыт библиографии неизданной книги*

Куда ты, Господин певец?
Кричит услужливый глупец
Дорога здесь — но он не слышит
Не замечает

«Медный всадник»,
первая черновая рукопись

Проклятая пора эзоповских речей,
литературного холопства, рабьего языка,
идейного крепостничества! Пролетариат
положил конец этой гнусности, от которой
задыхалось все живое и свежее на Руси.

«Партийная организация и партийная
литература»

Предлагаемая библиография Э.Хаппененна — труд мо-
лодого исследователя, занимающегося проблемами современной
советской прозы. Его разыскания в этой области привели к любо-
пытному открытию — наличию обширной критической литера-
туры о романе, само существование которого взято под сомнение
(см. «красную нить» — сквозное подчеркивание). Эта парадок-
сальная ситуация объясняет нетрадиционную композицию биб-
лиографии.

* Текст воспроизводится по изд.: Wiener Slawistischer Almanach. Wien, 1982.
Bd. 9. S. 431—475.

1. *Библиография подробно аннотирована. Наряду с цитатами, цель которых — дать представление о текстах не обращаясь к источникам, сюда включен и авторский комментарий.*

2. *Строго хронологическое расположение материала неожиданно выявляет одну интересную тенденцию: критические отзывы с легкостью объединяются в пары, наглядно демонстрируя диалогическую (и идеологическую) природу высказываний. В этот диалог включается и сам объект исследования — прозаик А.Битов, тексты которого выполняют в данном случае и метатекстовую функцию.*

3. *Достаточно неожиданным оказалось и наличие добавочных линий, нашедших свое место в композиции (линия дискуссии о жанре, полемика об элитарной и массовой литературе...). В свою очередь, эти линии оказались частным выражением более общей закономерности (до сих пор не бывшей предметом литературоведческой рефлексии) — «литературной политики», что безусловно будет небезынтересно широкому читателю.*

Н.М.Герасимова

AUTORILT

(1964 — июнь 1973)

1.
Андрей Битов. Ответ на анкету «Разговор идет о рассказе...». *Литературная Россия, 21.8.1964.*
2.
Andrei Bitov. Kutsealune. Autorilt.
Loomingu Raamatukogu, Tallinn*, 1965, № 15/16.

БИТОВ: *«Если говорить о личных пристрастиях, о том, что мне кажется наиболее интересным сегодня, то это длинный рассказ или короткая повесть, то, что по-английски так точно называется "long-short story". Границы между повестью и рассказом в этом случае полностью стерты, жанры обогащены один за счет другого... <...> Существует мнение, что настоящий прозаик неизбежно начинает с рассказа, часто короткого, и, постепенно разво-*

---

* Иноязычные тексты в переводах не нуждаются. *(Примеч. автора.)*

Э.Хаппененн

*рачиваясь и углубляясь в своем творчестве, достигает романа.
Процесс "удлинения" рассказа кажется мне сейчас характерным
для молодых... <...> Длинный рассказ по-своему питается романом, потому что как бы заменяет его в творчестве многих писателей. Далеко не все могут <u>набраться спокойствия и равновесия на
большой роман в наше торопливое и поворотливое время</u>. Во всяком случае, я не придерживаюсь точки зрения, что роман устарел
и вытеснен более подвижными формами, — тут обстоятельства
исторические, не литературные».*

BITOV: «<...> <u>1964. aastal kirjutasin oma esimese <u>romaani «Ljova
O. reputatsioon»</u>. Praegu töötan romaani lõptku variandi kallal.* *</u>

3.

Андрей Битов. Границы жанра. *Вопросы литературы,* 1969,
№ 7, с. 72—76.

4.

Andrei Bitov. Apteekrisaar-Autorilt. *Loomingu Raamatokogu,
Tallinn,* 1971, № 50/51, s. 5.

На примерах из Ф.Искандера, Гранта Матевосяна, Фолкнера Б.,
в частности, заключает:

/489

БИТОВ: *«Так, <u>роман, даже еще не родившийся,</u> уже обогащает
рассказ. То, что я называю "<u>рассказом романиста</u>", — это рассказ,
получившийся как бы без намерения написать именно рассказ, рас-
крепощенный жанр. За таким рассказом угадывается пространство жизни (я опять же не имею в виду пресловутый подтекст),
а не только то, что в рассказ, по сложившимся канонам, должно
быть напихано, укомплектовано и приговорено».*

Из выступления на встрече за «круглым столом», посвящен-
ной теме «Рассказ сегодня» (во встрече также приняли участие
Ю.Трифонов, В.Аксенов и др.): «*Пессимистическое отношение
А.Битова к возможностям рассказа, взгляд на него как на жанр,*

---

* В 1966 году в Минске, на призывном пункте, я читал в заводской многотираж-
ке «Трактор» перепечатку интервью Б., данного им АПН. Сожалею, что не могу
точнее указать источник и поэтому не включаю его в основной список. Ручаюсь
лишь за опубликованность и точность следующей цитаты:

«<...> Сейчас <u>закончил свой первый <u>большой роман</u> «Жизнь и репутация
Левы Одоевского»</u>. Предстоит теперь работа — окончательный его текст. Этот
роман мне кажется самой большой моей вещью не только по объему. Роман
о человеке, который совершил однажды ошибку в своем отношении к жизни
и через много лет после нее обнаружил, что приобрел только лишний, только
ненужный опыт, борясь на протяжении многих лет лишь с недействительными
препятствиями».

*зашедший в тупик, встретил возражение участников встре-
чи»* — говорится в редакционном предисловии к материалам
дискуссии.

Б. пытался обосновать «отрывок» как жанр, но был одернут за
нападение на рассказ, жанр, оказавшийся неприкасаемым, «но-
менклатурным». В последние годы это выступление часто цити-
ровалось критиками как источник. Упрек в этом покушении
пройдет красной нитью и в приводимой здесь литературе (выступление подробно цитируется и пересказывается Вс.Сахаро-
вым и Вл.Соловьевым — см. №№ 10, 16, 43).

BITOV: *«<... > Nad aina pikenesid, kaotasid proportsioonid, val-
gusid laiali, ia ükskord mul ei ônnestunudki enam jutti lôpetada: ta
paisus romaamks.*

*Nüüd on sde romaan valmis ja pealkiri on "Pushkini maia
(Leningradi romaan)". Ta on valmis ja a lgab tema saatus. Se voib mind
puudutada ja erutada, aga see on ka koik. Ma viisin kasikirja kirjastusse
ja nüüd jääb mul ule ainult o o d a t a. Ootamine on talumatu piin,ja ma
maalin puhtale paberilehele uue pealkirja: "Hazart (Moskva
romaan)", —*

eqa tea ôieti, mis saab edasi...

490/   *Kôike head».*

Под этими словами стоит дата: <u>13.XI.71</u>, — подпись.
5.

Владимир Соловьев. Жизнь своя и чужая (Воображаемый
диалог с Андреем Битовым). *Комсомольская правда*, 26.4.1973.
6.

Всеволод Сахаров. Новые герои Битова. *Юность*, 1973, № 6,
с. 74. Две рецензии на книгу «Образ жизни».

СОЛОВЬЕВ: *«<...> И неудачи его интересны. Есть неудачи,
о которых и писать скучно. Битов интересен весь. О нем интересно думать, интересно спорить. Битов — писатель стихийный, не-
ожиданный, заранее не предвиденный. В последних своих произведениях <...> он пытается объединить сюжетные и философские
начала повествования. Что ждет впереди читателя? Идеальный
синтез? Или, напротив, резкая дифференциация жанров? Не знаю.
Я во всяком случае не удивлюсь, если очередным произведением Битова будет философский трактат, а вслед за ним чистый детектив. Или наоборот. Как говорится, поживем — увидим».*

САХАРОВ: *«Каждый сборник прозы Андрея Битова интересен и для читателя, и для критики. <...>*

*Писательская судьба Битова — в погруженности в живую, веч-
но движущуюся современность, в непростую жизнь современного
человека: <...> Битов не ищет в прошлом неких неподвижных, уко-
ряющих современность идеалов, и в этом смысле его проза подлинно исторична. Это современная и своевременная проза талантливого писателя, живущего с нами одной жизнью, одними интересами
и потому именно интересного всем нам».*

№.№ 1—6 представляют нам основных трех участников нашего
последующего «библиографического» действия. Эстонские источники №.№ 2 и 4 — моя привилегия по прописке. Я допускаю,
что они могут и не попасть на глаза широкому критику (я и сам
набрел на них в самом конце своей работы...), — зато все остальные и последующие источники были и есть широко доступны.

I.
«ДО ЧЕГО ЖЕ ПЕРЕМЕНЧИВО ПРОШЛОЕ!»

(июль 1973 — январь 1975)

7.

Андрей Битов. Солдат. (Из воспоминаний о семействе Одоевцевых). *Звезда*, 1973, № 7, с. 24.

/491

Следует сразу обратить внимание на подзаголовок, не только
намекающий на то, что мы имеем дело с фрагментом неизвестно
насколько далекого от начала или близкого к концу повествования, но и отрицающий свою принадлежность жанру рассказа.

«Солдат» состоит из пяти главок, между собой не связанных
практически ничем, кроме наличия в них единого предмета «воспоминаний». Несвязность эта и впрямь сродни мемуарам — по-
следовательная случайность встреч, смысл и определенность которым придает лишь смерть героя. Но любопытно, что такого же
рода «мемуарная» несвязность может возникнуть не только в связи с реально жившим человеком, но и с персонажем. Предлагаю
в качестве эксперимента выдернуть из любого (на ваш выбор) романа какую-либо второстепенную линию: соберите все про Ле-
бядкина или про Кипи, дорисуйте им смерть... — как это сразу станет похоже на «воспоминания»!

Б. предпосылает этим своим пяти главкам про дядю Диккенса
небольшое вступление. Оно отделено от последующего текста не

только композиционно, но и интонационно. Возникает предположение, что оно п р и п и с а н о, что автор пытается дать хоть какой-то ключ для прочтения фрагмента в некой связи с не существующим для читателя целым...

БИТОВ: «*До чего же переменчиво прошлое! Может, я впервые ловлю себя на мыслях, которые скоро станут мне привычны и как бы давно известны... Казалось бы, я сам меняюсь, переменился, можно сказать, изменил взгляд. Но это все оттенки, интонации, несущественность — прошлое, неподвижное по фактам, остыло навсегда, в позах непоправимости замерли там люди, прошедшие в моей жизни. Но нет! Не только один лишь взгляд... само прошлое изменилось. Совсем другие люди населили его, то, что нельзя забыть, — как раз и забылось. Господи! Мимо каких друзей и каких возлюбленных прошел я не заметив, а теперь разглядываю там и приближаю, над какими непроходимыми страстями и болями сошлись воды, как не бывало!*

Вот человек, которого в моей-то жизни будто и вовсе не было. Однако вдруг сейчас его стало много больше тех, с кем я было проводил годы и время. Стоит появиться в жизни хотя бы одному поколению, следующему за тобой, как становишься приверженцем своего времени. И другие рисунки вычеркиваешь в прошлом, другие функции и значения перед лицом будущего.

Вот человек, который напомнил мне своей приверженностью эпохе пример другой верности, верности, которая неизбежно уже мне предстоит: моему времени, моей эпохе, себе самому.

Этот человек возвращает меня в то время, на котором застрял, и я различаю там фигуру, которой как-то не придал значения в то время или еще не был тогда способен придать... Но сейчас он более отчетлив, чем был тогда, хотя его давно уже нет.

С его племянником мы учились в одной школе. Собственно, Лева его только звал дядей — оказалось, что ни в каком родстве они и не состояли. Но об этом — потом... Что сказать о Леве Одоевцеве? Как-то мы были дружны, потом разошлись не поссорившись. А в те годы, о которых пойдет речь, мы слишком одинаково росли: мы кончали школу и поступали в институт.

Мы с неуверенностью не скажем, что и когда воспитывает нас. Лева сшил себе первый костюм в тысяча девятьсот пятьдесят пятом году по английскому журналу на пятьдесят шестой год, и так ему пошел этот костюм, что покорил он первое сердце, или, вернее, это первое сердце покорило его. Фаина...»

Э.Хаппененн

«Фаина...». Она не появится в этих «воспоминаниях». Мелькнет еще на стр. 27 — «все та же Фаина»... и все. Какая — «все та же»? Что за конфликт произошел у Левы Одоевцева с отцом (стр. 32)? Или на стр. 33 про похороны дяди Мити: они «совсем не походили на торжественную насмешку над дедом Одоевцевым». Какой еще дед? Его нет нигде больше. Все это даже раздражает, если не быть загипнотизированным магией текста как таковой. Однако трудно заподозрить Б. в том, чтобы он пропустил такого рода неувязки в тексте, который хоть каким-либо образом хотел выдать за законченный. Их «пропустил» редактор (они безболезненно удаляются простым вычеркиванием...), а не автор. Автор же, как нам кажется, их не пропустил, а о с т а в и л... Чтобы текст был не только не вполне законченным, но и не вполне с а м о с т о я т е л ь н ы м.

Но никто на это внимания не обратил, хотя критика последовала весьма обширная. «Солдат» оказался, судя по их отзывам, достаточно небывалой публикацией, как для Б., так и вообще.

Первым откликнулись на него Вс.Сахаров и... (очень бы хотелось, чтобы — и Вл.Соловьев; но нет, пока еще рано; хотя он вполне бы мог выступить со статьей, несколько более бойкой, но в том же смысле, что и состоявшийся оппонент...).

8.

Всеволод Сахаров. Алхимия прозы. *Литературная газета*, 3.10.1973.

9.

Алла Марченко. «Металлический вкус подлинности...». *Там же.*

Казалось бы, Сахаров говорит о тех же вещах, о которых говорил в июне (см. № 6), но — плюс «Солдат»... И как существенно меняется тон!

САХАРОВ: *«Андрей Битов стал писать странную прозу. <...> Не случайно я столь настойчиво ставлю слова "повесть" и "рассказ" в несколько иронические кавычки. Всей своей новой прозой Битов упорно отрицает традиционную, привычную для нашего читателя точность жанра... <...>*

Эксперимент этот длится уже шесть лет. И мне кажется, что Битов, если можно так выразиться, "затвердел" в далеко не всегда оправданном безоглядном новаторстве... <...>

Его личная проза пока обслуживает только одного человека — самого Битова». (См. № 24.)

Обвинения эти разбавлены комплиментами мастерству, уму и таланту, но и комплименты эти «скомпрометированы»:

не мысль, а «афоризм», если «словесное богатство», то «без всякого отбора», и т.п.

Теперь то, что касается в этой статье непосредственно «Солдата»:

САХАРОВ: «<...> *В литературе творческий прием всегда был характерным показателем мировоззрения писателя. Новые вещи Андрея Битова нарочито прерывисты. Он сознательно отказался здесь от принципа «сплошного» повествования. Оформленные мысли Битова прекрасны и очень одиноки. Они живут в его взвихренной прозе сами по себе, не срастаются в органичное мировоззрение, в целостную и стройную концепцию мира. И потому новая проза Битова построена по кинематографическому принципу монтажа отдельно оформленных фрагментов и мыслей (этот прием особенно хорошо виден в «Солдате»).*

<...> В центре «Солдата» — обаятельный, чрезвычайно симпатичный Битову дядя Диккенс, умевший жить собственной жизнью, быть всегда верным себе и своему героическому времени».

А.Марченко высоко оценила «Солдата», поставив его над всеми вещами Битова. Но анализировала его именно как рассказ и отстаивала в качестве рассказа. Ей принадлежит честь первой трактовки «образа» дяди Диккенса, разошедшейся потом практически во всех «положительных» отзывах о «Солдате» (в том числе и у Вл.Соловьева — см. №№ 11, 15, 16): «...образ Солдата, отвоевавшего все выпавшие на долю русского XX века войны...»

И хотя статья Вс.Сахарова стояла на полосе как бы первой, как бы спорной (слева) — на нее о т в е ч а л а, как бы поправляя, как бы с более здравой позиции (справа), А.Марченко, стоит обратить внимание на редакционное предуведомление, помещенное между ними, в ц е н т р е, — оно играло одновременно роль в ы в о д а: «Ищет новые художественные средства...» — находит ли? «Для воплощения более широких, более сложных, чем прежде, творческих задач...» — значит, раньше было узко и примитивно, а теперь — намного ли стало шире и сложней? «Насколько... плодотворны... эти... поиски...» — каждое слово здесь процеживается.

Статья Марченко выглядит как-то слабее, не по качеству и аргументации (Вс.Сахаров почти не заботится о ней...), а по напору, по п р а в у. Ей отведена роль адвоката, соответствующая его роли в нашем суде. И хотя приговора еще не последовало, но д е л о было заведено.

Э.Хаппененн

Что слева, что справа, что в центре... Все это играет принципиальную роль. «Литературная газета» — великий мастер баланса. «Насколько...»

Но в данном случае это не столько взвешивание, сколько — подвешивание. В этом несложно будет убедиться в дальнейшем.

(Характерно, что ЛГ не реагировала на выход книги «Образ жизни» более года и заговорила о ней лишь после выхода «Солдата». Значит ли это что-нибудь, кроме «очереди на рецензию», — посмотрим...)

10.

Всеволод Сахаров. Школа прозы. Заметки о современном рассказе. *Литературная Россия*, 5.4.1974.

11.

Владимир Соловьев. Рассказ и его метаморфозы. *Нева*, 1974, № 4.

САХАРОВ: «... *Мне уже приходилось говорить о том, что писатель этот не только в теоретических декларациях, но и всем своим творчеством стал отрицать присущую нашей прозе точность жанра.*

...Но «Солдат» — это, конечно, не рассказ, а фрагмент, умело вынутый из какого-то большого произведения, стилизованный этюд об экзотическом чудаке дяде Диккенсе. Об этом говорит уже подзаголовок — "Из воспоминаний о семействе Одоевцевых"».

/495

СОЛОВЬЕВ: «*Это уже не циклы рассказов и не книги рассказов, а что-то иное, более целостное и единое.* <...>

Зачем понадобилось Андрею Битову свой рассказ «Солдат» о дяде Мите (дяде Диккенсе), прошедшем сквозь «шум времени»*, сквозь все исторические бури двадцатого века, сопроводить подзаголовком «Из воспоминаний о семействе Одоевцевых» — не намек ли это на книгу, с которой читателю еще предстоит встреча?»

Сахаров и Соловьев сошлись (им еще предстоит пересечься...) и оба ткнули в одно и то же: отрывок! Оба не уделили Б. большого внимания (Б. они еще не делят...), зато сформулировали окончательно противоборствующие тезисы по проблеме «жанр рассказа»: Сахаров отстаивает традиционный «русский» рассказ, Соловьев выдвигает свою теорию — «циклообразования». Тон пристойный: Соловьев опирается в своих выкладках на опыт Казакова, Аксено-

---

* Закавыченный Мандельштам.

ва, Битова, Искандера... Сахаров не отрицает заслуг этих писателей (однако в прошлом). Оба сходятся на Шукшине.

12.

Вениамин Каверин. Уроки и соблазны. *Вопросы литературы,* 1974, № 4, с. 120—121.

13.

Г.Белая. Связь чувств с действиями... *Звезда,* 1974, № 5, с. 201—203.

Два положительных отзыва. Своего рода дивертисмент.

Выступая на дискуссии о мемуарной литературе, Каверин почти отнес «Солдата» к мемуарному жанру: «Что это? Рассказ, притворившийся воспоминанием, или воспоминание, притворившееся рассказом?» А Г.Белая отнесла его к «военной» прозе в ряду Быкова, Бондарева, Симонова: «Отечественная война, сформировавшая героев "нового" Битова...»

14.

Л.Якименко. Критерии оценок. *Новый мир,* 1974, № 7, с. 247—249.

15.

Владимир Соловьев. Сопричастность веку. *Новый мир,* 1974, № 8, с. 248—250.

Ажиотаж вокруг «Солдата» вызвал наконец реакцию.

ЯКИМЕНКО: «*...Но читаешь рассказ и видишь, как писатель мельчит судьбу. Мельчит человека. Какой уж там Солдат? Странная смесь провинциального кавалерства предреволюционной поры с судьбой, сочиненной, не знаю, автором ли, или стечением обстоятельств. <...> Это попытка перенести авторское мироощущение, временами настойчиво зыбкое, сентиментально-романтическое, под защитную броню солдатской судьбы. Человек и время разорваны и разъедены*».

Якименко защитил от посягательств Б. не столько Солдата, сколько Образ Солдата. Статья же была посвящена не прозе, а критике, и досталось в ней не столько Б., сколько его критикам: за чрезмерную увлеченность битовскими формой и стилем*.

ЯКИМЕНКО: «*Не был поставлен вопрос о соотношении стилевых тенденций со всем содержанием и направлением творчества писателя. "Действительность" художественного произведения*

---

* Критиковать критиков — по-видимому, амплуа и право Л.Якименко. Если здесь он ругает критиков за то, что они похвалили Б., то однажды ругал их за то, что они Б. обругали (см. редакционную статью «Марксистско-ленинская методология — фундамент критического анализа». *Вопросы литературы,* 1969, № 8, с. 99).

Э.Хаппененн

заслонила то, что было источником — "пониманием писателем жизненных явлений"».

Несправедливо досталось Вс.Сахарову — у него все это было: Якименко не разглядел. Собственно, они выступали с одних позиций, Сахаров и Якименко. Разве что Сахаров заразился от объекта собственной критики и стал слишком тонок для Якименко в своем иезуитстве. Впоследствии он этот свой недочет исправил.

В статье Соловьева нет ничего, что бы прибавить к его же высказываниям о «Солдате»: опять повторена формулировка А.Марченко... Любопытно именно это мнение лишь тем, что опубликовано в следующем же номере того же журнала, где и статья Якименко. И вчерашний «провинциальный кавалер» снова возведен на пьедестал в виде Солдата, «вынесшего на своих плечах» и т.д. Не знаем, задела ли эта некоторая несогласованность Вс.Сахарова, только что разруганного своим единомышленником, которого, хоть и косвенно, но «поправил» явный идейный оппонент и того и другого.

16.

Владимир Соловьев. Судьба человека в жанре рассказа. *Юность*, 1974, № 10, с. 72–73.

17.

/497

ЛИТЕРАТОР. Ответственность молодых. *Литературная газета*, 22.1.1975.

Наиболее развернутое выступление Соловьева по «Солдату». (По сути все эти статьи, что его, что Сахарова, представляют собой вариации темы «о рассказе»; разнятся они друг от друга обложками журналов, которые публикуют, и развернутостью или сжатостью, попеременно, одних и тех же примеров. Критик зарабатывает, а автор — получает «кампанию» — за или против, безразлично.)

СОЛОВЬЕВ: *«Десять лет после "Пенелопы" Битов рассказов не писал, зато одна за другой выходили его повести. И ничто, казалось, не предвещало его возвращения к заброшенному им жанру.*

И вот появляется рассказ "Солдат", сразу же ставший объектом критических споров (к примеру, полемика Всеволода Сахарова и Аллы Марченко в "Литературной газете" от 3 октября 1973 года).

Здесь необходимо сделать одну оговорку: в 1969 году Битов принял участие в разговоре о рассказе на страницах журнала "Вопросы литературы" (№ 7).

Роман-призрак

(Далее ссылка на М. и А.Чудаковых... — Э.Х.)

Объяснив недостаточность и несостоятельность современного рассказа общим течением литературного процесса, когда "круто расцветивший жанр отточился и усовершенствовался настолько, что уже начал задыхаться сам в себе, становился матричным и возникло производство, выпечка рассказов на хорошем «канонном» уровне". Битов добавил: "Интересный рассказ появляется сейчас, как мне кажется, лишь на стыке жанров, на границе перехода из жанра в жанр — у писателя, который, может, не осилил еще иной, более свободный, чем рассказ, прозаический жанр, но внутренне уже принадлежит ему и исповедует его — уже покинул прежний рассказ-чертеж, рассказ-камеру. Края такого «нового» рассказа как бы размыты, — нет, это не сырость или невнятность речи — это н е о г р а н и ч е н н о с т ь   ж и з н и. Такой рассказ можно было бы представить себе скорее как отрывок или главу из прекрасной большой вещи, и в этом отрывке или главе непонятно как, но угадываются примыкающие к ней неизвестные главы. Эти неведомые главы таинственно существуют в таком рассказе, и поэтому особенно волнует в нем все пропущенное, все сказанное мельком и вскользь, все неупомянутое даже..."

498/

Таким рассказом и является "Солдат", осуществляя на практике то, что было заявлено Битовым первоначально в качестве теоретического прогноза. Практика догнала теорию...

Это рассказ-судьба о человеке, который вынес на своих плечах историю двадцатого века и остался самим собой.

Участник всех его войн — от Первой мировой до последней, "испытатель" всей боли и всех страданий, выпавших на долю человека двадцатого века, «рантье своей судьбы», как он сам говорит о себе, старый солдат и влюбленный в свое дело инженер, герой Битова — и с т о р и ч е с к и й человек.

Перед читателем возникает реальный портрет современника.

Это теперешнее свойство Андрея Битова — чувство истории в сегодняшнем времени. Поэтому даже "недостатки" дяди Мити были чертою его характера, одновременно чертою его времени, трудного, сложного, героического, легендарного.

Рассказ Андрея Битова подчеркнуто документален, и это еще более усиливает его историзм. Рассказ даже имеет подзаголовок "Из воспоминаний о семействе Одоевцевых". Поэтому и кажется рассказ Битова отрывком, главой из большой вещи, где дядя Ми-

Э.Хаппененн

тя — при всей достоверной объемности его образа, — _окажется_ _частью_ исторического пейзажа современности.

Читательский интерес к этому рассказу повышенный, и _все_ _упомянутое вскользь_ вроде как бы _ждет еще продолжения и рас-_ _крытия»._

Вот статья, реально (а не формально, как статья А.Марченко) противостоящая уже двум выступлениям Сахарова. И не столько в оценке Б., сколько в освещении «проблемы» рассказа. Причем Соловьев, начав позже, успел со своими «вариациями» обежать большее число изданий, чем Сахаров — со своими...

За что и получил:

ЛИТЕРАТОР: _«Три года назад было принято постановление_ _ЦК КПСС о литературно-художественной критике — программ-_ _ный документ, определивший пути дальнейшего совершенствова-_ _ния всей советской многонациональной литературы. Принятие_ _этого постановления явилось еще одним проявлением неустанной_ _заботы партии о духовной жизни советского общества, о дальней-_ _шем успешном развитии искусства социалистического реализма._ _Как всегда своевременно и точно партия обратила внимание на те_ _участки нашей литературной жизни, которые особенно важны се-_ _годня. В постановлении ЦК КПСС дан обстоятельный анализ наи-_ _более существенных..._

/499

<...> Другой пример. Статью Владимира Соловьева "Судьба че- _ловека в жанре рассказа" («Юность», № 10, 1974), как и некоторые_ _другие статьи этого автора, отличает субъективно-избиратель-_ _ный подход к явлениям современной литературы. Решив погово-_ _рить о состоянии современного рассказа, В.Соловьев ограничился_ _лишь несколькими произведениями близких его сердцу писателей._ _Произвольно-избирательный подход привел критика к такому вы-_ _воду, будто рассказа в современной советской литературе, по су-_ _ществу, нет. Можно ли всерьез полемизировать с таким выводом?_

Разговор о недостатках в работе того или иного критика, осо- _бенно молодого, это и разговор о роли журнала, в котором высту-_ _пает этот критик»._

«Близкие его сердцу» непоименованные писатели суть: Ким, Аксенов, Битов, Искандер.

Любопытно, что Соловьеву досталось прежде всего за цитату из неупомянутого Литератором Б.

Литератор, стало быть, исповедовал сахаровскую точку зрения на развитие рассказа. Досталось также и журналу «Юность». (Из-

Роман-призрак

вестно, что статьи, подписанные Литератором, носят инструктивно-конструктивный характер.)

Еще занимательнее тот факт, что в том же номере газеты была опубликована беспрецедентная в своем роде статья Б. «Ахиллес и черепаха»...

18.

Андрей Битов. Ахиллес и черепаха. *Литературная газета*, 22.1.1975.

Не знаю, прочел ли Б. заметку Литератора, но надо полагать, что Вл.Соловьев статью Б. прочитал...

Возможно, Б. задели критические замечания, возможно, он, предвидя ближайшие его публикации, захотел окончательно избегнуть подобных упреков впредь... Но он пользуется случаем опубликовать в рубрике «Литературная мастерская» статью, якобы ответ на читательское письмо (на мой взгляд, выдуманное), с тем, чтобы объявить во всеуслышание о наличии у него написанного романа (из которого отрывки...).

Статья распадается на две более или менее равные части. В первой несколько развязно (во всяком случае, для нашей печати) рассказывается о замысле и работе над первыми двумя частями романа, представляющими собой две параллельно выстроенные предыстории героя: написанную с точки зрения автора и написанную с точки зрения героя. Далее автор излагает свои затруднения в работе над третьей частью, касаясь парадоксальной темы отношений героя и автора. И эта половина статьи носит несколько менее связный и менее связанный со всем предыдущим характер, будто «набрана» из кусков прежде написанного (возможно, выстрижена из самого романа...).

Привожу здесь выдержки из первой специальной половины статьи*.

БИТОВ: «<...> *Вот уже несколько лет как судьба связала меня с Львом Николаевичем Одоевцевым, проще — Левой... Часто мне кажется, что про него мне много больше известно, чем про себя самого: обычное заблуждение хозяина положения. Я-то ему уж во всяком случае менее понятен; его попытки разгадать мои замыслы я смирил, и эта его смирность — единственное, чем он мне угрожает: если его зависимость сменится покорностью — пропал многолетний труд...*

---

* Объем данной цитаты вызван желанием продемонстрировать, каковы были реальные возможности Б. признаться в существовании уже написанного романа.

Э.Хаппененн

Да, что и говорить, сложные отношения... Сложные отношения связывают нас, героя и автора! <u>Конца нашему роману нет.</u> Я все еще не могу решить, умрет ли он от несчастного случая или останется жив. И вот Лева все еще жив и замаялся поджидать автора с его выбором. Незавидное положение.

Вот уже несколько лет... Началось-то все с анекдота. Профессор Б., с которым нам лет десять назад оказалось по дороге домой, рассказал мне, какой в его учреждении произошел недавно большой скандал, а именно: два молодых сотрудника, оставленные на праздники дежурить в приданном учреждению музее, перепились и устроили в этом музее дебош и драку с порчей стекол и экспонатов, но на следующий день (все еще длились праздники), очнувшись, занялись рекордной приборкой и реставрацией и успели привести все в полный порядок к первому присутственному дню, да так, что никто ничего и не заметил (не помню теперь, как это все-таки выплыло и каким образом стало известно тому же Б., который мне все это рассказал...). История эта, рассказанная как-то голо, без ярких деталей, чем-то очень поразила, задела меня. Без всяких оснований я тут же счел ее сюжетом и решил написать на этот сюжет рассказ под названием "Аут". Я думал: дипломированные филологи, восстающие на манер луддитов, уничтожавших когда-то ткацкие станки? — . — Нет, страшно... Потом, эта покорная ликвидация последствий своего безобразного восстания тоже меня занимала. Это испарение, пусть даже плохого, но поступка.

Сюжет меня не отпускал, и я решил однажды освободиться от него. Однако мне следовало как-то оправдать свое намерение перед будущим читателем. Действительно, более чем странно избирать случай столь частный и нехарактерный. Я решил вкратце изложить некую предысторию героя, с тем чтобы намеченный предварительно характер мог проявиться именно в том анекдоте как более типический, чем условия его проявления. Я занялся своего рода палеонтологией, по мелкой косточке восстанавливая чудовище, и, покорный естественной последовательности метода, закончил всю историю тем, что в пеленках заворочался мой невинный еще герой, открыл глазки и заплакал, увидев над собой небритую морду автора. После этого я вывернул историю, как перчатку, и история начала начинаться с того самого начала, которым, в первом авторском приближении, закончилась, а именно, с самого рождения. Никто уже не заподозрит, что перчатка вывернута, что она с другой руки, что внутренняя и внешняя стороны повествования поменялись местами...

Я сел писать этот средней величины рассказ, постепенно убеждаясь, что он становится несколько более длинным, постепенно соглашаясь с тем, что пусть это будет даже не рассказ, а небольшая повесть, но и повесть становилась довольно большой, форма ее вытягивалась, образуя уже длинный и неудобный в употреблении предмет, не напоминающий ни изящный рассказ, вроде тех модных чемоданчиков, с которыми теперь все ходят, ни даже более или менее пригодный к переноске чемодан-повесть: это был уже предмет, с которым не пускают в метро: длиннее лыж и взрывоопасный.

Пусть будет как будет, решил автор, выпуская из рук примат формы. "И даль свободного романа..."

Итак, это был уже не рассказ "Аут", а начало романа "Дом" (меня всегда привлекали короткие названия в три буквы). У сына объявились папа и мама, у внука родился дедушка (все именно в той же «перчаточной» последовательности), я успевал их переставить местами в повествовании, чтобы герой унаследовал своих предков, хотя порождены они были потомком (все-таки удивительный случай обращения с временем — роман!). Объявились незаконный дядюшка и прочие экскурсионные отростки основного маршрута, все эти люди, не подозревая, существовали именно для того, чтобы произведенный ими герой набедокурил в несуществующем помещении.

Так, худо-бедно, я довел-таки повествование до желанного момента дежурства, тут, по мечтаниям, и должно было, наконец, побежать перо — так оно замерло, повисло на гребне настоящего времени... Я обнаружил, что, рассказав все о прошлом героя, ничего-то, оказывается, не рассказал о нем самом, то есть рассказал о нем со стороны, из перспективы сегодняшнего дня и опыта и ничего не рассказал о том, каково ему-то самому было, что сам-то испытывал прежде моей оценки, находясь в каждый момент своего прошлого, как в настоящем. Я понял, с некоторой досадой и оторопью, что так и не достиг начала избранного сюжета, что придется начинать все с начала и заново, что все то, что я рассказал о семье и прошлом героя, существует только *как первая часть, а нужна еще вторая,* прежде чем я с полным основанием приступлю к лелеемому продолжению.

Так родилась вторая часть как версия и вариант первой, написанная уже не столько с точки зрения автора, сколько с позиции героя. Не автор разглядывал, повертывая, своего героя в историче-

Э.Хаппененн

ском прошлом, а герой самостоятельно барахтался в волнах настоящего. Зато здесь расцветали его бедные сады для него одного, здесь получились его любовь, его вражда и дружба, жизнь — вместо разложенных по историческим полочкам листиков гербарной первой части.

Между тем проходили и годы авторской жизни, не десятилетия, как у героя, но годы, пусть один к девяти, но мои. И как-то потускнела и отдалилась та история, которую я так долго пестовал, начала которой наконец достиг. Каков бы ни был мой герой, но я к нему отчасти привязался, и мне не хотелось выносить ему приговор. Кое-что я <u>уже</u> успел сказать, <u>сварил тот суп из топора, который называется замыслом</u>...

Автор опустил руки, не улавливая в медленно текущем настоящем своего героя никакого сюжета. И не было другого выхода, как убить его именно тогда, когда он наконец задвигался бессмысленно, как живой. Но я не люблю литературных убийств... Все мне мерещится за них своя плата...»

II.
«ДАВНЕНЬКО МЕНЯ НЕ БЫЛО...»

(январь 1975 — март 1976)

19.

Андрей Битов. Что было, что есть, что будет... (История однолюба). *Аврора*, 1975, № 1, с. 25—44.

Наибольшая по объему публикация про Леву Одоевцева, в размерах «повести». История этого однолюба состоит из трех глав, соответствующих трем временам заглавия. Главам этим предшествует предисловие, так же, как и в «Солдате», отдельное по стилю...

БИТОВ: *«Давненько меня не было... На пыльном, мертвом столе лежало письмо. Я повертел в руках пухлый конверт — по этому адресу мне никто уже не писал... Почерк показался удивительно знакомым, но воспоминание упиралось во что-то в прошлом и дальше не шло — нет нестерпимее усилия! Я разорвал конверт — в нем оказался еще один с перечеркнутым адресом, с ярлычком «не проживает», а в том, в свою очередь, как Кощеева душа, третий, не востребованный на столичной почте, со штемпелем возврата.*

Роман-призрак

Письмо всплывало ко мне из глубины слежавшихся уже в прошлом дней — я отдирал слой за слоем».

Нет нужды приводить это предисловие полностью. На этот раз оно более служит задачам публикации, чем намеку на связь с неведомым целым. Заканчивается оно более чем оптимистично:

БИТОВ: *«...И мой вот этот день — сегодня — показался мне куда более удачным, чем я привык думать. Нет, что и говорить, нечего Бога гневить... Зря мы не ценим, что благополучно пристали к безымянному берегу СЕГОДНЯ».*

20.
Мнение читателей. *Литературная газета,* 26.2.1975.
21.
Лидия Обухова. Наедине с героем. *Там же.*

Отклик на «Ахиллеса и черепаху». Можно, по-видимому, относиться к этой статье по-разному. Факт ее напечатания более поразителен, чем содержание. Раздражать она тоже может. Тем более, читатель так и не понял, в чем дело. (Это-то, на мой взгляд, и не удалось автору: «разрыть собаку», никто не ждал, что возможна такого рода информация — о неопубликованном романе — никто ее и не вычитал, кроме тех, кто знал; читают в газете то, что в ней можно прочесть, — дежурное блюдо: если вам подсунуть в столовой трепангу или что еще, вы откажетесь есть эту гадость за тридцать копеек, но расхвалите ее вкусовые качества, платя по ресторанному счету...) Раздражать статья может, но не согласиться с тем, что «Литературка» никогда такого не печатала, невозможно. Поэтому, памятуя провокационный редакционный вопрос-призыв к читателям, я диву давался от одного представления, кто напишет и что напишет. Однако опубликованный результат не подтвердил моих опасений:

«Писем пришло много. Редакция... благодарит всех написавших за внимание к газете. ...упрекают в излишней усложненности (И.Волков из Барановичей), а вот А.Горбунов из Иркутска заявляет: "Широкий читатель по-своему жесток. Он потребитель. Ему дай готовое блюдо. Запаха кухни он даже не выносит".

Но подобных писем... пришло очень немного. Подавляющее большинство стремится решительным образом развеять сомнения редакции в целесообразности публикации статьи Битова... В.Веселов из Кургана (цитируется. — Э.Х.), а также З.Дебердеева из Москвы, О.Объедкова из Орска, Э.Суворова из Перми, В.Сурнев из Ставрополя, Ю.Кононенко из Дубоссар, В.Бадаев из Железноводска и многие другие наши читатели.

Э.Хаппененн

Отозвались... и профессиональные литераторы. Сегодня мы публикуем один из таких откликов...»

Не знаю, так ли было дело, но чтобы «много» — и все «за»... Это меня очень поразило. Заметка Обуховой не имеет никакой связи со статьей Битова, она, по-своему, написала об этом сама:

ОБУХОВА: *«...я пробовала продолжать мыслить в том же русле: автор, оставшийся "при своих", и безжалостно выпотрошенный, препарированный им герой...*

И... не получилось. Видимо, как мы с Битовым разные люди, не совпадающие ни в одной точке своими индивидуальностями, так различно и наше отношение с героями...»

22.

Galina Bjelaja. Erzeimek és tettek kapscolata. *Szoviet irodalum,* 1975, № 3, s. 45.

23.

В.Акимов. Мир в капле рассказа. *Аврора,* 1975, № 4, с. 61.

BJELAJA: *«Tánubizonysága ennek BitovA KATONA cimü elbeszéleée.*
A Honvédo Haború, amely az "új", Bitov höseit formálja, megorsi annek afeuséges, rideg és tragikus vilagnák...»

АКИМОВ: *«Возможно, что герой станет более живым, <u>когда новая проза Битова будет опубликована полностью</u> (у рассказа есть подзаголовок: "Из хроники семейства Одоевцевых"). Но думаю все же, что дело здесь не в самом по себе "приеме" и не в том, что <u>"Солдат" — часть неизвестного целого,</u> а в том, что этот человеческий «материал» известен Битову главным образом внешне, издалека, художественно ему чужероден».*

/505

24.

И.Соловьева. Варианты судьбы. *Юность,* 1975, № 6.

25.

ЛИТЕРАТОР. Молодой писатель и критика. *Литературная газета,* 21.7.1975.

«Борьба» Сахарова и Соловьева в жанре рассказа переросла в борьбу за Соловьева и за Сахарова...

СОЛОВЬЕВА: *«Всякий кинется тебя читать, если ты сегодня напишешь о Шукшине, о Битове или о театре на Таганке. Ждать того же, если ты пишешь рецензию на труд, посвященный литературе на латинском языке в средневековой Италии, не просто. <...> ...он (Сахаров. — Э.Х.) пишет в "Юности" о рассказах Битова — по тем правилам, которые живут в молодежном журнале, объясняя прежде всего, чтó извлечет читатель-юноша из реко-*

мендуемой книги, как ее надо читать, зачем это нужно: "Это современная и своевременная проза талантливого писателя, живущего с нами одной жизнью, одними интересами и потому именно интересного всем нам". О Битове же Сахаров написал в "Литературную газету" на делимую пополам полосу, где по традиции по одну сторону представляется место пессимисту, а по другую — оптимисту. Впрочем, тут удивит уже не только трансформация слога и стиля. О тех же самых произведениях прозаика, которые он, Вс.Сахаров, в июне называл интересными всем нам, своевременными и современными, он тут, неделями позже, скажет: "Его личная проза пока обслуживает одного человека — самого Битова. И потому художественный мир его так ограничен, лишен широкого социального фона". Проза, только что названная современной, тут называется внешне новаторской, а в сущности, весьма традиционной. Что за странные игры?

И та же подмигивающая кому-то странная забава продолжается...»

ЛИТЕРАТОР: «Но встречается, хотя и реже, другая крайность. В шестом номере "Юности" появилась статья Инны Соловьевой "Варианты судьбы", содержащая ряд серьезных наблюдений над работами некоторых молодых критиков. Однако эмоции и оценки автор статьи распределяет все-таки тенденциозно и выборочно. Ее тон в отношении статей молодого критика Вс.Сахарова кажется нам недопустимым. Характеризуя его манеру, И.Соловьева позволяет себе следующие выражения, весьма далекие от принятых в нашей литературной печати: "он работает в перчатках"; "подмигивающая кому-то странная забава"; "издевательская стилизация"; «павлиний хвост... развернувшихся возможностей» и т.д. Как и каждый молодой критик, Вс.Сахаров не свободен в своих работах от недостатков, однако указывать на них в таком оскорбительно-ироничном тоне по меньшей мере неплодотворно».

Труднее всего разобраться в очевидном...

«Ты за кого, за красных или за белых?»

Голубое или зеленое выпадают из спектра навсегда.

26.

Андрей Битов. Под знаком Альбины. (Из хроники семейства Одоевцевых). *Дружба народов*, 1975, № 7, с. 89—99.

По тем же причинам, что изложены в №№ 7, 19 привожу «вводную» часть рассказа...

БИТОВ: «*Вот уже в который раз обращаюсь я к Леве Одоевцеву как к герою* с простой целью — выяснить, кто же он, как и зачем жил, чего можно ожидать от него в не слишком далеком будущем, втайне надеясь, что естественная последовательность объединит однажды порознь произведенные мною набеги на его жизнь... И в той нехитрой истории, которую я попытаюсь исследовать далее, я уже так или иначе обращался ко всем ее персонажам: и к дяде Мите, и к Фаине, где-то краешком, уголком, успела мелькнуть и Альбина. Все те же люди, все в той же зале... Но как иначе все видится, стоит только автору перейти из угла в угол! Взгляни глазами героя — одно, посмотрим на него со стороны — другое, а случайный, затерявшийся где-нибудь между строк персонаж, может, он-то лучше всех видел, может, понимал больше меня, на все то же глядя, уж во всяком случае — имел свое мнение, занимал свою точку зрения. Какой странный объем, ломающиеся плоскости, исчезающие грани, измена пространства... в потемках опыта шарит пыльный луч повествования.*

Раньше мы рассказывали все больше о том, кто любит и каково это. Будто один лишь факт наличия любви у героя неизбежно назначает его центром повествования. Будто это такое право у чувства — быть в центре внимания и вызывать сочувствие. Однако чувства испытывают не только те, кто любит, но и те, кого любят, и те, кого не любят, и те, кто не любит, — и это уже другие люди, хотя бы и те же самые. В изображении таких чувств традиция уже несколько беднее, потому что беднее и чувство. Но — беднее чувство! — остается его только пожалеть, так оно безысходно и сильно. Мы попробуем написать этот рассказ во имя его; ибо так же, как чувство жалости во времени набирает инерцию, мозжащую человека со значительно большей последовательностью, чем самая горячая страсть и самая гибельная любовь, так и чувство нелюбви к кому-то или чувство любви к нам являются никак не менее значительными в нашем опыте и едва ли не более горькими. Я попытаюсь разобраться в неточной памяти своего героя, предложив следующую версию или вариант истории моего однолюба...»

27.
Игорь Золотусский. Познание настоящего. *Вопросы литературы*, 1975, № 10, с. 19—25.
28.
Л. Антопольский. Нужное слово. *Там же*, с. 89—100.

Роман-призрак

В этих статьях наконец-то критическое сознание уже объединяет по крайней мере первые две из четырех битовских публикаций про Леву Одоевцева.

ЗОЛОТУССКИЙ: «*Текст А.Битова самоироничен и самокритичен, в нем почти нет слияния <...> автора и материала, героя и бытия: жизнь и герой как бы одновременно "смотрят" друг на друга, изучают, наблюдают. <...>*

<...> Реальность то и дело вводится им в русло логики, приобретает формы ее, покоряется стихии мышления. Синтез этих стихий — та цель, к которой стремится проза А.Битова <...> использует изощренную инструментовку к постижению чего-то сущностного ("Солдат. Из воспоминаний о семействе Одоевцевых"). Заметим, что герой "Солдата" и герой повести "Что было..." — одно лицо, и есть основания предполагать, что это фрагменты одной большой работы А.Битова, в которой видятся черты романа.

<...> Называя пробы А.Битова пробами и опытами, я вижу в них вместе с тем свершившееся качество — те структурные обретения, которые при совмещении с содержательностью (сошлюсь на того же "Солдата") дают образы разговора о крупном, о "вечном". Эта попытка художественно мыслить круто — и внутри объема очень тщательно — наследуется А.Битовым у Достоевского».

АНТОПОЛЬСКИЙ: «*Этого писателя упрекали в "эссеизме", в "импрессионистичности", во "фрагментарности" (как, скажем, критик В.Сахаров), но трудно, кажется, примыслить более безосновательный упрек! Вовсе не эмпирия влечет писателя, не случайность и не разорванность "видимого", но такое развитие жизненного сюжета, когда за каждым поворотом этого сюжета угадывается идея, создающая само наполнение его, его материальную ощутимость. Своею пристальной подробностью интереса к миру герой и включает себя в мир — в длящееся, взаимосвязанное, осмысленное целое; и познание совершается как самопознание. <...>*

...Прав, конечно, Е.Сидоров: хорошо бы услышать о сегодняшнем человеке полноценное романное слово. Но пока и ему и мне приходится говорить об этом "в сослагательном наклонении"... Повесть же А.Битова существует в "утвердительном", и существует как крупная художественная реальность сегодняшнего дня».

У Антопольского содержится единственное, во всей критике (хотя и вскользь) высказывание не просто «за» и «против», а по основному направлению упрека — «ломка жанра рассказа, фрагментарность». Данному критику, видимо, действительно «понравилось» то, что он читал, а потому он «заполнил» разрывы текста живым воображением воспринявшего. Но возражая в приципе против обвинения Б. во фрагментарности, он отклоняется от истины в обратную сторону: фрагментарность таки есть! Нет той фрагментарности, в которой обвинял Б. Вс.Сахаров (сознательно направленной на разрушение «нашего» рассказа...), но нет и той цельности, которую воспринял Антопольский. Я бы назвал фрагментарность Б. вынужденной.

29.

Георгий Владимов — Феликс Кузнецов. Диалог в прозе. *Литературная газета,* 18.2.1975.

ВЛАДИМОВ: *«Обратите внимание: <u>А.Битов свой роман называет "Пушкинский дом"</u>, просто "Дом" обещает Ф.Абрамов, да ведь и "Уличные фонари" Г.Семенова тоже высвечивают дом. Увы, я здесь не оригинален: новую вещь, которую сейчас заканчиваю, я назову, вероятно, "Мой дом, моя крепость".*

Видите, сколько нас пришло к теме дома...»*

Вот кому наконец удалось назвать (хотя бы назвать!..) роман полным именем, по имени-отчеству! А то он все шел по кличке... Теперь эту кличку унаследовал Абрамов. Ну, конечно же, эпитет «Пушкинский» никак нельзя! Ведь есть же учреждение... Можно подумать, что речь идет о разных романах; одно лишь заявление Б. по-эстонски в 1971 году (см. № 4) позволяет с уверенностью утверждать, что речь идет все о том же самом.

/509

30.

Андрей Битов. Кому пишет критик? *Вопросы литературы,* 1976, № 3, с. 76—82.

Итак, дядя Диккенс оказался героем военной и мемуарной прозы, человеком, вынесшим на своих плечах весь XX век, пожертвовавшим своим счастьем и собой, а также эгоистом (Л.Антопольский...)...

БИТОВ: *«...мне хочется поставить под сомнение одно распространенное убеждение — на самом деле заблуждение — о том, что критика — наставник писателя, причем именно в этом качестве и призвана выступать.*

---

* Странно, что в этом перечислении пропущен «Дом на набережной» Ю.Трифонова. Возможно, потому, что первоначальное название этого романа не содержало слова «дом» («Фрунзенская набережная»).

Роман-призрак

...Будто критик — начальник писателя.

...отношения автор — критик лишены взаимности...

...критику не должно быть делать легче, чем литературу».

И т.д. Чего-то Б. не вытерпел...

III.
«ПРИХОДИТ ВРЕМЯ, И В ПРОШЛОМ ВСЕ СТАНОВИТСЯ КАК БЫ БОЛЕЕ ПОНЯТНЫМ...»

(июль 1976 — март 1977)

31.

Андрей Битов. Три «пророка». *Вопросы литературы*, 1976, № 7, с. 145—174.

Накопив достаточное количество публикаций из романа, пользуясь специальностью, как бы «научностью» издания, Б. значительно расширяет свой опыт с «Ахиллесом и черепахой»: открыто говорит о романе, из которого извлечен последующий текст, дает библиографическую сноску предшествующих публикаций.

БИТОВ: *«При желании можно счесть все данное исследование одним лишь плодом авторской фантазии. К этому есть хотя бы те основания, что сам исследователь, сочинение которого я попытаюсь изложить ниже, есть в чистом виде продукт авторского воображения. Что же тогда его мысли? В каких отношениях состоит его реальность с реальностью автора, а реальность автора — с обступившей нас реальностью? На это проще не ответить. Следует лишь пояснить, как пришла мне в голову идея постановки такого рода опыта (писать чужою рукою...). Затея эта более естественна, нежели парадоксальна.*

Вот уже несколько лет как судьба связала меня с Львом Николаевичем Одоевцевым, проще — Левой... Часто мне кажется, что про него мне больше известно, чем про себя самого: обычное заблуждение хозяина положения. В качестве героя романа он более отчетлив, чем автор сам себе в контексте жизни. Он пользуется неизмеримо большим правом на заблуждения, тут же осуждаемые неисправимым автором.

Чем же занят в таком случае на этих страницах не герой, а непосредственно автор? Я тешу себя тем, что ставлю эксперимент, то есть приобретаю уникальный опыт. Ведь литературоведение лишено возможности ставить эксперимент в той же мере и в том значении, в каком эксперимент является орудием или методом в науках естественных и точных. Оно лишено возможности воспроизводить в лабораторных условиях те формы, которые постигает, хотя и нет прямее способа нечто познать, чем попытаться воспроизвести и убедиться на собственном опыте. И автор надеется, что его частная попытка постановки такого рода опыта, возможно, не будет лишена интереса, даже в случае неудачи или приблизительности результата».

32.

Л.Михайлова. Веление ума, веление совести. *Литературное обозрение*, 1976, № 8, с. 17–19.

33.

Эльчин. Молла, помоги мне! *Дружба народов*, 1976, № 10, с. 259–260.

В статье Михайловой рассуждается о «повести» «Что было, что есть, что будет...». Именно рассуждается...: «...прожитое время, отражаясь, указывает путь, оно похоже на зеркало, проносимое по дороге возмужания. Время — учитель, герой — ученик». Лексика сравнивается с «Двойником» Достоевского.

Статья азербайджанского писателя посвящена опять «проблеме рассказа» и интересна в данном случае тем, что выражает личное недоумение читателя перед отсутствием у Б. привычных для законченного рассказа связей и образов. Других публикаций из романа Эльчин, по-видимому, не читал и на намеки автора в начале не обратил внимания (вернее, обратил... но как раз в противоположном смысле, чем хотелось бы автору). Эльчин признается во всяческой приязни к автору, отдает ему (без ехидства, надо отметить) должное — в искреннее недоумение его поверг именно этот «рассказ».

ЭЛЬЧИН: «*...Можно принимать или не принимать его писательскую манеру, но что бесспорно — происходящее с Битовым так всегда характерно для литературного момента... Рассказ... — образец традиционного жанра. Традиционное предисловие от автора... Неспешное повествование — космические скорости XX века далеки от этого повествования.*

Треугольник Лева Одоевцев — Фаина — Альбина — словно из какого-то забытого романа русского или французского писателя XVIII века. <...>

Любопытно, что Битов, доказавший уже во многих своих произведениях свой дар зримого, пластичного живописания, совершенно не хочет видеть здесь своих героев, а предпочитает о них отвлеченно рассуждать, он не показывает их, а дает им характеристики. Причем достаточно экзотические. (Цитата о дяде Диккенсе... — Э.Х.) ...остаются равнодушными, потому что мы не видим несчастного дядю Митю, не узнаем его, не чувствуем; образы тут носят чисто литературный характер.

Но рассказ-то, скажут мне, не о дяде Мите!

Хорошо, взглянем на "углы" треугольника.

Кто такая Фаина? Сладострастница, которая наставляет своему мужу, Леве Одоевцеву, рога? Или сестра чеховской Душечки? Может быть, она человек с таким богатым духовным миром, что ее не удовлетворяет окружающая среда? Может, напротив, сумасбродка и дура? Может быть, она сложный художественный образ, соединивший в себе все эти черты? Ни один из этих вопросов не находит ответа, потому что... Фаина есть, а жизненности нет.

А Лева Одоевцев, он кто? Попробуйте сообразить. Знаю, этот вопрос чересчур груб, но автор сам в "традиционном предисловии" обещает нам ответить именно на этот вопрос, исследовав все, что свалилось на голову героя.

Пока что исследование не дало результатов. Вопрос — кто есть Лева Одоевцев? — остается открытым, потому что он (а также и Альбина) не живет в рассказе. Они — плод литературного мастерства.

А ведь с каким профессиональным блеском написано! Магия текста действует, укачивает, завораживает. А потом думаешь: позвольте, о чем это? К чему это?

Молла, помоги!»

Конечно, прочти Эльчин «Солдата» и «Что было...» до «Альбины», часть его искреннего недоумения была бы снята. Но интересен здесь, прежде всего, тот непосредственный эффект, которого реально достиг Б. в своем последовательном стремлении довести до сознания читателя существование романа: «Альбина» ведь была уже четвертою в ряду публикаций...

34.

Всеволод Сахаров. Пружины читательского интереса. *Литературная газета*, 24.11.1976.

35.

Владимир Соловьев. «Сломать стереотип...». *Там же.*

Наконец-то сошлись наши дуэлянты, до сих пор палившие друг в друга из чужих ружей. Любопытно, что основной своей темы — «рассказа» — они в этой полемике не затрагивают. Прошло время, и назрела новая тема, уже тронутая разок-другой «Литературкой», — так называемой «элитарности». Тема эта пока лишь намечалась — «академически», теоретически, без имен (Д.Урнов). Здесь же уже не мог не раздаться звон деревянных мечей: они скрестились на том же Б. как на объединяющем обе линии полемик (о рассказе и элитарности).

Как всегда, «спорную» точку зрения (слева) высказывал Вс.Сахаров. Но оппонировал (как бы справа) на этот раз сам Вл.Соловьев (а не А.Марченко на его месте). И надо сказать, Вл.Соловьев в бою не уступал Вс.Сахарову. Уступал им уже успевший занести на критику меч Б.

Редакционное уведомление о дискуссии («Два взгляда на занимательность») на этот раз помещалось над статьями, то есть и впрямь было пред-уведомлением, не опускаясь по полосе на уровень «вывода». Тем более, речь в статьях не шла об одном Б., он был лишь примером (правда, единственным современным в статье Вс.Сахарова). Точности ради отметим, что в статьях не поминаются фрагменты из романа (как и тема «рассказа»).

«<...> *Таких писем приходит много. Видимо, проблема занимательности не так проста, как кажется на первый взгляд. Памятуя об этом, мы попросили критиков Всеволода Сахарова и Владимира Соловьева обменяться мнениями по поводу литературы "скучной" и "нескучной"*». /513

САХАРОВ: «<...> *Дело тут, разумеется, не в недостатке писательского мастерства, в чем никто и не собирался подозревать Томаса Манна. Ведь сходные истории у нас приключились и с "Игрой в бисер" Германа Гессе, и с романом Марселя Пруста "По направлению к Свану". Причина, по-видимому, в той психологической атмосфере, которая давно уже приняла и учла деление искусства на "элитарное" и "массовое". И у нас, с легкой руки зарубежных социологов культуры, все чаще пишут о "масс-культуре", одной из главных черт которой признается занимательность. <...> Романизированные путешествия Андрея Битова, где движение творческого сознания заслоняет жизненный материал, несколько напоминают бег в пустоте. Какая уж тут занимательность...*»

СОЛОВЬЕВ: «<...> *С Вс.Сахаровым интереснее и, надеюсь, продуктивнее спорить не когда он ошибается в подборе иллюстрации к своему тезису, но когда подбирает иллюстрации убедительные — от Пруста до Битова.*

Роман-призрак

<...> Я далек от того, чтобы сопоставить Андрея Битова с Марселем Прустом. Вс.Сахаров, конечно же, польстил А.Битову, — пусть невольно, — поставив его в такой великий ряд. Несомненно, проза Битова не принадлежит к легкому чтению. Случается <...> напряженная мысль его "авторского" персонажа кружит над не очень ему самому интересным объектом: скорее по инерции, чем по вдохновению! <...> Но бывает по-другому, и тогда сложный психологический анализ соответствует сложности предмета разговора <...>. Обычные сюжетные ситуации высвечены Б. настолько глубоко, что выглядят необычайно, во всяком случае — неузнаваемо. Допускаю, что у этой повести будет немного читателей, но разве количественный подход уместен в литературе?»

36.

Андрей Битов. Молодой Одоевцев, герой романа. В кн.: «Дни человека». М.: Молодая гвардия, 1976, с. 191—282.

37.

Andrei Bitov. Under the Sign of Albina. From the Odoyevtsev Family Chronicle. *Soviet Literature*, 1976, № 10, p. 39—53.

38.

Andrej Bitow. Im Zeichen Albinas (Aus der Chronik der Familie Odojewzew). *Sowjetliteratur*, 1976, № 10, S. 42—55.

39.

Andrej Bitov. Voják (Ze vzpomínek na rodinu Odojevcevovu). Ve znamení Albiny. *Sovĕtska literatura*, 1976, № 12, s. 75—108.

Б. «объединяет» напечатанные в розницу фрагменты в единый «романный» цикл. Правда, не все из напечатанного попадает в него: нет главы «Что было...» из «Истории однолюба», нет «Ахиллеса и черепахи», нет комментария в «Трех "пророках"» и нет (справедлива была моя, возникшая в самом начале, догадка!) «предисловий» к отдельным публикациям, воспроизведенных здесь. Все главы (пять) снабжены эпиграфами из «Героя нашего времени» (роман Лермонтова почему-то ни разу не назван, и эпиграфы маркированы главами: «Бэла», «Дневник Печорина» и т.д.). Любопытно отметить, что в качестве глав бывшие рассказы оказались переименованными: «Солдат» — «Кавалер солдатского Георгия», «Под знаком Альбины» — «Нелюбимая Альбина», «Что есть...» — «Миф о Митишатьеве», «Что будет...» — «Г-жа Бонасье (Что будет...)», «Три "пророка"» — «Профессия героя».

Обратим внимание и на следующие разночтения:

Э.Хаппененн

с. 194 (см. № 7) «...Но об этом потом... Что сказать о Леве Одо-евцеве? Он из тех самых Одоевцевых. Но принадлежность его к старому и славному русскому роду не слишком существенна, ибо, как наш современник, был он уже скорее однофамильцем, чем потомком».

с. 260—265 — «рассуждение о выборе профессии для "интеллек-туального" героя... Его не было в публикации "Трех «пророков»"».

Мы не будем здесь приводить его, так как оно, на наш взгляд, на этот раз не является «припиской» к роману, а органически вхо-дит в текст. Любопытно окончание всего пассажа: «Однако сочи-нение Л.Одоевцева показалось мне во многих отношениях на-столько любопытным, что я решил выпустить эту главу вперед романа, благо она и была написана отдельно и, должен признать-ся, до некоторой степени вываливается из него».

с. 281 — «Тютчев виноват в том, что с Левой произошла Фаина, произошел дед, он виноват и в том, что, как и Лева, опоздал с рож-дением и возникновением (каждый в свое время), и опоздавший Лева, обратившись сердцем к другой эпохе, не прощает Тютчеву его "современное" пребывание в ней, для Левы желанное и недо-ступное...» Опять мелькнул и пропал этот «дед»! (См. наше при-мечание к № 7.)

/515

В «Вопросах литературы» он отредактирован справедливо как к делу не относящийся, здесь — пропущен! И поскольку этот ва-риант опубликован позже, можно считать эти «остатки» отрывов, эти болтающиеся ниточки, окончательно умышленными.

40.

Sylva Tvrdíková. Modifikace hrdiny a žánru. Andrej Bitov. *Bulletin ruského jazyka a literatury*, 1976, Bd. 20, s. 49—58.

41.

Dubravka Ugrešić. Trenutak suvremene ruske proze ili o Andreje Bitovu. *Književna smotra*. 1976, № 25, s. 43—44.

UGREŠIĆ: *«U posljednje vrijeme u časopisnim publikacijama pojavljuje se i opet "neobicna" Bitovejeva proza. Očito je, a i kritika tako pretpostavlja, da se radi o odlomcima iz vece prozne cjeline, uvjetno, romana. <...> Kategarija vremena je dominantan motiv i time se ova struktura uklapa u kontekst evropske proze s istim motivom (Proust, Joyce, T.Mann itd.) <...> Mjesto zbivanja je Leningrad, koje svoijom bogatom literarnom tradicijom ukljucuje Petrograd Dostojevskog, Puskina, Gogolja, Andreja Belog. <...> Metatekstualna funkcija dijela odnosi se i na upotrebu tradidonalnih postupaka romana ruskog realiz-*

*ma (Černiševski, Gogolj, Ljermontov, Turgenjev), situacija, motiva, moti-
vacijskih sistema. <...> On <...> deziluzionira (Sterneovi postupci) <...>
perspektivu, analizira svoju funkciju autora, kategorije proze, pokušava-
jući odgovoriti na pitanje: što literatura zapravo est. <...> i tu se nameće
asocijacija na nepravedno zaboravljenog leningradskog pisca
K.Vaginova...»*

42.

Всеволод Сахаров. Власть канона. *Наш современник*, 1977, № 1,
с. 156—164.

43.

Владимир Соловьев. Статус истины. *Литературная газета*,
16.2.1977.

На этот раз наши оппоненты пересекаются лишь во времени.
У них в этих статьях нет ни одной точки соприкосновения: Сахаров дожимает до конца свою «тему рассказа», Соловьев гневается
по поводу критики в свой собственный адрес. Однако именно эти
две статьи являются, на наш взгляд, апогеем, кульминацией всей
нашей библиографической эпопеи. Не имея никаких тематиче-
ских точек соприкосновения, оба автора сравнимы лишь в одном:
в открытой, какой-то почти личной неприязни к Б. Впрочем, если
разрушить принцип строгой хронологии опубликования, которому мы здесь следуем, то статья Сахарова соответствует (по пафо-
су отрицания) статье Соловьева, подвергнутой критике Литератора (см. № 16).

СÁХАРОВ: *«Битов... утвердился в чрезвычайно выгодной позиции новатора, своего рода кубиста в прозе. И потому в заметке
А.Битова "Границы жанра" каноны рассказа спокойно названы
"трафаретными"... Каноны надо разрушить, границы — раздви-
нуть, размыть, ибо они мешают зрелому мастеру...*

*Взамен А.Битов предложил новый тип "свободного" рассказа,
где автор "обратился к самому подлинному и достоверному из доступного ему в опыте — к себе, к прямой речи". Что ж, хорошо,
когда писателю есть что сказать. Но поскольку вначале была теория...*

*И вот в журналах начали появляться "рассказы" и "повести"
Андрея Битова, объединенные подзаголовком "Из хроники семейства Одоевцевых". Но хотя мы видели одних и тех же героев... и понимали, что это фрагменты, умело вынутые писателем... сказать об
этом было как-то неудобно. Ибо раз человек назвал свое произведение рассказом, значит судить его надо по законам этого жанра.*

Э.Хаппененн

Андрей Битов, надо отдать ему должное, понял затруднительное положение критики и объяснился. ...появилась его статья «Ахиллес и черепаха», где много говорилось о тяжести творческого бремени, о том, что писать трудно и т.д. *(Кроет Б. передернутой цитатой из Пушкина... — Э.Х.).* Читателя интересует завершенное произведение, а не писательские рассказы о сложном замысле. Впрочем, в этой статье интереснее другое: А.Битов рассказывает и о том, как он пишет рассказы и что из этого получается.

Поскольку это важно для нашей темы, позволим себе длинную выписку. <...> В этой петляющей, несколько жеманной фразе не только рассказано о происхождении романа "Дом", но и очерчен принцип предельной творческой расточительности, принцип, в сущности, античеховский, требующий не беспощадного вычеркивания, а бесконечного "расписывания" вещи, постоянного ее усложнения путем разложения цельных, органичных явлений и чувств.

"Рассказы" А.Битова "выдергиваются" из саги об Одоевцевых, и потому творческая история романа "Дом" вывернута наизнанку, как перчатка. Сначала выросло нечто более или менее целое, затем оно было разъято на фрагменты, опубликованные как повести и рассказы. Легко догадаться, что потом фрагменты вновь срастутся в роман, соберутся под крышею "дома". Но не слишком ли легко монтируется и демонтируется это сложное сооружение? Такие вещи хороши в крупноблочном строительстве, а в литературе они обычно свидетельствуют об отсутствии центральной, скрепляющей романную форму идеи, единой четкой концепции жизни. Впрочем, нас тут интересует другое: каковы же "новые" рассказы, получаемые таким странным путем. Ведь было заявлено, что они с успехом заменят рассказ "старый", то есть классический, подчиняющийся суровому канону.

"Дом" — филологический роман о филологе, мечтательном книжнике Леве Одоевцеве... петербургская литературная гофманиана, и именно главный герой ставит писателя в "затруднительное творческое положение" («Ахиллес и черепаха»). Обратимся по этому к последнему "кирпичику" — "рассказу" («Под знаком Альбины»). ...как всегда, мы встречаемся здесь с тщательной "штудией" чувств.

Разветвленная "диалектика души" сливается здесь со словесной вязью и как бы застывает, мертвеет, образуя изысканное кружево стиля. В этом кружеве, порожденном бесконечным разложением, миниатюризацией не очень сложных и глубоких чувств, чита-

тельское внимание постепенно запутывается, как усталая муха, а автор приглашает любоваться оригинальной сложностью его художественного плетения... (Цитата из Б., затем опять передернутый Пушкин... — Э.Х.)

За этим рассказом угадываются не обещанные нам А.Битовым "неограниченность жизни", "пространство жизни", а тупики эстетизма, к которым движется вдохновенный стилист-наблюдатель с отверткой, играючи развинчивающий чувства и ощущения.

Если бы это было только особенностью, не претендующей на обобщение индивидуальной писательской манеры, к такого рода экспериментам можно было отнестись по принципу: не нравится — не читай. Но когда писатель, сам попавший в кризисную ситуацию, начинает говорить об общем кризисе жанра и высокомерно называет русский рассказ... "дорогим покойником", "камерой", — это перестает быть просто снобизмом, а превращается в сознательную попытку скомпрометировать рассказ, именно сейчас так необходимый нашей прозе. Рассказ с его устойчивыми традициями и высокими требованиями почему-то не нравится, чем-то мешает. (Пас в сторону М. и А.Чудаковых... — Э.Х.)

Пока иные критики восхищались изысками таких рассказчиков, как А.Битов, в нашей прозе спокойно работали мастера рассказа, не пристававшие к читателю и критике с вопросом "Мастер я или не мастер?" и следовавшие в своей нешумной творческой работе неписаному правилу... "нужен ли ты сейчас со своей историей?" (В.Шукшин. — Э.Х.)

Легко догадаться, к кому критика будет внимательнее, благосклоннее: конечно, к тем прозаикам, чьи рассказы как будто нарочно изготовляются для очередной статьи или дискуссии. Репутация тонкого стилиста, изощренного психолога, искателя новых форм и средств вполне способна заслонить внутреннюю неопределенность и неуверенность, а любая попытка нелицеприятной критики может быть воспринята как неблаговидное стремление уничтожить "ищущий талант"».

СОЛОВЬЕВ: «*Что за настойчивая проповедь застойно-инерционно-пиететного сознания — авторитарная оторопь перед литературой?*

А это и создает ту превратную ситуацию, которая в свою очередь понуждает редакцию "Вопросов литературы" поместить в уже упомянутой рубрике "Гипотезы и разыскания" прямо зависимую и слишком связанную с Тыняновым статью литературного

Э.Хаппененн

персонажа Левы Одоевцева, чей трепетный издатель, кокетливый комментатор и хитроумный апологет — Андрей Битов. Автор, кстати, неоднократно укоряет своего героя за "невежество": читателю ничего не остается, как переадресовать этот упрек автору, который в данном случае несет всю полноту ответственности за своего героя, романический замысел и литературный умысел — с Битова взыщется то, что автор прощает Леве Одоевцеву! Я далек от мысли сравнивать вымышленного героя Андрея Битова с реальным исследователем Юрием Тыняновым, но отдадим должное последнему — он был первым!

<...> Интересно, под какой рубрикой напечатали бы "Вопросы литературы" — если бы отважились! — статью Тынянова "Пушкин и Тютчев", когда одоевцево-битовское "подражание" этой статье они печатают спустя более полувека под рубрикой "Гипотезы и разыскания"?»

44.
Нужны ли в литературоведении гипотезы? *Вопросы литературы*, 1977, № 2, с. 82—112.

45.
С.Ломинадзе. Многообразие — для всех. *Литературная газета*, 2.3.1977.

46.
Я.Гордин. Граница анализа и безграничность дилетантизма. *Литературная газета*, 9.3.1977.

Статьи № 46 и 47 посланы «вдогонку» Соловьеву. И Б., в данном случае, оказывается несправедливо задетым (Сахарова никто в отношении Б. не поправил...).

«Разве не интересно после "Образа Онегина", включающего в себя "как положительные, так и отрицательные черты", читать статью "Статус истины"? Писатель А.Битов пишет роман о литературоведе Одоевцеве, а литературовед В.Соловьев пишет "роман" о писателе А.Битове с куда большим пристрастием к своему герою («кокетливый комментатор», «хитроумный апологет»), чем писатель к своему».

Дискуссия «Нужны ли гипотезы?» является во всей этой эпопее публикаций из романа основным триумфом Б.: теперь он всполошил литературоведов, и они разбираются по его поводу между собой, как в свое время критики разбирались между собой по поводу рассказа. Но примером и там и там оказывается Б.

Роман-призрак

О существовании романа в дискуссии сказал только А.Кушнер:

«Статья А.Битова — это отрывок из романа, одна из движущих пружин которого — соперничество двух молодых людей. Борьбе самолюбий, характеров, всяческому соперничеству в любви ли, на службе, в глазах ли общественного мнения посвящены многие сюжетные вещи Битова. Это его любимая тема. Вот почему и литературоведческая работа Левы Одоевцева посвящена соперничеству в литературе, а то, что это соперничество вряд ли соответствует исторической правде, пусть останется на совести Левы».*

Зато наряду с восторженными, положительными, уклончиво-положительными, положительно-уклончивыми, уклончивыми (грубый счет: за — 10, против — 4, воздержались — 3, ?? — 2), есть и твердо-отрицательные отзывы:

«...статья ...вызывающая не только у меня, но, я думаю, и у многочисленных читателей журнала... глубокое возмущение как по своему существу, так и по форме. Помещение этой статьи... явное недоразумение. В "разысканиях" А.Битова нет материала для обсуждения, ибо нет никаких "разысканий". Его гипотезы не заслуживают того, чтобы их принимали всерьез. Щеголяя тем, что он не ученый-литературовед, и укрывшись за спиной вымышленного персонажа Левы Одоевцева, которого он слегка поучает, но которым в то же время любуется, автор проявляет поразительное незнание хорошо известных фактов... Бестактность А.Битова (или, что то же самое, Левы) не имеет пределов: от снисходительно-оскорбительного похлопывания по плечу Лермонтова до искажения внутреннего облика Тютчева. Весь стиль этой статьи производит отталкивающее впечатление своей бесцеремонной развязностью и откровенной самовлюбленностью. Не могу не расценивать публикации такой статьи... иначе, как непонятный для меня просчет журнала.

К.Пигарев».

Кажется, все... Дискуссия в «Воплях» — последний всплеск. Она — сильно в сторону от «линии романа», которую мы здесь выявляли. Я почему-то уверен, что теперь не скоро встречу Соловьева, или Сахарова, или Б. на страницах «Литературки». По моим прогнозам, поток критики в адрес Б. должен иссякнуть, потому что он никого здесь не интересовал сам по себе, вне литературной политики, вне «борьбы за рассказ» или «против элитарности». А линии этих (борьб... борьбов... борьбей?) — закончены. «Следует отдать должное» самому Битову (фразеологизм Сахарова), он, сознательно или бессознательно, этой возней попользовался: все-таки

Э.Хаппененн

довел до сознания, если и не читателя, то критики, что роман «Дом» («Пушкинский дом») — существует. И это достаточно беспрецедентно — иметь уже литературу по роману до его напечатания, что нас и увлекло в нашей «библиографии» (опять же — не Б. ...). И «мы далеки от мысли» (Соловьев), что Б., загипнотизированный собственной задачей опубликовать как можно больше из романа, хорошо сознавал, в чем, кроме этого, участвует. На пути «доказательства» романа он успел раздражить многих (в т.ч. и читателей); он даже будто нарочно ссорился с основной своей аудиторией, всегда оказывавшей ему поддержку (критики и литературоведы).

Сахаров окончательно «выявился» в этой эпопее (от «Юности» до «Нашего современника»), окончательно «примкнул». Он избрал себе свою дорогу и поддержку.

А вот что Соловьев так безоглядно бросился на всех и вся, не имея никакой возможности пойти по сахаровскому пути (по пути однофамильца своего оппонента — тоже...), нам еще неясно, но что-то в этом переломе есть основательное, причинное...

Не знаю, на каких небесах сговариваются люди, принадлежащие враждующим партиям... но они — сговариваются. (В отличие от честных людей, которые не сговариваются никогда, которых даже попытка практического, а не душевного объединения приведет к размолвке, ссоре, драке — к чему угодно, только не к мафиозной структуре.) Сговариваются, быть может, даже не столько люди из враждующих партий — сколько и м и сговариваются. А вот кто же?.. Кто же над ними?? Над ними невидимые нам люди, в чьих руках реальная власть. (Скажем, не Сахаров и Соловьев сошлись в оценке Б., а «Литературка» в них сошлась — и не «Литературка», а ее редколлегия, и не редколлегия, а, может быть, секретариат Союза писателей, и не Секретариат, а... вот тут мы уже не знаем кто, но, по-видимому, оттуда и они...). И тут нас берет оторопь перед ИХ умом, не расположенным ни в чьей отдельной голове, — умом ВЛАСТИ: все предвидено, все организовано, все затем сыграно... так оно и вышло. А попутно еще и навар: кое-кто выявился, определился, занял свое место, т.е. вошел в с т р у к т у р у, вошел — то есть там и остался.

Вот и здесь, на этом ничтожнейшем примере, — полемика Сахарова и Соловьева — разве их полемика? Велика честь отпускать им полосы. Или это кампания за и против Б.? И тоже — велика честь. Это всего лишь очередной раунд (или два...) наших двух партий «круговой поруки», т.н. русской и т.н. либеральной, на коврике из Битова, с рефери Маковским и невидимыми судьями в судейской ложе. И если мы вгляделись бы в какой-нибудь другой «литературный» вопрос, а не в этот, то, ручаюсь, то же бы и выявили (смотрите, как скудна литература, собранная нами вне этой «линии»... а мы ведь старались выскрести в с е источники...).

Случайно ли все начинается вопросом редакции: плодотворны ли поиски? — продолжается ее же вопросом: нужно ли публиковать такую статью? — расширяется на вопрос: нужна ли элитарная (скучная) литература? — подхватывается на тему: нужны ли гипотезы? А пример всюду один — не последовательный ли вопрос: нужен ли Б.? Но и этот, связующий темы дискуссий, вопрос о Б. — одно лишь средство выявить друг в друге принадлежность к различным лагерям. Б., в данном случае, наиболее подходит для препирательства, потому что не принадлежит ни к тому, ни к другому лагерю (а если принадлежит, то лишь по подозрению — в сознании, общем для тех и других: «кто не с нами, тот против нас»). Про себя он, по-видимому, может полагать, что принадлежит русской литературе, но поскольку он «не наш» для тех и «не наш» для других, разрывающих остатки этой литературы на две неравные части (каждой из партий ее половина кажется большей, если не всей), то принципиальным может оказаться лишь мнение тех, кто сталкивает мнения. Но тогда вопрос «нужен ли» звучит уже иначе.

522/

С кем только ни спаривали Б., кому только не противопоставляли. В 1964-м его «открывали» вместе с Шукшиным (В.Ермилов), с тем чтобы впоследствии (Сахаров) им же и побивать. Его объединяли и с В.Беловым (Л.Аннинский, Б.Бурсов) и побивали Беловым (тот же Аннинский и Сахаров). Его объединяли и разъединяли с Распутиным, Трифоновым, Аксеновым, Вознесенским, Граниным, Конецким, эстонской и армянской прозой, с Достоевским, Толстым, Прустом, Хемингуэем и Сэлинджером... По числу взаимоисключающих обойм, в которые включали и исключали Б., он, пожалуй, займет первое место среди наших прозаиков. Особенно упорным и непрекращающимся, последовательным и «принципиальным» (в смысле установки...) было отнесение его к аксеновской линии «Юности» при некотором одновременном, хотя и более слабом, усилии отделить Б. от нее.

Выявился Сахаров, выявился Соловьев ... Выявился и Б. И сам, и теми, кто его «выявлял». Самим фактом «за» и «против» того и другого это «выявление» проявлено гораздо отчетливее, чем непосредственными их критическими усилиями, и именно потому, что они полагали, что спорят о рассказе, об элитарности, о Б.,

Э.Хаппененн

не сразу осознавая, что в споре этом обретают спущенное им сверху «лицо». А маски эти так отчетливы, что говорят за того, кто их надел, а собственная речь из-под маски как раз и хуже слышна и более неразборчива. И неверно, не только эти трое оказались «проявленными» в этой лохани «Литературки», но и многие, кого и на сцену-то не выпустили... Тут мы можем лишь гадать, как и на ком эта никем не отмеченная свара отразилась.

Кажется, нерв этот уходит еще глубже, чем я думал...

Не могу объяснить чувство законченности, возникшее во мне от последних статей Сахарова и Соловьева... Не могу объяснить это чувство законченности после написания об этом чувстве законченности... будто кто-то неизвестный мне, но связанный со всем этим, умер... Мне есть что сказать еще... но нестерпимо хочется поставить именно здесь точку. Мне нестерпимо хочется поставить точку, потому что она здесь есть.

5 марта 1977

В СТОРОНУ СОЛОВЬЕВА...

(апрель 1977 — август 1978)

Постскриптум через полтора года.

> *При желании можно счесть все данное исследование
> одним лишь плодом авторской фантазии.*
> «Три "пророка"»

Я мог бы это предвидеть... Собственно, я этого даже ожидал. Странно, что известие это, тем не менее, застало меня врасплох... Оно разом перечеркнуло всю эту работу. Но об этом после.

Вот иссякающий ручеек:

47.

Миливое Йованович. Новости руске прозе. *Книжевне новине*, 1.4.1977, Београд.

48.

Юрий Карабчиевский. Точка боли. О романе Андрея Битова «Пушкинский дом». *Грани*, 1977, № 106, с. 141—203.

Роман-призрак

49.

Андрей Битов. Ответ на анкету «Читатель и писатель». *Литературное обозрение*, 1977, № 10, с. 96—97.

50.

И.Роднянская. Образ и роль. *Север*, 1977, № 12, с. 111—119.

51.

V.Jerofjejew. Andrzej Bitow albo jeszcze raz mądremu biada. *Twórczość*, 1978, № 2, s. 141—144.

52.

П.Ульяшов. И миф, и сказ, и притча. *Литературная газета*, 8.3.1978.

53.

С.Фомичев. О литературоведении чистом и нечистом, о заведомых гипотезах и Леве Одоевцеве. *Звезда*, 1978, № 4, с. 202—211.

54.

Вадим Кожинов. Книга о русской лирической поэзии XIX века. М.: Современник, 1978, с. 115—119.

55.

И.Роднянская. Битов Андрей Георгиевич. *КЛЭ*, М., 1978, т. 9, с. 130—131.

56.

М.Эпштейн. Время самопознания. *Дружба народов*, 1978, № 8.

Совершенно ненаучное наблюдение... Как будто вызывают по алфавиту... Выступают теперь те, кто не успел: на У и на Ф... Не знаю, какой из этого следует вывод.

УЛЬЯШОВ: *«Он* считает, что с помощью мифотворчества нельзя выстроить "сверхреальность", а можно достигнуть лишь "сверхфилологии". Думаю, в отношении мифотворчества он ошибается. <...> А вот что касается "сверхфилологии", то он заметил существенную болезнь, мешающую некоторым нашим прозаикам.*

"Сверхфилологическая" литература склонна к жизнеописанию одного и того же героя, кочующего из рассказа в повесть и обратно — иногда под одним именем, порой — под другим, хотя это не мешает легко узнавать его. Эта литература очень претенциозна и "интеллектуальна" и любит сама себе давать оценки, порой даже в виде развернутых рецензий, искусно вкрапленных в текст. Герои ее обычно без конца копаются в своих ощущениях и любят изо-

---

* Л.Аннинский. «Жажду беллетристики!» (sic!). Литературная газета, 1.3.1978.

Э.Хаппененн

*бражать ощущения по поводу своих ощущений. Скажем, герой со-
знательно идет на подлость, то бишь на компромисс, а потом
тщательно изучает свои ощущения, сомнения и последующие сомнения в правомерности этих сомнений. И все же этот самоед-
ский психоанализ не спасает "сверхфилологическую" литературу
от очевиднейшего беллетризма, который, однако, критика, зача-
рованная внешним блеском и высокими оценками, выставленными
автором самому себе, не хочет замечать. И вот уже рыхлая эссе-
истика выдается за роман. Нудное самокопательство в душе — за
психологизм. Безликие хлюпики, изнывающие от сексуальной исто-
мы, — за героев. Игра в литературу — за самое литературу как
борьбу за истину.*

*Что этой литературе миф, сказ, притча, если она хочет гово-
рить лишь о себе и не желает ничего знать о мире?»*

Вот цепная реакция! В самом пёсьем смысле слова... Поразительно, до чего же они все стали родственники буквально за последние
три-четыре года!.. Где граница, проходящая теперь между Кожино-
вым, Аннинским или Соловьевым? Борьба-таки объединяет. Если
Д.Урнов, Л.Аннинский, Вс.Сахаров и вот еще Ульяшов или Фомичев,
до недавнего времени не пересекавшиеся ни в одной точке происхождения, или уровня, или «партийной» принадлежности, — одинаково
ставят вопрос, — то чей же это вопрос они оркеструют?

Однако все, что я экстраполировал полтора года назад, под-
твердилось. «Литературка» теперь о Б. молчит (причем букв*аль-
но: Ульяшов пишет о Б., не упоминая его имени). Сахаров отда-
лился от критики и занялся «классикой»; с его матрицы печатают
теперь другие (Фомичев). Соловьев (вот где таилась реши-
мость!..) — эмигрировал и, соответственно, изъят из обращения.
Итак, два оппонента выявили две дороги: ПРИМКНУТЬ или
УЕХАТЬ?.. — каждый направился по своей дорожке. Стоило Б.
доказать, что роман у него есть, как прекратились и публикации
из романа: они были возможны, лишь мимикрируя под самостоя-
тельные произведения, или, в крайнем случае, с оговоркой, что
роман еще «пишется» (у нас не возьмут и самого «проходимого»
отрывка, если неизвестно целое: на всякий случай: кто знает, что
там может оказаться...). Препятствие, с которым боролся автор, —
оказалось, было условием публикации. Но и не только из романа — Б. ничего не напечатал... Кроме заметки, в которой рассчиты-
вается уже не с жанрами, критиками или литературоведами, а —
с самим читателем.

Роман-призрак

Две итоговые книжки 1976 года («Семь путешествий» и «Дни человека») не дали больше повода для дискуссий и даже рецензий (лишь через год-полтора появились на критической периферии две интеллигентных статьи И.Роднянской и М.Эпштейна). Зато (может быть, за это...) стали появляться хвалебные отзывы о т т у д а. Причем не об отдельных главах, а обо в с е м «Пушкин-ском доме» — «они» его каким-то образом читали (В.Ерофеев, М.Йованович, Ю.Карабчиевский...).

ЙОВАНОВИЧ: «<...> засад се аутор задовоља парцијалним приближавањем свог "животное дела" читаоцу, поготово што нема много изгледа да се оно појави у целини, будући оптерећено «критичним» местима и "јеретичким" мислима (концепција ру-ске историје после Октобра у верзи и јунаковог деде — жртве Сталиновог терора; формулисање једног од главних јунака Митишатјееа као националисте и антисемите и духовног круга "злодуха" Достојевског; замисао Љове Одојевцева, аристократ-ског потомка, као јединог заштитника руског културног на-слеђа; општи "пародични" стил аутора, на чијој су критичкој мети бројни књижевни шаблони и стереотипи поетике со-цијалистичког реализма, и груго). Усваком случају, сама чињени-ца да овакав роман постоји служи као доказ великих могућности и домашаја руске прозе, а Битова сврстава у врхове не само совјетске послеоктобарске књижевности, него и модерног про-зног израза уопиште».

КАРАБЧИЕВСКИЙ: «Тема совести — традиционная русская тема. Вся наша литература — о б э т о м, и все главные проблемы, терзавшие русских писателей на протяжении ста лет, могут быть сведены к взаимоотношениям с совестью. <...>

И вот я хочу высказать одну мысль, которая представляется мне чрезвычайно важной: что Андрей Битов не только самый с о-в р е м е н н ы й русский писатель, это, по-видимому, уже доста-точно очевидно, но и самый р у с с к и й современный писатель <...> ...для которого, как и для всякого истинно русского, никакая тяжесть обстоятельств не сравнится с тяжестью с о б с т в е н-н о й в и н ы.

<...>

Битов всегда есть Битов — вот в чем секрет.

Дай Бог ему и дальше всюду оставаться самим собой, пусть хватит у него силы выстоять, не противостоя, — только русско-му известно, какая это трудная задача».

Э.Хаппененн

P.P.S. Соловьев — там, Сахаров — здесь и больше, а где Битов?..
Так вот, известие, которое застигло меня врасплох, перечеркнув всю эту мою работу: летом «Пушкинский дом» полностью вышел в Америке — да еще с озадачившим меня предисловием:

ПРЕДИСЛОВИЕ ИЗДАТЕЛЯ

Первые сведения о романе «Пушкинский дом» проникли к нам из Самиздата в 1965 году. В 1970 году, значительно расширенный и переработанный, роман был сдан в издательство «Советский Писатель». С тех пор он широко распространился в списках в писательских и близких к ним кругах. На Запад рукопись романа проникла в 1972 году, мы, однако, воздержались от печатания романа в некоторой надежде на его более благополучную судьбу на родине. За истекшие годы в советской печати был опубликован лишь ряд глав, и то в крайне искаженном, «отредактированном» виде, не дающем правильного представления не только о романе в целом, но даже и об этих главах. Советские журналы и издательства отказались печатать роман целиком. Не обсуждая готовность автора «резать» свой роман на кусочки и печатать их в крайне искаженном виде, нам кажется, что и возможность «выстричь» из романа еще какой-нибудь пригодный для советской печати отрывок исчерпана предприимчивым автором. Между тем роман «Пушкинский дом» является крупным явлением литературной жизни России последнего десятилетия, и мы считаем необходимым ознакомить читателя с полным, неискаженным текстом этого наиболее значительного произведения Андрея Битова.

*Сентябрь 1978
Э.Х.*

Литературно-художественное издание

Битов Андрей Георгиевич
Пушкинский дом

● ● ●

Редактор В.П.Кочетов
Младший редактор Д.З.Хасанова
Художественный редактор С.А.Виноградова
Технолог С.С.Басипова
Оператор компьютерной верстки А.В.Кузьмин
Оператор компьютерной верстки переплета
В.М.Драновский
Корректоры М.В.Карпышева, Н.В.Семенова

Подписано в печать 27.04.2007
Формат 84×108/32
Тираж 3000 экз.
Заказ №2626

ЗАО "Вагриус"
107150, Москва, ул. Ивантеевская, д. 4, корп. 1
E-mail: vagrius@vagrius.com

Отпечатано в ОАО «ИПК
«Ульяновский Дом печати»
432980 г. Ульяновск, ул. Гончарова, д. 14